D0506198

HAAR HELENDE HAND

EEN DEEL UIT DE NBC-SELECTIE

DR. ELSE K. LAROE

HAAR HELENDE HAND

autobiografie

NEDERLANDSE BOEKENCLUB – 'S-GRAVENHAGE

Oorspronkelijke titel: WOMAN SURGEON

Vertaling: C. STIBBE-VERDONER
Bandontwerp: PIET MARÉE

DANKBETUIGING

MIJN ERKENTELIJKHEID GAAT UIT NAAR MIJN VELE COLLEGA'S EN patiënten, wier enthousiasme mij bij deze poging heeft aangemoedigd en gesteund; naar de ontelbare goede vrienden wier raad ik zocht en volop ontving; naar Warren Bower, die mijn gids was bij het schrijven van het oorspronkelijke, en naar mrs. Ruth Goode voor haar bijdrage aan de voorbereiding van het uiteindelijke manuscript. Mijn echtgenoot ben ik dankbaar, niet alleen voor zijn hulp met een aangeleerde taal, maar ook voor zijn geduld toen vele uren van schrijven aan de eisen van een medische praktijk werden toegevoegd. En ten slotte betuig ik mijn erkentelijkheid voor wat ik te danken heb aan de mannen en vrouwen, leraren, dokters, verpleegsters en onderzoekers, wier toewijding aan de geneeskundige zaak nooit voldoende kan worden geprezen.

E.K.L.

Om het privé-leven van patiënten te beschermen, en voor de veiligheid van personen die in landen leven waar vrijheid van geweten geen natuurlijk mensenrecht is, zijn namen en enkele herkenbare feiten in dit boek veranderd, behalve wanneer het gaat om historische persoonlijkheden en vooraanstaande medici, die eens leraren van de schrijfster waren.

E.K.L.

INHOUD

		Blz.
1.	Tijden en plaatsen	11
2.	Oom Alberts onderzoekkamer	20
3.	Een blauwe anjer en een wit kalf	27
4.	Verbetering van een enfant terrible	34
5.	Avontuur in oorlogstijd	44
6.	Grootmoeders wonder	50
7.	Studenten zonder liederen	56
8.	München	69
9.	Inleiding tot chirurgie	77
10.	De dood van een moordenaar	84
11.	Heidelberg	90
12.	Mario	95
13.	Leertijd	104
14.	Het gezicht van een soldaat	111
15.	Eerste operatie	120
16.	Gemeenteziekenhuis	127
17.	Stefan	135
18.	Edenhal	143
19.	Huwelijksreis	154
20.	Weer thuis	160
21.	Politieke horizon	164
22.	Gemaskerd bal	173
23.	Pest in Astrakan	182
24.	Het jachthuis	195
25.	De wilde-zwijnenjacht	207
26.	De D.F.F.P.	214
27.	Zonder vaderland	224
28.	Dwaalwegen en hindernissen	230
29.	Het land van onverwachte mogelijkheden	236

Blz.

30. Excursies in medisch onderzoek 244
31. Nieuwe waarden, nieuwe vooruitzichten 252
32. De Follies Club 263
33. Laatste doek voor een groot actrice 276
34. Beantwoorde en onbeantwoordbare vragen 284
35. Na het leven 291
36. Dokter met vakantie 303
37. Vrouwen 312
38. Nog meer vrouwen 322
39. Mannen 332
40. Meneer Jansen 341
41. Homoseksuelen 347
42. De hel der interseksualiteit 352
43. Privé-leven 360
44. Het overwinnen van vrees 367

HOOFDSTUK I

TIJDEN EN PLAATSEN

REEDS IN MIJN PRILSTE JEUGD WILDE IK DOKTER WORDEN. LATER begreep ik dat ik voor chirurg geboren was. Nòg later werd mij een bijzondere tak der chirurgie geopenbaard, een tak, waarin gevoelige instrumenten en geoefende handen de misvormingen en beschadigingen, door ongeluk, ziekte of oorlog veroorzaakt, konden herstellen.

Ik ontdekte dat reconstruerende of plastische chirurgie een beroep deed op alle vaardigheid van hand en oog die ik tot dit doel ter beschikking had, evenals op het aangeboren medegevoel dat men „vrouwelijk" noemt.

Toen ik nog op de middelbare school was en als vrijwilligster in een rodekruishospitaal werkte, zag ik voor de eerste keer een plastische operatie op het gezicht van een soldaat, en van toen af wist ik waar in de geneeskunde mijn plaats zou zijn.

Indien ik in een andere tijd of in een ander land was geboren, had ik wellicht mijn uitverkoren beroep zonder opvallende gebeurtenissen uitgeoefend. Ik had dan misschien tòch een verhaal kunnen vertellen, maar het zou de geschiedenis zijn geweest van een chirurg die toevallig ook een vrouw was. Ik ben echter geboren in een land en een tijd waarin verschrikkelijke dingen zouden gebeuren, en het was mijn noodlot daarin verwikkeld te worden. Zo bevond ik mij eens, tijdens een medische missie naar een door de pest getroffen stad, in een van de onderaardse kerkers van een gevreesde Russische gevangenis – ter dood veroordeeld. Op een andere keer hebben de omstandigheden mij gedwongen gastvrouw te zijn van mannen, wier misdaden tegen het mensdom een zwarte bladzijde in de geschiedenis zouden worden; een van hen was Joseph Goebbels, een andere was Hermann Göring. Meer dan eens kwam ik van aangezicht tot aangezicht te staan met hun meester, Adolf Hitler.

Toen de dag van afrekening kwam, was ik buiten hun bereik, maar zij arresteerden mijn vriendin en medewerkster, de voorzitster van onze antinazi-vrouwenpartij, en later hoorde ik dat zij vermoord was – de eerste vrouw die in nazi-Duitsland werd onthoofd.
Aan deze dingen zat ik te denken tijdens een zelden voorkomend rustig uurtje in mijn spreekkamer, midden in Manhattan. Het was een dag waarop ik twee operaties had verricht, en de tweede had mij de meest aangrijpende ogenblikken in het leven van een chirurg bezorgd, ogenblikken van strijd met de dood om het leven van een patiënt.
Dergelijke momenten eisen dat een dokter niet alleen zijn kennis en zijn vaardigheid in de strijd brengt, maar ook kracht, uithoudingsvermogen en soms zuiver koppige woede. Als het voorbij is kunnen de aldus opgeroepen krachten niet onmiddellijk tot rust komen. De raderen draaien, en als men niet actief bezig is, blijven zij toch doordraaien in de geest. Daar raken zij dan diepe emoties, zowel uit het verleden als in het heden.
Overigens was het een normale dag, voor zover tenminste een dag in het leven van een chirurg normaal kan worden genoemd.

Ik was om half zeven opgestaan en had mij op een vroege operatie voorbereid. Mijn patiënt was een jong meisje, nog geen achttien jaar oud. Patty – om haar een naam te geven – was met haar zuster Doris, die misschien drie jaar ouder was, naar mijn spreekkamer gekomen. Overdag maakte dit tweetal deel uit van de naamloze menigte meisjes die aan schrijfmachines, archiefkasten en rekenmachines werken en om vijf uur uit de wolkenkrabbers stromen, om weer in de holen van de ondergrondse te verdwijnen.
Sommigen van hen gaan naar ouders en familie, anderen naar jonge echtgenoten en een eigen huis. Patty en Doris hadden noch ouders, noch echtgenoten; zij waren in een weeshuis grootgebracht en nu woonden zij samen in een kleine flat, ver weg in het westelijke deel van de stad. Wie het eerst thuis was, zorgde voor het eten. Op een warme avond aan het eind van de vorige zomer was Patty het eerst thuisgekomen. Zij had haar klamme, katoenen japonnetje en al het andere afgestroopt, behalve haar broekje, en ze had de snelkoker op het vuur gezet. Toen Doris binnenkwam, waren er nog maar een paar minuten nodig.

Uit de eenvoudige woorden van Doris, die mij het gebeurde vertelde, kreeg ik een beeld van deze meisjes, die zo weinig hadden en die uit dat weinige een kleine, gesloten wereld van wederzijdse toewijding hadden opgebouwd. Doris was hongerig. Een spoedorder van haar baas had haar lunchuur gehalveerd, maar nu was het te warm en zij was bovendien te moe om te eten. Zij voelde ervoor het avondeten over te slaan en naar bed te gaan.
„O, nee, het is in een minuutje klaar!" zei Patty, zich haastend. Uit de keuken bleef ze doorpraten tegen Doris, die zich op bed had neergegooid. „Raad eens wat er is gebeurd! Ik heb een afspraak! Je weet wel, die jongen die in de cafetaria altijd naast mij komt zitten. Hij heeft mij gevraagd om vanavond mee naar de bioscoop te gaan!"
Toen kwam er plotseling het felle gesis van ontsnappende stoom en Patty's gil van angst en pijn.
„Het waren Brusselse spruitjes, dat zal ik nooit vergeten," zei Doris. „Ze waren door de hele keuken verspreid en zij zat er vol mee. Ze had zo'n haast met die snelkoker, het arme kind dat ze alle voorzichtigheid uit het oog verloor. . ."
Patty had al die tijd gezwegen. Ze had een kinderlijk, knap gezichtje, of zou dat hebben gehad als er maar wat meer leven in had gezeten. Maar het miste iedere uitdrukking, alsof die eraf was geveegd. Ik kende die uitdrukkingloze blik van een jong meisje dat gekwetst is en zichzelf heeft geleerd alleen afwijzingen te verwachten. De gezichten van verminkten en misvormden kunnen uitdaging of zelfbeklag uitdrukken, of zij leren zichzelf in het geheel geen emoties te tonen, zelfs geen belangstelling in wat hen het naast aan het hart ligt.
Patty droeg een blouse met een hoge hals en daarover een sjaaltje dat haar tot de kin bedekte, maar waar de sjaal wat los zat, kon ik de bruinrode randen van littekens zien. Toen zij zich in de onderzoekkamer voor mij uitkleedde, kwam het gehele meelijwekkende geval te voorschijn. Keel, borst en middenrif waren met littekenweefsel overdekt, gerimpeld, verschrompeld, met felle, rode randen, een patroon als de reliëfkaart van een verwoest land. Alleen over haar buik was de huid gaaf; daar had het broekje haar voor de verzengende aanval van gloeiende stoom beschermd. Alleen de vriendelijkheid van het noodlot, of van de voorzienigheid, die naar

men zegt over de jongen en zwakken waakt, had haar gezicht gespaard. Beiden keken zij mij aan.
„Goed," zei ik, „wij hebben hier" – ik gaf een deel van haar onderlijf aan – „genoeg om er iets goeds van te maken. Je zult zogoed als nieuw worden, Patty."
Terwijl Patty zich kleedde – ik was naar mijn bureau teruggekeerd – wees ik even op een kleine diamant aan Doris' linkerhand.
Zij knikte. „Ik zou gaan trouwen. Wij wachtten alleen tot Patty ook iemand zou ontmoeten. Ik wilde dat zij ook gelukkig zou zijn. Maar och, ziet u, sinds dit gebeurd is, wil ze zelfs met niemand meer uitgaan."
De toekomst van twee levens – of van drie, wanneer ik Doris' geduldige verloofde meetelde – hing dus van deze operatie af. In de vervlochten levens der mensen is dat bijna altijd het geval. Een ontsiering of mismaaktheid raakt zelden alleen maar het slachtoffer. Rond iedere patiënt op de operatietafel staan onzichtbaar, maar voelbaar aanwezig, de anderen, wier geluk óók van de vaardigheid van de chirurg afhangt.
Nu was het Patty, voor wie ik mij op deze bijzondere morgen zo vroeg al aan het desinfecteren was. De bijtende koelheid van het desinfectans en het ruwe haar van de chirurgische borstel waren een hard, maar vertrouwd ritueel. Een verpleegster hield de rubberhandschoenen voor mij op en ik liet er mijn handen inglijden.
Door de deuren van een operatiezaal treedt men een heiligdom binnen. In deze heldere, glanzende wereld wordt ieder onderdeel ontworpen voor het doel waaraan deze zaal is gewijd: het verlichten van lichamelijke en geestelijke kwelling. Niets is hier zonder bestemming. De spanning en druk van de buitenwereld zijn door deze deuren buitengesloten, tegelijk met het lawaai en het weer; hier is zelfs de atmosfeer geregeld, opdat geen lichamelijk ongemak de volmaakte werking van de ten top gevoerde vaardigheid zal kunnen belemmeren. Dit is een geordende wereld; geen wereld om in te leven, maar een feilloze werkplaats.
Op het ogenblik dat de patiënt wordt binnengereden en op de operatietafel geplaatst, maakt deze rustige gereedheid plaats voor bedrijvigheid. Dit ogenblik was nu gekomen.
Patty was al soezerig door de voorbereidende verdoving. Zij sloot al gauw haar ogen in de slaap, door de sodium pentothal veroorzaakt,

en zag er zelfs nog kinderlijker uit dan toen zij wakker was. De anesthesist plaatste het masker over het gezicht. Een assisterende zuster haastte zich in en uit en bracht kannen met heet water en steriele oplossingen. Oppassers zetten de spons en emmers op hun plaats en stelden de operatielampen in. De operatiezuster stond er zwijgend en oplettend bij en liet nogmaals haar oog gaan over een honderdtal glanzende instrumenten, die in de voorgeschreven volgorde op een met een smetteloos laken bedekte tafel lagen. De anesthesist knikte en in de zaal werd het stil. Het operatieteam groepte te zamen en boog zich met gemaskerd gelaat en gehandschoende handen over de operatietafel. Van dit ogenblik af moest iedere handeling vlug en nauwkeurig geschieden. Hoe korter de operatie, des te kleiner de shock en het risico en des te minder ongemak voor de patiënt na de verdoving.
Een van de assistenten sponste de gehavende nek en borst af. In de stilte, die slechts nu en dan door een kort, scherp woord werd verbroken, klonk slechts het flauwe krassen van het mes waarmee de dunne laag huid langzaam en systematisch van het onderliggende weefsel werd losgemaakt.
Eindelijk bleef er alleen nog maar het gezonde vlees, dat slechts bedekking met een beschermende laag nodig had, over.
Hete, natte kompressen werden eroverheen gelegd en de lampen werden op het onderlijf ingesteld. Hier was reeds tevoren een iets groter stuk met onuitwisbare verf aangegeven. Nu werd met een instrument, de dermatoom genaamd, de huid op de juiste diepte gespleten en de verlangde huidlaag werd over de rubberoppervlakte van een trommel teruggerold. Dit was dus de huid die getransplanteerd moest worden. De huidlap werd losgemaakt, in een zoutoplossing schoongewassen en over de ontblote nek en boezem gelegd. Met fijne hechtingen werd de huidlap centimeter voor centimeter langs de omtrek vastgemaakt.
We bekeken enkele ogenblikken het gladde, nieuwe oppervlak voor het onder een drukverband werd verborgen. Ik keek even naar Patty's rustige gezicht, dat nu vrij was van het masker; ik voorvoelde al de vreugde om de bevrijding waarmee zij wakker zou worden. Zij zou in de spiegel kunnen kijken en niet langer slechts ontsierende littekens zien. Zij zou de wereld weer tegemoet kunnen treden en niet langer de afwerende blikken of onbewust getoonde blijken

van afkeer en schrik behoeven te vrezen. Nu zouden de mensen niet de meelijwekkende misvorming, maar haar mooie blauwe ogen zien. Zij zouden haar weer herkennen als het warmhartige, aantrekkelijke jonge meisje dat zij was voor de verminking een muur tussen haar en de wereld had opgetrokken.
De dokters richtten zich op, rekten zich uit en ontdeden zich van hun rubberhandschoenen. Het was elf uur 's morgens, en we hadden een volle dagtaak verricht. Toch was het nog maar het begin van de dag.
Wij moesten nu de reeds geopereerde patiënten in het hospitaal bezoeken, en er zouden patiënten in de wachtkamer zijn die wachtten op onderzoek en ontslag, en nieuw-aangekomenen die wachtten op onderzoek en diagnose. Een hard leven – maar het leven van een chirurg, het leven dat ik voor mijzelf had gekozen.
Ik wachtte, teneinde Patty veilig in haar bed geïnstalleerd te zien, bezocht mijn herstellenden, en ging terug naar mijn spreekkamer.

Vroeg in de morgen was er een interlokaal telefonisch verzoek geweest: kon de dokter vandaag een babypatiëntje ontvangen? Het was dringend. En mijn secretaresse, die wist wat ik geantwoord zou hebben, had namens mij toegestemd.
De kleine man lag na een lange rit van New Jersey slaperig in zijn vaders armen. Het was een flinke baby, maar op zijn neusje zat een groot gezwel. De plaatselijke arts had het eerst als een muggebeet beschouwd en het met penicilline-injecties en antibiotische zalf behandeld. Toen ondanks deze wondermiddelen de groei niet verdween, maar voortdurend toenam, zond de dokter de angstige ouders naar de plaatselijke chirurg. Deze zei hun dat de baby een dermoïd gezwel had. Dit soort van gezwel komt meer voor. Het kan bijna overal op het lichaam verschijnen, maar meestal ontwikkelt het zich bij een samenvoeging van botten. Vaak bevat het vele soorten cellen, waaronder cellen van elementaire haren en tanden, en het is bekend dat het in een vroeg stadium kwaadaardig kan worden. Het gezwel op baby's neus belemmerde ook zijn ademhaling. De chirurg raadde aan het onmiddellijk te laten verwijderen. Hij stelde voor dit door een plastische chirurg te laten doen, teneinde de vorm van de kleine neus te behouden en zo min mogelijk littekens te veroorzaken. Met toestemming van de ouders had hij

mij toen meteen opgebeld. De vader legde de slaperige baby op mijn onderzoektafel. Er was geen twijfel aan de juistheid van de diagnose. Een ogenblik lang dacht ik na. Deze bezorgde vader had een dag van zijn werk vrij genomen, en ik kon er mijzelf niet toe brengen hem naar huis terug te sturen zonder iets te doen om hem te helpen; evenmin kon ik de baby voor de tweede keer aan dezelfde lange reis blootstellen. Met een gezwel dat weleens gevaarlijk kon blijken te zijn, wilde ik zelfs geen dag uitstel. De patiënten konden die middag wachten. Ik telefoneerde om de operatie nog voor diezelfde middag voor te bereiden, en zond de vader met het kind rechtstreeks naar het ziekenhuis. Om twee uur was ik weer in de operatiezaal, weer met het kapje op, masker voor, jas en handschoenen aan. Het kind was rusteloos en zeurig, en we besloten dat we hem, in plaats van de gewone plaatselijke verdoving, een algehele verdoving zouden geven.
Daar het verdovingsmasker, dat de neus bedekt, bij een neusoperatie niet kan worden gebruikt, wordt in dergelijke gevallen de verdoving intertracheaal toegediend, dat wil zeggen door een buis die in de luchtpijp wordt gebracht. Dit werd gedaan en het kind was spoedig in slaap.
Ik zag dat het gezwel gemakkelijk van de neuspunt kon worden losgemaakt, maar aan de bovenkant reikte het tot ver in de neusbrug. Ik scheidde de weefsels zorgvuldig van elkaar en maakte, op een paar laatste sliertjes na, alles los. Nog twee minuten en de operatie zou afgelopen zijn, maar toen kreeg ik, als het ware door mijn vingertoppen, een voorgevoel dat er iets verkeerd was. Het volgende ogenblik kondigde de anesthesist met effen stem aan dat de baby niet meer ademde. Zelfs terwijl hij sprak, sloot hij automatisch het zuurstofmengsel af en liet een dun rubberbuisje in de catheter in de luchtpijp glijden. Dat buisje was verbonden met een zuigpomp, en daarmee slaagde hij erin een hoeveelheid gestold bloed naar boven te brengen. De ademhalingsweg moest nu vrij zijn, maar er was niettemin nog geen teken van leven.
Ik liet de instrumenten op de tafel vallen, tilde de baby bij zijn voetjes op, en keerde hem ondersteboven, teneinde hem te helpen het meerdere bloed en slijm, dat mogelijk een verstopping veroorzaakte, kwijt te raken. De anesthesist, die nu op de grond zat, trachtte de baby met zuivere zuurstof aan het ademen te krijgen. Ondertussen

verwijdde mijn assistent de kleine anus, in een poging om mogelijke giftige nawerking van de verdoving te verminderen. Nog steeds geen reactie. Systematisch deden we alle stappen ter opwekking van hart en ademhaling. Voortdurend masseerde ik de nek van de baby, trachtend het centrum van de ademhalingszenuwen in het lagere gedeelte van de hersenen te stimuleren. De klok in het zijvertrek tikte verder. Door de ruit kon ik de wijzers zien bewegen, een seconde, een minuut, een eeuwigheid in het leven van een chirurg, waarin alleen tijd belangrijk was. Na vijftien lange minuten strekte de anesthesist zijn stijve ledematen. De assistent ontspande de anale verwijding en haalde zijn schouders op, te kennen gevend dat het verder geen nut had.
Nog kon ik mij niet gewonnen geven. Toen de klok weer een vruchteloos verstreken minuut aanwees, verstevigde ik mijn greep op de nek van de baby, draaide zijn gezichtje naar mij toe en toen, onorthodox als het schijnen mag, trok ik mijn masker af en blies mijn adem nog eens en nog eens direct in het kleine mondje.
Plotseling voelde ik, zelfs door mijn rubberhandschoenen heen, warmte. Een roodachtig schuim verscheen op de lippen van het kindje. Zestien minuten en vijfenveertig seconden waren voorbijgegaan – maar toen hoorde ik een zwak geluidje dat ik nooit zal vergeten: „Wah... wah... wah..." Het hartje begon te tikken en de longen zetten zich uit onder de druk van de zuurstof, die de anesthesist onmiddellijk weer had toegevoerd. Ik nam de fijne, gebogen schaar op en knipte het laatste sliertje van het gezwel los. Na haastig te zijn verbonden, werd de baby in de veiligheid van een zuurstoftent geplaatst en een speciale zuster zat bij hem om voortdurend zijn ademhaling, pols en bloeddruk te controleren.
Ik ging naar mijn spreekkamer terug, dankbaar voor wat ik had bereikt, maar ik wist dat de strijd om baby's leven misschien nog niet helemaal gewonnen was. Onder het werk van die middag door hoorde ik nog steeds dat tere, maar verrukkelijk bemoedigende geluid van baby's stem: „Wah.. wah..." Laat in de middag ging de telefoon. Het was de speciale zuster, die rapporteerde dat het kindje een lichte temperatuurverhoging had, 37,8°. Ik beëindigde zo vlug mogelijk mijn werk en spoedde mij naar het ziekenhuis. Om acht uur 's avonds was de temperatuur gestegen tot 38,5°, en hij lag rusteloos te woelen. Om tien uur was, ondanks alles wat wij deden,

de temperatuur 39°, om middernacht 39,5°, en de baby was in halfbewusteloze toestand.
Voor de tweede maal liep het kleine leven gevaar. De onvolwassen longen, nog met bloederig slijm bezet, waren niet in staat gebleken te reageren. Wanhopig zocht ik naar hulp in het verleden. Ik gaf order om een ouderwets priesnitzkompres te brengen – dat is een eenvoudig verband in heet water uitgewrongen – en toen het gebracht werd, wond ik het om de kleine borst. Ik wachtte af. Twintig minuten later verschenen er als een lichte dauw zweetdruppeltjes op het verhitte gezichtje. Van toen af bleef de thermometer dalen. Om vier uur 's morgens verliet ik het ziekenhuis in de wetenschap dat de baby gered was.
Zo eindigde deze onvergetelijke dag in het leven van een dokter, een leven dat voor mij begon in een kleine Zuidduitse stad in Württemberg, door een oom van wie ik veel hield en die de held van mijn kinderjaren was.

HOOFDSTUK 2

OOM ALBERTS ONDERZOEKKAMER

MIJN EERSTE KIJK OP DE WERELD VAN DE GENEESKUNDE KREEG IK door mijn oudoom Albert. Hij was de oudste van de zeven zonen van een vermaarde vader, en genoemd naar mijn overgrootvader dokter Albert von Zeller, die de eerste inrichting voor geesteszieken in Duitsland heeft gegrondvest, het Winnenthalgesticht bij Stuttgart.

In onze kleine stad Heidenheim, in de provincie Württemberg, was mijn oudoom Albert de meest geliefde dokter. Hij was ook mijn meest geliefde familielid. Oom Albert was een elegante verschijning in jacquet en gestreepte broek, een dracht die aan het begin van deze eeuw het kenmerk was van een gentleman en een dokter. Onder mijn vroegste herinneringen zijn het geluid van zijn diepe, kalmerende stem en de bewegingen van zijn fijngevormde handen. Zelfs toen ik nog een klein meisje was, werd ik aangetrokken door de geheimzinnige wereld waar hij vandaan kwam als hij, omgeven door een geur van jodoform, ons huis bezocht. Het was een wereld zonder de vervelende en – volgens mij – zinloze beperkingen waaraan de dochter van een provinciale schoolmeester in het conservatieve Duitsland van keizer Wilhelm onderworpen was.

De twintigste eeuw had Heidenheim, dat in een dal van de Zwabische Alpen lag te dromen, nauwelijks aangeraakt. De nauwe, beklinkerde straten klommen van het plein met het oude stadhuis en de nog oudere fontein steil omhoog. De huizen, van oud pleisterwerk en donker verweerde balken, leunden topzwaar naar voren, iedere verdieping iets verder vooruitstekend dan die daaronder. Zij vertoonden het uitbundige schulpwerk en slingers die de oude houtsnijders zo dierbaar waren, en klimop in bloembakken groeide hoog genoeg om de zonneschijn te bereiken, die tot de voetgangers beneden nauwelijks doordrong. Uit dat middeleeuwse

hart spreidde de stad zich in bredere straten en deftiger huizen uit, doch ook deze huizen waren in de oude stijl, met de zware balken en het tere, houten kantwerk, de overhangende bovenverdiepingen en de met de dakvensters doorboorde, geschulpte geveltoppen. Oom Albert woonde, en had zijn praktijk, in een van deze grote huizen aan een rustige, deftige straat, die met lindebomen was beplant. Nog verder gingen de straten over in landwegen, die naar boven en ver weg voerden, door dichte bossen en langs met stenen bezaaide heuvelweiden, die in de zomer door wilde bloemen als met juwelen waren gesierd. Als je van de klokketoren op het stadhuis naar het westen keek, kon je op een heldere dag de boomtoppen van het legendarische Zwarte Woud zien, en daarachter de witte toppen van Zwitserland, die als luchtspiegelingen in het blauwe verschiet dreven.
Bijna aan de rand van de stad, waar de straat een bosweg werd, stond ons huis. Het was een bescheiden huis, zeer geschikt voor het hoofd van de middelbare school, met pleisterwerk en balken, maar niet zo voornaam als dat van oom Albert, een paar straten verder. Mijn vader, in zijn zwarte pak en hoge boord, was uiterlijk een strenge man, vierkant, en gebouwd als een rots, met de soldateske houding van een Duitser uit de Bismarcktijd. Hij had de trots en onafhankelijkheid van de Zwaben, uit wier land twee van de regerende families stamden, de Hohenstaufens en de Hohenzollerns, evenals de dichter Friedrich Schiller, die onze stamboom sierde. Vader bezat ook het tikje vooruitstrevendheid dat in zijn tijd bij het onderwijs gangbaar was. Hij geloofde dat een kind dicht bij de natuur moest opgroeien. Op zijn aandringen reed moeder mijn kinderwagen naar de weide en zat daar te breien terwijl ik over gras en stenen leerde kruipen en later klauteren. Mijn eerste speelgoed waren slakken en sprinkhanen, padden en harige rupsen. Mettertijd werd de serre van ons huis een menagerie en dierenhospitaal. Aan het eind van de dag kwam vader daar graag zitten. Met langzame teugjes dronk hij dan een glas Tiroolse wijn, terwijl hij met belangstelling toekeek hoe ik mijn diertjes verzorgde en soms hielp om een gebroken vleugeltje van een nestvogel te spalken. Ik was het eerste kind. Ik wist niet dat mijn geboorte een bittere teleurstelling voor mijn vader geweest was; hij had gehoopt op een zoon die bereiken zou wat hij voor zichzelf had gewenst en door de

zorg voor een gezin niet had kunnen volbrengen – het professoraat aan een universiteit. Wat ik wèl wist, en al heel jong begreep, was dat ik niet van de meisjesmanieren hield die moeder mij zachtzinnig probeerde bij te brengen, en evenmin hield ik van de kleine meisjes met wie ik verwacht werd te spelen. Het gesteven jurkje waarin ik 's morgens uitging, was vuil en gescheurd als ik terugkwam. Ik dwaalde door de bossen en velden, en in plaats van poppen droeg ik heerlijkheden als torren en slangen mee. Toen zij merkten dat ik niet van mijn eenzame wandelingen was terug te houden, gaven zij mij een jonge sint-bernardshond, Bernie, die mijn begeleider en beschermer werd.

Eens, op een heerlijke dag, vond ik alleen de weg naar oom Alberts huis en daar deed ik de grootste ontdekking van mijn kindertijd. Opzij van het huis was de ingang naar het koetshuis en vlak voorbij die ingang was een deur die nooit werd gesloten. Deze deur gaf rechtstreeks toegang tot oom Alberts onderzoekkamer.

Van dat ogenblik af ging ik, in plaats van naar de bossen, naar mijn oom. De onhandige Bernie liep naast mij, stootte mij aan, liet mij zelfs struikelen. Zonder twijfel probeerde hij mij ervan te overtuigen dat wij beter naar de bossen konden gaan, die veel meer in zijn smaak vielen. Ik wist heel goed dat ik iets ondeugends in de zin had en beschouwde hem als mijn schuldig geweten. Ik beval hem naar huis te gaan, schopte hem zelfs, maar ik kon hem niet ontmoedigen, evenmin als hij mij. Hoewel zijn aanwezigheid op de stoep mij had kunnen verraden, sloop ik toch door ooms open deur, door de gang tussen zijn wachtkamer en de onderzoekkamer, naar het hokje waar de patiënten zich uitkleedden.

Hier, verborgen achter de zware gordijnen, kon ik alles zien. Als er een patiënt met een lelijke wond kwam, zag ik hoe oom Albert de wond bijknipte met een vreemd gevormde schaar of mes, er een laagje zwarte zalf opsmeerde en met een verband bedekte.

In mijn neusgaten drong de sterke geur van medicamenten. Ik luisterde naar oom Alberts stem, wanneer hij een angstige patiënt geruststelde en kalmeerde, als naar muziek. Van wat ik zag begreep ik het meeste niet, en ik had het stellig ook niet mogen zien. Maar naast de bevrediging van mijn ondeugende nieuwsgierigheid dronken mijn ogen en oren de objectieve en toch diep menselijke bezorgdheid in, die een dokter voor het lichaam en zijn lijden heeft.

Mijn schuilplaats had zijn gevaren. Op zekere dag ontdeed een oude boer zijn been van een verband en schopte het in de hoek waar ik mij verborgen hield. Ten overvloede schopte hij er zijn laars achteraan, en dat naar mest ruikende voorwerp belandde in mijn gezicht. Mijn neus begon te bloeden en ik greep het gordijn om het bloed te stelpen. Ik wilde niet de kans lopen dat moeder mij naar de oorzaak van bloedvlekken op mijn jurk zou vragen. Zelfs als kind was ik een armzalige leugenaarster. Het was een wonder dat ik die dag niet ontdekt werd.
Mijn heimelijke inwijding eindigde plotseling toen een paar dagen later een dame achter het gordijn haar lingerie uittrok. Rok na rok zwaaide over mijn hoofd. De enge ruimte werd met verstikkende parfum vervuld. Ik nieste, eenmaal, tweemaal, en nog eens. Ik zag nog juist even een naakte, gillende dame door het gordijn verdwijnen. En toen sleurde mijn geliefde oom mij uit mijn schuilplaats en zette mij pardoes buiten de deur.
Die avond aan tafel at ik zonder mopperen alles wat ik niet lustte. Ook de volgende dag, en zelfs de daaropvolgende, bleef mijn gedrag voorbeeldig. Toen drong het tot mij door dat oom Albert niet van plan was iets aan mijn ouders te vertellen, en mijn verering werd bijna te groot om te dragen. De knecht van oom Albert, Gottlieb, wist echter alles, en hij had mij vaak gedreigd het te zullen vertellen. Ooms verjaardag bracht mij de kans om met deze bedreiging af te rekenen. Toen de groten in de salon koffie en likeuren zaten te drinken, sloop ik weg om Gottlieb te zoeken. Ik vond hem buiten verwachting in ooms studeerkamer, bezig zich uit ooms snuifdoos van een snuifje te voorzien. Hij sprong op, wij keken elkander aan en er waren verder geen woorden meer nodig om een wapenstilstand te bezegelen. Mijn ouders zouden nooit iets over mijn ondeugende streek horen.
Niettemin durfde ik niet meer naar oom Albert te gaan. Maar ik beleefde een ander avontuur dat mij iets meer van de kennis bracht waarnaar ik hunkerde, de kennis van levende dingen.
Het was lente. Ik was vijf jaar oud en we gingen met vakantie naar grootvaders boerderij.
Grootvader von Zeller, mijn moeders vader, was reeds een familielegende, die misschien dertig jaar voor mijn geboorte was ontstaan. Veel van de dingen die ik in mijn kindertijd over hem hoorde, heb ik

pas veel later begrepen. Hij was de jongste van dokter von Zellers zeven zonen, en de enige die geen medicijnen had gestudeerd, maar, zoals de familie dat noemde, een „wetenschappelijke boer" geworden.
Op een van zijn reizen had hij Gregor Johann Mendel* leren kennen en werd een fanatieke aanhanger van diens leer der erfelijkheid, die wij nu de mendeliaanse wetten noemen. Pas vele jaren na de dood van die onbekende monnik namen de biologen notitie van de experimenten met het kruisen van erwten, die hij in de tuin van een Oostenrijks klooster bedreef. Grootvader wilde zelf op grote schaal proeven met de mendeliaanse theorieën nemen. Daartoe kocht hij een grote boerderij en hij wijdde zich aan een leven van experimenten in de erfelijkheidsleer. Een van zijn experimenten, zo hoorde ik later vertellen, was volgens Mendels principe van dichotomie in kruisingen, dat betekent dubbelkruisingen, waarmee hij nieuwe variëteiten van tulpen, hyacinten en anjers trachtte te verkrijgen. De naburige boeren lachten openlijk om de „geleerde". In plaats van een verkoopbare oogst van aardappels waren hier duizenden vierkante meters bloemen, en bloemen zoals niemand ooit had gezien! Toen grootvader evenwel een donkerblauwe anjer had gekweekt, kregen zij ontzag voor hem. In het dorp fluisterde men dat de duivel zelf een hand in deze beangstigende creatie moest hebben. Toen hij volgens het mendeliaanse principe dieren begon te fokken, begonnen de buren de straat over te steken om hem te vermijden.
De slanke, lange man met het Savonarola-achtige gezicht, bleef fanatiek zijn visioen achtervolgen. Toen zijn experimenten op een dood punt waren gekomen, werden hele kudden Holstein- en Guernsey-stamboekvee aan het abattoir verkocht. Hij kende bij de omvang van zijn experimenten geen voorzichtigheid. De vele, kostbare mislukkingen ten spijt geloofde hij nog steeds dat ieder volgend experiment hem succes moest brengen. Hij was ervan overtuigd dat de erfelijkheidsleer de mensheid op een of andere

* Gregor Johann Mendel (1822-1884), een augustijner pater, die in de tuin van het Thomasklooster te Brünn experimenten op het gebied der erfelijkheidsleer verrichtte. Hij wordt thans de „vader der genetica" (erfelijkheidsleer) genoemd.

praktische manier zou kunnen helpen, maar bij de keuze van zijn eigen experimenten scheen hij alles wat praktisch was te willen vermijden. Het was zijn onveranderlijk doel in de dierenwereld een tegenhanger van zijn blauwe anjer te produceren, en wel een witte koe met een zwarte plek precies midden op de rug! Dit trachtte hij met oprechte toewijding en het gebruik van goed mendeliaanse theorieën te bereiken, een doel dat allesbehalve wetenschappelijk was.
Mijn grootvader was als de dichter die tevreden kon sterven indien hij gedurende zijn leven maar een volmaakt sonnet geschreven had. Wanneer zijn beurs leeg was, brachten zijn zes broers redding, iedere keer met de waarschuwing dat dit de laatste maal was. Ten slotte raakte hun geduld inderdaad uitgeput; zij wilden hem met dergelijke lichtzinnige plannen niet meer helpen. Gekweld en in het nauw gebracht, bijna vervreemd van vrouw en kinderen, stemde grootvader er ten slotte in toe iets te gaan doen dat geld zou opbrengen. Toen hij dit beloofde, stemden zijn broers erin toe nog eenmaal te helpen. Tot verbazing van zijn buren, en misschien ook wel van zijn broers, begon hij stieren te mesten voor de markt, waarbij hij erop stond dat dit op wetenschappelijke wijze moest gebeuren, en hij slaagde hierin zo goed dat er overvloedig geld werd verdiend. Gedurende deze gelukkige periode verloofde zich zijn jongste dochter. Moeder was niet op wetenschappelijk mendeliaanse wijze geteeld. Haar voornaamste eigenschappen zou haar vader stellig niet uit de zijne hebben gekozen om zijn dochter mee te geven. Zij was lief, maar teer, ziekelijk, meegaand en rustig. Haar jongemeisjesgedachten waren op haar toekomst als echtgenote gericht. In de traditionele bruidskist ging menig prachtig bewerkt stuk handgenaaid en handgeborduurd linnen. Mijn vader veroverde haar zonder veel moeite: het huwelijk was nu eenmaal haar vervulling. Omstreeks deze tijd begon grootvader, overmoedig geworden door zijn zakelijke successen, duizenden jonge hanen te kweken, om als kapoenen voor fantasieprijzen op de luxemarkten te worden verkocht. En toen doodde een ziekte die aan iedere kippenboer bekend is, de hoenderkroep, het grootste deel van de kapoenen, en de boerderij stond weer aan de rand van een bankroet.
Zo kwam het dat vader een arm meisje trouwde.
Verhalen als deze, over vette stieren en mesthaantjes, over een blau-

we anjer en een wit kalf, werden zolang ik mij kan herinneren aan onze tafel verteld en herhaald. Tegen de tijd dat ik vijf jaar oud was, begon ik naar deze verhalen te luisteren. Ieder gesprek over dieren moest mijn aandacht wel trekken, en de houding van verbijstering en lichte, hoewel respectvolle afkeuring die het commentaar van mijn vader begeleidde, prikkelde mijn nieuwsgierigheid. Ik kon nauwelijks wachten om die vreemde, oude man, mijn grootvader, te leren kennen.

HOOFDSTUK 3

EEN BLAUWE ANJER EN EEN WIT KALF

ZODRA VADER MIJ UIT HET RIJTUIG HAD GETILD, RENDE IK WEG OM grootvader te zoeken.

De boerderij strekte zich, zo leek het in de ogen van een klein meisje, over eindeloze velden en beboste heuvels uit. Ik zag paarden grazen in een weide tegen de helling en koeien rusten onder de bomen die een groen veld omzoomden.

Het huis, dat beneden van grijze steen en boven van balken en pleisterwerk was opgetrokken, stond breed en gastvrij in de omarming van loofbomen. Later zou ik op ontdekking uitgaan en het van zijn geveltop-zolder, waar de duiven koerden onder de dakrand, tot de koele kelders doorzoeken. In de kelder ontdekte ik manden met appels en aardappels en wintergroenten. Er waren stenen vaten met zuurkool en ingelegde augurken, potten met jams en marmeladen, en transparante geleien van purperen druiven en bleekroze rozebottels, de vruchten van de wilde roos. Geurende kamillen hingen in bundels te drogen en roodvlezige bloedperen lagen, ieder apart ingepakt, op de planken.

Maar nu wist ik dit alles niet en dus bekommerde ik mij er niet om. Ik haastte mij door de keukentuin, kroop door een heg van de paardewei, liep om het varkenshok en de ronde silo, waar maïs en ander veevoeder was opgeslagen, en stond ten slotte voor de schuur die van hout en steen was gebouwd. Ik wist natuurlijk niet dat grootvader nog altijd zijn droom van een wit kalf met een zwarte vlek koesterde. Evenmin drong het tot mij door dat er over de gehele boerderij stilte heerste omdat „Mooie Nellie" ieder uur haar kalf kon verwachten en dat het niemand geoorloofd was de schuur te betreden. Ik vond een losse plank in de deur van de schuur en perste mij erdoor. Aan de ene kant waren de paardestallen; leeg, nu de paarden in de wei graasden. Aan de andere kant was de koeiestal, ogenschijnlijk

ook leeg. Stof van hooi kriebelde in mijn neus. Ik werd verblind door het zonlicht dat in schuine lichtbundels door de hoge ramen binnenviel en waarin motten dansten. Door het licht leken de schaduwen nog zwarter dan zij al waren. Een scherpe geur, een mengsel van koeiemest en lysol, kwam mij tegemoet, en ik volgde mijn neus tot ik de lange, gebogen gestalte van een man zag. Dat moest mijn grootvader zijn. Hij keek naar Nellie, die op haar zij in het stro lag. Ik sloop naderbij en ging op een melkkrukje zitten. Grootvader keek om, geërgerd en op het punt mij weg te sturen. Maar ik wees nieuwsgierig naar Nellie's enorme buik.
„Is zij ziek?" vroeg ik.
Hij begon het mij uit te leggen, terwijl hij de gladde, zwart en witte huid van de koe streelde, en toen ik hem met kinderlijke vragen aanmoedigde, scheen hij bereid en zelfs blij om te praten. Na jaren van vrijwillige afzondering moet het een verlichting voor hem zijn geweest iets van zijn geliefde wetenschap mee te kunnen delen. Hij gaf een uitvoerige verklaring van de wetten die teelt, inteelt en doorteelt beheersen. Betoverd, hoewel niet begrijpend, hoorde ik toe.
Plotseling werd hij onderbroken door een watervloed uit Nellie's ingewanden. „De waterzak is gebroken – het begint!" zei grootvader opgewonden. „Nu moeten we wachten!"
We wachtten en wachtten. Grootvader praatte, ik luisterde en als men mij in het huis al gemist mocht hebben, noch hij, noch ik gaf daaraan de minste aandacht.
De middag ging voorbij. Toen het te donker werd om te zien, stak grootvader de lantaarns aan. En toen kreunde Nellie. Dit vreemde, bijna menselijke geluid en zijn uitwerking op grootvader maakten dat ik onmiddellijk klaar wakker was. Grootvader stak zijn handen en armen tot aan de ellebogen in de emmer met lysoloplossing en boog zich geknield over de koe.
Toen was ik getuige van mijn eerste natuurwonder, de geboorte van een dier. Terwijl ik mij uitrekte om te kunnen zien, aanschouwde ik de wonderbaarlijke verschijning van een levend schepsel uit Nellie's lichaam. Zweetdruppels stonden op grootvaders voorhoofd toen hij zwoegde om het kostbare kalf te verlossen. Ik zag hoe hij zich over het diertje heen boog en de navelstreng doorsneed.
Plotseling richtte hij zich op en zich nauwelijks de tijd gunnend om

zijn handen schoon te vegen, greep hij mij vast en bedekte mijn gezicht met wilde kussen. Tranen stroomden met het zweet langs zijn gezicht. „Je bent mijn mascotte!” riep hij. „Kijk naar Nellie's kalf.” Hij wees naar het kleine schepseltje dat lag te hijgen op het stro. Het was zuiver wit – behalve één grote, zwarte vlek precies in het midden van zijn rug.
Ik was geschokt door grootvaders uitbarsting, zijn stoppelige baard had over mijn gezicht gekrast, zijn bloederige armen hadden mijn jurk besmeurd en ik wist nauwelijks wat hem zo gelukkig maakte. Maar zijn juichende vreugde sleurde mij mee; ik greep zijn hand en danste met hem om het pasgeboren kalf.
Nellie's zwakke geloei riep ons tot haar terug. Zij was weer bezig; zij poogde de nageboorte kwijt te raken. Grootvader doopte zijn handen weer in de lysol en zijn rechterarm verdween in het koeielichaam, terwijl hij met zijn linkerhand haar buik streelde. Omdat ik helpen wilde, begon ik aan de naar buiten hangende navelstreng te trekken, ongeveer zoals ik de koster aan het klokketouw had zien trekken. De streng gaf mee, ik struikelde, slipte, viel in de mest en de bloedige massa van de nageboorte plonsde over mij heen. Grootvader bulderde van het lachen en sloeg zich op de knieën, terwijl ik woedende tranen huilde.
Sindsdien waren grootvader en ik onafscheidelijk. Ik drentelde achter hem aan als hij zijn ronden deed en hij sprak voortdurend tegen mij, uiting gevend aan alle dromen waarover hij nooit met iemand anders had kunnen spreken. Hoe weinig ik er ook van begreep, ik vond het heerlijk te luisteren. Deze sprookjes vond ik heel wat mooier dan die van Grimm of Andersen. In huis sprak hij weinig. Wij zaten soms aan de keukentafel, hij met een kroes vol koud bier en ik met mijn melk. Beiden staarden we dan zwijgend naar de glimmende koperen pannen aan de muur, terwijl grootmoeder en haar keukenmeid druk bezig waren rondom het grote fornuis. In de eetkamer, aan de ronde, eiken tafel onder de gekleurde, glazen lamp, was hij al even zwijgzaam. Machinaal at hij wat hem werd voorgezet. Vaak stond hij verstrooid op voor de maaltijd half beëindigd was en liep hij weg. Zonder toestemming te vragen gleed ik dan van mijn stoel en volgde hem. Indien mijn ouders het niet eens waren met mijn tafelmanieren, lieten zij dat niet blijken. Ik was gezond en gelukkig, en blijkbaar was dat genoeg om hen

tevreden te stellen. Als ik bij grootvader was, haalde ik in ieder geval geen ondeugende streken uit.

Toen moeder voorbereidselen voor het vertrek begon te maken, viel mijn wereld ineen. Ik liet mijn hoofd hangen, was treurig, en ten slotte vroeg ik schroomvallig of ik blijven mocht. Tot mijn verwondering werd mijn wens toegestaan. Moeder was bleek toen zij mij goedendag kuste, en voor het eerst bemerkte ik dat zij dik was geworden. Vader schraapte zijn keel en vermaande mij, mij goed te gedragen tot hij terug zou komen om mij te halen. Deze meevaller had ik, ofschoon ik dit niet weten kon, te danken aan het feit dat moeder een baby verwachtte.
Daarop volgden heerlijke maanden met grootvader. Niemand, noch mijn schuwe grootmoeder, noch een van mijn tantes of oudere nichten, durfde zich met mijn komen en gaan te bemoeien of mij om mijn gescheurde kleren en vuil gezicht te bestraffen. Onder grootvaders bescherming leefde ik als het ware een betoverd leven. Wij waren samenzweerders die heerlijke geheimen deelden. Op een lichte avond, na het avondeten, wenkte hij mij naderbij. „Ik wil je laten zien hoe ik de blauwe anjer gekweekt heb," fluisterde hij. Hij bukte zich en met de troffel, die hij altijd in zijn achterzak droeg, groef hij een stevige, wilde cichoreiplant met zijn blauwe bloempjes op, die aan de rand van het veld groeide. Hij droeg de plant naar het bloembed, sneed de wortel in de lengte tot op de helft door en bracht hem in de grond. In de snede die hij in de wortel had gemaakt, voegde hij de wortels van een jonge dianthusplant. Toen haalde hij een roestige spijker uit zijn zak en duwde die ook in de grond, drukte daarna de aarde weer samen en stampte ze rondom de plant vast.

Jaren later begreep ik dat de blauwe anjer, evenals Nellie's witte kalf met de zwarte vlek, evengoed het resultaat van een gelukkig toeval als van de mendeliaanse wetten kan zijn geweest. Wat het kalf betreft, zouden er veel meer generaties van koeien nodig zijn geweest dan waarover grootvader ooit had kunnen beschikken. En wat de bloem betreft, kunnen veranderingen in de samenstelling van de grond, veroorzaakt door de roest van de spijker, of de sappen van de cichoreiplant, een blauwe anjer hebben voortgebracht.

Wij veranderen immers de chemische bodemsamenstelling om de kleuren van de hydrangeabloesems te veranderen? Hetzelfde zou met anjers ook kunnen gebeuren.
Tegenwoordig beschouwen wij grootvaders resultaten niet als wetenschappelijk, maar die van Luther Burbank waren dat in zijn tijd ook niet. Evenals deze Amerikaanse tuinbouwkundige, die zoveel variaties produceerde, was grootvader een intuïtief onderzoeker, een door ervaring gevormd geleerde. Als men een deskundig botanicus zou hebben aangesteld om hem te zien werken – zoals dat bij Burbank is gebeurd – zouden we nu misschien blauwe anjers in onze winkels heel gewoon vinden.
Grootvader heeft bij zijn leven geen erkenning gevonden, maar jaren later was de familie trots op het feit dat zijn naam in een wetenschappelijk werk over tuinbouw werd genoemd. Voor zijn buren waren grootvaders pogingen zo iets als toverij en hekserij. Maar voor mijn kindergeest was toveren iets dat vanzelf sprak, dat even werkelijk was als alles in de wereld van de volwassenen. Grootvaders toverij had bovendien voor mij de bekoring dat het te maken had met levende, groeiende dingen: planten en dieren. En ofschoon het volgens onze hedendaagse maatstaven onwetenschappelijk was, leerde ik door hem toch de wonderen van de wetenschap kennen. Want voor alles wat hij deed, gaf hij mij een reden. Hij verkondigde theorieën en stelde werkregels vast. Hij opende mijn ogen voor de theorie, zo niet voor de ideale praktijk van gecontroleerde onderzoekomstandigheden. Ik leerde mijn eerste ware discipline kennen, de discipline van de wetenschap. Maar zoals grootvader mij wetenschap onderwees, was het geen kille abstractie. Hij straalde liefde voor het leven en ontzag voor levende dingen uit. Ik heb ondervonden dat dit gevoel iedere ware bioloog bezielt, even sterk als iedere man die leeft op het land.
Grootvader, die boer en geleerde tegelijk was, werd bij alles wat hij deed bewogen door zijn liefde voor al wat leeft. De enige passie die nog feller in hem brandde, was de passie voor de waarheid en voor het zoeken naar de onveranderlijke wetten der natuur. Ik zou mij niet kunnen voorstellen dat er een volmaakter inwijding voor een toekomstige dokter kan worden bedacht dan de maanden die ik bij grootvader doorbracht.
Ondertussen was ik getuige bij vele mysteriën, bij geboorte en dood,

bij paring en zwangerschap, en het ontspruiten van nieuw leven. Als ik vragen stelde, beantwoordde grootvader die naar waarheid. Vaak, wanneer mijn begrip te kort schoot, liet hij mij ver achter zich, maar ik leerde snel. Als ik na het avondeten in bed werd gestopt, kwam de slaap niet gemakkelijk. Ik lag klein in het grote, donzen bed, en overdacht de opwinding van de afgelopen dag. Als die opwinding mij niet wakker hield, trachtte ik toch de slaap te weren. Een uil, die op een tak buiten mijn venster regelmatig de wacht hield, werd daarbij mijn bondgenoot. Kinderen verzetten zich vaak tegen de slaap, die een eind maakt aan een wereld waar de wonderen blijven doorgaan zonder dat ze die zien. Maar ik had nog een andere reden. Ik was eropuit het ogenblik te betrappen waarin men over de rand van het bewustzijn in de slaap rolt. Ik luisterde naar iedere kreet van de bosuil en hield een gesprek met hem. 's Morgens werd ik wakker en wist dat ik het bewuste ogenblik weer had gemist.
Vader kwam en maakte een eind aan mijn wonderbaarlijke dagen met grootvader. Hij zei: „Je hebt thuis een klein broertje, maar de ooievaar, die hem bracht, heeft je moeder in haar been gebeten. Ze ligt nog in bed, maar ze zal wel gauw beter zijn."
Verbluft door deze onzin staarde ik hem aan. Was *dit* mijn vader, die nooit eerder leugens had verteld? Vol trots op de nieuw verworven kennis riep ik uit: „Hoe kunt u mij zo'n mal verhaal vertellen? Wie heeft de navelstreng doorgesneden en wie heeft de nageboorte gehaald?"
Vader was sprakeloos. Hij wierp grootvader een donkere blik toe, liep de kamer uit en sloeg de deur dicht. Vlug werden mijn kleren gepakt, het rijtuig stond voor de deur en ik was al op weg naar huis voor ik zelfs de kans had om afscheid te nemen van grootvader, die al ver weg op het land was. Door de kennis waar ik zo trots op was, viel ik in ongenade.
Thuis miste ik de boerderij en grootvader heel erg. Ik voelde er niets voor om de liefde van mijn ouders met het kleine broertje te delen. Toen ik het kleine, onbeduidende schepseltje zag, scheen het mij toe dat mijn ouders er niet veel van terechtgebracht hadden. Ik herinnerde mij met meer bewondering Nellie's kalf. Misschien waren Bessie's poten kort na haar geboorte een beetje wankel, maar binnen een uur kon zij staan en zelf drinken. De biggetjes, die het vette Duroc-varken had geworpen op de dag voor mijn vertrek

van de boerderij, liepen al veel vlugger dan mijn benen mij konden dragen. Maar dat kleine bundeltje van een broertje met zijn rimpelgezichtje was een zielige zwakkeling. Dagenlang sloeg ik hem nauwlettend gade, maar er kwam geen verbetering. Ik stond op het punt hem maar op te geven, maar mijn ouders daarentegen maakten veel drukte over hem. Het ontzag voor mijn vader ebde weg en ik rebelleerde meer dan ooit tegen moeders wil om mij gesteven jurkjes te laten dragen.
Tot nu toe had ik, wanneer ik tegen de regels voor het gedrag van kleine meisjes zondigde, dat in alle onschuld gedaan, omdat ik iets wilde doen of onderzoeken of wilde leren. Maar van nu af begon ik mijn eigen guerrillaoorlog tegen het gezag.

HOOFDSTUK 4

VERBETERING VAN EEN ENFANT TERRIBLE

MIJN INFORMELE OPVOEDING VOOR EEN LEVEN DAT AAN DE GENEESkunde zou worden gewijd, nam nog een andere wending, een wending die van evenveel betekenis was als de kijkjes in de wetenschap die oom Albert en grootvader von Zeller mij hadden gegeven. In de wereld die nu zo ver weg schijnt te liggen, was het ondenkbaar dat een meisje een beroep, laatst aan dat van geneeskundige, zou uitoefenen. In de ogen van geschiedkundigen waren de jaren vóór de eerste wereldoorlog nog pas gisteren, maar de grote veranderingen van de twintigste eeuw waren reeds begonnen. Toch leefden de meesten van ons in een verleden dat, dachten zij, nooit zou veranderen. Het was een goed geordend verleden, waar alles zijn plaats had, en omtrent de plaats van de vrouw bestond niet de minste twijfel. Indien ik dokter wilde worden, moest ik eerst opstandigheid leren.

Dat wil niet zeggen dat ik begreep, of mij zelfs maar flauw bewust was, van de richting die mijn leven nam. Ook behoefde ik geen opstandigheid te leren; ik was een geboren rebel. Maar een goede vechter weet niet alleen waartegen, maar ook waarvóór hij vecht. Tot nu toe was ik een rebel zonder zaak. Men had mij naar de fröbelschool gestuurd, en al bijna op de eerste dag vond ik een manier om het gezag belachelijk te maken. Met een onschuldig gezichtje – want niemand had enig vermoeden van wat ik in de zin had – nam ik een schoenendoos vol diertjes mee naar school. Een nieuwsgierig klasgenootje opende de doos en binnen een paar seconden was de klas in oproer. Kleine meisjes gilden en klommen op de banken toen mijn vreemde lievelingetjes door het lokaal kropen, sprongen en krioelden.

De onderwijzeres beval de schuldige onmiddellijk voor de klas te komen. Met een pad in de ene en een slang in de andere hand –

want meer had ik zo gauw niet te pakken kunnen krijgen – haastte ik mij te gehoorzamen en liet bijna mijn wriemelende last in haar schoot vallen. Hoewel zij stijf gekorseteerd was, sprong zij met een merkwaardige vlugheid opzij en stuurde mij de klas uit, met diertjes en al. Het is niet nodig te vertellen dat mijn ouders het verzoek ontvingen mij niet meer terug te laten komen.

Mijn gepikeerde vader gaf mij alleen maar een standje voor wat hij als een kinderlijke fout beschouwde. Hij zei dat ik oud en verstandig genoeg was om beter te weten. Maar toen hij een muis in de wieg van mijn broertje ontdekte, opende hij alle kooien en joeg de menagerie naar buiten.

Mijn verlangen om levende schepsels te verzamelen en te verzorgen, was niet te blussen. Ik vond een nest jonge vleermuizen in de schoorsteen en bracht ze insekten te eten. Al spoedig werd de warme, gemetselde ruimte de schuilplaats voor een nieuwe collectie, ditmaal kleine vluchtelingen voor het koude weer.

Er bestond een gevaar dat ik helaas over het hoofd had gezien. Op de eerste koude morgen maakte moeder de kolenkachel aan. Toen ik kwam om mijn diertjes te voederen, hoorde ik achter de stenen wanhopige geluiden. Toen ik de eerste steen lostrok, haastten zich vogels en reptielen, een kleine Arke Noachs, naar de vrijheid. Enkele mussen waren gestikt, maar verschillende kon ik weer bijbrengen. Ik vond een nieuw asiel in een ruimte tussen de schoorstenen, gaf de overlevenden te eten en te drinken en ging naar de tuin om de slachtoffertjes te begraven.

Mijn ouders vroegen mij niet waarom mijn jurk en mijn gezicht vol roet zaten en ook niet wat ik al die uren op zolder deed. Zij moeten gedacht hebben dat ik, als ik daar zat, tenminste geen kattekwaad kon uithalen. Want ik was het „enfant terrible" van de buurt geworden.

Met een bende kleine jongens en meisjes, de laatsten al even jongensachtig als ik, daagde ik de „groten" uit waar ik maar kon. Toen wij het wollen ondergoed van de burgemeester aan de lijn zagen hangen, naaiden we het dicht en vulden het met zaagsel. Toen wij brooddeeg zagen dat in een zonnig venster was gezet om te rijzen, openden we het raam en stopten het deeg vol insekten. Wij schudden de onze-lieve-heersbeestjes van de bomen, wij verzamelden er ongeveer honderd op één enkele dag en legden die in

de bedden van elk huis waar wij maar konden binnensluipen. Iedere dag bedachten we een nieuwe, ondeugende streek, tot de stad in rep en roer was als Egypte onder de tien plagen van Mozes.
Ik werd nooit gesnapt, maar ik geloof wel dat vader mij ervan verdacht bij deze streken een rol te spelen. Het was in ieder geval meer dan tijd voor mij om naar school te gaan. Ik werd ingeschreven in de *Höhere Töchterschule*, een school voor meisjes uit deftige gezinnen. Misschien zouden zij een echte jongedame van mij kunnen maken. Moeder was eindelijk gelukkig. Zij naaide snoezige jurkjes met gekleurde ceintuurs en bijpassende linten voor mijn haar. Hier had zij al naar verlangd toen zij hoorde dat haar een dochter was geboren.
Bij het begin van het schooljaar stelde zij mij trots aan de onderwijzeres voor. Deze grote, rustige vrouw stond, gekleed in een smetteloos witte japon, voor het schoolbord en onderwees het alfabet dat ik al jaren kende. Zij was voor mij weer een andere vorm van „gezag," en daar moest ik dus wat aan doen. Toen zij zich omdraaide, haalde ik mijn nieuwe pen te voorschijn, doopte die in mijn inktpot en bespatte haar nieuwe japon. Zij draaide zich verschillende keren om, maar keek mijn richting niet uit. Toch liet zij mij aan het eind van de morgen, terwijl de andere kleine meisjes keurig in de rij de klas verlieten, bij zich komen. Ik verwachtte het ergste en bereidde mij voor op een welverdiende straf.
Maar tot mijn verbazing greep juffrouw Hahn niet naar de stok. Zij vroeg alleen: „Waarom deed je dat?"
Eerst wist ik niet wat te zeggen. Toen, onder haar zachte, ernstige blik, bezweek mijn weerstand. Tranen en woorden stroomden naar buiten, in een heftige poging om mij te rechtvaardigen.
Zij luisterde, viel mij niet in de rede en liet mij uitrazen tot ik geen woorden meer had en vanzelf ophield. „Elizabeth," zei zij toen, mij voluit bij mijn naam noemend, „ik begrijp hoe jij je voelt. Maar als je wat bereiken wilt en iets worden wilt, moet je eerst zelfdiscipline leren. Als de school je dat niet leren kan, zal het leven dat zeker doen, en dat zal beslist veel moeilijker voor je zijn." Toen sloeg zij haar armen om mij heen en kuste mij op mijn voorhoofd. Als in een droom liep ik naar huis. Juffrouw Hahn was een engel. Het werd mijn enige doel haar plezier te doen en te maken dat zij trots op mij werd. Ik speelde het klaar om aan het eind van het jaar

een goed rapport te hebben en als beloning werd ik tot vaandeldraagster gekozen op het jaarlijkse stadsfeest, waarbij een optocht van schoolkinderen optrok naar het middeleeuwse kasteel, slot Hellenstein, dat sinds de riddertijd boven het stadje torende.
Moeder naaide voor deze gelegenheid een nieuwe jurk; ik had om een witte, linnen jurk gevraagd, een zoals juffrouw Hahn op de eerste schooldag had gedragen. Vader gaf mij een klopje op mijn schouder en zei dat hij trots op mij was. Zo keerde een stout meisje tot de beschaving terug.
Het nieuwe gevoel van een waardig lid der maatschappij te zijn, maakte dat ik mijn ouders en zelfs mijn broertje Otto, die nu een onbeholpen kleuter was, met andere ogen begon te zien. Ik ontfermde mij over hem, ofschoon sommige van mijn pogingen zonder twijfel wel hardhandig moeten zijn geweest. Eens heb ik hem bijna in een put verdronken, maar dat had ik niet kwaad bedoeld. Ik gooide hem in de put om hem te beschermen tegen de aanval van een woedende zwerm wespen. Hoe kon ik weten dat hij zou zinken en dat ik niet in staat zou zijn hem er weer uit te halen? Toen de stok waarmee ik in het met kroos bedekte water roerde alleen maar zijn hemdje naar boven bracht, schreeuwde ik van oprechte schrik. Door een buitengewoon gelukkig toeval waren mijn vader en mijn oom in de buurt en toen zij hem eruit trokken, was hij gelukkig nog niet dood.
Deze bijna noodlottige gebeurtenis was voor mij een keerpunt. Ik besefte voor het eerst dat onze daden gevolgen hadden en dat wij voor deze gevolgen verantwoordelijk zijn. De meedogenloze wet van oorzaak en gevolg rees als een hoge muur voor mij op en scheidde mij voorgoed van mijn vroeger zo zorgeloos en onverantwoordelijk gedrag. Ik had Otto inderdaad in de put gegooid om hem tegen de wespen te beschermen, maar ik had er niet aan gedacht wat er in de put zou kunnen gebeuren. Als hij verdronken was, zou dat mijn schuld zijn geweest – als ik voorbij die put kwam, en 's nachts als ik weer dat kleine, geborduurde hemdje leeg naar de oppervlakte zag komen, rilde ik van afschuw. Ik had voor het eerst het volwassen besef dat niet alleen goede wil, maar ook gezond oordeel onze daden moet leiden. Sindsdien wist ik dat ik nooit meer zou kunnen handelen zonder te bedenken welke gevolgen mijn daden voor anderen zouden kunnen hebben. Ik dacht dat het eenvoudig een

kwestie van goed te doen zonder boosheid was. Maar ik raakte in verwarring toen mijn pas verworven filosofie door de moraal van de volwassenen op de proef werd gesteld.

Het gebeurde op het jaarlijkse kerstfeest van de plaatselijke vrouwenclub. In muts en sjaal gewikkeld stond ik buiten de halfopen deur van de clubzaal op mijn moeder te wachten om met haar naar huis te gaan. Door de deuropening hoorde ik moeders stem. Tot mijn verrassing sprak zij ter verdediging van een oude vrouw, die in een vervallen boerderij aan de rand van de stad woonde en die door de kinderen „Oude Heks" werd genoemd, waarschijnlijk om haar ongekamde haren en vervuilde kleren. Enige tijd geleden was de vrij knappe dochter van deze vrouw met een interessant bundeltje uit de stad teruggekomen. Nu verzorgden de twee „slechte" vrouwen een baby.

Ik had meer dan eens op hun drempel gestaan, wachtend tot moeder een pot soep had afgegeven, of een pakje babykleren, die nog van mijn broertje afkomstig waren. Deze soort dingen waren moeders daadwerkelijke godsdienst. Zij geloofde dat geven zaliger was dan ontvangen.

Nu drukten de clubleden hun misnoegen uit over wat zij een gevaar voor de mannelijke bevolking en het zedelijk peil van de stad noemden. De presidente had een verzoekschrift ingediend om de oude vrouw en haar dochter door de stadsautoriteiten te laten uitwijzen. Men verwachtte dat mijn moeder, die vice-presidente was, dit plan zou steunen. Tot uitgesproken ergernis van de andere leden sprak zij niet vóór doch tegen het verzoekschrift. „Waar is jullie christelijke verdraagzaamheid jegens ongelukkigen?" pleitte zij met verontwaardiging in haar stem. „Deze oude vrouw is arm en vaak vuil. Haar dochter is zonder twijfel door een man in de stad verleid. Maar zijn dat redenen om hen met wreedheid te behandelen? Wat voor goeds kunnen wij daarmee bereiken, behalve dat *wij* ons deugdzamer zullen voelen?" Mijn kalme moeder sprak met een vrijmoedigheid waartoe ik haar nooit in staat zou hebben geacht.

Maar de verontwaardigde dames wilden niet naar haar luisteren. Zij tekenden haastig het verzoekschrift en vertrokken. Ik zag hoe zij zich met samengeknepen lippen van verontwaardiging weg-

haastten. Vol bewondering en medegevoel voor moeder ging ik naar binnen, waar zij alleen in de zaal stond, sloeg mijn armen om haar heen en samen gingen wij naar buiten.
Vader was helemaal niet in zijn schik met het standpunt dat moeder had ingenomen. Hij verbood haar ten strengste nog geschenken naar de slechte vrouwen te brengen. Toen ik zag dat mijn moeder verdriet had om deze berisping, nam ik het de oude vrouw kwalijk. Zij was immers de oorzaak van moeders verdriet? Ik riep mijn bende weer bij elkaar. Wij kropen naar de bouwvallige woning en begonnen met sneeuw bedekte stenen door de ruiten te gooien. Binnen klonk geschreeuw. Toen barstte de deur open en de oude vrouw vloog naar buiten, zwaaiend met haar armen, het dunne haar in pieken om haar hoofd. Zij schudde haar vuist naar ons. „Hiervoor vervloek ik jullie voor de eeuwigheid!" schreeuwde zij. Wij vluchtten. Vader moet gedacht hebben dat wij een goede zaak hadden gediend, want toen de rekening voor de gebroken ruiten werd gepresenteerd, greep hij niet naar zijn bestraffende bamboestok. Wanneer ik echter aan mijn aandeel in deze zaak dacht, voelde ik mij verward en beschaamd. Ik ging met mijn probleem naar juffrouw Hahn, die niet langer mijn onderwijzeres was, maar nog altijd mijn vriendin. Zij bood niet aan mij te helpen een weg te vinden tussen de zozeer verschillende principes van mijn ouders. In plaats daarvan zei ze alleen: „Ik geloof, Else, dat de tijd is gekomen waarop je vader je opvoeding ter hand moet gaan nemen." Ik was diep gekwetst, want ik meende dat mijn bekentenis op de een of andere manier, hoe wist ik niet, mij haar sympathie had doen verliezen. Toen ze zag hoe verslagen ik was, trachtte zij mij uit te leggen dat ik mij op een beroep moest gaan voorbereiden, en dat deze meisjesschool dat niet voor mij kon doen.
Het duurde lang eer ik begreep dat deze vriendelijke vrouw geen oordeel over een van mijn ouders kon uitspreken, en dat, waar het een weg door de mazen van de ethiek der volwassenen betrof, alleen het hoofd van het gezin – en dat was in Duitsland zonder uitzondering de vader – de richting kon aangeven.
En dus nam mijn vader mij bij het begin van het voorjaar onder zijn leiding. Voor hem was er geen twijfel aan wat mijn studierichting zou moeten worden. Dat kon alleen maar Latijn zijn. Ik kreeg geen adempauze, geen speeluurtje om te knikkeren of bal te spelen.

Ik was aan mijn bank genageld om *rosa-rosae-rosam* te leren. Ik kon vlug genoeg leren, maar voelde in groeiende verontwaardiging de ronde agaten en malachieten knikkers in de zak van mijn jurk en rekende uit hoeveel ik er in de tijd dat ik hier zat wel gewonnen zou kunnen hebben. Toen vader mij met strenge stem beval mijn les op te zeggen, viel het mij in dat, als ik te dom zou blijken, hij wel zou ophouden mij deze dwaze woorden en regels te willen leren. Ik weigerde dus koppig ook maar iets op te zeggen. Vader werd steeds wanhopiger. Maar hij gaf geen teken van opgeven.
De heerlijke lentedagen gingen aan ons venster voorbij en nòg zat ik opgesloten met die gehate Latijnse grammatica. Op een dag sloop ik heimelijk weg en ging naar oom Alberts studeerkamer. Bij hem klaagde ik mijn nood. Toen hij een paar dagen later kwam, zei hij niets over mijn lessen, maar in plaats daarvan vroeg hij of hij mij de volgende zaterdag op een van zijn ronden kon meenemen. Moeder wilde mij wel laten meegaan, maar vader maakte zijn toestemming afhankelijk van de vraag of ik mijn vijftiende Latijnse les zou kennen. Ik keek op met heimelijke pret. Op deze voorwaarde kon ik de uitdaging best aannemen. De volgende middag reciteerde ik de vijftiende les zonder fouten, en verbaasde vader door iedere dag van die week een hele les te leren.
Van toen af begeleidde ik oom Albert op zijn zaterdagse rondritten. Gottlieb zat op de bok van het rijtuig en zwaaide de zweep over de gevlekte merrie. Mijn vriendschap met hem werd stevig gevestigd toen hij goedvond dat ik oom Alberts tas bij een boerderij naar binnen droeg.
Ik leerde vlug. Vóór oom orders kon geven, had ik al water op de kachel aan de kook en op de keukentafel schone handdoeken, waar de pasgeboren baby ingewikkeld zou worden. Mijn uur van glorie kwam toen een gelukkige jonge moeder haar armen om mij heen sloeg en „Dank je, kleine dokter" fluisterde.

Dit voorval nam alle twijfel weg. Er was maar één mogelijkheid: ik moest en zou dokter worden. Oom Albert onderhield mij over de noodzaak Latijn te leren. Nu ik een aansporing had, maakte ik met deze eens zo gehate studie vlugge vorderingen en al spoedig vond vader dat ik ver genoeg was om naar het gymnasium te gaan. Dat waren in die tijd negen harde jaren. Aan het einde van het zesde jaar kon de leerling de school met een diploma verlaten en aan het werk gaan, of hij kon verder studeren. Hij moest dan kiezen tussen de exacte wetenschappen en de humaniora*. Latijn was in ieder geval verplicht, en in de eerste zes klassen kregen alle studenten vrije kunsten, talen en elementaire wetenschappen. Als men de wetenschappelijke kant op wilde gaan, hadden na het zesde jaar natuurkunde en wiskunde de voorrang. In de humaniora ging men verder met de vrije wetenschappen als talen en literatuur, en daar werd dan de studie van het Grieks aan toegevoegd. Mijn vader koos voor mij de humaniora.

Het dichtstbijzijnde gymnasium was in Esslingen, op ongeveer veertig kilometer afstand. Dit betekende dat ik gedurende de weekdagen ergens in de kost zou komen en alleen het weekeinde naar huis zou kunnen gaan. Vader kende een leraar in de wiskunde, die mij tegen een vergoeding van honderd mark per maand wel in huis wilde nemen. Aan het eind van de eerste week had vader een onaangename verrassing. Ik kreeg een brief mee naar huis met de verklaring dat dit bedrag herzien moest worden, of dat ik anders een ander kosthuis zou moeten zoeken. Zij konden mij voor honderd mark niet houden, want ik at te veel!

Esslingen was geen uitsluitend gotische stad zoals Heidenheim. Het was oud, met een geschiedenis die dateerde van de achtste eeuw. Om het oude deel van de stad stonden nog de middeleeuwse muren met torens en bastions, en het traditionele kasteel keek er van een hoogte op neer. De getraliede spits van de 15e-eeuwse Frauenkirche – de kerk van Onze-Lieve-Vrouw – torende fijn en lieflijk boven de puntige daken. Maar het moderne centrum van de stad was, vergeleken bij het slaperige Heidenheim, druk en levendig. Het was een marktstad en de boeren uit de omtrek brachten er hun produkten, voornamelijk druiven, want het was een land van wijngaarden, die de fijnste, sprankelende wijnen van Duitsland voortbrachten. In deze streek had iedere boer zijn wijngaard, al was die soms niet groter dan een zakdoek. Er lag een wijngaard tegen de heuvel tegenover de school. Vaak holden wij weg en verborgen ons daar, vooral gedurende godsdienstles, en wuifden dan plagend

---

* Vormende wetenschappen, gericht op de Latijnse en Griekse talen en letterkunde.

naar de anderen, die te laf waren om die vervelende les te ontlopen en nu door de ramen naar ons konden kijken. De school was een wit, stenen gebouw, modern en indrukwekkend tussen de oude, gepleisterde huizen met hun overhangende gevels. Door onze vensters keken wij neer in het water van het Neckarkanaal, dat langzaam voorbijstroomde. Aan de andere kant van de brug lagen keurige boerderijen en daarachter waren de heuvels en de lokkende bossen. Ik hield van de lessen, ofschoon zij moeilijk waren; maar vaak zat ik te draaien op mijn houten bank, verlangend om door de bossen te kunnen dwalen. Ik kreeg er de kans niet toe. Gedurende de uren dat ik niet naar school moest, lette de brave vrouw van de wiskundeleraar scherp op mij.

Van het ogenblik af dat ik naar het gymnasium ging, kreeg ik met moeilijkheden te kampen. Nog nooit was het een meisje toegestaan deze heilige drempel der mannelijke studie te overschrijden. Het zware toelatingsexamen was nog niets vergeleken bij mijn eerste dag tussen de jongens. Zij waren niet vijandig, want zij beschouwden mij niet als een ernstige bedreiging. Ik was alleen maar belachelijk. Zij overtroffen elkaar in het uitvinden van plagerijen. Zij staken mijn vlechten in de inktpotten, trokken mijn schoenveters los, precies op het ogenblik dat de leraar mij voor de klas riep om het Griekse alfabet op het schoolbord te schrijven. Ik verdroeg deze onwaardigheden geduldig, maar toen ik eens op een morgen mijn Latijnse grammatica in stukken gesneden vond, daagde ik de jongen die de leider en aanstoker van de baldadigheden was – Manfred heette hij – uit tot een vuistgevecht in het vrije kwartier. Toen het nieuwtje zich verspreidde, kwamen de leerlingen van de hele school naar buiten om een gevecht te zien zoals het schoolplein nog nooit had meegemaakt en waarbij een meisje een van de vechtenden was. Manfred had zijn grootte en zijn gewicht mee, maar de dagen dat ik als een kwajongen rondzwierf, hadden mij sterk en gespierd gemaakt.

Ondanks mijn blonde vlechten en jurken met stroken kon ik een stevige partij vechten. Wij sloegen er wild op los, kregen bloedende neuzen, en toen kreeg ik door een gelukkige uitval zijn arm in een worstelgreep en ontwrichtte zijn schouder. Hij viel kreunend op de grond, ik zette mijn voet op zijn borst en de wispelturige toeschouwers juichten mij toe.

Iedere schooljongen heeft respect voor een overwinnaar. Toen de jongens merkten dat ik hen bovendien met hun Cicero kon helpen, werd het schoolleven voor het enige meisje in de school beslist plezierig. Sedertdien gleed de tijd kalmpjes voorbij, tot de zomer toen ik veertien jaar werd. Ik was thuis en ging 's avonds na het eten met mijn vader wandelen. De zon ging onder tegen een hemel die zo fel en bloedrood gekleurd was dat wij bleven staan om ernaar te kijken. Eerst langzaam, daarna, zoals het ons altijd lijkt, veel vlugger, werd de zon als het ware door de vlammende horizon verteerd. Wij liepen verder en vader zuchtte. Wij leefden reeds wekenlang in angst en spanning. „Kind," zei hij, „soms denk ik dat wij Europa nog eens in vlammen zullen zien opgaan. Als er oorlog komt zal het gauw voorbij zijn. Onze keizer is een man van de vrede, en hij heeft gedaan wat hij kon, maar als wij voor onze rechten zullen moeten vechten, zullen wij winnen! En dat zal niet lang duren."
Na slechts enkele dagen was er oorlog.

HOOFDSTUK 5

AVONTUUR IN OORLOGSTIJD

OORLOG IS EEN KWAAD, MAAR ONDER ZIJN DRUK WORDT HET TEMPO VAN zowel goed als kwaad vergroot. Deze oorlog bracht mij een gelukje. Een trein, die gewonde soldaten vervoerde, nam mij – niet helemaal per ongeluk – mee naar een avontuur dat onverwachte gevolgen voor mijn toekomst in de geneeskunde zou hebben.

De eerste wereldoorlog had al spoedig mijn generatie in zijn greep, een greep die vier lange jaren niet zou aflaten en ons jaren daarna in een afgrijslijke afgrond zou sleuren. Maar het begon zoals alle oorlogen beginnen, met marcherende soldaten, gezang van „Gloria Victoria" en een wild opgewonden volksmassa, die overtuigd was van de rechtvaardigheid van de Duitse zaak en de goedheid van de keizer. Toen bulletins van de gevechtsfronten melding maakten van grote overwinningen, de bezetting van België, de inval in Frankrijk en de nederlaag van de Russen in de Masurische moerassen, scheen het of de Duitse verwachtingen spoedig verwezenlijkt zouden worden. Ik herinner mij vader in zijn veldgrijze uniform, met een keizer-Wilhelmsnor en -baard en een agressief mannelijke houding. Hij was een toonbeeld van het oude Duitsland, het morele, streng gedisciplineerde oude Duitsland, dat in deze oorlog van de aarde zou verdwijnen. Nu ging vader regelmatig in zijn uniform oefenen. Moeder bracht haar vrije uren in de vrouwenclub door met het rollen van verbanden en nooit zag men haar zonder breinaalden en haar kluwen grijze wol. Mijn broertje speelde met zijn vriendjes oorlogsspelletjes. Voor mij ging de school gewoon door, maar wel met nieuwe geestdrift. De jongens verlangden ernaar volwassen te worden en ook voor het vaderland te kunnen vechten.

Een paar maanden na het uitbreken van de oorlog ging ik met moeder naar de rodekruistrein die in het station van ons stadje stopte. Gekleed als hulpverpleegster stapte ik in de trein, met een volle mand aan mijn arm. De trein was vol gewonde, vijandelijke soldaten, die op weg waren om ergens in een neutraal land voor onze eigen jongens te worden uitgewisseld. Het was ongeveer vijf uur 's middags, de soldaten waren moe en hongerig, en de vrouwen deelden verversingen uit. Ik veinsde druk bezig te zijn en niet op het waarschuwende fluiten en bellen te letten, tot de trein uit Heidenheim vertrok. Ik vroeg mij af of mijn afwezigheid opgemerkt zou worden, of moeder alarm zou slaan en of de trein zou stoppen. Maar we passeerden de Zwitserse grens, en een nieuwe groep autoriteiten in uniform liep de trein door. Mijn niet gewettigde aanwezigheid verbaasde hen, maar ik droeg een soort van uniform en ik leek wel te weten wat ik deed. Inderdaad was ik bezig het de zieken en gewonden wat gemakkelijker te maken. Blijkbaar kon er betreffende mij niets meer worden gedaan, daar we de grens al waren gepasseerd, en dus bleef ik.

De trein bracht mij naar Genève. In het Bellevue Palace Hotel, waar ik logeerde, wemelde het van mannen in uniform en elegant geklede vrouwen. Vertegenwoordigers van vele landen, oorlogvoerend of neutraal, ontmoetten elkaar daar en liepen in koortsachtige bedrijvigheid dooreen. Velen zagen er elegant en interessant uit, maar de meest verblindende verschijning was een vrouw die men gravin noemde, een vrouw van buitengewone schoonheid, met een ivoorkleurige, satijnen huid en diep geplaatste, amandelvormige ogen. Zij droeg altijd een grote zonnehoed, die haar boeiende gezicht omlijstte.

Ik werd tewerkgesteld bij het Rode Kruis. Op zekere dag maakte ik in het hospitaal een privé-kamer schoon, waar een man in moedeloos zwijgen in bed lag. Zijn hele gezicht was verbonden en alleen de ogen waren zichtbaar. De deur ging open en de gravin kwam de kamer binnen. Lange tijd stond zij naast het bed en keek neer op de soldaat. Toen zij zich eindelijk omdraaide, zag ik haar ontroerd gezicht en zij zag dat ik naar haar keek. Zij fluisterde in het Frans dat men een operatie op het gezicht van de soldaat zou verrichten. Zou ik voor het welslagen willen bidden? Ik maakte mijn werk af, maar bleef dicht bij de deur van die kamer. Toen de patiënt naar buiten werd gereden, volgde ik en bleef door de glasruit van de operatiekamer kijken. Uit een gezicht dat geen gezicht meer was, stak tussen vormloze massa's, die eens wangen waren, de

stomp van een neus omhoog. De chirurgen sneden het beschadigde vlees tot op de onderliggende spieren weg. Daarna maakten zij een stuk huid van het voorhoofd los, legden dat op de neus en naaiden het aan de wangen vast.
Die avond wuifde de gravin dwars over de prachtig gedekte tafels in de eetzaal naar het vijftienjarige meisje, dat nog sprakeloos was door het mysterieuze gebeuren in de operatiekamer. Door deze attentie van een belangrijk personage werd ik zelf een middelpunt van belangstelling. Mensen spraken mij aan. Een Franse kapitein nodigde mij uit om in de Bellevue Bar een cognac met hem te drinken. Nadien waren de Fransman en ik veel samen.
Ik had een heerlijke tijd en had bijna huis en ouders vergeten, tot mij op zekere avond verzocht werd mij naar de suite te begeven, waar een hooggeplaatste Duitse officier mij wachtte.
Hij stelde mij kortaf een vraag: „Hebt u uw vaderland lief?" Ik knikte gretig.
„Dan zult u uw land als volgt dienen: uw vriend, de Franse kapitein, heeft inlichtingen die wij nodig hebben. Wij moeten voor morgenavond het antwoord hebben op een eenvoudige vraag. U ziet er jong en onervaren uit, u zal hij niet verdenken."
En hij noemde mij de vraag.
De volgende avond was het vol in de bar. De gravin zat aan een tafel die opviel door de mannen in uniform en elegant geklede vrouwen. Ik zat niet ver daarvandaan aan een klein tafeltje en nipte in gezelschap van de jonge Fransman aan een glaasje cognac. De Duitse officier zette zich aan een naburig tafeltje en staarde mij in het gezicht. Zijn blik maakte mijn tong los. „O, ja," zei ik losjesweg tegen mijn begeleider, „wanneer wordt u weer in Verdun verwacht?"
De kapitein sprong op, de hand op zijn holster. „Ik had niet gedacht dat u een spionne was!" Zijn stem was luid en woedend. Het woord spionne was in de Bellevue Bar „taboe". Verslagen bleef ik zitten tot de gravin naar mij toe kwam, haar arm om mij heen sloeg en mij uit de bar en naar mijn kamer leidde. De Duitse officier was in de opwinding verdwenen. Hij zal wel niet erg gelukkig zijn geweest met de prestaties van zijn pas aangestelde, geheime agente. De volgende dag werd ik naar het station gebracht, op een rodekruistrein gezet en naar Duitsland en Heidenheim teruggezonden.

Mijn ouders waren blij en opgelucht mij terug te zien. Zij hadden de ambtenaren met vragen om inlichtingen overstelpt en verwachtten antwoord op een bericht dat het Rode Kruis naar Zwitserland had gezonden. Ze waren zo blij, dat zij met iedere verklaring mijnerzijds genoegen zouden hebben genomen. Bovendien zaten ze midden in een verhuisdrukte. Vader was naar Esslingen overgeplaatst, een promotie voor hem en een verandering voor mij. Ik zou nu veilig bij mijn ouders thuis kunnen wonen, zeiden zij, vergetend dat ik in moeders bijzijn in de rodekruistrein was gestapt. Otto, nu een nogal zelfstandige jongen van twaalf jaar, was nieuwsgieriger. Hij achtervolgde mij met vragen, tot ik mijn toevlucht tot een houding van geheimzinnigheid nam en hem vertelde dat ik een vaderlandslievende opdracht had en er niet over mocht spreken. Daarop zweeg hij, en hij kreeg een broederlijk ontzag voor mij dat ik niet eerlijk had verdiend.

Toen ik weer op school kwam, was de klas na mijn grote avontuur een anticlimax. Mijn klasgenoten waren somber en terneergeslagen. Onze meest geliefde leraar was aan het oostfront gesneuveld en ons overwinnend leger werd in Vlaanderen gestuit.

Het derde jaar van de oorlog bracht geen verandering in de impasse aan het westfront, en het drong tot ons door dat het krijgsgeluk zich tegen Duitsland begon te keren. In de lente van 1918 werden mijn klasgenoten, jongens van zeventien, zelfs van zestien jaar, opgeroepen en naar het front gezonden, om slechts halfgeoefend de groeiende gaten in onze linies te stoppen. Toen de eindexamens voorbij waren en de diploma's werden uitgereikt, waren er in onze klas veel lege plaatsen. Men droeg mij op de afscheidsrede uit te spreken. Daar ik mij in wiskunde en natuurwetenschappen had onderscheiden, drongen mijn leraren eropaan dat ik over een natuurwetenschappelijk onderwerp zou spreken: hun keus was sir Isaäc Newton en de wet van de zwaartekracht.

Maar ik voelde niets voor al deze suggesties. Sinds enige tijd vervolgde mij een gedicht van Horatius: *Si fractus illabatur orbis, impavidum ferient ruinae...* Zouden de hemelgewelven breken en op hem vallen, hij zou door de ruïnen niet ontmoedigd worden.

Het leek mij toe alsof de Romeinse dichter over de eeuwen heen direct tot ons sprak en ons in onze tijden van verschrikkelijke tegenslag een boodschap van bemoediging zond. Onze eens zo prachtige

legers schenen uiteen te vallen. Men vertelde ons dat onze klasgenoten zongen toen zij in Langemark, onze laatste stelling in Vlaanderen, een zekere dood tegemoet gingen. Ik kon aan niets anders denken dan aan het ongeluk dat ons land had getroffen, en ofschoon mijn leraren het hoofd schudden en probeerden mij tot rede te brengen, bleef ik koppig vasthouden aan het onderwerp dat ik gekozen had. Bij de uitreiking van de diploma's was de helft van de aanwezigen in de rouw, de vrouwen in het zwart, de mannen met zwarte banden om de mouw. De rector opende de plechtigheid met een sombere noot. Hij betuigde zijn medeleven met de diepbedroefde ouders en herdacht de jongens die nu hun diploma's hadden moeten ontvangen. Hij trachtte over de mooie toekomst van de geslaagden te spreken, maar kwam daarbij niet uit zijn woorden. Het scheen hem op te luchten toen hij de spreekster van de afscheidsrede kon voorstellen. Langzaam beklom ik het podium, het vaak gewijzigde manuscript in de handen geklemd. Ik spreidde het voor mij uit.
„Geëerde rector en leraren, geachte ouders en bezoekers, beste klasgenoten," zo egon ik, ben bijna verlegen stak ik van wal in het Latijn van Horatius. „Een vastberaden man die voor een rechtvaardige zaak strijdt," zo vertaalde ik vrijelijk, „toont zich niet geschokt wanneer zijn medeburgers in wanhopige angst uitroepen: Wat is er toch misgegaan? Hij beeft niet voor de woedende storm, zelfs dan niet wanneer tirannen hem bedreigen."
Ik had voor deze ode, die ik zo goed kende, het manuscript niet nodig. Maar toen ik die moedige woorden uitsprak, werd het licht in mijn hoofd, mijn stem verhief zich en ik vergat verder het manuscript volkomen. Ik was niet langer een verlegen, onvolwassen meisje, maar een geïnspireerd mens.
„Dit alleen," zo vertelde ik de bedroefde, naar mij opgeheven gezichten, „kan ons redden: vertrouwen in onszelf en onwankelbare moed. In onze geest behoeven we geen nederlaag te lijden. Zouden de hemelgewelven breken en op hem vallen..." Ik was aan het einde van Horatius' versregels en van mijn toespraak gekomen.
Toen ik het podium verliet, hoorde ik nauwelijks de golven van applaus. Verstrooid bedankte ik voor de gelukwensen van mijn leraren; zelfs de nogal verbaasde en verraste leraren die het met mijn keus niet eens waren geweest, drukten mij de hand. Ik was bedwelmd en ontroerd, en door een mist van tranen zocht en vond ik vaders

gezicht. Zijn blik zei alles. Ofschoon hij vele rijen ver van mij af zat, had ik, toen ik naar mijn plaats tussen de geslaagden terugliep, het gevoel dat hij dicht bij mij was.
Zoals het meestal met bijzondere ervaringen gaat, besefte ik eerst veel later de ware betekenis van deze dag. De eindexamens waren achter de rug, moeder en Otto waren naar huis gegaan en vader vroeg mij met hem een wandeling te maken langs de landweg die van de school naar buiten liep. Wij passeerden de kleine brug over de Neckar en gingen naar de bossen. De wijngaarden waren groen, de koeien graasden in de sappige weiden en het was moeilijk te geloven dat er heuvels en velden waren die op dit ogenblik door de oorlog werden verscheurd en vertrapt.
Een plekje witte heide deed mijn hart vlugger kloppen. „Voor moeder," zei ik en plukte de zeldzame bloempjes. Vader knikte en zwijgend wandelden wij verder. Wij voelden ons nauw verbonden, zoals op het ogenblik aan het eind van mijn toespraak. Plotseling wist ik wat mijn rede betekende, vooral voor mijzelf. Ik had de deugden die Horatius beschreef, zèlf hard nodig. Kennis en vaardigheid kunnen worden aangeleerd. Maar moed, zelfvertrouwen, kracht voor de roeping die mij wachtte – die moest ik in mijzelf vinden.
„Dochter, ik heb aan je toekomst gedacht," zei mijn vader ten slotte. Voorzichtig naar zijn woorden zoekend ging hij verder. „Je rede van vandaag heeft mij van iets overtuigd dat ik allang in mijn gedachten had. Je hebt de gave om te onderwijzen en te inspireren. Je bent uitstekend geschikt voor een academische opleiding."
Mijn hart stond stil. Het was waar dat ik, wanneer zijn militaire plichten hem elders riepen, weleens een klas van vader had overgenomen. Ik had het naar behoren en zelfs met enthousiasme gedaan. Maar toch was het voor mij tenslotte een soort grap geweest die niet al te ernstig moest worden opgenomen. Wist vader niet dat mijn toekomst al bepaald was?
Het speet mij hem te moeten grieven, maar dit was een ogenblik om standvastig te zijn. „Vader, probeer mij alstublieft te begrijpen. Al toen ik nog een klein meisje was, heb ik er altijd plezier in gehad voor mensen te zorgen, om te genezen, gebroken botten te behandelen, om diegenen te helpen die ziek waren en pijn leden. Dat is bij mij nooit veranderd en dat zal ook nooit veranderen. Ik wil dokter worden. Laat mij medicijnen studeren, alstublieft, vader, alstublieft!"

HOOFDSTUK 6

GROOTMOEDERS WONDER

MIJN TWEE GROTE VRIENDEN EN HELPERS, GROOTVADER EN OOM Albert, waren in de oorlogsjaren gestorven. Vader liet zijn strenge houding jegens het beroep van mijn keuze niet varen en moeder kwam niet voor haar mening uit. Vader deelde in het algemene vooroordeel tegen vrouwen in de geneeskunde. Dat was misschien goed voor een paar blauwkousen die door valse trots, ijdelheid of alleen maar lelijkheid hun kans hadden gemist om de ware roeping van de vrouw te vervullen. Maar een normaal jong meisje naar de medische faculteit laten gaan? Dat was ongehoord!

Dezelfde argumenten werden dag in dag uit herhaald. Intussen naderde de dag van inschrijving, en ik was nog geen stap op de hobbelige weg naar mijn roeping gevorderd. Alleen een wonder kon mij nu helpen, dacht ik op een middag mismoedig. Toen riep moeder mij naar de keuken.

„Waar ben je, kind?"

„Ik kom, moeder," antwoordde ik. Op één schoen – de andere had ik in mijn hand – hinkte ik de hal door. „Ik ga naar het bos."

Mijn toon was niet zozeer verdrietig dan wel berustend. Moeder wist van die uitstapjes, waarbij ik soms een geweer meenam om klein wild te schieten, want het voedsel begon een probleem te worden.

En soms ook ging ik met lege handen en een leeg hart, om kracht te zoeken en een oplossing te vinden, ik moest doorgaan met vechten voor mijn belangen, of vaders uitspraak aanvaarden.

„Blijf niet te lang weg," zei moeder. „Je grootmoeder wil je spreken, vanmiddag omstreeks theetijd."

Dat verbaasde me. Een ogenblik lang stond ik met mijn mond open. Grootmoeder wilde mij spreken? Wat kon dat betekenen? Het flitste door mijn hoofd dat zij zich waarschijnlijk bij vader had aangesloten. Maar dat betwijfelde ik toch. Om de een of andere reden voelde ik mij een beetje gelukkiger, en ik maakte dat ik weg kwam.

In mijn kinderjaren was een bezoek aan de ouders van mijn vader in het naburige Mergentheim een zeldzame gebeurtenis. Grootvader, de burgemeester, was te statig om door een jong kleindochtertje te worden aangesproken. Grootmoeder was zelf ook indrukwekkend. In zwarte tafzijde, veel alpaca onderrokken en een hoge kanten kraag, schonk zij thee en ontving zij haar gasten – een ongenaakbare aristocrate. Haar blik verbood ten stelligste het breken van kopjes, vlekken maken op het tafelkleed of een grof woord. Zij schonk niet veel aandacht aan mij, en het drong nauwelijks tot mij door dat deze indrukwekkende matrone de moeder van mijn vader en mijn eigen bloedverwante was.

Mijn grootvader, de burgemeester, stierf toen ik nog jong was. De officiële plechtigheid van zijn begrafenis was voor mij niet meer dan een optocht zoals ik er al vele had gezien. Ik keek tersluiks naar mijn grootmoeder en zocht tevergeefs een teken van emotie.

Haar zwarte zakdoekje was goed te zien, maar het werd niet eenmaal naar haar ogen gebracht, en haar gezicht had aan het graf van haar man dezelfde uitdrukking als aan haar theetafel.

Zij zette het beheer van haar grote huis en het beslissen over de levens van haar kinderen voort, tot eerst de ene en toen de andere van haar oudste twee zonen zich van haar leiband losmaakte. Adolf, de oudste, ging naar het Verre Oosten om voor een exportfirma te werken, en zij drapeerde een zwart lint om zijn portret. Toen haar tweede zoon, mijn vader, ervan afzag om het rijke meisje te trouwen dat zij voor hem had uitgezocht, nam zij jegens mijn moeder een ijskoude, formele houding aan, die zij sindsdien nooit heeft laten varen.

Haar enige dochter, mijn mooie tante Ida, kreeg tuberculose. Grootmoeder bracht haar van het ene dure sanatorium naar het andere, en toen het einde kwam, zorgde zij voor een kostbare begrafenis, zonder aan mijn vader te denken, die de kosten uit zijn bescheiden schoolmeesterssalaris moest betalen.

Al haar liefde was op haar jongste zoon Werner geconcentreerd. Hij was een knappe jongeman, die het uniform van de keizerlijke huzaren droeg. Toen het bericht kwam dat hij aan de Marne was

gesneuveld, was haar verdriet zo groot, dat er voor haar verstand werd gevreesd. Zij had zich hem nooit aan het front kunnen voorstellen; altijd zag zij hem zoals zij hem bij de keizerlijke manoeuvres in Bad Mergentheim had gezien: rijdend achter de keizer. Voor zij zich van deze slag kon herstellen, kwam er een brief uit het Oosten, die haar berichtte dat oom Adolf aan een tropische ziekte was gestorven. Nu werd haar verdriet met zelfverwijt bezwaard: door een zwart lint om zijn portret te draperen, had zij hem stellig een te vroege dood bezorgd. Vader vond dat het nu niet raadzaam was haar alleen te laten wonen, en hij verhuisde haar met haar liefste bezittingen naar de benedenverdieping van ons huis.
Misschien beschouwde zij deze verandering als een bedreiging van haar onafhankelijkheid, want de ontembare oude dame putte kracht uit een of ander geheim reservoir, en kwam er weer helemaal bovenop. Zij nam de bescherming van vaders dak aan, maar alleen onder voorwaarde dat zij haar eigen huishouding kon blijven voeren. Wij, kinderen, werden nooit tot haar heiligdom toegelaten, en de trappen naar ons deel van het huis besteeg zij alleen bij officiële familieaangelegenheden.
Dit was de grootmoeder, die mij om onverklaarbare redenen op dit kritieke uur van mijn leven wilde spreken. Ik kon mij in de verste verte niet voorstellen wat zij van mij wilde, en toen ik van mijn wandeling naar huis rende, gaf de nieuwsgierigheid mij vleugels. Ik zag haar koud en statig als altijd in de deuropening staan wachten, en ik aarzelde, maar zij wenkte mij binnen te komen. Ik volgde, voorzichtig op de kostbare Chinese tapijten stappend.
Het zilveren theeservies stond gereed op het kleine tafeltje voor de divan. Er was een schaaltje met bitterkoekjes; hoe kon zij weten dat het mijn lievelingskoekjes waren? Grootmoeder ging zitten en verzocht mij vormelijk ook te gaan zitten. In het stijve Frans, dat haar generatie de juiste taal voor de ontvangkamer vond, maakte zij passende opmerkingen over het weer. Toen brokkelde grootmoeders correctheid af; zij ging in openhartig Duits verder, stond op en begon de kamer op en neer te lopen.
„Eeuwig en altijd heeft men jullie, kinderen, geleerd eerbied te hebben voor je moeders afstamming en voor haar familiewapen te buigen," zo begon zij. „Hoe vaak heb ik moeten horen dat zij door

dokters, ridders en kruisvaarders van de heilige Roomse keizer afstamt?"
Mijn theekopje trilde op het schoteltje. Dit was overdreven. Hoewel moeder trots was op haar voorname familie, was zij ook bescheiden, en zij gaf zich niet over aan genealogische ijdelheid.
Maar ik durfde mijn grootmoeder, die met opgestreken zeilen voortging, niet tegen te spreken.
„Maar wat weet je van je vaders voorouders?" Hier pauzeerde zij dramatisch, maar niet om op antwoord te wachten. „Heeft iemand je ooit verteld dat je overgrootvader – *mijn* vader – óók een groot dokter was? Dat hij ook een beroemde inrichting voor geesteszieken heeft gesticht? Dat zijn inrichting in Doeblingen in zijn tijd wereldberoemd was?"
Nu kwam er een lange pauze – om op adem te komen, dacht ik. Ik wachtte tot zij verder zou gaan. Maar zij had reeds alles gezegd wat zij van plan was te zeggen. Zij ging naar haar biedermeier schrijfbureau, drukte op de verborgen veer van een geheime lade en trok er een bankboekje uit.
„Hier," zei zij, opende het op de laatste bladzijde, en reikte het mij toe. „Dit zal voldoende zijn voor je medische studie. Het is niet meer dan recht en billijk dat je de voetstappen van je overgrootvader drukt. Je zult een vermaard dokter worden."
„*Grandmère! Je ne pensais pas – c'est incroyable* – dat is heerlijk!" Ik stamelde in een verwarring van talen. Ik sprong op om haar te omhelzen, maar in plaats daarvan bukte ik mij en kuste haar de hand. Zij kuste mij ook, op het voorhoofd, en klopte mij op de wang.
„Dat is wat ik gespaard heb, kindlief. Een leven lang, kan men wel zeggen, heb ik zo nu en dan een beetje opzij gelegd. Nu behoort het jou toe, voor je toekomst als dokter."
Toch vroeg ik mij zelfs in mijn blijdschap af: en als vader het niet goedvindt? Maar dat kon immers niet? Niemand kon tegen grootmoeder op. En dan – merkwaardige gedachte! – vader was haar zoon, en hij was haar gehoorzaamheid verschuldigd, zoals ik mijn vader gehoorzamen moest. Toen ik mij mijn vader trachtte voor te stellen, buigend voor zijn moeders wil, kwamen er andere beelden van hem voor mijn geest: vader, die leerlingen voor 's middags en 's avonds aannam, vader ingespannen werkend om moeders huishoudgeld te laten kloppen, vader, die met een bezorgd gelaat van

een bezoek aan het huis van zijn moederin Mergentheim terugkwam, en dan later de ernstige gesprekken met moeder, die – dat wist ik wel met mijn kinderverstand – over geld voor tante Ida gingen.
Misschien omdat ik nu op het punt stond over hem te triomferen, werd mijn hart met tederheid voor hem vervuld, en ik zei: „Ik begrijp het niet, grootmoeder! Als u een bankrekening had, waarom hebt u vader dan al die vreselijke rekeningen voor tante Ida laten betalen?"
Zij was niet beledigd. Zij kwam dichterbij en legde haar beringde handen op mijn schouders. „Elizabeth," zei zij, mij zoals altijd bij mijn officiële naam noemend, „dat was mijn voorrecht. De grootste man is hij die alleen staat. Doordat hij deze lasten op zijn schouders heeft genomen, is je vader een groter mens geworden, een man die ik met trots mijn zoon noem. Ga nu maar weg, en zeg aan je ouders dat ik vanavond met hen kom spreken. Samen zullen wij deze zaak wel in orde krijgen."
Ik rende naar boven en viel mijn moeder met het nieuws van grootmoeders wonder in de armen.
Aan tafel zaten vader en moeder stilzwijgend in hun eigen gedachten verdiept. Zelfs broer Otto had geen praatjes. Het feit dat grootmoeder naar boven kwam, was genoeg om hem te intimideren. Wij drentelden naar de zitkamer, en enige minuten later hoorden wij de ebbehouten stok op de trap.
Hooghartig weigerde grootmoeder de stoel die vader haar aanbood. Zij stond in het midden van de kamer, wees met haar stok naar vader en kondigde haar beslissing aan om mij te helpen datgene te worden wat ik zo innig wenste. „Deze jongedame," verklaarde zij, „zal het pad van haar twee overgrootouders volgen. Zij zal een uitstekende dokter voor nerveuzen en geesteszieken worden."
Mijn voorvechtster trok de gebreide doek om haar schouders recht, liep naar de deur en keek nog eens naar vader om. „Je gaat maandag naar de universiteit en laat Elizabeth voor het eerste medische semester inschrijven. Goedenacht!"
Zij draaide zich om om te vertrekken. Ik had lust om te applaudisseren. Maar op dit ogenblik kwam Otto, die met een glinstering in zijn ogen naar deze scène had zitten kijken, naar voren. Hij boog stijfjes voor de oude dame en bood haar zijn arm aan. Met

iets dat op een blosje leek, nam zij de geste van haar halfwassen ridder aan en zij gingen weg. Hun gemengde stemmen en lachgeluiden klonken tot de zitkamer door, en wij stonden zwijgend te luisteren naar het gestomp van de ebbehouten stok op de trap. Vlug, om het moment niet te bederven, kuste ik mijn ouders op het verbijsterde voorhoofd en kroop in bed voor ik een woord zou kunnen horen dat de gloed van pas gevonden bewondering voor grootmoeder zou kunnen dempen.

HOOFDSTUK 7

STUDENTEN ZONDER LIEDEREN

OKTOBER 1918 WAS DE MAAND VAN MIJN INTREDE IN DE MEDISCHE faculteit. De keuze van de universiteit was geen probleem; zij hadden alle medische faculteiten en zij hadden alle voorname tradities. Heidelberg werd in de veertiende eeuw gesticht; München en Tübingen waren niet veel jonger. In de oude tijd, toen er nog geen Duits keizerrijk was, had ieder koninkrijk of hertogdom zijn eigen universiteit. Voor het Rijnland was er Bonn, voor Sleeswijk-Holstein Kiel, voor Silezië Breslau, voor Beieren München, voor Baden Heidelberg. Toen Duitsland in 1871 werd verenigd, werden het Duitse universiteiten, en sindsdien geven zij elkanders studenten volledig gelijke rechten.

Men liet zich niet inschrijven voor de gehele periode van intrede tot promotie, maar voor een semester tegelijk. Een student kon zo vaak hij wilde van de ene universiteit naar de andere trekken, om welke reden dan ook, hetzij om bij een beroemde professor te studeren, of met vrienden samen te zijn of alleen maar om het studentenleven in een andere stad te leren kennen. Een klasgenoot van dit jaar in Tübingen kon heel goed het volgend jaar in München opduiken en drie semesters later in Heidelberg zijn.

Teneinde mij als medisch student voor de laatste examens te kunnen kwalificeren, moest ik tien semesters doorlopen. Indien ik dat wenste meer, maar nooit minder dan tien. Vijf daarvan waren preklinisch en vijf klinisch*. Ik zou ze kunnen volgen waar ik wilde. Om te beginnen was er echter de voortreffelijke, oude universiteit van Tübingen, in 1477 door hertog Eberhard voor zijn eigen volk van Württemberg gesticht, en die was het dichtst bij huis. Dus ging ik naar Tübingen.

---

* Studie in de praktijk.

De stad, nog eeuwen ouder dan de universiteit, ligt aan de oevers van de Neckar, waar twee andere stromen zich bij de rivier voegen, om gezamenlijk naar de Rijn te stromen. Er was geen campus*. Die zijn er niet in Duitse universiteitssteden. De hele stad was een campus, met studenten die van gebouw tot gebouw, van klas tot klas, door de straten sjokten. Studenten die van een middag in de bibliotheek van de universiteit naar beneden kwamen, konden studenten ontmoeten die naar boven klommen om de avondhemel te bestuderen, want bibliotheek en observatorium waren beide gehuisvest in het oude, hertogelijke kasteel boven op de berg. Er waren heel wat luidruchtige ruzies geweest tussen stad en toga, tussen de ernstige wijnbouwers en de levendige, vaak baldadige studenten, die de straten en bierhallen acht maanden van het jaar overnamen.

Er waren geen studentenhuizen. Studenten woonden in de clubhuizen, tenminste als zij door familie of rijkdom voor het lidmaatschap in aanmerking kwamen, en anders huurden zij kamers in de stad. Bijna ieder gezin dat een kamer over had, huisvestte gedurende de semesters een student. Er was geen sportterrein, want er werd in het geheel niet aan sport gedaan. Studenten namen lichaamsbeweging hoe en wanneer zij dat wensten.

Voor de leden van de duelleerclubs, of „corpsen", de aristocraten onder de studenten, waren schermen en sabelgevechten belangrijker dan de studie. Voor velen van hen was het de hoofdreden om naar een universiteit te gaan. Het corpslint over de borst, en meer nog de littekens op de wangen, waren het trotse kenmerk van Duitse moed.

Zo was het tenminste tot de oorlog geweest. Maar toen ik naar Tübingen kwam, hingen de vlaggen op de clubhuizen halfstok en ze waren bijna onbewoond. Hun leden waren aan het front of hadden reeds hun leven voor het vaderland gegeven.

Het was een sombere, kleurloze wereld waarin ik werd binnengeleid. Het leek niet op het romantische universiteitsleven uit legenden en operettes. De oude tijd van schuimende bierkannen en studentenliederen was verdwenen, te zamen met het oude Duitsland dat

---

* Terrein waarop de gehele universiteit en de woongelegenheid voor de studenten is samengebracht. In Nederland bestaat één campus-hogeschool, namelijk de Technische Hogeschool in Enschede.

in de oorlog aan het sterven was. De weinige jongemannen hobbelden op krukken, hadden een lege mouw of droegen een zwarte lap over een oog. De rest van de mannelijke studentengroep bestond uit de eeuwige studenten met een buikje, niet meer zo jong, die jaar in jaar uit dezelfde antwoorden op dezelfde examenvragen zochten, en die zich troostten met bier wanneer zij zakten, hetgeen onvermijdelijk gebeurde. De vrouwelijke studenten waren voor het merendeel zoals vader hen had beschreven, pijnlijk gretige meisjes, die tijdens de schaars bezochte colleges ieder woord van de professor in hun cahiers krabbelden.
Toch vond ik gezelschap. Inez en ik werden vriendinnen sinds onze eerste morgen in anatomie, toen wij hetzelfde lijk toegewezen kregen. „*Anatomische Präparierübungen*", – praktische anatomie – werd van acht tot tien uur in de morgen beoefend. Op deze eerste dag schuifelden ongeveer vijftig van ons naar de snijzaal, sommigen ongeduldig, sommigen duidelijk nerveus. Ik klemde een etui met instrumenten als een talisman in mijn hand; het was een etui dat oom Albert mij had nagelaten.
De deuren werden van binnen uit opengeworpen, en wij hielden hoestend onze adem in. De bijtende prikkel van formaline greep ons bij de keel en bracht tranen in onze ogen. Half verblind gingen we achter elkaar naar binnen, en toen onze ogen opklaarden, zagen wij de zwijgende leermeesters van wie wij anatomie zouden leren. Zij lagen in rijen op houten planken, die op metalen bladen waren bevestigd, mannelijke en vrouwelijke, jonge en oude, sommige mager, andere dik, alle naakt en alle verstild in de dood.
De student aan mijn rechterhand grinnikte tegen mij. Hij was gezet en niet meer jong, klaarblijkelijk een van de eeuwige studenten die een nieuw semester met een bierkan tegemoet gingen. Hij was hier eerder geweest en had plezier in de verbijstering van de nieuwelingen. Hij stootte mij aan alsof hij een grap met mij deelde en wees naar de student aan mijn linkerkant. Het gezicht van deze jongeman werd van roze eerst grijs en toen zeegroen. Even voor de professor de namen afriep, draaide de ongelukkige jongeling zich om, gooide mij, onvast ter been als hij was, opzij en holde de zaal uit. Vóór mij stond een groot meisje met een lange, dunne nek, haar kraaloogjes loerend op de lijken gericht. Zij zag eruit als een gier die op het punt staat op zijn prooi te duiken, maar hoogstwaar-

schijnlijk concentreerde zij zich op haar ontbijt dat zij binnen wilde houden. Een laatkomer vloog de zaal binnen, keek rond, gaf onwillekeurig een gil en trachtte dat te camoufleren door te gaan giechelen.

Intussen ging de professor rustig verder met het afroepen van de namen en het toewijzen van de lijken aan de verschillende studenten. Zijn kalmte was geruststellend. Dit gebeurde zonder twijfel ieder semester opnieuw, en ieder semester wenden de studenten weer aan de snijzaal. Ik keek naar hem, en lette op het afroepen van mijn naam.

Ieder lichaam werd toegewezen aan vier studenten, die twee aan twee zouden werken. Ik hoorde mijn naam en het nummer zestien, maar mijn benen weigerden. Ik moest ze dwingen mij tussen de rijen lijken door te dragen tot ik het mijne gevonden had.

Nummer zestien was een niet meer zo jonge man! Ik stond naar hem te staren en voelde geen afkeer of misselijkheid. Mijn reactie was van een derde soort, een trance waarin ik mij niet kon bewegen, alleen maar naar hem kon staren en mij afvragen wie hij was, hoe hij geleefd had en waarom hij was gestorven. Ik las het etiket: B.L. 55, toegewezen aan anatomie 1 april 1916. Gestorven oktober 1916. Nu was het oktober 1918! Dit was stellig een soort van verjaardag voor deze goed bewaarde verzameling van spieren, zenuwen en beenderen die eens een mens was geweest.

Er stond al een andere studente. „Ik ben Inez Reventlau," zei ze en stak een slanke hand uit. Ik aanvaardde die gretig. De hand was koud en klam van nervositeit, maar de greep was stevig. Ik keek op en zag een mooi gezicht, op dit onbehaaglijke ogenblik bleek, maar vriendelijk en warm. Zij had in haar grote, bruine ogen een uitdrukking die een weerspiegeling leek van mijn eigen verwarde emoties ten aanzien van de dode man die tussen ons lag. Wij glimlachten onzeker tegen elkaar; zij liep om de tafel heen en zei: „Wij zijn blijkbaar ontleedpartners. Ik heb het been aan deze kant, geloof ik."

„En ik heb de arm," antwoordde ik.

Nu kwamen ook de anderen die ons lijk deelden. Het waren twee jongemannen, die blijkbaar hun aandeel aan de oorlog hadden bijgedragen. Een van hen was tamelijk zwaargebouwd en zijn gezicht was door granaatscherven met littekens overdekt. Waarschijnlijk had hij ook nog andere, niet zichtbare wonden. De andere, slank en elegant, met een corpslint dwars over de borst, kwam hinkend op onze tafel toe. Zij keken ons koel aan, klikten met hun hakken en stelden zich voor: Müller – von Horne.

Overal in de zaal bonden de studenten hun rubberschorten voor en pakten hun ontleedinstrumenten uit. Wij begaven ons naar de kleine bijtafel en deden hetzelfde. Onze instrumenten waren onze meest geliefde bezittingen: het grote en het kleine mes, de gebogen scharen en de rechte tang. Inez en de anderen hadden glanzend nieuwe, moderne instrumenten, terwijl op het prachtige etui van von Horne in goud zijn naam was gestempeld. Maar ik had voor alles in de wereld mijn versleten etui niet voor het hunne willen ruilen. Ik greep het ebbehouten handvat van het grotere mes en voelde dat mijn vingers gemakkelijk in de holten lagen die oom Alberts vingers er door de jaren heen in hadden gesleten. Gerustgesteld keerde ik mij naar de tafel.

Een anatomische kaart hing in het midden van de zaal aan de zoldering. Wij stonden, kijkend naar de kaart, met onze messen in de houding, niet wetend waar te beginnen, tot de assistent, die van tafel tot tafel ging, ook bij ons kwam en ons zijn aanwijzingen gaf. Wijzend, en haast over zijn woorden vallend in zijn haast om iedere groep aan het werk te krijgen, omschreef hij onze taak voor deze morgen. Wij moesten de bovenste spierlaag isoleren van de arm of het been, dat wij toegewezen hadden gekregen. Hij toonde ons waar de eerste insnijding moest worden gemaakt en haastte zich verder. Inez greep met bevende hand het rechterbeen en begon haar aanval, maar haar mes slipte en zij begon opnieuw. Aan de andere kant van de tafel hield Müller het linkerbeen in een venijnige greep en maakte in een enkele beweging een insnijding van de lies naar de enkel, zoals een slager de huid van een karkas zou openen. Von Horne scheen het hele geval te vervelen. Hij veegde zijn handen verscheidene keren aan zijn zijden zakdoek af, bevestigde zijn schort opnieuw, zodat het zijn corpslint bedekte, en pakte eindelijk de linkerpols.

Ik boog mij over mijn eigen taak en al spoedig begon de vreemdheid van deze plaats en van wat wij deden te verdwijnen. Toen ik mijn insnijding had gemaakt en de huid had teruggeslagen, waren daar werkelijk de voorbeelden en diagrammen waarover ik in oom

Alberts studeerkamer gebogen had gezeten. Alsof zij speciaal voor mij geschapen waren, ontdekte ik de biceps* die over de grote strekspier lag en daar lag ook de triceps*. De tijd vloog voorbij en de bel voor de middagpauze ging voor ik weer had opgekeken. Rondom ons heen werden haastig de instrumenten schoongemaakt en de schorten afgenomen. Inez en ik bleven stilstaan om naar elkaars werk te kijken.
„Wel, wel, juffrouw professor," zei Inez, „je moet mij morgen maar eens laten zie hoe je het klaarspeelt die dingen zo keurig uit te snijden!" Ik lachte enigszins verlegen en zei dat medische handboeken de lectuur van mijn kindertijd waren geweest.
Inez keek ongelovig. „Ik twijfel eraan of je deze handigheid uit boeken kunt leren," zei ze, en terwijl zij haar schort opvouwde, vervolgde ze: „Vanmorgen, toen we hier kwamen, dacht ik dat ik nooit meer zou kunnen eten. Maar ik ontdek tot mijn verwondering dat ik honger heb."
„Ik ook," antwoordde ik. Wij waren blijkbaar al gedeeltelijk over onze eerste hindernis heen en in staat de snijzaal te beschouwen met de objectiviteit van studenten op zoek naar kennis. Wij pakten onze instrumenten in en begaven ons naar de *mensa academica*, de studenteneetzaal.
Onder het eten van de dunne soep en het zwarte brood ontdekte ik dat Inez, net als ik, met haar familie had moeten vechten om medicijnen te kunnen studeren. Zij kwam uit de Hanzestad Hamburg, waar haar voorouders eens meesters over de noordelijke zee waren geweest.
Sedertdien deelden wij hetzelfde lijk, dezelfde bank in het laboratorium en hetzelfde sterke verlangen om te leren. 's Middags zaten wij samen in de klas of in de bibliotheek, en vaak studeerden wij 's avonds samen in haar kamer of in de mijne.
Iedere dag, op weg naar anatomie of college, stonden wij stil om de oorlogsbulletins te lezen. Iedere dag, naarmate onze legers verder naar de Rijn terugtrokken, werden zij korter en onheilspellender. Tot op een dag officieel de nederlaag en de wapenstilstand bekend werden gemaakt. Wij huilden, de vlaggen hingen halfstok, maar de colleges gingen normaal door.

---

* Respectievelijk de tweehoofdige en de driehoofdige armspier.

Binnen enkele weken begonnen de jongemannen hun weg naar de universiteit terug te vinden, eerst enkelen, daarna een voortdurende stroom. De collegezalen waren al spoedig stampvol met teruggekeerde studenten, die ongeduldig waren om hun studie weer op te vatten. Indien de jonge vrouwelijke studenten al verheugd waren over deze invasie van jongemannen in ons universiteitsleven, dan duurde die vreugde niet lang. Deze jeugd was niet galant. Ridderlijkheid en zelfs normale beleefdheid waren met de oorlog verdwenen. Zij namen ons onze tegenwoordigheid kwalijk en maakten ons belachelijk. In de snijzalen werden armen en benen onder onze ogen weggekaapt. Het mannelijke ego van deze generatie had een verpletterende nederlaag moeten incasseren. Dat zij bij hun terugkomst vrouwen vonden die zelfs in de medicijnen hun opperheerschappij bedreigden, moet een ondraaglijke vernedering zijn geweest voor deze jongemannen, die in een traditie van arrogante mannelijkheid waren grootgebracht. Zij waren onredelijk, bitter, en behandelden ons met openlijke verachting.
Inez, gemakkelijker gekwetst dan ik, werd ontmoedigd. Toen kreeg zij slecht nieuws van huis. Haar enige broer, die medisch student was geweest, kwam ongeneeslijk blind uit de oorlog terug.
Ik ging naar haar kamer om haar te helpen pakken. „Waarom zou ik hier blijven vechten om te leren?" zei ze. „Alleen maar om te ontdekken dat de geneeskunde ons niet kan helpen wanneer wij hulp het meest nodig hebben?" Ik voerde aan dat men ons nu meer dan ooit nodig had. Voor iedere jongeman als haar broer Achim moest er nu een vervanger zijn. Ik had succes met mijn argumenten, want toen wij aan het station afscheid namen, beloofde zij erover na te zullen denken en af te studeren aan de universiteit in Hamburg, waar zij dichter bij haar broer zou zijn. Een week later schreef zij mij dat ook haar broer Achim er bij haar op had aangedrongen voort te gaan, zodat ze nu met andere mannelijke studenten over een ander lijk aan het worstelen was. „Maar hier is geen Else om ze uit te lachen," voegde ze er spijtig aan toe.
Ook ik voelde me verlaten. Inez' plaats was nu door een andere studente ingenomen, een ernstig meisje, Evelyn Dauber genaamd. Misschien was Evelyn begaafder dan Inez; vlijtiger was zij zeker. Maar zij had weinig gevoel voor humor en niets van Inez' guitige vrolijkheid. Eenzaam als ik was, ging ik verwoed aan het werk.

De dagelijkse strijd met de mannelijke studenten in de snijzaal werd een ernstige hindernis. In plaats van vier studenten per lichaam waren er nu acht voor een enkele arm of enkel been, en wie vlug genoeg was om zo'n lichaamsdeel het eerst te pakken, was voor die dag de winnaar. Ons, vrouwelijke studenten, werd af en toe een blik over hun schouders toegestaan. Het was duidelijk dat hier iets aan gedaan moest worden.
Op een dag, toen de snijzaal verlaten was en de deur gesloten werd voor de lunch, bleef ik achter, verstopt in een van de kasten. Nu, dacht ik blij, ben ik die grijpende, hebzuchtige jongens te vlug af geweest! Nu zou ik een heel lijk voor mij alleen hebben! Ik liep door de gezegende stilte van de zaal, waar de doden de enige aanwezigen waren, naar mijn tafel om ongestoord de ligging van spieren en bloedvaten te kunnen bestuderen.
Maar ik bleef niet alleen. Achter me hoorde ik voetstappen. Ik draaide me om en stond tegenover Ezra, de zaalassistent. Om zijn boosheid te voorkomen, zei ik vlug: „Hoe kan ik ooit iets leren wanneer de mannen mij zo opzij dringen dat ik zelfs niet bij de tafel kan komen?"
Hij zei niets, kwam alleen dichterbij en keek toe terwijl ik een halsslagader blootlegde. „Hier snijden," wees hij, „dan kunt u het zien." Ik deed wat hij mij zei en was in mijn nopjes met een keurig geïsoleerde ader. Ik ging mijn handen borstelen en mijn schort opbergen. Toen ik mijn brood voor den dag haalde en hem de helft aanbood, kwam hij naast mij zitten. Naar buiten kijkend, met de snijzaal achter ons, aten wij genoeglijk samen, terwijl hij mij vertelde over de vele jaren van zijn werk met de doden, die hier lagen om de kennis van de levenden te vergroten. Toen ik opstond en de kruimels van mijn rok sloeg, zei Ezra: „Maak voort, u kunt nog een paar minuten werken."
Gedurende de volgende twee semesters, tijdens het lunchuur en na college op de zaterdagen, ontmoetten mijn officieuze leermeester en ik elkander regelmatig in de snijzaal. Dat waren onschatbare uren van geconcentreerd, ononderbroken werken. Ik prepareerde spieren en pezen en isoleerde interne organen, ik volgde de loop van aderen, slagaderen en zenuwen in hun gecompliceerde stelsels. Ezra maakte mij deelgenoot van de uitgebreide kennis die hij in de loop der jaren had opgedaan. Zijn ogen schitterden, en hij scheen

jonger te worden. Hij kon nu bijna geloven de professor in de anatomie te zijn die hij lang geleden gehoopt had te zullen worden.

Bij mijn wekelijkse bezoeken aan huis stond grootmoeder zonder uitzondering voor haar venster op mij te wachten. Tegen de tijd dat ik de huisdeur met mijn huissleutel had geopend en de hal binnenkwam, stond zij in de deur van haar zitkamer en wenkte mij binnen te komen. Op de theetafel stond dan een zilveren blad met een fles oude sherry, twee van haar fijne kristallen glazen en een schaaltje bitterkoekjes, waar ik dol op was. Dan gingen we naast elkaar op de divan zitten en vaak, terwijl ik over mijn vreugden en moeilijkheden aan de universiteit vertelde, streelde ze mijn hand. Na een halfuur precies zette zij haar glas neer. „Ga nu naar boven en begroet je ouders en Otto. Ik heb je moeder gezegd dat zij mij voor het eten kan verwachten." Zij vond blijkbaar dat haar dit halfuur van mijn bezoek alleen toekwam.
Wanneer ik de trap opging, wist ik al vooruit dat „mijn" schotel opgediend zou worden. „Else's lievelingsgerecht" noemden ze het, en de burgerlijke, maar zalige geur van „*Zwiebelbraten*" – gebakken biefstuk met uien – versterkte mijn verlangen naar huis en mijn eetlust, die nog werd aangewakkerd als ik aan het miserabele menu van de *mensa academica* dacht.
Aan tafel overlaadde Otto, die nu een opgeschoten „tiener" was, mij met vragen, zoals moeder mij met eten overlaadde. Mijn auditorium was vergroot met een verlegen luisteraarster, het nieuwe lid van onze huishouding, een oorlogswees. Moeder had niet minder willen doen dan een van de oorlogswezen adopteren, en ik denk dat Lena haar enigszins schadeloos stelde voor de afwezigheid van haar eigen dochter. Nu had zij tenminste weer een opgroeiend meisje om voor te zorgen. Toen ik haar voor het eerst zag, was Lena bleek en smal, maar met ieder bezoek zag zij er fleuriger uit. Zij luisterde al even graag naar mijn verhalen uit Tübingen als mijn broer Otto. Zij stond bij moeders stoel met open mond te luisteren, en vergat de hete soepterrine die ze in de handen hield.
In de loop van de dag kwam de dochter van onze naaste buren, Margot, binnenlopen om mij te zien en dezelfde verhalen te horen. Margot was mijn vriendin geweest sinds wij in mijn gymnasiumtijd naar Esslingen verhuisden. Gedurende de korte periode dat moeder

erin geslaagd was een jongedame van mij te maken, gingen wij samen naar naailes en naar dansles. Margot had geen ambities behalve het huwelijk, en een universiteit vol huwbare jongemannen was in haar ogen een paradijs.
Ik schilderde voor Margot, voor Lena en voor Otto, die van zijn eigen toekomstige universiteitsjaren droomde, het studentenleven niet strikt volgens de waarheid af. Ik wilde hun gretige belangstelling niet teleurstellen en sprak maar niet over de harde werkelijkheid. Ik praatte luchtig heen over de moeizame uren van blokken als ik de namen van beenderen en spieren, bloedvaten en zenuwen en de formules van de organische chemie met letters en cijfers, als kralen aan een eindeloze draad geregen, uit het hoofd moest leren. In plaats daarvan vertelde ik hun van de pret en de streken die studenten ongetwijfeld overal, in alle landen, uithalen en in het bijzonder weidde ik uit over de heerlijkheden van het alleen en onafhankelijk zijn in een verre stad, ver van huis en gezin. Ik geloof wel dat in iedere generatie studenten met dezelfde half gefantaseerde verhalen de onnozelen thuis vermaakten. Eén ding wilde Margot, die in het alledaagse Esslingen hunkerde naar romantiek, niet van mij aannemen: de koude onbeschaamdheid van de Müllers en von Horne's inspireerde mij niet tot fantasieën over de liefde.

Op een weekeinde gebeurde het dat grootmoeders gezicht, toen zij mij in haar woning begroette, zeer ernstig stond. „Ga zitten, Elizabeth," zei ze, en aan haar stem hoorde ik dat zij slecht nieuws had en mij dat voorzichtig wilde meedelen.
Wat zij mij vertelde was inderdaad slecht nieuws. Otto, mijn vrolijke, plagerige, charmante, jonge broer stond op het punt blind te worden. Er waren in het geheel geen symptomen geweest. Op een dag, een week geleden, toen hij bezig was tijdens Latijnse les de tekst van Caesars „Gallische oorlogen" op te zeggen en van het blad te vertalen, zei hij plotseling tegen zijn leraar: „Ik kan niets meer zien."
Vader had hem toen meegenomen naar Stuttgart en hem door verschillende specialisten laten onderzoeken. Zij waren het over de diagnose eens. Otto's netvliezen lieten langzamerhand los, een ziekte die in totale blindheid zou moeten eindigen.
Toen ik in Tübingen terug was, bracht ik de uitslag van het onder-

zoek onmiddellijk naar de professor in de oogheelkunde. Ook hij bevestigde de diagnose.
Nu was ik even geschokt als Inez was geweest. De gedachte dat Otto verder in het donker zou moeten leven liet me geen rust. De volgende dag sprak ik er in de ontleedkamer met Ezra over.
De oude man streek over zijn kin. Toen ging hij naar de deur en sloot deze secuur. Toen hij weer bij mij terugkwam, zei hij fluisterend: „Luister! Ik weet een dokter die al vaak ogen van de doden genomen heeft. Hij moet succes gehad hebben, anders zou hij er niet mee zijn doorgegaan!"
„Wie is het?"
„Niet zo vlug!" zei Ezra, „ik moet je eerst vertellen dat men hem een kwakzalver noemt."
„Dat doet er niet toe," drong ik aan, „zeg me alleen maar zijn naam."
Ik moest erom smeken eer Ezra mij zijn naam wilde zeggen, maar toen zocht ik dokter Bernox dan ook op. Hij maakte op mij de indruk van een voortreffelijk medicus en een ernstig pionier, verplicht om middelen te gebruiken die door de samenleving en het medische beroep niet werden toegestaan, maar voor hem noodzakelijk om een nieuwe techniek, waarin hij geloofde, uit te werken. Toen ik hem over Otto vertelde, was hij niet optimistisch. Het was waar dat hij erin geslaagd was in dergelijke gevallen de loop van de ziekte te stuiten, maar hij was bang dat Otto's ziekte al te ver gevorderd was. Na lang aandringen stemde hij erin toe een poging te wagen.
Toen moest ik vader overtuigen, vader, die nog nooit in zijn leven iets tegen de regels had gedaan. Maar in Otto's geval had behandeling volgens de regels geen resultaat opgeleverd, en ten slotte stemde hij toe.
De behandeling was zo pijnlijk dat mijn jonge broer telkens uren tevoren reeds beefde en nog uren daarna huilde. Moeder zat bij hem en bij een klein, blauw licht las zij hem voor. Grootmoeder beklom de trap om moeder af te lossen; zij drong erop aan dat moeder rust zou nemen. Otto's ziekte had eindelijk de vijandschap tussen hen beiden doen verdwijnen. Toen hij beter werd, waren moeder en grootmoeder goede vriendinnen.
Otto's gezichtsvermogen was verminderd, maar hij was tenminste van totale blindheid gered; de ziekte was gestuit.
Dokter Bernox werd mijn held. De kleine man met de doordringen-

de ogen had door Otto mijn levenslange dankbaarheid gewonnen, en niet lang daarna won hij die voor de tweede maal door mij uit te nodigen een van zijn experimentele operaties bij te wonen. Ezra vertelde mij dat dokter Bernox ogen aan de doden had ontnomen teneinde het gezichtsvermogen van levenden te redden. Gedurende Otto's herstel waagde ik het eens hiernaar bij hem te informeren, en ik werd met een uitvoerig antwoord beloond. Dokter Bernox vertelde mij dat de beschadiging soms alleen de cornea betrof, het transparante, beschermende laagje over het gekleurde deel van het oog, de iris, met in het midden de opening, de pupil. Bij staar bijvoorbeeld, wordt de cornea bewolkt of ondoorzichtig. Als de zieke cornea door een gezonde zou kunnen worden vervangen, zou de patiënt weer kunnen zien.
„Maar hoe kan zo iets wordeng edaan?" vroeg ik, altijd nieuwsgierig naar chirurgische werkwijzen.
„Zou u dat eens willen zien? Maar dan moet u mij beloven er met niemand over te spreken, anders zal men mij het werken beletten."
Dat beloofde ik.
Op de bewuste dag liet de verpleegster van dokter Bernox mij binnen, en bracht mij naar de kleine privé-operatiekamer in zijn huis. De patiënt, een man van middelbare leeftijd, was gereed en plaatselijk verdoofd. Ik zag hoe dokter Bernox een cirkelvormige insnijding langs de buitenrand van de iris maakte en het kleine, ondoorzichtige vlies oplichtte. Toen nam hij een dergelijk, maar transparant, vlies uit een pot waarin het in een sterke zoutoplossing ronddreef. Dit plaatste hij over de iris van de patiënt en naaide het met het fijnste paardehaar rondom vast aan de sclera, het oogwit. Dezelfde techniek paste hij toe op het andere oog. Tenslotte bedekte hij beide ogen met een verband, sprak de man geruststellend toe en verzocht mij met een gebaar hem naar de spreekkamer te volgen. Ik kon nauwelijks met mijn vragen wachten. „Hebt u de cornea's uit de snijzaal gekregen?" Ik had al begrepen dat Ezra de dokter hielp wanneer hij maar kon.
„Deze niet," zei dokter Bernox. Hij scheen al even opgewonden te zijn als ik. „Ik heb bij mijn eerste pogingen ontdekt dat wanneer eenmaal rigor mortis* is ingetreden, de cornea's niet voor dit doel

* Lijkverstijving.

te gebruiken zijn. De operatie kan dan niet lukken. Maar twee keer. . ." zijn stem daalde tot een gefluister, „ben ik in staat geweest na een dodelijk ongeluk de cornea's vlug genoeg te verkrijgen. De eerste operatie waarbij ik vers materiaal gebruikte, had succes; toen de verbanden werden afgenomen, kon de patiënt zien. Dit is de tweede keer."
Bij mijn volgende bezoek vertelde dokter Bernox mij verheugd dat de patiënt, wiens operatie ik had bijgewoond, eveneens het gezicht had herkregen. „Nu kunt u uw thesis schrijven! Nu kunt u het aan de medische wereld vertellen!" riep ik uit.
De vreugde verdween van zijn gezicht en hij schudde zijn hoofd. „Kindlief, het is een dokter niet wettelijk toegestaan de cornea's van overledenen te gebruiken zonder toestemming van de familie, en de families geven geen toestemming. Zelfs de doden in het armenhuis behoren iemand toe, al moet de stad ze ook begraven. Het beroep is er trouwens nog niet rijp voor," zei hij bedroefd. Ik begreep voor het eerst dat een pionier in de geneeskunde, en speciaal in de chirurgie, vaak een doornenkroon moet dragen. De dappere profeet van de hedendaagse cornea-overplantingen en oogbanken had zijn dokterslicentie kunnen verliezen; het werk van dokter Bernox zou grotesk, zo niet erger, zijn genoemd. Toch was de wijze waarop hij een tot nog toe onoplosbaar probleem benaderde gezond en logisch, en onder gunstiger omstandigheden zouden zijn operaties een indrukwekkend percentage van successen hebben getoond.
De ervaring van de ontmoeting met dokter Bernox, en het gadeslaan van zijn werk, had voor mij bijzondere gevolgen. Het was opnieuw een wegwijzer naar een specialisatie die ik reeds lang voor ogen had. Ik wist nu dat grootmoeders voorspelling niet vervuld zou worden. Het nieuwe, zich snel ontwikkelende specialisme der psychiatrie, een afstammeling van de wetenschap der geestes- en zenuwziekten, waarin mijn twee overgrootvaders zich verdienstelijk hadden gemaakt, trok mij niet aan. Chirurgie was wat ik voor ogen had, en nu begon ik te denken aan een speciale tak der chirurgie, het herstellen van mismaakten en verminkten.

HOOFDSTUK 8

MÜNCHEN

ZO GING HET EERSTE ANDERHALF JAAR VAN MIJN MEDISCHE STUDIE TE Tübingen voorbij. Het vierde semester bracht een gelukkige verandering van omgeving. Grootmoeder en mijn ouders waren het erover eens dat ik mij aan de universiteit van München moest laten inschrijven.

Dit had ik eigenlijk aan Otto te danken. Hij had voor herstel van zijn gezondheid enige tijd doorgebracht bij familieleden van moeder, die een villa aan de Ammersee, buiten München, bewoonden. Hij kwam thuis, levendig en geheel hersteld, en vertelde enthousiaste verhalen over het leven in München en omstreken, zodat ik begon te verlangen om dit alles zelf te zien. De universiteit was ouder en bekender dan die van Tübingen, en de stad was niet alleen de hoofdstad van het oude koninkrijk Beieren, maar ook een centrum voor kunsten en kunstenaarsleven. Het zachte, slepende dialect, de lichte levensopvatting, het beste bier en de joligste bierhallen, dit alles betekende München.

Rondom de stad waren aan de voet van de Alpen meren en wouden, en de Beierse Alpen zelf, waar geskied en geklommen werd, waren gemakkelijk bereikbaar. Het werd mijn innigste wens student in München te zijn, en toen in de familieraad deze wens tot werkelijkheid werd, schreef ik onmiddellijk naar Inez in Hamburg om haar het heerlijke nieuws mee te delen. En al spoedig kwam haar antwoord: zij had er met haar ouders over gesproken en ging ook naar München!

Zij arriveerde op dezelfde dag, maar iets eerder, en toen ik uit de trein stapte, stond ze mij op te wachten. Wij vonden aangrenzende kamers, niet al te ver van de Maximilianstrasse, en verloren geen tijd met uitpakken.

Inez kwam mijn kamer binnen en gooide een tijdschrift op mijn bu-

reau. Zij had het in de trein gelezen. Ik wierp een blik op de titelplaat en verrast keek ik nog eens weer: het was de foto van de mooie vrouw uit het Bellevue Palace Hotel, die mij tijdens mijn oorlogsavontuur in Genève had beschermd.
„Mata Hari, internationaal bekende spionne," luidde het onderschrift, „een foto uit de dagen dat zij onder het pseudoniem De Gravin in de grote wereld verkeerde. Ter dood veroordeeld wegens hoogverraad en contraspionage, werd zij op 9 november 1917 in de St. Lazare-gevangenis doodgeschoten."
„Dàt was zij dus!" riep ik uit, en Inez moest natuurlijk het verhaal horen. Ik vertelde hoe deze mooie vrouw mij had gevraagd om voor de goede afloop van een plastische operatie op het gezicht van een soldaat te bidden. „En ik herinner mij die operatie ook!" Ik beschreef haar hoe het was gegaan: het overplanten van de huid van het voorhoofd naar de neus, zoals ik dat lang geleden door de ramen van de operatiekamer had gezien.
De volgende dag vertelde Inez mij bij een kop ersatzkoffie in een van Münchens vele koffiehuizen, dat zij besloten had zich te gaan specialiseren in de oogheelkunde. Zij wilde werken aan het zoeken naar nieuwe methoden, om gevallen als de blindheid van haar broer te genezen. Ik vertelde haar toen over dokter Bernox en zijn methode om cornea's over te planten, en ik beschreef haar de operatie, maar toen ik was uitgesproken schudde zij haar hoofd. Zij wilde haar broer niet als een proefdier aan een dergelijke experimentele behandeling wagen. Zij wilde wachten, zei ze, tot deze methode officiële erkenning zou hebben gevonden.
„En jij, Else, weet jij al waarin jij je gaat specialiseren?"
„Ja, maar dat wil ik je pas de volgende week vertellen."
Ik had inderdaad besloten. Toen ik voor mijn geestesoog weer die operatie op het soldatengezicht in Genève zag, wist ik dat het weer opbouwen van mismaakte lichamen en verminkte gelaatstrekken het doel was waaraan ik mijn leven zou willen wijden. Ik moest er met mijn grootmoeder over praten.
Het volgende weekeinde ging ik naar huis, met als enig doel haar te zien. Ik had mij voorgenomen de zaak rustig te bespreken, maar nog voor ik mijn hoed en jas had opgehangen, had ik er in mijn opwinding mijn plannen al uitgeflapt. Ik zag haar, terwijl zij luisterde, verbleken, en toen ik zweeg, haalde zij diep adem en ging zitten.

Zij had enige tijd nodig om de plooien van haar tafzijden japon te schikken. Toen zij ze: „Elizabeth, je spreekt natuurlijk niet in ernst. Een volwassen mens verandert zijn plannen niet zo plotseling."
„Plotseling?" viel ik haar in de rede, en begreep toen dat ik nog veel te opgewonden en te bruusk was. Ik ging zitten en trachtte eveneens kalm te zijn. „Het was niet plotseling," begon ik toen. „Oma, heb even geduld en luister naar mij."
Ik vertelde haar stap voor stap hoe ik tot mijn beslissing was gekomen: de geschiedenis van Mata Hari, en de experimenten van dokter Bernox. Toen ik de verschrikkelijke behoefte aan plastische chirurgie van onze verminkte soldaten beschreef, kon ik niet langer kalm blijven, maar tegen die tijd had ook zij wat van mijn enthousiasme overgenomen.
„Maar vergeet niet, mijn kind, dat zij wier lichamen verminkt zijn ook een zieke geest hebben. De geest heeft ook een dokter nodig!"
„Dat is waar, oma. Maar er werken al zoveel mensen op dit gebied. Chirurgie is anders. Chirurgen worden geboren, niet gemaakt. Ik voel, al weet ik niet waarom, dat ik een van hen ben."
„Heel goed," zei ze, hoewel zij eruitzag alsof zij op het punt stond weer een van haar kinderen te begraven. „Je moet je roeping volgen. Laat niemand je in de weg staan." Als een laatste verdediging van haar droom voegde zij eraan toe: „Je hebt aangeboren gaven om met geesteszieken om te gaan, en die zullen je goed van pas komen. Zij zullen nog eens een uitkomst zijn als de chirurgie te kort schiet."
Dat dit een zeer wijze profetie zou blijken, kon grootmoeder niet weten.
Met hernieuwde hoop keerde ik naar München terug en verdiepte mij in het werk van het nieuwe semester. Het voornaamste onderwerp van dit semester was fysiologie; de studie der natuurlijke werkingen van het levende lichaam. In de collegezaal en uit onze handboeken leerden wij theorie en benamingen, en in het laboratorium pasten wij onze kennis toe. Wij zagen het hart van een kikker, dat gedompeld in een Ringeroplossing regelmatig doortikte. Wij zagen hoe spieren zich samentrokken onder de prikkel van een elektrische stroom. Hoe meer wij over de gevorderde natuurkunde en de organische chemie leerden, hoe meer bewondering wij hadden voor de samenstelling van het levende lichaam.
Toch vonden wij, ofschoon wij ernstige studenten waren, genoeg

tijd om in een van de aantrekkelijkste steden van de wereld van ons leven en onze jeugd te genieten. Voor mij, die een provinciaaltje was, maar ook voor Inez, die uit de internationale zeehaven Hamburg kwam, was München met zijn musea en kunstgalerijen, zijn opera- en concertgebouwen, de rococohuizen aan de pleinen en brede boulevards een voortdurende verrukking. Wij zwierven door de Pinakotheek en de Glyptotheek-musea, en 's avonds zwierven we door de artiestenwijken van Schwabing. Onze geestdrift kon zelfs door de steeds grotere ontberingen niet worden gedempt. Er was een tekort aan alles, aan voedsel, kleding, schrijfpapier, en zelfs potloden voor ons werk. Met onze toelage van thuis konden wij van dag tot dag minder kopen.

Evenals vele andere vrouwen meldden Inez en ik ons aan om in de *mensa academica* te bedienen, in ruil voor een maaltijd. Voor sommigen van ons was het hard werk. Ik herinner mij een jonge barones wier familie eens grote landgoederen bezat, maar die nu niets meer dan haar titel had overgehouden. Zij was gewend dat men haar het ontbijt op bed bracht, en toen zij haar eerste dienblad droeg, beefde zij zo hevig dat zij soep op het enige overhemd van een van de studenten morste. Maar zij hield vol en leerde. De vrije maaltijden waren haar al even welkom als ons. Bovendien deed het ons allen goed dat wij op deze manier aan de jongemannen, die in oorlogstijd ons land hadden gediend, onze dankbaarheid konden tonen, ook al waren de maaltijden, die wij hun moesten voorzetten, niet al te smakelijk.

Een onverwacht voordeel van het bedienen aan tafel was de gelegenheid die wij kregen om studenten van andere faculteiten te ontmoeten. Onze medische medestudenten waren eerder verbitterde mededingers dan vrienden, maar anderen, zo bemerkten wij in de eetzaal, waren jegens vrouwelijke studenten verdraagzamer. Aan één tafel, waar studenten in de literatuur en in de politieke wetenschappen bijeenkwamen, werd altijd levendig gediscussieerd. Een van de spraakzaamste debaters sprak met een sterk Russisch accent. Al spoedig leerde ik zijn naam: Djerginski. Hij was ongeveer vijf jaar ouder dan de meesten onzer, ongeveer zeven- of achtentwintig. Zijn Slavisch gezicht had gewoonlijk een droefgeestige uitdrukking – als een van Dostojewski's helden, dacht ik – behalve wanneer hij aan het redetwisten was. De betrekkelijk

nieuwe theorieën der geopolitiek* waren in die tijd onder de studerende intellectuelen bijzonder populair. Toen Djerginski op dit terrein werd uitgedaagd, schoten zijn ogen vonken en hij worstelde wanhopig met de veellettergrepige Duitse woorden, die hem zo onwennig op de tong lagen. Zijn voornaamste tegenstander was een jonge Duitser, een lelijke, onvolgroeide jongeman met een horrelvoet, die door zijn intelligentie en geestdrift zijn mismaaktheid deed vergeten. De naam van deze jongeman was Joseph Goebbels.
Gedurende de lente en tot ver in de zomer waren Inez, Goebbels, Djerginski en ik veel in elkaars gezelschap. Goebbels maakte veel werk van Inez, die een mooie blondine was. Als mens vond ik Goebbels onuitstaanbaar, maar zijn welbespraaktheid en scherpe geest moest ik wel bewonderen. Djerginski was een hard werkende student, vastbesloten om zich in de regering van zijn land een toekomst te verwerven. Maatschappelijke en maatschappelijk-economische problemen fascineerden hem, en hij was zich zeer wel bewust van de enorme taken die op het gebied van opvoeding, gezondheid, geneeskunde en bijna ieder facet van de wetenschappen en de techniek nog volbracht moesten worden teneinde de levensstandaard van zijn volk te verbeteren. Djerginski geloofde vurig in een marxistische wereld, waarin aardse goederen door iedereen zouden worden gedeeld. Dit was een volmaakte aanleiding voor Goebbels om bij iedere gelegenheid Djerginski's idealen belachelijk te maken en ze voor zotte hersenschimmen te verklaren.
Wanneer het in zijn filosofische kraam te pas kwam, haalde hij Nietzsche en Hegel aan om zijn argumenten kracht bij te zetten, en hii deed geen poging om zijn verachting te verhelen voor allen die niet tot het meesterras behoorden – waarvan hij natuurlijk een vertegenwoordiger was.
Wij hadden alle vier een voorliefde voor het buitenleven. De jonge mannen kwamen bij alle verschillen daarin overeen, dat zij beiden bekwame atleten waren. Djerginski had de kracht van een stier en de vlugge, gespierde Goebbels maakte met handigheid goed wat hij aan lichaamskracht te kort schoot. Er was in de open lucht ruimte genoeg voor alle mogelijke nationale en politieke geschillen. De

* Staatkunde, beïnvloed door bodemgesteldheid, geschiedenis, bewoners, enzovoort.

natuur nam ze in haar omarming op. Vele weekeinden gingen wij zwemmen en vissen in de diepe, blauwe meren, of wij beklommen de Beierse Alpen. Toen het zomersemester voorbij was, speet het ons te moeten scheiden. De twee mannen zouden niet naar München terugkeren. Goebbels zette zijn studies in letteren en politiek voort aan de Berlijnse universiteit, en Djerginski keerde naar Rusland terug.

Inez en ik hadden nog één semester voor de boeg, voor wij aan de preklinische examens toe waren, het gevreesde propaedeutische examen. Onze vakantie was er alleen maar een in naam. Wij gingen naar huis en kwamen terug, maar er was geen onderbreking in het voortdurende studeren. Wij moesten examen doen in anatomie, fysiologie, chemie, natuurkunde, plantkunde en dierkunde. Wij letten wederzijds op elkaar. Als ik wilde gaan tennissen, maakte Inez er mij op attent dat ik nog honderd bladzijden over fossielen en het ontstaan van de soorten door te werken had. Als zij het plan had paard te gaan rijden, maakte ik een minder vleiende opmerking over haar schrale kennis van onverzadigde vetzuren. Zelfs de kerstvakantie werd aan de god der wetenschap opgeofferd, want onze kerstpudding van thuis peuzelden wij op, gebogen over een anatomische atlas. Toen de eerste sneeuwvlokken neerdwarrelden, keken we met trieste blik naar onze ski's. Oudejaarsavond vierden we met een glas wijn, en we gingen meteen weer aan het werk. Maar toen kwam een dag dat onze weerstand brak. Het was de tweeëntwintigste februari, carnavalsdag, de vrolijkste feestdag van München. Terwijl wij onze hersens volstampten met vragen en antwoorden, mompelde Inez: „Zou ik een matrozenpakje kunnen dragen?" Dan concentreerden we ons weer op de wetten van Helmholtz, tot ik verkondigde: „Ik ga als Elsa die op haar Lohengrin wacht."

„Fasching" – carnaval – zat iedereen in het bloed. Wij echter hadden tijd noch geld om carnaval te vieren, maar toen de dag kwam, legden wij een bladwijzer in onze handboeken, zetten ze netjes weg en kleedden ons voor het feest. Wij konden ons geen bijzondere kostuums veroorloven, dus trokken we onze rijlaarzen aan en zochten oude, gestreepte truitjes op. Verder droegen we allebei een binnenste buiten gekeerde, vilten hoed, opgesierd met zwierige, hoewel beduimelde veren, die we op de zolder van onze hospita hadden

gevonden. Een sjaal om de hals, een zwart snorretje met schoensmeer op de bovenlip gesmeerd, een eerlijk gedeeld paar oorringen – en we waren twee zeerovers, gereed om ons bij de dansende, zingende, lachende menigte te voegen.
De mensen stroomden door de straat langs onze vensters, op weg naar de brede boulevards van de stad. Sommigen waren op stelten en sommigen in rijtuigen, sommigen waren al dronken, maar allen waren vrolijk. Boven onze hoofden zwaaiden vaandels en ballonnen en fantastische afbeeldingen van figuren uit de mythologie en de geschiedenis. Wij walsten de Maximilianstrasse op en de Ludwigstrasse af, in de armen van bepruikte hovelingen en ruwharige beren. Wij wandelden zingend op de muziek van een harmonika en dronken bier uit kannen, die ons door ridders in nauwe pantalons werden aangeboden en eens zelfs door een vrolijke monnik in habijt, in wie wij von Horne herkenden. Mensen gaven ons ballonnen en weer anderen staken er spelden in. Wanneer wij medestudenten ontmoetten, sloten zij zich bij ons aan. Onze kleine groep vluchtelingen van de studie groeide gestadig en trok verder, zingend en lachend, hand in hand of de armen om elkanders middel. Nu en dan hielden wij stil om aan onze vreugde uiting te geven in een Beierse „Schuhplattler", met gestamp en handgeklap. Lang na middernacht belandden wij in een artiestenkroeg, een kelder ergens in Schwabing.
Het was helder daglicht toen wij ten langen leste de trappen van onze hospita opklommen en op onze bedden vielen. Inez kwam even in mijn kamer, haar haar in vlechten, en zei:„ Zou je dat ooit van von Horne hebben geloofd?" Deze arrogante corpsstudent, met wie wij in Tübingen een lijk hadden gedeeld, bleek, wanneer hij maar genoeg Münchens bier had gedronken, uitgelaten carnavalsgezelschap te zijn.
De gevreesde examens kwamen en vielen ten slotte erg mee. Von Horne en Müller vormden met ons een groep van vier, die gezamenlijk bij iedere afdelingsprofessor de mondelinge examens aflegde. De eenvoudige Müller kende zijn antwoorden door en door. Von Horne blufte dat hij niet alles behoefde door te nemen; hij kon altijd wel een weg vinden om iedere vraag met het ene onderwerp, dat hij goed beheerste, te beantwoorden. In dierkunde bijvoorbeeld, had hij alleen de parasieten bestudeerd. Toen de professor hem

vroeg de gewoonten van de olifant te beschrijven, wisselden wij drieën een knipoog. Hier kon toch zelfs von Horne zich niet uit praten. Maar hij begon overmoedig: „De olifant is een groot dier. Zijn huid wordt door de volgende parasieten bewoond. . ."
De ogen van de professor knipperden even achter zijn lorgnet, en von Horne slaagde.
Toen het laatste examen achter de rug was en wij hoorden dat wij allen geslaagd waren, nodigde von Horne ons uit om op zijn kamer een glas wijn te komen drinken. Toen zij ons laat in de avond naar huis brachten en de twee bij de deur afscheid van ons namen, volgde er een prachtige vertoning van handkussen en hakkengeklik.
Ik begon onmiddellijk te pakken, en maakte de volgende morgen dat ik weg kwam, naar huis.
Inez bleef in München om een congres van oogheelkundigen bij te wonen. Zij hoopte nog altijd van een nieuwe ontwikkeling van de transplantatietechniek te horen. Opnieuw werd zij teleurgesteld, maar zij deed een ontdekking van geheel andere aard, zij ontdekte dat zij verliefd kon worden. Haar verloofde was een Zwitserse professor, en toen ik weer op weg naar de universiteit was, ging zij zijn familie in Zwitserland bezoeken. In juni zouden ze trouwen. „Het is dezelfde oude geschiedenis, Else," schreef ze me in een gelukkige stemming. „Je weet wel, liefde op het eerste gezicht. Wees voorzichtig, liefje! Jou kan dat ook gebeuren!"
Tot nu toe bestond daar geen gevaar voor. Ik had al mijn vrije tijd in de snijzaal en het chemisch laboratorium doorgebracht. Het was niet waarschijnlijk dat in de lucht van formaline en zwavelzuur liefde zou kunnen ontluiken.

HOOFDSTUK 9

INLEIDING TOT CHIRURGIE

IK KWAM THUIS, WAAR MOEDER IN DE KEUKEN WONDEREN VERRICHTTE met ersatz-voedingsmiddelen. De inflatie had reeds haar intrede in Duitsland gedaan. Het was Otto's taak om op de eerste van de maand met twee grote karbiezen vaders salaris te gaan halen en dan naar de kruidenier en de slager te rennen om de stijgende prijzen van de voedingsmiddelen bij te houden met marken die binnen een week de helft van hun waarde weer zouden verliezen.

Otto, Lena en ik zochten in de bossen naar eikels en beukenootjes om te branden en als ersatz-koffie te kunnen drinken. Ik nam vaak mijn geweer mee. Honger was sterker dan mijn liefde voor de gevederde en viervoetige schepsels. Maar met zoveel even hongerige jagers bleef er niet veel wild over, en dat was voor mij een stimulans om een uitstekende schutter te worden.

Kleren waren voor iedereen een probleem. Zelfs voor een jonge studente was de opgaaf niet langer er zo leuk of elegant mogelijk uit te zien, maar hoe te vermijden kaal en armoedig te zijn. Moeder was gelukkig even vindingrijk met de naald als in de keuken. Haar aangeboren zuinigheid, die al die jaren niet toegelaten had dat zij ook maar iets zou weggooien, verschafte haar nu materiaal om te herstellen, te verstellen en om uit oude kleren nieuwe samen te stellen. Toen ook deze reserves uitgeput raakten, begon zij mijn voorraad kleren uit de hare bij te vullen. Zij had van Lena een bekwame naaister gemaakt, wat haar met mij nooit was gelukt. Ik besefte nauwelijks hoeveel van mijn lingerie voortkwam uit de geborduurde onderrokken, hemden en lijfjes die moeder sinds haar jonge jaren in vloeipapier had bewaard. Nu maakte Lena daar voor mij onderjurken en broekjes van. Moeders eenvoudige, zondagse japonnen, die nauwelijks waren gedragen, werden nu blouses en rokken die ik naar college kon dragen.

Toen Margot eens binnenkwam en mij voor een verjaarspartij uitnodigde, wist moeder zich geen raad. Zij wilde dat ik zou gaan. Er was toch al niet te veel vrolijkheid in mijn leven, maar wat moest ik dragen? Margots moeder veranderde haar eigen bruidsjapon in een feestjurk voor haar dochter, maar moeder was toen zij trouwde zo tenger dat dit voor mij niet mogelijk was.
„Als de *gnädige Frau* het goedvindt," zei Lena verlegen, „er zijn nog oude, fijne beddelakens in de kast die nog tot de uitzet van *gnädige Frau* hebben behoord. Zij zijn van zuiver linnen en zacht als zijde. Uit een ervan kunnen we toch een japon voor *fräulein* Else maken?"
„Lena, jij knap kind!" riep moeder en kuste het blozende meisje. „Maar geen wit, want Margot draagt immers wit? En bovendien ziet wit er toch altijd als een beddelaken uit."
Dus wonden wij het laken om een bezemsteel en batikten het. Omdat wij geen verf hadden, maakten wij kleuren uit wat wij in de natuur konden vinden: wilde cichoreibloesems, besse- en bietesappen, en een klein beetje van vaders rode inkt om de verschillende tinten roze en rood te verkrijgen. Onder toezicht van moeder tekende ik een model; Lena knipte en paste en streek en paste nog eens. De japon werd een groot succes, zowel op Margots feest als later op de universiteit. Bovendien leerde ik eindelijk Lena beter kennen en ging ik veel van haar houden.
Zowel de moeilijkheden als de vreugden thuis waren dingen aan de oppervlakte van het leven. Onder die oppervlakte was ik een en al verwachting. Het einde van de voorjaarsvakantie betekende het begin van mijn klinische semesters. Ik wist precies waar ik voor deze tweede fase, de kern van mijn medische opleiding, heen wilde. Een paar van mijn collega's in München hadden met veel geestdrift gesproken over de faculteit in Kiel, en wel in het bijzonder over de professor in de chirurgie, een zekere professor Kossik. Het was zevenhonderd vijftig kilometer naar Kiel, dat in het noorden lag, en mijn ouders protesteerden. Dat was te ver. Op deze manier zouden er geen weekeinden thuis meer kunnen zijn, en zouden zij mij maar eens in de vijf maanden kunnen zien.
Zoals altijd kwam grootmoeder te hulp. „Als Elizabeth zo vastbesloten is chirurg te worden, moet zij door de beste krachten worden opgeleid," zei grootmoeder. Er waren geen verdere argumenten meer nodig.

De lange treinrit was een avontuur op zichzelf. Ik voelde mij zeer zelfstandig en onderbrak mijn reis in Hamburg om de ouders van Inez op te zoeken. Ik hield mijn adem in toen ik Inez' huis zag, een bijzonder mooi en aristocratisch huis aan de Alster. Haar ouders verwelkomden mij hartelijk en rekenden erop dat ik nog een paar dagen zou blijven. Het was duidelijk dat zij hun dochter misten. De stemming in het huis stond echter onder de druk van Achims blindheid. Hij had zich op een merkwaardige manier aangepast, en bewoog zich zelfstandig door huis en tuin; zijn oren en vingertoppen hadden de plaats van zijn ogen ingenomen. Ik begreep echter al spoedig dat zijn hoffelijke manieren een driftige opstandigheid tegen zijn lot verborgen. Mijn vriendschap voor Inez vormde een band tussen ons, en hij sprak zonder terughoudendheid over zijn vruchteloze pogingen om de onherroepelijkheid van zijn blindheid te aanvaarden. Hij was verbitterd over Inez' huwelijk, blijkbaar had door zijn blindheid zijn liefde voor haar de vorm van afhankelijkheid aangenomen. Toen zij de studie in de medicijnen opgaf, was het hem alsof zij hem voorgoed aan zijn blindheid had overgeleverd. Denkend aan dokter Bernox, vertelde ik hem over de mogelijkheid van cornea-transplantaties. Ik wist nauwelijks of ik hem hoop moest geven of hem moest aanraden te berusten.
Berusting lag blijkbaar niet in zijn macht. Toen zijn ouders mij uitnodigden voor een rit door de stad werd hij somber en bijna twistziek. Ik vond het maar beter mijn bezoek te bekorten; ik bleef overnachten en zette de volgende morgen mijn reis voort. Gedurende mijn reis naar Kiel dacht ik na over wat grootmoeder had gezegd: dat de verminkten zowel geestelijke als chirurgische hulp nodig hadden. Eens zou er een dag komen waarop hulp voor blinden als Achim mogelijk zou zijn. Dat wist ik zeker. Misschien zou hij binnen een paar jaar weer kunnen zien. Het was een kwestie van tijd, en niets anders.
Ik was ongeduldig om weer aan het werk te kunnen gaan. Kiel was gedeeltelijk een vissersdorp en gedeeltelijk een moderne stad. Na de opening van wat vroeger het Keizer Wilhelm-kanaal, maar nu het Kielerkanaal werd genoemd, werd de stad verrijkt met fabrieken en mooie villawijken. De scheepswerven lagen vol kostbare zeiljachten. Het landschap rondom de stad, dat zich tot Denemarken uitstrekte, had keurige, vierhoekige velden en goed verzorg-

de boerderijen, hetgeen karakteristiek is voor het noorden. Ik vond een gezellige kamer met uitzicht op de haven. De universiteit, die zich langs de baai naar het noorden uitstrekte, had enkele oude en verschillende betrekkelijk nieuwe gebouwen, ongeveer vijftig jaar geleden gebouwd. Toen ik mij liet inschrijven, had ik geen faculteitsraad nodig: ik had in het studieprogramma reeds alle richtingen van de chirurgie gevonden waarin ik me wilde bekwamen.

Er waren twee cursussen, beide onder leiding van een bijzonder hoogleraar, en ik liet me voor beide inschrijven.

Een ervan was voor normale chirurgie. De andere was in professor Kossiks eigen specialiteit, de chirurgie die nodig is bij kwetsuren en ongelukken. Professor Kossik was in geheel Duitsland bekend om zijn schitterende diagnoses en zijn vaardige chirurgische handen. Van de eerste dag af was ik zijn vurige discipel. Zijn aandringen op een grondige kennis van de anatomie zond ons allen met de vreugde van een nieuwe ontdekking naar onze handboeken en kaarten terug. Hij liet zijn leerlingen hard werken, maar door zijn eigen geestdrift voor de chirurgie, die hij met een bijna koude vormelijkheid trachtte te maskeren, waren zijn colleges als met elektriciteit geladen.

Ondertussen was ik bij iedere chirurgische demonstratie in het amfitheater, waar ik mij uitrekte om over de lange mannen heen te kunnen zien, en daar nam ik nauwkeurig de precisie van een insnijding, de voorzichtige scheiding van weefsels en de zorgvuldige isolatie waar, gevolgd door het verwijderen van een zieke massa en eindelijk het fijne dichtnaaien van de wond.

Toen het semester ten einde liep, raapte ik al mijn moed bijeen en vroeg professor Kossik om een onderhoud. Zowel het onderhoud als het verzoek, dat ik in de loop daarvan deed, werd toegestaan, en ik aanvaardde de lange reis naar huis om mijn familie voor te bereiden. Ik ging mijn zomervakantie doorbrengen als professor Kossiks zaalbediende bij zijn werk in klinische chirurgie. Het was een pluim op mijn hoed dat hij mij daarvoor aannam.

Maar zoals ik al verwachtte, protesteerden vader en moeder, en zeiden dat ik rust nodig had en een chirurgische kliniek niet bepaald een rustoord was. Ook nu kwam grootmoeder mij met tegenargumenten te hulp. „Elizabeth,” zei ze, „studeert geen medicijnen

voor haar gezondheid. En verder vraagt een beroep als het hare om kracht en uithoudingsvermogen, en als Elizabeth die niet heeft, kan ze dat beter meteen merken."
Dus ging ik naar Kiel terug, en begon trots mijn nederig werk. Ik behoorde eindelijk bij de chirurgie.
De universiteitskliniek was overvol met patiënten. Mijn werk was hard en soms werden mij de geringste taken opgedragen, maar ik lette op en luisterde en trachtte aanwezig te zijn waar en wanneer er belangrijke dingen gebeurden. Professor Kossik scheen mij zelfs niet te zien. Nadat hij enige weken geen notitie van mij had genomen, begon ik te denken dat hij mij volkomen had vergeten – tot er op een dag een noodgeval was, en professor Kossik geen assistent tot zijn beschikking had. Hij was blijkbaar niet op de hoogte van mijn onervarenheid, en beval mij om mij te desinfecteren. Ik maakte geen bezwaar. Als op een wolk zweefde ik in mijn operatiejas en stak mijn bevende vingers in de bepoederde rubberhandschoenen. Ik stond tegenover professor Kossik aan de operatietafel en onderging voor het eerst de vreemde overgang van enkeling tot lid van een operatiegroep. Alle zorg over mijn onvolleerdheid verdween. Ik nam deel aan een drama op leven of dood, dat zich afspeelde om een jonge vrouw die moeizaam ademend onder het masker van de anesthesist op de operatietafel lag. Het zichtbare gedeelte van haar gezicht was dodelijk bleek. Een haastige blik op haar kaart toonde tekenen van gevaar: een snelle pols, een lager wordende bloeddruk. De te behandelen plek bevond zich blijkbaar onder in de buik, want daar reinigde de operatiezuster de huid voor een insnijding. Onervaren als ik was, twijfelde ik er toch niet aan dat dit een geval van buiten-baarmoederlijke zwangerschap was, waarbij de zwangerschap zich in de fallopiaanse buis bevond – en dat de foetus van zijn oneigenlijke bed naar de buikholte was gedreven.
Professor Kossik vroeg mij met begrijpelijke haast de huid voor de insnijding te spannen. Ik kende al bij voorbaat iedere stap, want dit was de normale werkwijze. Ik sponste het chirurgische veld, en greep de kleine bloedvaten met fijne arterieklemmen. Laag na laag week voor het mes van de professor, en mijn handen beefden toen ik de weefsels met fijne retracteurs* terughield.

---

* Soort haken, die dienen om tijdens de operatie de insnijding open te houden.

Plotseling stroomde er bloed uit de fallopiaanse buis. Het voelde door mijn gehandschoende handen aan als gesmolten lood en de zoete geur drong in mijn neus. Een kleine foetus, nog gedeeltelijk met het vlees verbonden, verscheen in de krater. Professor Kossik sneed de buis door, de zuster waste de buikholte met een zoutoplossing uit en daarna werden het eind van de buis en het buikvlies in de juiste volgorde dichtgenaaid.
Ik verzwakte mijn greep op de retracteurs. „Nu, jonge dokter," zei professor Kossik glimlachend, „doe jij de rest! Een vrouw moet immers goed kunnen naaien?" Daarmee ging hij weg, trok zijn handschoenen uit en verliet de zaal. Voordat ik mij van mijn verrassing kon herstellen, werd de naald al in mijn hand gedrukt. De geesten van al mijn overleden medische voorouders moeten zich gehaast hebben om mij te hulp te komen, of ik had zoveel operaties gezien en mij in mijn verbeelding zo vaak over een patiënt op de operatietafel gebogen, dat dit naaiwerk mij volkomen natuurlijk afging. Zelfs de naald voelde bekend aan en mijn hand ging rustig met zijn taak voort.
Ik moet het werk wel behoorlijk hebben gedaan, want de operatiezuster, die kritisch toekeek, maakte geen enkele opmerking en ik hoorde er ook later geen van professor Kossik.
Toen ten slotte de patiënt was weggereden en ik mijn handschoenen stond af te stropen, was mijn eerste gevoel er een van trots, omdat een leven gered was en ik daaraan mijn klein aandeel had gehad. Maar al spoedig kwam er een reactie. Ik herinner mij nauwelijks hoe ik naar mijn kamer ben gekomen. Ik lag op mijn bed en beefde van top tot teen. De operatie ging steeds weer aan mijn ogen voorbij, alsof een projector eindeloos dezelfde strook film afdraaide. Tot ik mij herinnerde dat onbeheerste emotie een zwakheid is, en geschoold als ik was in Duitse discipline kalmeerde mij dit. In het bewustzijn dat ik eindelijk op weg was om een chirurg te worden, viel ik in slaap.
Later gebeurde het herhaaldelijk dat professor Kossik mij om assistentie verzocht. Zijn operatiekamer werd mijn gewijde grond, en hijzelf niet alleen mijn gerespecteerde leermeester, maar een hogepriester die de nieuweling door de heilige mysteriën leidt. Het leven zelf is een goddelijke schepping en ik voelde dat hij en ik, als wij samen werkten om een leven te redden, door de heiligheid van het

leven werd aangeraakt. Als zijn hand in de rubberhandschoen bij toeval de mijne aanraakte, kreeg ik als het ware een elektrische schok.
Al te spoedig begon het wintersemester. Toen de studenten hun plaatsen in de collegezaal weer innamen, voelde ik mij teleurgesteld, alsof ik iets verloren had. Mijn zes weken als knechtje van de grote man waren inspannend en veeleisend geweest, maar zij hadden mij eveneens praktische ervaring in chirurgie gegeven. Ik voelde mij als een veteraan die weer aan de studie moet. Maar professor Kossik had mij een belofte gedaan: als mijn diensten weer nodig waren, zou hij mij laten roepen.
Een leven op dit peil van opwinding en toewijding laat zijn sporen na, en dat was mij aan te zien. Naar ik dacht, zag professor Kossik, die zelf een grote toewijding voor zijn beroep had, nooit iets anders in mij dan een chirurgisch instrument, tot hij mij bij een ontmoeting in de gang tot mijn verrassing een persoonlijke vraag deed.
„Is er iets mis met u, jongedame? U ziet zo bleek!"
Toen hij verder ging, dacht ik na. Ik was natuurlijk moe, hoe kon het anders? Ik volgde iedere morgen zoveel mogelijk de colleges, en in de middagpauze hield ik nu toezicht op de staf van bedienende studenten. En 's nachts werd ik vaak voor spoedoperaties geroepen. Het werd al spoedig duidelijk dat ik geen supermens was. Dat bleek bij de hevige reactie op een ervaring die ditmaal niet gericht was op het redden van een leven, maar op de vernietiging daarvan. Ik maakte deel uit van een groep studenten die werd uitgezocht om een executie bij te wonen.

HOOFDSTUK 10

DE DOOD VAN EEN MOORDENAAR

MAANDENLANG SCHREVEN DE KRANTEN OVER EEN PROCES TEGEN EEN massamoordenaar. Zijn misdaden waren afschuwelijk, maar de universiteit was tot op het merg geschokt door het feit dat de misdadiger een geacht burger was, en eigenaar van de grootste slagerij in de stad. Nu was de man schuldig verklaard en ter dood veroordeeld. De hoofdpatholoog van onze universiteit zou de lijkschouwing verrichten. Hij had enige van zijn studenten uitgezocht om de executie bij te wonen, en daar was ik bij.

De slager, Karl Haman, had in zijn woning boven de winkel meer dan honderd jongens vermoord, hun lichamen ontleed en er zich in zijn zaak van ontdaan.

Twintig jaar lang had hij paardevlees, worst en spek tegen verminderde prijzen verkocht. Zijn misdaad werd pas ontdekt toen een jongen, die hij als slachtoffer had gekozen, ontsnapte en naar de politie vluchtte.

Wat had een uiterlijk behoorlijk, ogenschijnlijk normaal mens naar een leven van dergelijke afgrijselijke misdaden gedreven? Op de dag van de executie wijdde de professor in de psychiatrie zijn college aan dit geval. De ongelukkige man was in een fatsoenlijk middenstandsgezin geboren en op de leeftijd van twaalf jaar wees geworden. Een oude, ongetrouwde tante nam hem in huis. Hij werd gedurende zijn schooljaren tweemaal betrapt op het stelen van geld uit de zakken van zijn vriendjes.

„Maar dit wijst nog niet op misdadige neigingen," legde de professor uit. „Dat gebeurt vaker met kinderen die geen of weinig zakgeld krijgen. De tante betaalde het geld terug en hij werd niet bestraft. De jongen verliet de lagere school met een uitstekend rapport. Hij ging bij een slager in de leer, en toonde een ongewone handigheid in het slachten en uitsnijden van de karkassen."

Nogmaals veroorloofde de professor zich een, ditmaal wrang, commentaar. Rondkijkend door de zaal vol medische studenten, zei hij: „Deze jongen had misschien een voortreffelijk chirurg kunnen worden. Hij toonde zeer zeker talent voor ontleding! Maar in ernst: indien zijn eerzucht en intelligentie geleid en ontwikkeld waren, indien hij naar een universiteit had kunnen gaan, zou zijn leven mogelijkerwijs een heel andere loop hebben genomen. Toen zijn tante en zijn baas stierven, en hij in staat was met zijn erfenis de zaak te kopen, trachtte de jongeman zijn sociale omstandigheden te verbeteren door een meisje te trouwen dat uit een veel aanzienlijker familie dan de zijne stamde. Kort voor zijn huwelijk ontdekte hij dat zijn bruid een verhouding had met een andere man. Hij verbrak de verloving, en bleef van toen af vrijgezel."
De professor raadpleegde de notities die hij gedurende het proces en zijn vele gesprekken met de gevangene had gemaakt. „Volgens Karl had hij tot die tijd geen enkele seksuele verhouding gehad. Hij vond dat hij zichzelf rein moest houden voor zijn toekomstige vrouw. Het was omstreeks die tijd dat hij begon met naar het station te gaan en kennis te maken met jongemannen van het platteland, die zich bij hun aankomst in de grote stad verloren voelden. Hij speelde het klaar om een politie-insigne te verkrijgen, en dat bevorderde zijn samaritanenwerk. Hij bood hun onderdak in zijn huis aan, won hun vertrouwen, verleidde hen, en als bijverdienste pleegde hij, wanneer een van de jongens hem een familiegeheim toevertrouwde dat hij kon uitbuiten, chantage op hun families. Zijn eerste moord was toevallig. Een van de jongens verzette zich tegen zijn amoureuze avances, en in de worsteling zette hij zijn tanden in de keel van de jongen. Dat hield hij als een vampier vol, tot de jongen dood was. Daarna werd het moorden een deel van zijn geheime bestaan."
De professor sloot zijn notitieboek. „Gedurende de lange jaren van mijn ervaring heb ik leren begrijpen dat bijna iedereen onder bepaalde omstandigheden eens tot moord kan komen. In het geval van Karl Haman was hij de grens van krankzinnigheid reeds dicht genaderd, zodat deze ene gebeurtenis voldoende was om hem die grens te laten overschrijden. Sommigen van jullie zullen morgen getuigen zijn wanneer hij zijn schuld aan de maatschappij boet!"
In de studenteneetzaal was die avond iedere tafel het toneel van

heftig dispuut. Was het slechts door een toeval dat de man van een menselijk wezen in een woeste, beestachtige moordenaar was veranderd? Was hij niet reeds zo in slechtheid en wreedheid verward, dat hij vroeg of laat tòch tot moord zou zijn gekomen?
„Denk eens even," zei een van de studenten, „aan het contrast tussen zijn beide levens! Een leven van vlekkeloze eerbaarheid, en het andere van geheime slechtheid. Was het niet mogelijk dat hij tot doden gedreven werd door het feit dat deze beide levens volstrekt onverenigbaar waren?"
Hier wierp ik een vraag op die mij voortdurend had gehinderd: „Als hij krankzinnig is, waarom wordt hij dan gedood?"
„Krankzinnig – wie zegt dat?"
„De professor zei dat hij de grens van krankzinnigheid had overschreden!"
„Zenuwartsen! Die vinden voor alles een excuus! De man wist dat hij verkeerd deed. Dat is geen krankzinnigheid!" Het was een student in de rechten die dit zei.
„Oog om oog, tand om tand, hè?" vroeg iemand smalend.
„En een leven voor een leven, natuurlijk," antwoordde de student in de rechten. „Als je iemand toestaat straffeloos te doden, wat zal anderen er dan van weerhouden massamoorden te bedrijven?"
„Primitieve onzin!" riep een student in de filosofie. „Geloof je dan dat wij allemaal potentiële moordenaars zijn?"
„Heb jij in de oorlog soms niet gedood? Hebben we dat niet allemaal gedaan?"
„Voor het vaderland!" riepen vele stemmen.
„Niet alleen in oorlogstijd," sprak een snijdende stem. „Haat is de krachtigste van alle menselijke emoties. Het verlangen om te doden is instinctief! Het is een natuurlijk en nuttig menselijk instinct."
Ik moest aan Goebbels in München denken, een jaar geleden. Hij had vaak cynisch over de deugd van het wederzijds haten gesproken.
„Dat is onchristelijk!" riep de student in de filosofie. „Je gaat naar de barbarentijd terug, naar de wet van de wildernis – dood, of wordt gedood! Hoe is dat gedicht van Heine – Als ooit het christendom uit ons land verdwijnt, zullen de stenen goden weer opstaan."
Een van mijn collega's zei: „Wel, we zullen nu gauw genoeg zien of de man krankzinnig is. Wij zullen zijn hersens onderzoeken."
„Waarschijnlijk het zaad ook," zei een andere collega.

„Het zaad! Waarom?" vroeg ik.
„Om te zien of wij ziekelijke afwijkingen kunnen vinden die oorzaak van zijn seksuele abnormaliteit kunnen zijn – er moeten natuurlijk fysieke redenen zijn die hiertoe geleid hebben, zoals bij alles."
„Maar hoe kun je een preparaat van het zaad krijgen?" drong ik aan.
„Weet je dan niet dat er op het moment van de dood een erectie en zaadlozing plaatsvindt? Meisjes!" snoof mijn medische collega minachtend, en de anderen lachten met hem mee om mijn onwetendheid.
Ik nam mijn blad op en vertrok. Dat was natuurlijk weer eens zo'n ruwe, mannelijke grap ten koste van de meisjes die de vermetelheid hadden medicijnen te studeren.
Maar om zes uur in de morgen, in de bittere kou van de gevangenisbinnenplaats, leerde ik dat het geen grap was. Wij stonden te wachten, dicht bij elkaar, evenzeer om moed te vinden als om de warmte. Ik slaagde erin dicht naast onze pathologieprofessor te komen, alsof ik door zijn nabijheid iets van zijn kalmte kon overnemen, zodat ik niet langer zou beven.
De gevangene werd naar buiten geleid. Hij was blootshoofds, een zware man, die nu wel ineengekrompen leek. Hij werd de treden van de guillotine opgeholpen en op de plank vastgebonden. Op het daartoe gegeven sein viel het mes, het hoofd viel in de mand en het zware lichaam vertrok in een stuipachtige kramp.
Ik werd aan mijn arm getrokken. Onze pathologieprofessor trok mij mee naar het schavot, en duwde mij een glazen pot in de handen. Blijkbaar was hij niet zo kalm als hij wel leek, want in zijn opwinding greep hij naar de eerste de beste student die in zijn buurt was, niet beseffend dat hij het enige meisje onder de getuigen voor deze griezelige taak meetrok. In wilde haast duwde hij mij de trappen op, trok de broek van de dode man open en duwde mij naast zich neer.
„Zie dat je er wat van krijgt, vlug!"
Hierop had ik, toen ik ter wille van zijn objectieve kalmte naast hem ging staan, niet gerekend. Maar ik deed wat hij mij beval. De reactie kwam later. Toen ik in mijn kamer terug was, moest ik overgeven. Dagenlang daarna kon ik slechts met moeite mijn voedsel binnenhouden. Intussen werden de uitslagen van de autopsie

bekendgemaakt – allemaal negatief, geen pathologische symptomen – en de argumenten in de eetzaal begonnen weer.
„Maar natuurlijk! De abnormaliteit is niet lichamelijk, is ook niet psychisch! Hoe onzinnig om afwijkingen in de hersenen te verwachten!"
„Jij praat als een middeleeuwse mysticus! Alles heeft een lichamelijke oorzaak. Dat is gewoon wetenschappelijk."
„Jullie wetenschapsmensen – jullie denken dat alles door de werking van het lichaam kan worden verklaard – hebben jullie nooit van een ziel gehoord?"
„De ziel? Wat is dat? Heeft iemand op de snijtafel ooit een ziel gezien? Of onder de microscoop?" Lachend herhaalden de medische studenten dit geliefkoosd gezegde van een van onze professoren.
Graag had ik de strijd met hen aangebonden, want ondanks mijn geloof in wetenschappelijke principes en methoden geloofde ik nog steeds dat een mens meer was dan een verzameling beenderen, zenuwen en bloedvaten. Ik geloofde nog altijd dat er iets meer moest zijn, noem het ziel of psyche of geest, of wat men wil. Maar in die dagen was de wetenschap de god der medicijnen, en om enig geloof te schenken aan de geest, of te denken dat het verstand iets meer was dan werking van de grijze hersencellen, was mysticisme, of erger: bijgeloof, en daarom gevaarlijke onzin.
Zulke ideeën waren in tegenspraak met de wetenschap, zoals deze in de jaren twintig door de geneeskunde werd aangenomen.
Zelfs toen waren er natuurlijk ook onder onze doktoren en onze eigen professoren mannen die in de concentratie op het menselijk lichaam nooit de menselijke ziel uit het oog hadden verloren. Maar zij werden door de aanhangers van pure wetenschap tot stilzwijgen gebracht. Pure wetenschap had zulke grote vorderingen in het overwinnen van ziekten gemaakt, zulke wonderbaarlijke bijdragen tot het behoud van gezondheid geleverd, dat niets tegen haar argumenten bestand was.
Maar dit was niet het enige dat mij ervan weerhield deel te nemen aan de nooit eindigende debatten tijdens de maaltijden.
Ik voelde mij zwak, duizelig, koortsig, en ten slotte moest ik toegeven dat ik ziek was. Ik pakte, en nam de trein naar huis.

Mijn ouders waren ontzet toen zij mij zagen. Grootmoeder constateerde dat ik aan ondervoeding leed en bracht een voorraad kostbare coupons te voorschijn, haar eigen distributiekaarten, die zij speciaal voor mij had gespaard. Dat ik in de vroege morgenuren moest overgeven, bracht mijn ouders nieuwe angst, want ik had een heleboel opgewonden onzin over professor Kossik uitgekraamd. Op een morgen kwam mijn vader, zichtbaar verlegen, mijn kamer binnen om met me te spreken.
„Vertel ons wat er is, kind. Je moeder en ik zullen je bijstaan." Ik keek hem niet begrijpend aan. „Kindlief, ik wil niet dat jij je verlaten voelt. Jij en je baby zullen altijd een tehuis hebben, zelfs al zou ik daarvoor mijn betrekking aan de school moeten opgeven." Eindelijk begreep ik hem! Bij dit blijk van vaders tederheid en liefde barstte ik in tranen, maar ook in lachen uit. Ik viel hem om de hals en stelde hem gerust, hoewel mijn lachen al geruststellend genoeg was. Uit opluchting werd hij weer de strenge vader, en beval mij nog diezelfde dag onze familiedokter te laten komen. De diagnose van de dokter was paratyfus. Ik betwijfelde dit, want de meeste Duitsers leden aan symptomen als de mijne, en volgens mij wezen zij op voedingstekorten. Maar ik slikte trouw zijn pillen en liet mij door de hele familie vertroetelen.
Na een paar dagen voelde ik mij weer sterk genoeg om terug te gaan en het semester te beëindigen, ofschoon mijn toewijding aan de chirurgie door vermoeidheid wel wat verzwakt was. En buitendien had ik een stil vermoeden dat mijn verering voor professor Kossik niet helemaal zuivere liefde voor de wetenschap was.
Eindelijk was het februari, en het wintersemester was voorbij. Ik had reeds bij mijzelf besloten waar ik voor de laatste drie semesters van mijn medische opleiding naar toe zou gaan, en er was dus geen familieraad meer nodig. Heidelberg, de oudste en meest beroemde van de Duitse universiteiten, had ook de beste medische faculteit. Een gepromoveerde van de Heidelbergse universiteit te zijn, was geen geringe prestatie. Ik wist dat ik alles had geleerd wat de andere hogescholen mij te bieden hadden; nu werd het tijd dat ik mijn universitaire zwerftochten ging beëindigen. Ik wilde in Heidelberg blijven tot ik mijn promotie achter de rug had.

HOOFDSTUK II

HEIDELBERG

IK GING MET ÉÉN ENKEL DOEL NAAR HEIDELBERG: OM MIJN STUDIE onder de grootste leraren in de geneeskunde te voltooien. Door deze wil waren alle studenten in de laatste semesters van de medische school bezield. Laat de jongeren, die juist hun universiteitsleven begonnen, maar in de bierhallen zitten, met hun bierpullen op tafel slaan en zingen. Wij, die slechts een paar stappen van onze medische graad verwijderd waren, hadden belangrijker werk te doen.

Toch had Heidelberg zijn eigen verlokkingen. Het was niet goed mogelijk door de straten te lopen zonder zich bewust te zijn van de geschiedenis, die haar weg over deze hobbelige keien was gegaan. Goethe had eens onder een van deze daken gedroomd; Helmholtz en Bunsen worstelden hier met problemen van fysica en techniek; Martin Luther had hier zijn vijfennegentig leerstellingen verdedigd, en de universiteit was een der vestingen van zijn leer. Romein en Kelt, Teutoon en Frank vochten door de loop der eeuwen om het bezit van Heidelberg, en de dertigjarige oorlog liet het kasteel en de universiteit bijna als een ruïne achter.

Zelfs als ruïne was het kasteel nog prachtig. Het was een tijdeloos verslag in steen van de schoonheid uit vele tijdperken. Hier de sombere gotiek van de dertiende eeuw, daar de gratie van de renaissance. Een koninklijke minnaar had in de zeventiende eeuw de Elisabethaanbouw en de Elisabethpoort gebouwd, een prachtige vleugel en een nog mooiere doorgang, die hij naar zijn Engelse prinses had genoemd. En de vier granieten zuilen rondom de fontein hadden eens een paleis van Karel de Grote gesierd.

Evenals in München en Kiel herkende ik gedurende mijn eerste dagen in Heidelberg allerlei gezichten uit andere collegezalen. Müller bijvoorbeeld gaf mij, toen hij mij op dermatologie-college zag, een brede, open glimlach; weldra, dacht ik, zou de tijd komen dat ik zou weten wat ik aan zijn granaatlittekens zou kunnen doen. Von Horne boog voor mij, dwars over een honderd hoofden heen, tijdens een demonstratie in de pathologie; hij droeg nu een monocle. Ik was blij dat ik Evelyn Dauber zag. Ondanks al haar gebrek aan humor was zij toch iemand met wie ik kon praten, en om eerlijk te zijn, haar ernst en ijver waren nu niet groter dan de mijne. Met zulke vrienden, en ook alleen, bracht ik menig uur onder de stille bogen van de *Heilige Geist Kirche* door, en ik besteedde vele beschouwende zondagsuren aan wandelingen door de bossen en in de heuvels rondom de stad. Ook klom ik soms naar het kasteel, en stond op de Altan, het terras, en dronk de schoonheid door mijn ogen in.

Bij Heidelberg stort de Neckar zich uit zijn bergkloof en vervolgt een rustiger baan, want hier vallen de bergen van Württemberg en Baden weg, en men kan door het wijder wordende dal tot ver weg kijken, tot waar de Rijn naar het noorden vloeit. Ik dacht dat zelfs de primitieve mens oog voor deze schoonheid moet hebben gehad. Een kaak van de *homo Heidelbergensis* is het bewijs dat hij hier honderdduizend jaar geleden leefde, en dat, terwijl de farao's in Egypte hun piramiden bouwden, de man uit het stenen tijdperk hier, op de plek waar eens Heidelberg zou staan, zijn nuttige, sierlijke vaatwerk maakte.

Zoals ik verwacht had, was de studie intens moeilijk, maar ook intens fascinerend. Van gynaecologie en pediatrie*, van het schrijven van recepten tot geschiedenissen van individuele zenuw- en geestesziekten, werkten wij ons moeizaam door de mazen van de medische wetenschap. Soms leken wij slaapwandelaars, verdoofd door de vele uren die wij gebogen over onze handboeken doorbrachten. Maar meer nog, en bij de ene professor vaker dan bij de andere, werden wij verfrist door de vreugde van het leren.

Een van de colleges die onze aandacht gespannen hielden, was dat van professor Willman. Zijn specialisatie was zenuw- en geestesziekten.

Mijn ervaring met het geval van de slager-moordenaar had mijn belangstelling voor deze tak van de wetenschap nog verscherpt.

---

* Respectievelijk de leer der vrouwenziekten en die der kinderziekten.

In de dagen dat krankzinnigheid nog het doelwit van spot was, waren professor Willmans verhandelingen lessen in menselijk medeleven.
Maar eens schudde de zaal van het lachen. Dat gebeurde toen een jonge schizofreen* een emmer met koud water, die daar stond om hevige aanvallen te kalmeren, opnam en die over het hoofd van de professor leeggooide. Het was typisch voor Willman dat hij alleen maar het water uit zijn druipnatte haar schudde, de panden van zijn jacket uitwrong en kalmpjes zei: „Het volgende geval, alstublieft!" Op die dag was het applaus, dat gewoonlijk een college besloot, overweldigend genoeg om zelfs een Bernhard of een Barrymore tevreden te stellen.
Psychiatrie is sinds de jaren twintig met rappe schreden vooruitgegaan. Freuds bijdrage werd toen nog als radicaal beschouwd, maar heden heeft zich het begrip omtrent geestesziekten verbreed en verdiept op een wijze die Freud ver achterlaat.
Niettemin heb ik door professor Willman inzichten gekregen die in mijn eigen werk van onschatbare waarde zijn geweest. En begrip voor de emotionele achtergrond bij lichamelijke beschadiging is niet minder belangrijk dan de vaardigheid in het behandelen van de beschadiging zelf. Vandaag wenst menige praktiserende geneesheer dat hij als student enig onderwijs in de psychiatrie had genoten, hoewel hij als student van nog zelfs maar tien of twintig jaar geleden de behoefte daaraan niet voelde.
Op de psychische oorzaken van ziekten werd door mijn chef in interne geneeskunde, professor Ludwig Krehl, de nadruk gelegd. Zelf noemde hij zijn leerstoel overigens niet bij die naam. Professor Krehl werd als de leidende autoriteit, misschien wel dè autoriteit op het gebied van hart- en vaatziekten, beschouwd. Hij was een van de eersten die de vroege tekenen van aderverkalking herkende. Nu schijnt het mij toe dat hij even hard op ons, zijn discipelen, hamerde om ons de belangrijkheid van de psychosomatische verschijnselen bij te brengen. Hij trachtte ons te doen begrijpen welk een invloed de manier van leven, van eten en drinken, van de spanningen en conflicten der westerse maatschappij had op het rijzen en dalen van de bloeddruk en de veerkracht van de bloedvaten.

* Bepaalde vorm van ongeneeslijke krankzinnigheid.

„Al dat praten over schadelijke hoge bloeddruk zou ons doen denken dat het hart het belangrijkste orgaan van het menselijk lichaam is," placht hij te zeggen. „Het is zeker belangrijk als pompstation. Maar wat voor goed doet al het pompen als de vloeistof die het door zijn buizen pompt van minderwaardige kwaliteit is, of als het schadelijke bestanddelen meevoert die zich tegen de buiswanden afzetten?" Er volgde een dramatische pauze, waarbij hij in de naar hem opgeheven gezichten keek. „En waar komt deze kostbare vloeistof vandaan? Van het voedsel dat wij eten, de vloeistoffen die wij drinken, de lucht die wij inademen – en vooral van de manier waarop wij leven en voelen."

„U weet allen," zo ging hij verder, „dat de volken van het gele ras niet aan hoge bloeddruk lijden. Hun levensfilosofie is kalm te blijven en het lot met een filosofische glimlach te dragen. Hun smaken zijn eenvoudig. Zij verlangen niet naar ons vette voedsel en onze scherpe kruiden. Zij hebben geen behoefte aan opwekkende middelen en opwinding om hun levenstempo op te voeren. Voor ons is hoge bloeddruk een voortdurende bedreiging. Het antwoord kunnen wij van Rousseau leren:,Terug naar de natuur!' "

Gynaecologie vond ik interessant, maar van het begin af was dit het enige onderdeel van mijn medische opleiding dat mij verlegen maakte. Ik kon maar niet leren objectief te staan tegenover de vrouwelijke patiënten, die, omdat zij te arm waren om een privédokter te betalen, zich in een overvolle collegezaal moesten onderwerpen aan het onhandige onderzoek door studenten.

Evelyn plaagde mij onbarmhartig. „En jij wilt chirurg worden?" zei ze. „Je bent altijd zo zeker van jezelf! Wat maakt je dan zo overgevoelig wanneer het gynaecologie betreft? Als je in de collegezaal mannelijke genitaliën moest onderzoeken, zou je zelfs niet met je ogen knipperen!"

In de loop van ons laatste semester kon ik mij op Evelyn wreken. Wij deden ons werk in de verloszaal van de kliniek, en het was onze taak een bepaald aantal vrouwen te verlossen. Als wij geluk hadden, zouden het normale verlossingen zijn, waarbij de natuur en de patiënt het werk deden, en wij niet veel anders te doen hadden dan klaar te staan om de baby op te vangen.

Ik had een van dit soort gemakkelijke bevallingen behandeld, en liep de gang af om te zien hoe het Evelyn met de hare verging.

Ik vond haar worstelend met een tangverlossing. Zij had de tang over het hoofd van de foetus bevestigd en trachtte deze naar de vagina af te voeren. Maar de zuigeling verroerde zich niet. Het was alsof hij wist dat hij het beste kon blijven waar hij was. Met „onbekende vader" op zijn kaart en weinig belovende vooruitzichten, kon hij niet veel goeds verwachten van de wereld die hij op het punt was te betreden.

Het was juli, tijdens het zomersemester, en een gloeiend hete dag. Patiënt en dokter waren beiden met zweetdruppels bedekt. Weer en nog eens weer trachtte Evelyn de moeilijke verlossing te voltooien. Een oppasser, die toekeek, klakte medelijdend met zijn tong en opende een venster.

„Zet je voet tegen de tafel," raadde ik haar aan; ik ging achter haar staan en greep haar armen om kracht bij te zetten.

Zij nam mijn raad aan, haalde diep adem en trok. Door het plotselinge loskomen sloegen wij beiden achterover, de tang nog stevig in Evelyns handen geklemd. Toen zij overeind kwam, zag zij tot haar verbijstering dat er niets in de tang zat. Een ogenblik later werd er op de binnenplaats luid geroepen. Een blauwe baby lag in het gras onder het venster van de verloskamer!

Twee uur lang werkten wij om het kind bij te brengen. Bij het onderzoek nam ik de volle verantwoordelijkheid op mij en wees er bescheiden op dat de baby nog leefde.

Tegen het einde van juli liep met het einde van het semester onze formele medische opleiding ten einde. Wij schreven in voor het staatsexamen, dat ons het artsdiploma en de vergunning om te praktizeren zou moeten verschaffen, pakten onze zwaarwichtige handboeken en volgekrabbelde cahiers in en maakten dat wij uit Heidelberg wegkwamen.

De trein was stampvol met studiegenoten, blij met het eindigen van de colleges, maar niet zorgeloos vooruitkijkend naar de komende vakantie. Wij waren allen zwaar belast met boeken en studiemateriaal, en voorbereid op tweeëneenhalve maand van hard werken, want het zou ons vele uren kosten eer wij klaar zouden zijn met het sorteren en verwerken van alles wat wij in vijf jaren van geconcentreerde studie hadden geleerd. De examens zouden op de 15e oktober beginnen.

HOOFDSTUK 12

MARIO

THUIS VOND IK EEN BRIEF VAN INEZ, DIE MIJ UITNODIGDE HAAR IN Zwitserland te komen bezoeken. Ik aarzelde, want ik wist dat ik beter thuis kon blijven en studeren. Maar ik was moe, naar lichaam en geest. Na vijf jaren van hard werken en ondervoeding voelde ik mij lusteloos, en hoewel ik wist dat dit hoofdzakelijk lichamelijk was, raakte het ook mijn gevoelsleven. In Zwitserland, dat land van melk en honing, en in de zon van Inez' geluk en vrolijkheid, zou ik stellig mijn energie en goede humeur terug kunnen vinden. En Inez zou kunnen begrijpen dat ik een deel van mijn tijd aan mijn studie moest besteden. Ik schreef haar dat ik zou komen. Zij straalde toen zij mij aan haar man voorstelde en mij haar spelende kleuters en het mooie, gezellige huis liet zien. De tweeling was geen verrassing voor mij, want zij had mij geschreven dat die geboren was. Alles wat ik zag, bevestigde het stralende geluk dat uit haar brieven sprak. Er waren tweeëneenhalf jaar voorbijgegaan sinds zij de studie opgaf, en er was geen twijfel aan dat zij de juiste keus had gedaan. Werk dat nooit ophield, moeheid en zelfs ziekte waren mijn deel geweest. Toch waren het ook jaren van grote voldoening geweest en ik zou, zelfs in mijn dromen, mijn roeping nooit ontrouw kunnen worden.
Toen zij mij bij het uitpakken hielp, zei Inez: „Dit geluk is ook voor jou weggelegd, Else, als je het maar aanvaarden wilt wanneer het komt!"
„Niet als ik daar de geneeskunde voor moet opgeven," zei ik.
„Eens zul je een man ontmoeten voor wie je dat graag wilt opgeven," voorspelde Inez met grote stelligheid. Maar ik kon mij zo'n man zelfs met de grootste moeite niet voorstellen.
Inez had verschillende uitnodigingen voor mij aangenomen. De eerste was voor een bal, dat de volgende zaterdag door de vrouw van

een Turkse diplomaat zou worden gegeven. Hij vertegenwoordigde zijn regering bij een van de conferenties die toen bijna voortdurend in Genève werden gehouden. Er zouden verschillende deelnemers aan de conferentie aanwezig zijn. En op dat bal van prinses Hassan ontmoette ik Mario.
Ik zal hem Mario noemen, want zijn ware naam is niet onbekend. Hij was een jonge diplomaat bij het Italiaanse Ministerie van Buitenlandse Zaken. Ieder meisje droomt van de man die haar liefde zal winnen, en Mario kon zó uit mijn droom zijn gestapt. Hij was knap genoeg om de aandacht van ieder meisje te trekken: een lange, atletisch gebouwde man, wiens door de zon gebruind gezicht de sterke, regelmatige trekken van de klassieke Italianen had. Buitendien was hij intelligent, en bezat hij een levendige, opgewekte geest. Maar het beste van alles was, dat hij evenzeer in mij was geïnteresseerd als ik in hem. Wij dansten, wij zaten ergens in een rustig hoekje en hadden niet de minste aandacht voor het „belcanto", waarvan de Italiaanse tenor Gigli de gasten deed genieten.
Toen wij afscheid namen, hadden wij een afspraak om de volgende morgen te gaan tennissen, een om 's middags te gaan zeilen en een afspraak om 's avonds in de jachtclub te gaan dansen. En toen hij vertrok om naar de conferentie terug te keren, hadden wij een afspraak voor het volgende weekeinde.
Inez zei plagend: „Ondeugend meisje, je bent hier voor je rust!" Maar tegelijkertijd haalde zij een doos met zijden lappen en „tweeds" voor den dag. Die had zij voor haar eigen garderobe gekocht, maar mijn ersatz-kleren waren niet bepaald geschikt om met een diplomaat naar partijen te gaan, en dus gingen we aan het werk om sportkleren en een avondjapon te creëren. Mijn koffer met handboeken stond vergeten in de hoek. Inez, met de slimme blik van een koppelaarster, dreigde: „Ik houd je hier, of je wilt of niet!"
Na het volgende weekeinde vroeg zij mij ernstig: „Zou je niet wat langer kunnen blijven? Je weet hoe heerlijk we het vinden je hier te hebben."
Roekeloos nam ik haar aanbod aan. Ik stuurde mijn ouders een telegram: „Voel mij wat beter, maar blijf nog een tijdje bij Inez." Prompt kwam er een expresbrief van vader: „. . . Blij te zien dat je weer hersteld bent en blijkbaar sterk genoeg om naar allerlei

feesten te gaan. Wij hebben je naam in de krant gelezen, bij de gasten van een buitenlandse diplomaat. Het verbaast mij dat je je tijd met lichtzinnigheid verknoeit, terwijl het je plicht is om je op je artsexamen voor te bereiden. Daar er niet veel tijd meer is, gelast ik je om onmiddellijk terug te komen. . ."
Furor Teutonicus – Duitse woede – greep mij aan bij het lezen van deze brief. Zonder aarzelen greep ik de pen.
„Lieve vader," schreef ik. „Ik heb uw brief van gisteren ontvangen. Het komt mij voor dat uw houding van ouderlijke overheersing getuigt. Het is nauwelijks uw taak om mij aan mijn studie voor het artsexamen te herinneren, aangezien u van het begin af aan tegen deze studie was gekant. Als het aan u had gelegen, zou ik nu in een of andere afgelegen school het abc moeten onderwijzen. Ik ben oud genoeg om mijn eigen beslissingen te nemen, en met alle respect moet ik u verzoeken u in het vervolg niet met mijn zaken te bemoeien." Ik tekende, sloot de envelop zonder de inhoud nog eens over te lezen, en bracht de brief zelf naar de post.
Mario kwam ieder weekeinde. Met iedere week die voorbijging, werd ik meer en meer verliefd. Ik telde de dagen voor het einde van de conferentie en van Mario's officiële plichten. Om beurten verlangend en bang vroeg ik mij af of zij het einde zouden betekenen, dan wel het begin van iets méér dan een zomeridylle.
Ik kreeg geen brieven meer van mijn vader. Maar er kwam een dringende brief uit Heidelberg, van Evelyn Dauber, die gedurende de vakantie aan de universiteit gebleven was om te studeren.
Zij schreef mij dat wij voor de examens in dezelfde groep van vier zaten, en herinnerde aan de datum waarop de kandidaten voor de staatsexamens zich persoonlijk moesten komen voorstellen.
Ik keek naar de kalender en zag met schrik dat ik, wilde ik nog op tijd zijn, bijna onmiddellijk zou moeten vertrekken. Ik zond Mario een telegram dat ik nog voor het weekeinde moest afreizen en dat ik graag afscheid van hem wilde nemen.
Mario kwam nog diezelfde avond. De vrolijke glimlach was van zijn gezicht verdwenen en hij beantwoordde ternauwernood Inez' plagerijtjes. Zodra hij dat, zonder onbeleefd te schijnen, kon doen, nodigde hij mij uit voor een wandeling in de tuin.
Midden op een van de paden stopte hij en greep mijn beide handen. „Else, ik heb je lief en ik wil je trouwen," begon hij. „Toen je tele-

gram kwam, heb ik met mijn moeder in Rome getelefoneerd en zij nodigt je uit om haar te komen bezoeken."
Dit was waarnaar ik verlangd had. En boven lag de brief uit Heidelberg op mijn toilettafel. . .
Mario zag mijn verwarring, maar dacht aan een andere oorzaak. „Liefste, laat je niet verontrusten door onze ouderwetse, Italiaanse vormelijkheid. Moeder zou mijn gevoelens voor jou niet kunnen veranderen, zelfs als ze dat zou willen. Maar ze zal net zoveel van je houden als ik. Ze is heus zo verschrikkelijk niet, geloof me maar."
„Nee, nee, dat is het niet! Het is. . . ik moet heus onmiddellijk terug, morgen op zijn laatst."
„Dat is onzin!" zei Mario. „Inez wil graag dat je blijft. De conferentie is binnen twee weken afgelopen, en dan gaan we samen naar Rome." Toen ik mijn hoofd schudde, riep hij uit: „Wat kan van meer belang zijn dan ons geluk!"
Ik vertelde hem van mijn examens.
Hij voelde zich verongelijkt. Hij kon niet begrijpen waarom ik mijn doktersbul wilde behalen. „Het is zo'n verkwisting. Als mijn vrouw behoef je geen praktijk uit te oefenen."
Ik gaf daar geen antwoord op. „Het zou verkwisting zijn om geen examen te doen," zei ik, „om geen doktorsgraad te behalen als ik daar al die jaren zo hard voor heb gewerkt!"
Zijn gezonde verstand hielp hem nu. Hij gaf toe dat het verkwisting zou zijn na zoveel jaren studie niet naar de bekroning daarvan te dingen. En zijn liefde voor mij kwam mij ook te hulp. Als ik om parels of bontjassen of een elegante sportwagen had gevraagd, zou hij mij die zonder bedenken hebben gegeven. Maar het dwaze meisje wilde, om gelukkig te zijn, alleen maar haar medische graad. Nu, als dat alles was wat zij wilde, kon zij dat hebben. De volgende dag kwam hij nog eens van Genève over om mij naar de trein te brengen, waar hij mij bedroefd nawuifde. Zo ging ik op weg naar mijn eenzame beproeving.
Het wàs een beproeving en het wàs eenzaam. De toegewezen tijd liet geen romantiek toe, en de romantiek had kostbare weken gestolen. Ik sloot mij op in een kleine kamer, met alleen mijn handboeken als gezelschap. Dag en nacht, soms vergetend om te eten of te slapen, probeerde ik de uren van liefde en vreugde, die ik met Mario had doorgebracht, in te halen. Ik schreef naar huis om te

zeggen dat ik mij goed voelde en in Heidelberg terug was. Na mijn boze brief aan vader, waar een lange stilte op gevolgd was, wilde ik òf een bul, òf een trouwring mee naar huis nemen.

Het artsexamen was heel iets anders dan het propaedeutische xamen, waar Inez en ik in München zo zorgeloos doorheen waren gezeild. Dit was geen proef om onze bekwaamheid voor verdere studie vast te stellen, maar een onderzoek naar onze geschiktheid om de wereld in te gaan en onze kennis op menselijke wezens toe te passen. Ofschoon wij nog enige tijd als intern in een ziekenhuis zouden moeten doorbrengen, zouden wij toch het recht hebben als volwaardige leden van het medische beroep praktijk uit te oefenen. De examens zouden twee maanden duren, van midden oktober tot midden december, en zouden een grondig onderzoek naar onze kennis en bekwaamheid door professoren van iedere tak der medische wetenschap betekenen. Fouten mochten er niet gemaakt worden; wij moesten voor ieder onderwerp een behoorlijk gemiddelde halen en uitmunten in die waarin wij ons wilden specialiseren. Zodra één examen achter de rug was, begonnen wij te repeteren voor het volgende.
Bijna aan het einde, toen wij al begonnen wat vrijer te ademen, stonden wij op zekere dag – hetzelfde groepje van vier – met bibberende knieën voor de deur van professor Moro, de professor voor kinderziekten.
Ik had, geconcentreerd als ik was op chirurgie, aan kinderziekten niet veel aandacht geschonken. Maar men kon professor Moro niet over het hoofd zien. Een onvoldoende voor zijn vak werd door de examencommissie ernstig opgenomen. Terwijl wij wachtten, repeteerde Evelyn zenuwachtig nog eens en nog eens professor Moro's speciale levertraanrecepten tegen bloedarmoede.
Nauwelijks waren wij gezeten of de professor overviel haar met zijn eerste vraag: „Wat zou u voor een bloedarm kind voorschrijven?"
Angst en spanning hadden Evelyns geheugen weggevaagd. Zij stotterde hulpeloos, terwijl de examinator rondkeek en zijn ogen op mij vestigde. Ik zei: „Een speciale formule van levertraan, met een basis van moutsiroop en een toevoeging van aluminium in poedervorm."
Dat was tot dusver goed. Maar professor Moro wilde meer weten:

„Wat zou u er ter wille van de voedingswaarde aan toevoegen?"
Ik greep een antwoord uit de lucht. „Wrongel, vers gekarnde wrongel," zei ik, met een zekerheid die ik in het geheel niet voelde, „zoals ze op de boerderijen in de Zwitserse Alpen wordt gemaakt, voor er gisting plaatsvindt."
De professor keek geïnteresseerd. Ik beschouwde dit als een aanmoediging, en vervolgde met het beschrijven van de primitieve wijze waarop wrongel werd bereid. Mijn langdurig bezoek bij Inez wierp een onverwacht dividend af.
De professor zei opgewekt: „Die beschrijving is heel juist! Klimt u?"
Bijna het gehele volgende uur spraken wij gezellig en levendig over bergbeklimming. Meestal hoorde ik toe, wierp er af en toe een woordje tussen en toonde een ongeveinsde geestdrift, die mijn gebrek aan ervaring op dit terrein moest goedmaken.
Bergen beklimmen leek mij heerlijk. In mijn studiejaren had ik er maar weinig tijd voor gehad, maar gedurende die gelukkige semesters in München waren wij er toch weleens met bijlen, touwen en klimhaken op uitgegaan.
Schuifelende voeten buiten de deur stuitten de vloed van herinneringen. De professor maakte een ongeduldig gebaar, stelde de overige kandidaten een vluchtige vraag en verklaarde de examens voor geëindigd. Ik kreeg onder de tafel een schop van een van mijn metgezellen, die geen kans had gekregen om zijn kennis te luchten.
Toen wij het vertrek verlieten, bleef ik even achter en vroeg professor Moro stoutmoedig: „Hoe heeft ons groepje het gedaan?"
Ik had een „A", de twee mannelijke studenten, die nauwelijks een vraag hadden beantwoord, een „B" – en juffrouw Dauber was gezakt.
Ik kon dit niet zonder protest voorbij laten gaan. In mijn haast om een onrecht goed te maken, vergat ik zelfs de eerbiedige „derde persoon" te gebruiken. „Professor Moro, juffrouw Dauber weet meer over kinderziekten dan wij allemaal bij elkaar. Ik heb uw formule een minuut voor we hier binnenkwamen van haar geleerd."
De drie andere studenten hielden evenals ik hun adem in. In het onheilspellende ogenblik van stilte dat volgde, bereidde ik mij voor op een slechte aantekening, alleen al voor mijn brutaliteit.
Toen spreidde zich een glimlach over professor Moro's gezicht. Met een plagende blik naar mij, zei hij: „Heel goed, jongedame, ik verklaar dat juffrouw Dauber ook geslaagd is."

Eindelijk waren de examens voorbij. Ik behoefde alleen nog op een officiële bevestiging van de uitslag te wachten. Toen tekende ik met bevende handen mijn naam met de toevoeging „arts" erachter op een telegram naar huis, en nam een trein die mij op kerstavond thuis zou brengen. Vader haalde mij af. Hij verwelkomde mij zonder hartelijkheid en hield zich met mijn bagage bezig. Toen wij voorbij grootmoeders vensters naar de voordeur liepen, zag ik dat de gordijnen waren neergelaten.

„Is grootmoeder ziek?" vroeg ik, met een angstig voorgevoel.

„Zij wàs ziek. Zij is nu drie weken geleden van ons heengegaan," zei vader kortaf.

Ook moeder ontving mij koeltjes. Zij keerde mij haar wang toe voor een kus en ging toen weer verder met haar kerstgans. Alleen Otto was blij mij te zien. Met de pas gevonden ridderlijkheid van een zeventienjarige, schonk hij in de zitkamer twee glazen sherry in. Toen gooide hij eruit: „Waar heb jij verdomme gezeten? Kon je geen woordje schrijven? Wat denk je dat vader en moeder al die tijd hebben doorgemaakt?"

Ik voelde mij miserabel. „Het doet er niet toe. Ik zal er uitvoerig verslag van geven. Intussen kun je mij met dokter aanspreken en misschien" – voegde ik er plagend aan toe – „ook met gravin." Vader kwam binnen. Hij was wantrouwend en achterdochtig, hoewel ik nooit tegen hem had gelogen. „Heb je iets om te bewijzen dat je voor je examens geslaagd bent?" vroeg hij.

Beschaamd zocht ik in mijn handtas en bracht het officiële document te voorschijn. Hij bekeek het door zijn bril, legde het neer, draaide zich om en stak de kaarsen in de kerstboom aan.

Tegen de tijd dat moeder de gebraden gans binnenbracht, was zijn goede luim weer bijna teruggekeerd. Hij hief zijn glas op. „Laten wij op de jongste dokter aan onze familiestamboom drinken." Otto en moeder hieven hun glazen, en moeders ogen werden vochtig toen vader vervolgde: „Moge zij de grote verwachtingen, die grootmoeder van haar had, in vervulling doen gaan."

Hij begon de gans te snijden. Ik zweeg en overdacht dat ik wèl voor mijn dwaze streken werd gestraft. Hoe had ik grootmoeder zo kunnen teleurstellen? Hoe kon ik haar in mijn nieuw geluk zo harteloos vergeten, nadat zij mij door de jaren heen en tegen alle tegenstand in zo standvastig trouw was gebleven!

Vader nam het voorsnijmes op, legde het weer neer, en keek mij met een slim glimlachje aan. „Het schijnt mij toe, door een woord dat ik heb afgeluisterd, dokter, dat een tweede dronk op de gravin op zijn plaats zou zijn!"
Nu klaarde moeders gezicht op. De gans en de geurige vulling moesten wachten, terwijl ik over mijn ontmoeting met Mario en onze toekomstplannen vertelde.
„Dat is allemaal goed en wel," zei mijn vader, „maar hoe zit het met je beroep?"
„Dat is iets dat ik met Mario zal moeten overleggen," zei ik. „En zou u mij nu een ogenblik willen verontschuldigen? Ik heb beloofd hem op te bellen – hij zit waarschijnlijk te wachten. . ."
De gans moest weer wachten, terwijl ons gezin mijn verloofde door de telefoon begroette.

Op oudejaarsavond verliet ik de trein in Pontresina en omarmde Mario, die daar op mij wachtte. Wij hadden afgesproken elkander daar te ontmoeten – hij bracht er zijn skivakantie door – en dan samen naar Rome te reizen, waar wij de dag na nieuwjaar bij zijn moeder werden verwacht. Ik was van plan, als ik in Rome was, te informeren naar de mogelijkheden om in Italië een praktijk te beginnen. Intussen waren wij weer bij elkander, en ik was verliefder dan ooit. De heerlijke lucht, het kraken van de poedersneeuw, het glijden langs de skibanen, dit alles was nog niet zo opwindend als Mario's nabijheid. Voor een korte tijd dacht ik niet aan de medische wereld.
Die avond stond ik voor de spiegel en trok mijn lange avondhandschoenen aan. Het was een verrukkelijke dag geweest en niets had mijn geluk verstoord. De nieuwe japon, die ik had gekocht om op deze bijzondere oudejaarsavond te dragen, was uitstekend geslaagd. Er werd op de deur geklopt en Mario kwam binnen met een doos, waarin een corsage voor mij lag.
„Op ons nieuwe, gelukkige leven, lieveling," zei hij en sloeg zijn armen om mij heen.
Ik zal nooit weten waarom ik juist dat ogenblik koos om die vraag te stellen. Ik had mij heilig voorgenomen dat geen gedachte aan mijn toekomst in de geneeskunde deze gelukkige uren met Mario zou mogen onderbreken. En toch ontsnapten die woorden

mijn lippen: „Mario, hoelang zou het duren eer ik toestemming kan krijgen om in Italië een praktijk te beginnen?" Hij liet zijn armen zakken en deed een stap terug. Eerst keek hij ongelovig, toen boos en daarna koud. „*Mijn* vrouw zal geen dokterspraktijk uitoefenen," zei hij.
Misschien had ik moeten begrijpen wat er volgde. Er was geen noemenswaardige ruzie, het was wil tegen wil en principe tegen principe. Ieder woord scheen de afgrond tussen ons breder te maken. Een man van Mario's maatschappelijke positie verwachtte natuurlijk dat zijn vrouw zich naar zijn wensen zou voegen. Wat mij betreft. . . Inez' voorspelling, die destijds zo ver buiten mijn begrip had gelegen, werd nu inderdaad bewaarheid. Hier was de man en hier stond ik, niet wetend hoe ik ooit òf Mario òf mijn beroep zou kunnen opgeven.
Mario keek mij aan en dacht dat hij de overwinning had behaald. Zijn gezicht verzachtte zich en hij wilde mij omarmen. Ik keerde mij naar het venster.
Minuten later, toen ik nog met nietszeggende ogen naar het besneeuwde landschap staarde, hoorde ik de deur zachtjes achter mij sluiten.
Ik reisde de volgende morgen vroeg af, en liet Mario's gardenia's in de ongeopende doos op de toilettafel achter.

HOOFDSTUK 13

LEERTIJD

MET EEN GEBROKEN HART KEERDE IK NAAR HUIS TERUG. MOEDER deelde stilzwijgend mijn verdriet. Vader was vriendelijk, maar ik voelde dat hij in zijn hart blij was met mijn besluit.
Otto, die zich nu een man voelde, nam een vaderlijke houding aan en gaf mij een standje. „Waar dient al die drukte voor als je werkelijk van hem houdt? Het enige wat je kunt doen, is hem trouwen! Als je eenmaal kinderen hebt, zul je genoeg te doen hebben!"
Ik herhaalde al mijn argumenten over het combineren van een huwelijk met een beroep, waarnaar Mario zich zelfs niet verwaardigd had te luisteren. Mijn broer liet mij uitspreken, maar hij vond het bespottelijk. In zijn jonge ogen was alles zwart of wit. Een vrouw was een vrouw; zij had in dit leven niets anders nodig dan liefde, huwelijk en kinderen. Als zij het geluk had een man te vinden die haar dit alles wilde geven en die zij bovendien lief kon hebben, zou zij wel gek zijn om hem niet tot iedere prijs te accepteren. In mijn hart voelde ik dat ook zo. Mario had me geleerd hoe het was een vrouw te zijn die liefhad en werd liefgehad. Ik had voor de vervulling van mijn vrouw-zijn gestaan – en ik was die uit de weg gegaan.
Toen hij mij zag huilen, gaf hij mij, jong als hij was, een verstandige raad. „Huil dan in 's hemelsnaam niet om hem! Als je dan zo bepaald dokter moet worden, ga dan je gang en wéés een dokter. Maar blijf niet thuis treuren, en heb geen medelijden met jezelf!"
Mijn gezonde verstand zag de wijsheid daarvan in, en toen de tijd gekomen was, pakte ik mijn koffers en nam afscheid van mijn familie, met een vertoning van vrolijkheid die grotendeels schijn was.
Het kostte inderdaad vele maanden en een overweldigende massa werk om over mijn verdriet heen te komen. Het grootste deel van mijn jaar als co-assistente werd overschaduwd door een niet te dragen gevoel van verlies. Sindsdien heb ik mij nooit weer afgevraagd of

ik wel of niet goed had gekozen, maar dat hele jaar lang werd ik door twijfel geplaagd. Menige nacht lag ik wakker, vaak stond ik op, stak het licht aan en begon een brief aan Mario, waarin ik nederig ongelijk bekende en schreef dat, als hij nog van mij hield, ik bereid was met hem te trouwen en te vergeten dat ik ooit een artsbul had behaald.
Maar in de vroege morgenuren, als wij in het laboratorium werkten alvorens met onze professor de klinische ronden te doen, betrapte ik mij er vaak op dat ik de achterkant van die brieven gebruikte om er notities over laboratoriumproeven op te krabbelen.
Ik verdeelde mijn co-assistentschap tussen Heidelberg en Kiel, en ik had het geluk te worden aangenomen door dezelfde professoren die mij naar de artsbul hadden geleid.
Dit is het belangrijkste en voor velen het laatste jaar, waarin iedere pas geslaagde arts moet leren de theorie in praktijk te brengen, zowel aan het bed van de patiënten als in het laboratorium en in de klinische verslagen. Twee vakken waren verplicht: interne geneeskunde en chirurgie, en twee andere waren facultatief. Ik koos psychiatrie en dermatologie*. In de chirurgie zou ik weer met professor Kossik werken, en in de psychiatrie was professor Willman mijn chef.
Professor Willman herkende mij. Zijn belangstelling werd groter toen hij ontdekte dat leden van mijn familie, zowel van vaders- als van moederszijde, bekende pioniers op zijn eigen terrein waren geweest. Eens vertrouwde ik hem toe dat mijn grootmoeder, die mijn studie had gefinancierd en aangemoedigd, had gehoopt dat ik me in geestesziekten zou specialiseren.
„Maar dat idee hebt u opgegeven? Waarom?" vroeg hij.
Ik gaf hem een rechtstreeks, maar niet zeer tactvol antwoord. „Ik geloofde niet dat ik een levenslange verzorging van krankzinnigen zou kunnen verdragen. Ik was bang dat ik daardoor mijn eigen geestelijke evenwicht zou kunnen verliezen."
Mijn chef in de psychiatrie zei met een glimlach: „U bent het dus eens met de leken dat de meeste psychiaters een beetje gek zijn?"
In de war gebracht, beantwoordde ik dit met een tweede stommiteit. „Misschien denk ik dat omdat ik een vrouw ben!" En ik voelde

* Leer der huidziekten.

mijn gezicht gloeiend rood worden bij dit ongewild toegeven dat vrouwen het zwakke geslacht zijn.
De professor ging op deze merkwaardige stelling niet in, maar stelde mij in plaats daarvan een andere vraag: „Hebt u al besloten wat u wilt gaan doen? Wilt u een algemene dokterspraktijk beginnen? Of. . ."
Nu aarzelde ik geen moment. „Nee, ik ga in de plastische chirurgie!"
„Werkelijk?" Hij keek verrast en bedenkelijk. „Denkt u dat een vrouw de inspanning die de chirurgie vergt, verdragen kan?"
Ik voelde mij nu op vaste grond. „Professor Willman, ik bedoelde, met wat ik zoëven zei, niet dat vrouwen werkelijk zwakker zijn. Ik vind integendeel dat zij in werkelijkheid meer ontberingen kunnen verdragen dan mannen. Het heeft op hen alleen een andere uitwerking."
Hij keek mij nieuwsgierig aan en ik haastte mij om verder te gaan: „Het lijkt mij toe dat een vrouw nooit zo tegen het lijden gehard kan worden als een man. De natuur – of haar vorming in onze maatschappij misschien – heeft haar dieper medelijden en meer begrip meegegeven en daardoor een grotere vastberadenheid om de strijd tegen ziekte en pijn aan te binden. Vooral in het vak dat ik heb gekozen, heeft, dunkt mij, een vrouw veel voordelen."
Hij knikte, niet zozeer om aan te geven dat hij het met mij eens was, dan wel om te kennen te geven dat hetgeen ik had gezegd een kern van waarheid bezat.
Ik kreeg een kans om een geval voor hem uit te werken dat hij in de collegezaal zou kunnen presenteren, en ik was trots dat ik met het verslag in mijn handen naast deze grote wetenschapsman mocht staan, uitkijkend over de banken waar ik nog maar enkele maanden geleden zelf had gezeten en waar nu een nieuwe oogst van studenten zat te wachten om zijn woorden van wijsheid op te vangen.
Mijn rooster bracht mij daarna naar de afdeling interne ziekten van professor Krehl. Met geestdrift ging ik in zijn laboratorium aan het werk. Dat laboratorium werd de helse keuken genoemd. Die naam had het te danken aan de reuk van bloed en sputum, urine en faeces, die alleen te verdragen was doordat hijzelf zo intens geïnteresseerd was in wat wij door onze biologische proeven en bloedanalyses zouden kunnen vinden.
Hij spoorde ons voortdurend aan oorzaken op te sporen, en de

eerste waarschuwingen van de natuur in deze preparaten van lichamelijke, chemische processen te zoeken.
Professor Krehl legde er de nadruk op dat ieder deel van het menselijk lichaam voor de dokter van even groot belang is, en dat men geen behoorlijke diagnose kan stellen indien men zich slechts tot een enkel orgaan beperkt. Hij was met zijn theorie, dat iedere ziekte de hele mens betrof, zijn tijd ver vooruit. Vele van zijn leerlingen brachten het als resultaat van zijn geïnspireerde leerwijze tot grote prestaties.
Daarna kwam mijn co-assistentschap in dermatologie. Als plastisch chirurg moest ik een grondige kennis bezitten van de beschermende laag die het lichaam bedekt. Toch viel het mij moeilijk de problemen van deze specialisering ernstig op te vatten. Gedurende mijn studententijd was ik dikwijls gaan zwemmen of tennissen in plaats van een college in dermatologie bij te wonen. De problemen van de dermatologie schenen mij voor een dokter meer een ergernis dan een uitdaging.
Het was op dit gebied van de geneeskunde meer zoeken en proberen dan op enig ander terrein. Als de ene zalf niet helpt, probeer dan een andere, een eindeloze rij van zalven, crèmes, poeders en lotions. Het was een bekend gezegde onder de studenten dat een huidarts nog nooit een patiënt had gedood, maar evenmin genezen.
En zo kwam het dat ik welverdiend de meest vernederende ervaring van mijn co-assistentschap opdeed.
Er kwam in de kliniek een jongeman met puisten over zijn gehele lichaam. Ik las het ziekteverslag door. Hij had een week tevoren een wollen sweater gekocht, die hem jeuk en rode vlekken op nek en armen bezorgde. Drie dagen later had hij varkensschenkel. met zuurkool gegeten en daarvan kreeg hij diarree en jeuk in de omtrek van de anus. Daarop nam hij een lavement, maar dat had hem doodziek gemaakt. En om de kroon op dit alles te zetten, had hij de dag tevoren zijn ellende in rode wijn verdronken en een meisje van de straat mee naar huis genomen! „*Oh, jerum, jerum, jerum!*" neuriede ik het malle refrein van het oude Heidelbergse lied toen ik het epos van zijn lijden doorlas. Terwijl ik hun het relaas van zijn avonturen voorlas, verzamelden mijn collega's zich rond de naakte, zieke man, en barstten in lachen uit. Op dat ogenblik kwam professor Bettman binnen.

Ons lachen verstilde. De professor bedekte de naakte zieke met een laken en beval de verpleegster hem onmiddellijk naar bed te brengen. Hij wendde zich tot mij en vroeg in dodelijke ernst: „Hebt u zijn temperatuur opgenomen?"
Dat had ik natuurlijk niet. Voor mij was dit weer een ander soort „jeuk". Bedremmeld gaf ik hem mijn aantekeningen. Hij bestudeerde ze, terwijl zijn gezicht een uitdrukking van ongeloof aannam.
„Weet u dan niet wat dit is?"
Ik keek hem verbijsterd aan. Niemand van mijn collega's uitte een mening. Toen donderde de prof: „Hoe durven jullie deze ernstige zieke aan licht en lucht bloot te stellen, en aan jullie onhebbelijke grappen? Als jullie mijn colleges hadden gevolgd, zouden jullie deze verschijnselen herkennen. Waar jullie om lachen is het begin van *pemphigus foliaceus**."
Er klikte iets in mijn hersens. *Pemphigus foliaceus*: oorzaak onbekend; aanvang: plotseling, met grote onlustgevoelens; verloop: varieert van eenvoudige blaren tot bloed- en gangrene puisten; therapie: algemene hygiënische maatregelen, versterkte vloeistoffen en losse verbanden met desinfecterende preparaten; afloop: meestal fataal. *Afloop: meestal fataal!*
Terneergeslagen liepen wij achter onze prof de ziekenzaal in.
De patiënt had een temperatuur van 38,5, oppervlakkige ademhaling, en een slepende polsslag. Indien ik naar de patiënt had gekeken in plaats van naar zijn huid, zou ik de waarheid hebben gezien. Dit was inderdaad een zeer zieke jongeman.
Gedurende de volgende dagen werd de toestand steeds erger. Zijn temperatuur schommelde tussen 39 en 40, en de huid begon in grote vellen los te laten. Toen zijn toestand gevaarlijk werd, brachten wij hem naar een isoleerkamer, en werd zijn vader gewaarschuwd.
Ik zat bij de patiënt, bezig zijn verbanden te vernieuwen, toen zijn vader binnenkwam. Ik legde haastig de verbanden over de gangrene plekken, trachtend de oude man dit gezicht te besparen. Toen voelde ik zijn eeltige hand op mijn arm.
„Jonge dokter," zei hij, „mijn jongen zal niet sterven!" Hij haastte zich weg, en ik hoorde het geluid van zijn zware boerenlaarzen in

* Blarenkoorts, ook wel netelzucht genoemd.

de gang. Binnen een uur was hij terug met een slordig ingepakte bundel, waaruit een vieze stank opsteeg. Hij ging zitten, het pak op zijn schoot, om zwijgend over zijn zoon te waken. Met een zwaar hart verliet ik de kamer en deed mijn ronden.
Twee uren later kwam ik terug om naar de jongen te kijken. Zijn pols was sterker en zijn ademhaling minder oppervlakkig. Kleine zweetdruppels stonden op zijn voorhoofd. Zijn temperatuur was gedaald tot 38. Gedurende de nacht werd merkwaardigerwijs de toestand van de zieke steeds beter. De stank in de kamer was bijna ondraaglijk, maar op de een of andere manier toch bekend. Om half acht 's morgens stond ik op het punt de verbanden nog eens te vernieuwen, toen de professor binnenkwam om naar de jongen te kijken. De klinische staf kwam achter hem aan.
Zodra hij binnenkwam en de stank hun in de neus drong, hield de een na de ander zijn adem in.
De chef ging naar het bed en sperde zijn ogen wijd open. „Wat is hier gebeurd?" riep hij uit. „Deze man is bezig te genezen!"
„Professor Bettman," zei ik stotterend, „ik heb hier de laatste twaalf uur een wonder beleefd!"
Mijn hand beefde toen ik hem een spatel aanreikte om er de verbanden mee op te lichten. Hij schraapte er los weefsel en een vreemde, bruine massa af, en ontdekte dat de zweren eronder nu droog en korstig waren, en dat de ontsteking verdwenen was. Hij gaf mij het afschaafsel mee om in het laboratorium te onderzoeken.
Glimlachend en opgewonden keerde hij zich naar zijn staf. „Laten wij eens uitzoeken wat dit voor een wondergenezing is. Deze zalf kwam niet uit onze apotheek!"
„Professor," waagde ik, „kent u de reuk van koeiemest? De vader van de jongen, een boer, kwam hier gisteravond met een pakje en ik geloof dat hij, toen hij met de jongeman alleen was, koeiemest onder de losse verbanden heeft gesmeerd."
De chemische analyse bevestigde mijn herinnering aan grootvaders schuur. De wonderzalf was niets anders dan koeiemest.
Een paar dagen later liet professor Bettman mij naar zijn studeerkamer komen en gaf mij de opdracht de bestanddelen van de koeiemest af te breken en te proberen de oorzaak van de helende werking van dit ongewone materiaal te vinden. Er werden mij een eigen laboratorium en verschillende assistenten ter beschikking gesteld,

en we bogen ons lange uren over onze retorten. Soms was het alsof grootvader over mijn schouder keek en onze pogingen toejuichte. Na een maand van koken en brouwen konden wij de vraag van onze professor gedeeltelijk beantwoorden. Wij vonden dat verse koeiemest een overvloed aan variëteiten van groei-enzymen* bevatte, de zogenaamde auxinen en hetero-auxinen**, die bevorderlijk zijn voor de groei van planten.
Het was duidelijk dat wij weer een van de vele schakels tussen het planten- en het dierenrijk hadden ontmoet. Het zou heel wat meer tijd en onderzoek vergen om precies uit te kunnen zoeken op welke wijze deze enzymen gewerkt hadden om onze patiënt te genezen, maar we wisten nu tenminste dat de genezende factor onder de enzymen moest worden gezocht.
Professor Bettman was opgetogen over deze toegang tot een nieuw en veelbelovend terrein van onderzoek en genezing.
Toen ons co-assistentschap ten einde liep, nodigde hij onze kleine groep uit, en onthaalde ons in zijn huis op een dineetje en wijn. Hij sprak met ons alsof wij zijn gelijken in de wetenschap waren. Toen ik, sprekend voor ons allen, zei dat hij ons had doen beseffen dat aan dermatologie nog wel iets meer vastzat dan het genezen van jeuk, deed hij hevig verontwaardigd, maar hij was er toch wel mee in zijn schik.
Jaren later, in Londen, in het begin van de tweede wereldoorlog, zat ik met lord Munsell, die toen onderminister van marine was, in zijn huis aan Belgrave Square te praten. Wij bespraken een merkwaardig nieuw produkt dat door geleerden – met wie ik in New York en Zürich had gewerkt– in het laboratorium was ontwikkeld. Het wonder van onze Trebiotine, zoals wij het noemden, waren de enzymen, auxinen en hetero-auxinen uit dat vies ruikende laboratorium in professor Bettmans kliniek.
Maar dat verhaal zal ik later nog wel vertellen.

* Door levende organismen vervaardigde eiwitten.
** Plantehormonen.

HOOFDSTUK 14

HET GEZICHT VAN EEN SOLDAAT

HET LAATSTE VERPLICHTE ONDERWERP OP MIJN WERKROOSTER WAS dat waarnaar ik het meest had verlangd, de chirurgie.
Ik las en herlas het onpersoonlijke schrijven waarin professor Kossik mijn verzoek om een co-assistentschap bij hem aanvaardde. Ik twijfelde er niet aan dat hij mijn aanstelling bij zijn afdeling had bewerkstelligd.
Toen ik mij kwam melden, was zijn begroeting vriendelijk, bijna hartelijk.
„Hij zal het mij niet gemakkelijk maken," dacht ik, en ik had gelijk. Hij overlaadde mij met werk, was onbarmhartig in zijn kritiek, en liet mij mijn ziektegeschiedenissen over en nog eens overschrijven. Hij stond nooit het minste blijk van onnauwkeurige waarneming of. haastige diagnose toe.
Maar ik mocht niet klagen. Het doel van zijn strengheid had mijn volle instemming. Hij stond erop zijn leerlingen een gezond respect voor het gebruik van het mes bij te brengen Hij verrichtte zelf nooit een operatie – tenzij in spoedgevallen – zonder zich overtuigd te hebben dat andere geneeswijzen niet toereikend waren, en zelfs dàn opereerde hij niet voor hij de algemene toestand op het hoogst mogelijke peil van chirurgische veiligheid had gebracht. Deze tovenaar in de diagnostiek plantte in ons allen een nooit feilend gevoel voor de noodzaak en het juiste moment van chirurgisch ingrijpen. Ik heb door de jaren heen alle reden gehad om dit solide beginsel nooit te verlaten.
Eens, na een langdurig verblijf in de operatiezaal, nodigde hij mij uit met hem te gaan dineren. Het was de eerste keer dat hij mij in iets anders dan het anonieme, witte uniform gekleed zag.
Terwijl hij met de aandacht van een gourmet het menu bestudeerde, wierp hij mij af en toe over de kaart een nieuwsgierige blik toe.

Dat maakte mij verlegen, en in zelfverdediging praatte ik maar wat over allerlei kleinigheden uit de operatiezaal. Ik merkte hoe ik me gedroeg als een leeghoofdige, dwaze juffer, maar ik kon me er niet toe brengen te zwijgen, tot hij mij met een ondeugendg limlachje aankeek. Toen zweeg ik opeens, midden in een woord.
„En wat mag ik voor u bestellen, jonge dokter?" vroeg hij beleefd.
„O, dat doet er niet toe," zei ik. „Eten is voor mij niet zo erg belangrijk."
„Zo?" Hij deed een bestelling en legde het menu neer. „En wat is dan wel van belang?"
Ik voelde mij verontwaardigd. Dat moest hij nu toch wel weten! „Mijn beroep natuurlijk! Professor weet toch dat het jaar van mijn co-assistentschap bijna om is?"
„En gaat u dan een eigen praktijk beginnen?"
„Nee, nee!" riep ik uit. „Ik wil geen huisarts worden! Ik wil chirurg worden!"
„Bent u dat beslist van plan?"
Hij was zo plotseling van plagerij op ernst overgegaan, dat ik slechts fluisterend „ja" kon zeggen – zonder de minste aarzeling overigens.
„Ik veronderstel dat u dat terdege hebt overlegd," ging hij verder. „De chirurgie is een harde meesteres. Zij eist grote wilskracht naast kracht van lichaam en geest. De ware chirurg is als een toegewijd mens. Er blijft niet veel tijd over om jong en gelukkig te zijn. De chirurgie is geen paradijs waarin een jonge vrouw bevrediging voor haar romantische gevoelens kan vinden."
Ik wist wat hij bedoelde. De gedachte aan Mario deed nog steeds pijn. „Daar heb ik heus wel aan gedacht," zei ik.
De ober zette de schotels neer en nam er de deksels af. „Eet maar, jongedame," beval professor Kossik. „U hebt vandaag hard gewerkt. U hebt het verdiend!" Hij boog zich over zijn bord; ik nam mijn vork en mes en at werktuiglijk.
Toen de koffie was gebracht, stak professor Kossik een sigaar op en leunde behaaglijk achterover in zijn stoel. „Ik geloof dat het u ernst is, en ik ben het met uw besluit eens," zei hij. „U hebt in deze laatste maanden zeker uw sporen verdiend. Er komt binnen een paar weken een vacature voor een assistent bij de klinische staf. Misschien kan ik het voor elkaar krijgen. . ."
Ik kreeg tranen in mijn ogen. Een aanbod om assistente bij zijn

eigen staf te worden – dat was wel het grootste compliment dat hij mij kon maken. Ik kon ternauwernood woorden vinden om hem te bedanken. En toen kwam de nog veel moeilijker taak om dit aanbod af te wijzen. Ik vertelde hem stamelend dat plastische chirurgie mijn uiteindelijke doel was.

„O, juist." Hij was zichtbaar teleurgesteld. Toen werd zijn houding weer onpersoonlijk, verstrooid, bijna koud, en hij zei: „Heel goed. U zou dan het beste bij professor Lexer in Freiburg kunnen werken. Ik zal zien wat ik kan doen."

Een paar weken later overhandigde hij mij zonder een woord te zeggen het officiële antwoord van de Lexer-kliniek: ik was aangenomen. Ik zou weliswaar de zoveelste assistent bij de klinische staf zijn, maar dat deed er niet toe. Ik was erbij!

In de Lexer-kliniek brak een nieuwe periode van mijn leven aan. Honderden verminkte gezichten en kreupele lichamen, de nasleep van de oorlog, wachtten op chirurgische behandeling. Soms werkten wij twintig uur aan één stuk door. Er waren maar weinig gevallen bij waarvoor één operatieve behandeling voldoende was. De meeste herstellingen moesten in opeenvolgende behandelingen worden uitgevoerd, zodat het leek alsof geen enkele patiënt ooit volkomen genezen was.

Het eerste geval dat ik van het begin tot het einde in professor Lexers kliniek meemaakte, heeft zo'n onuitwisbare indruk op mij gemaakt, dat ik het mij herinner alsof het pas gisteren gebeurd is. Er kwam in de kliniek een oorlogsinvalide die letterlijk geen gezicht meer had: geen kin, geen neus en geen wangen. Scherpe stukken kaakbeen staken uit als stalen balken na een brand. Een van zijn ogen was nog intact en daarin kwamen alle uitdrukkingen waartoe hij in staat was: hij scheen te smeken en te beschuldigen tegelijkertijd. Hij had een foto meegebracht die voor zijn ouders de enige schakel was met wat hun zoon eens was geweest.

Professor Lexer nam de taak op zich om aan de hand van deze foto een redelijke gelijkenis tot stand te brengen. Hiermee begon een reeks van operaties waarbij de chirurg uit letterlijk niets een nieuw gezicht opbouwde. Het herscheppen van vlees, been en huid en het vormen van nieuwe trekken was een omslachtig werk, dat stap voor stap moest worden uitgevoerd, met tussen iedere fase een tussen-

pauze, om de overgeplante weefsels de tijd te geven te helen en deel van hun nieuwe plaats te worden.
Het was een wonder van chirurgisch vakmanschap. Van de eerste operatie tot de tijd dat de patiënt als ontslagen naar huis kon gaan, waren iets minder dan twee jaren verlopen, dus bijna de gehele periode van mijn verblijf in professor Lexers kliniek. Nergens had ik een leerzamer en inspirerender opleiding in mijn gekozen specialisering kunnen ontvangen.
De eerste stap was het been van kin en onderkaak te vervangen. Hiervoor werd een gebogen gedeelte uit het schouderblad van de patiënt genomen. In de juiste vorm gesneden, werd het aan de aanwezige delen van de kaak bevestigd. Uiteindelijk zou dit de plaats van de ondertanden worden.
Een maand later, terwijl de onderkaak nog in een pleisterverband zat, begon professor Lexer aan het bovengedeelte van het gezicht. Hier breidde de verminking zich van de neusbrug tot de bovenlip uit, met inbegrip van de wangen. Littekenweefsel, einden van bot en spieren moesten glad worden gemaakt, tot een effen oppervlak was verkregen. Toen werd een brede lap huid afgetekend, beginnend op het midden van het voorhoofd tot diep in de schedelhuid en benedenwaarts van oor tot oor. Deze huidlap werd van het onderliggende weefsel gescheiden, en toen als een klep over het gezicht gelegd, zodat de huid van het voorhoofd nu op de neus en de bovenlip rustte en de huid van de schedel de plaats van de wangen bedekte. Daar werd het met fijne, chirurgische zijde rondom aan de randen van de onbeschadigde huid vastgehecht.
De twee einden van dit klep-achtige transplantaat waren boven de oren vastgehecht gelaten, zodat de huid blijvend kon worden voorzien van bloed dat uit dezelfde bron kwam, en intussen op de nieuwe plaats kon vastgroeien. In de chirurgie wordt dit een steeltransplantaat genoemd. Het betekent dat het scharnier, waarmee het transplantaat aan zijn oorspronkelijke plaats vastgehecht blijft, de functie van een plantesteel overneemt. Dit scharnier levert voedsel aan het transplantaat, zoals de steel van een plant voedsel levert aan takken en bladeren.
De plek waarvan het transplantaat werd genomen, het voorhoofd en de schedel, werd zo goed mogelijk bedekt door de huid rondom los te werken en te rekken, tot de randen elkaar raakten. Een huidlap

wordt altijd groter gesneden dan de te bedekken plek; dat geschiedt om verzekerd te zijn van voldoende bloedaanvoer, die de huidlap gezond moet houden en ook omdat rekening moet worden gehouden met weefselverlies en het krimpen veroorzaakt door littekens. Soms blijft er huid over, die dan weer naar de oorspronkelijke plek wordt teruggebracht, waardoor open stukken en dus littekens worden verminderd.

Het bovenste gedeelte van het gezicht was nog bezig onder drukverbanden te genezen, toen de benedenkaak aan een nieuwe operatie toe was. Het been moest met zacht weefsel en huid worden bedekt. Daarvoor nam professor Lexer, zoals hij ons in zijn voorbereidende uiteenzetting reeds had verteld, bij voorkeur de sterke huid van voorhoofd en schedel. Maar die had hij nu al voor het bovendeel van het gezicht gebruikt. Daarom zou hij nu het dichtstbij liggende bruikbare weefsel voor een steeltransplantatie nemen, in dit geval weefsel van nek en schouders. Hij maakte het transplantaat ruim genoeg om vrije beweging van de onderkaak en het hoofd te verzekeren.

Latere fasen toonden ons de prachtige details van plastische chirurgie. Stap voor stap werden de steeltransplantaten losgemaakt van de overblijvende schakel, en de oorspronkelijke plaatsen werden dan weer bedekt met huidlappen die van de andere beschikbare plaatsen afkomstig waren, terwijl littekens verminderd of verwijderd werden. Toch was dit niet te vergelijken met het verfijnde werk dat wij nog te zien zouden krijgen.

Professor Lexer maakte ons erop attent dat een gezicht er niet alleen is om naar te kijken. Het moet ook kunnen worden gebruikt. Een neus moet neusvleugels en neusgangen hebben om te ademen, en een voering van slijmhuid voor de afscheiding van de klieren. Lippen moeten kunnen bewegen en woorden kunnen vormen, kaken moeten kauwen en een gelaat moet de persoonlijkheid van de mens uitdrukken.

Om een steun voor de neustop en de neusvleugels te verkrijgen, werd kraakbeen van een rib gebruikt. Slijmvlies werd bij kleine stukjes uit de onbeschadigde gedeelten van de neusgangen genomen om de nieuwe gedeelten van de neus te voeren. In de mond werden langzamerhand de binnenwangzakken en de binnenkant van de lippen aangebracht. Vóór dit gebeurde, lagen de lippen strak en

glad tegen de kaak geklemd. De vetlaag, die normaal altijd onder de huid aanwezig is, werd van elders in het lichaam getransplanteerd, en de trekken werden afgerond en gevormd, zodat het gezicht niet langer op een grijnzend doodshoofd leek.
Steeds weer werd de jongeman teruggebracht naar de operatiezaal, waar professor Lexer nauwgezet de littekenweefsels tussen de transplantaten terugbracht tot een haarfijne lijn, en de slijmvliezen bewerkte tot grotere beweeglijkheid bij het spreken en de gelaatsuitdrukking, en hij strekte de overgebleven delen van de lippen om een zo goed mogelijke mond te maken. Toen het proces ten einde liep en bij iedere fase een verband voor de laatste maal werd afgenomen, was de patiënt als een man die zichzelf had dood gewaand en nu een nieuw leven kreeg. Nu kon hij de wereld weer ingaan als een mens onder de mensen. Hij kon leven en in zijn eigen levensonderhoud voorzien.
Op de dag van zijn ontslag liet ik zijn familie komen. Gretig kwamen zij de kamer binnen, ongeduldig om zelf het wonder te zien waarop zij hadden gehoopt. Maar toen zij hem zagen, schrokken zij. Zijn ouders keken hem ontsteld aan. Over het gezicht van zijn vrouw gleed een trek van verslagenheid en afkeer.
„Dat is mijn man niet!" riep zij uit. Zij hief haar armen op, draaide rond en viel in een flauwte op de grond. Niemand sprak of bewoog zich, behalve een oppasser, die haar opnam en de kamer uitdroeg, alsof dit de gewoonste zaak van de wereld was. Ik vroeg mij af of dit vaker gebeurde.
Ondertussen ging de moeder langzaam op haar zoon toe. Zij stak een hand uit om zijn gezicht aan te raken en kneep er voorzichtig in, als om zich te overtuigen dat het echt was. Zij volgde de fijne lijnen tussen de transplantaten, haar wijsvinger gleed van de ene plek naar de andere. Sommige van deze plekken waren wit als het buikvel van een vis, andere rozig en weer andere bruinachtig. Over de wangen was de huid strak en gespannen als een trommelvel; op het voorhoofd leek hij zwaar en dik. Maar het was allemaal huid, degelijk op spieren en been bevestigd.
De vader had tot nu toe niets gezegd. Nu ging de moeder opzij om hem ruimte te geven. Hij legde zijn handen op de schouders van de jongen en zei met verstikte stem: „Mijn dappere zoon!"
Nu zag ik voor het eerst de afgrond die de leek van de dokter scheidt.

De chirurg wist dat hij een klein wonder had volbracht. Hij had de jongeman een bruikbaar gezicht gegeven, een gezicht dat hem weer tot het normale leven zou toelaten. Maar zijn vrouw zag alleen maar littekens... littekens... littekens...
Ik leerde op dat ogenblik nog iets meer. Ik leerde dat de dokter niet uitsluitend aandacht voor de patiënt moet hebben. Zijn familieleden, zij met wie hij later moest leven, die waren ook belangrijk. De jonge veteraan was zo gelukkig geweest, zo gereed om met zijn nieuwe gezicht de wereld te trotseren. Hoe zou hij zich nu wel voelen, als hij aan de uitdrukking op het gezicht van zijn vrouw dacht, aan de afschuw die zo groot was dat zij flauwviel? Ik besefte dat deze goede ouders en die vrouw hadden moeten worden voorbereid. Ze hadden gewaarschuwd moeten worden, zodat de schok van de eerste ontmoeting minder hevig zou zijn geweest en de jongeman, die al zoveel had geleden, de schrik waarmee zij hem begroetten, bespaard was gebleven.
De volgende dag scheen de stem van professor Lexer een diepere klank te hebben toen hij tijdens zijn college zei: „Waar geopereerd wordt, blijven littekens, ook al zijn zij haarfijn." Ik heb die woorden nooit vergeten. Zij herinneren de plastische chirurg eraan dat hij moet nadenken voor hij het mes gebruikt. Professor Kossik had ons geleerd goed te overleggen alvorens tot operatie over te gaan. Professor Lexer toonde ons van hoe vitaal belang het is dat de plastische chirurg het uiteindelijke resultaat duidelijk voor ogen heeft alvorens hij zijn eerste insnijding maakt.
Erich Lexer was een leerling geweest van de beroemdste chirurg in zijn tijd, Ernst von Bergman. Lexer hield zich altijd aan de grondige lessen van deze chirurg, maar stond open voor nieuwe ontdekkingen en ontwikkelingen op het gehele terrein der chirurgie.
Zijn wijze van werken opende een nieuw tijdperk voor de plastische chirurgie, die hij een „praktische combinatie van wetenschap, kunst en techniek" noemde.
Van professor Lexer leerde ik het psychologisch belang van uiterlijke reconstructie, niet alleen voor oorlogsverminkten, maar ook voor burgers. Chirurgische verbetering van gelaats- of lichaamsgebreken werd vaak „kosmetische chirurgie" genoemd. Het werd beschouwd als ijdelheid, en daarom werd erop neergezien. Maar professor Lexer oordeelde hangborsten, een afzichtelijke neus of een

abnormale buik chirurgisch herstel waardig, alleen al om het diep psychologische lijden dat dergelijke misvormingen konden veroorzaken. Enkele stafleden hadden voor dit soort werk niets dan verachting. Maar mijn bewondering voor professor Lexer groeide met ieder geval waarin hij met vaardigheid en sympathie een aanval deed op de lichamelijke oorzaken van minderwaardigheidscomplexen, en de bitterheid van hen die zich afgewezen voelen.
Deze zienswijze is sindsdien algemeen geaccepteerd. Herhaaldelijk is aangetoond dat heden ten dage de plastische chirurgie, die eens een luxe was, even noodzakelijk wordt geoordeeld als een blindedarm- of galblaasoperatie. De prijs is, zoals voor alle chirurgie, in overeenstemming met de middelen van de patiënt, en de plastische chirurg is, waar het financiële problemen betreft, even meegaand en begrijpend als de algemene chirurg.
Er waren tijdens mijn leertijd bij professor Lexer ogenblikken dat wij ons als alle normale mensen amuseerden. Er werd weleens gelachen, en op zijn minst één keer ten koste van de professor. Hij maakte er geen geheim van dat hij dolgraag een goede skiër wilde zijn, die een berghelling zo snel en luchtig als een slalomkampioen zou kunnen afglijden. Daarom gaven wij hem als kerstcadeau een volledige skigarderobe: dubbeldik wollen jaegerondergoed, een waterdichte gabardine skibroek, waarvan het zitvlak met een driedubbele laag antilopeleer was versterkt, en een vrolijk gekleurde skitrui.
Met Kerstmis hadden wij prachtig skiweer, en de professor verlangde ernaar zijn nieuwe kleren in te wijden. De hele staf kwam als een galerij van toeschouwers naar deze galavoorstelling kijken. We vormden een levendige groep, gelukkig met het zonlicht en de prikkelende lucht; we lachten en maakten grapjes.
Op de top van de helling kwamen wij om hem heen staan om hem vooral nog veel goede raad te geven. Voor deze gelegenheid waren de rollen omgekeerd: de junioren waren de experts en de baas was de beginner.
„Denk er vooral aan uw knieën te buigen, professor! Laag boven de sneeuw hurken!"
„Denk eraan dat u een drieduizend meter diepe rotskloof aan uw linkerhand hebt en vijfduizend meter gletsjer aan uw rechter!"
„Gebruik de stokken voor de richting. . . Er kan u niets gebeuren!"

„En professor, mocht er iets verkeerd gaan, ga dan zitten en gebruik uw zitvlak als rem!"
Een voor een verdwenen de geoefende skiërs langs het skispoor naar beneden. Daar troffen wij elkaar weer en vroegen ons af hoe het de professor zou zijn vergaan. Er ging een half uur voorbij, en toen nog een half uur. Wij begonnen ons ongerust te maken; wat kon er met hem gebeurd zijn? Er viel een stilte.
Huiverend van angst en kou besloten wij op zoek te gaan en bonden reeds onze ski's onder, toen wij in de verte een zwart stipje zagen verschijnen. Na eindeloze minuten was de professor eindelijk langzaam en pijnlijk naderbij gekomen. Er waren geen gebroken botten, maar hij was toch niet meer de sportieve figuur die wij op de top hadden achtergelaten. Hij draaide ons zijn rug toe en toonde ons twee geschaafde billen minus het driedubbeldikke antilopeleer, het dubbeldikke ondergoed en enkele huidlagen. De staf wist niet of zij moest lachen dan wel onmiddellijk eerste hulp bieden. Een van de assistenten mompelde een suggestie omtrent de noodzaak van een onmiddellijke huidtransplantatie. Anderen boden huid en bloed aan, terwijl weer anderen perubalsem en levertraankompressen aanraadden.
Maar de patiënt vond plotseling zijn kracht terug en bulderde: „Niets van dat alles! Geef mij een goed, ouderwets vaselineverband, en een warme onderbroek – maar eerst een dubbele borrel in zwarte koffie!"

HOOFDSTUK 15

EERSTE OPERATIE

ZO'N VROLIJKHEID ALS OP DE SKIHELLING EN MEER DERGELIJKE ogenblikken van ontspanning kwamen zelden in ons leven voor. Er wachtte ons in de kliniek altijd genoeg en meer dan genoeg werk. En de samenwerking tussen de stafleden was niet altijd zo goed. Professor Lexer werd aanbeden, maar aan zijn hoofdassistent, dokter Kraske, had men algemeen het land. De jongemannen benijdden hem zijn positie, maar de manier waarop hij deze uitbuitte, maakte hen woedend.

Dokter Kraske had een bijzondere gave voor chirurgie en hij wilde die ten koste van alles erkend zien. Sedert zijn benoeming had hij het klaargespeeld dat professor Lexers methode als de „Lexer-Kraske-methode" werd aangeduid.

Professor Lexer had deze techniek in de loop van zijn chirurgische ervaringen ontwikkeld, wijzigingen aanbrengend naarmate die tijdens een operatie nodig waren. Dokter Kraske had zonder twijfel nuttig werk verricht door deze techniek voor de studenten en andere chirurgen te beschrijven en te verklaren. Dat bracht echter het gevaar van onwrikbaarheid mee, van onmogelijkheid om aan te passen bij nieuwe situaties en nieuwe kennis. In feite gebeurde dit reeds, maar in de ogen van dokter Kraske, een stugge, zelfingenomen man, waren de Lexer-Kraske-methoden volmaakt; zij konden onmogelijk verbeterd worden.

Deze onbuigzaamheid ergerde vele leden van de staf. Wij zagen nieuwere en betere manieren om tot bepaalde resultaten te komen, niet omdat wij, nieuwelingen, knapper waren en zeker niet omdat wij meer wisten, maar omdat plastische chirurgie nog betrekkelijk nieuw was. In de naoorlogse periode werden er, naar aanleiding van de vele eisen die eraan werden gesteld, ook grote vorderingen in gemaakt. Ikzelf had mij toegelegd op een nieuwe benadering van

de mammaplastiek – een verbetering van overgrote borsten. Ik had de operatie door professor Lexer en dokter Kraske zien uitvoeren, en de standaardmethode bestudeerd tot ik die uit het hoofd kende. Ik had duizenden diagrammen getekend, zowel van de Lexer-Kraske-methoden als van mijn eigen variaties daarop. Dat deed ik in mijn notitieboek, op stukjes papier, zelfs op tafelkleden in restaurants. Spoedig, door een stoutmoedige ingeving, kreeg ik de gelegenheid mijn variaties toe te passen.
Op een dag hield dokter Kraske een lezing op hetzelfde uur dat een vooraanstaande actrice genoteerd stond voor een tweezijdige mammaplastiek – een verbetering dus van beide borsten – en ik zou in zijn plaats assisteren. Dit was op zichzelf al een voorrecht, en ik had geen verdere bijgedachten.
Toen wij naast elkaar onze handen stonden te borstelen, resumeerde professor Lexer hardop voor mij de Lexer-Kraske-methode, en ik luisterde eerbiedig, hoewel ik datzelfde van begin tot eind en desnoods omgekeerd woordelijk had kunnen opzeggen.
De operatie begon op de gewone manier. Hij had de eerste en de tweede insnijding gemaakt toen ik zonder het te willen plotseling zei: „Professor Lexer, alstublieft, als u hier een insnijding maakt" – ik trok een denkbeeldige verticale lijn tot de basis van de borst – „zou u de massa zo, en zo," – mijn handen waren in de lucht druk bezig aan te duiden, alsof zij bezig waren het weefsel te vormen. – „U zou dan de tepel kunnen plaatsen waar de laagste einden van de grote pectorale spier een hypothetische lijn zouden ontmoeten, die men trekt van de oksel naar het midden van het borstbeen. . ."
Ik keek op en ontmoette zijn ogen zowel als die van de ontstelde zusters en de anesthesist, en ik zweeg, beschaamd over mijn enorme inbreuk op de beroepsetiquette. „Ik heb het zo zorgvuldig uitgewerkt," stamelde ik. „Vergeef mij alstublieft – het moet goed zijn."
Op de een of andere manier had ik plotseling een scalpel* in mijn hand en professor Lexer was mijn assistent geworden. Toen ik eenmaal het stalen handvat in mijn handpalm voelde, kende ik geen aarzeling meer. De hemel mocht naar beneden vallen, de bliksem van professoriaal gezag mocht mij op deze plek treffen, maar ik wist wat ik te doen had en ging aan het werk.

---

* Ontleedmes met vast heft.

Ik maakte de verticale insnijding die ik professor Lexer had voorgesteld en bevrijdde de huid van het onderliggende weefsel. Toen ik om een amputatiemes vroeg, keek de operatiezuster eerst naar de professor en reikte mij toen het instrument aan. Nu deed ik wat ik al zoveel keren op papier en in mijn verbeelding had gedaan: ik nam het teveel aan borstweefsel in één voortgezette beweging weg, snijdend in een schuin oplopende richting, rondom het middelpunt in plaats van recht naar beneden. Toen, om de borst stevig te bevestigen, naaide ik haar vast aan het dichte bindweefsel, de fascia, van de grote pectorale of borstspier. Ten slotte voegde ik de huid naar de nieuwe vorm, plaatste de tepel en de tepelhof in het midden en hechtte ze daar waar dit het minst zichtbaar zou zijn. Ik herhaalde deze behandeling met de andere borst en de operatie was afgelopen.
Professor Lexer had mijn werk nauwlettend gadegeslagen. Dat wist ik wel, want zo nu en dan had ik onder mijn werk vluchtig naar hem gekeken. Ik wist dat hij mij, indien dat nodig mocht blijken, zou weerhouden ermee verder te gaan, maar dat deed hij niet. Nu bekeek hij het resultaat. „Niet slecht, niet slecht," mompelde hij.
Op dat ogenblik kwam dokter Kraske de operatiezaal binnen en bekeek de juist beëindigde operatie. „Wat is dat? Dat is niet de Lexer-Kraske methode! Wie heeft dat gedaan?"
Professor Lexer, met een blik op de patiënt, zei rustig: „Het is zeer goed," en beduidde de zuster dat zij de verbanden kon aanleggen. Hij verliet met vlugge stappen de zaal, en de eerste assistent was verplicht hem te volgen. De stafleden haastten zich om buiten te komen, in de hoop hen in te halen en misschien een woordenwisseling tussen hen op te vangen. Maar professor Lexer liep onverstoorbaar verder en zorgde ervoor dokter Kraske een paar stappen voor te blijven.
Nog voor de dag ten einde liep, vond dokter Kraske gelegenheid om mij alleen te spreken. Blijkbaar had onze baas hem verteld wat er in de operatiezaal was voorgevallen. Eén ogenblik dacht ik dat hij, zoals professor Lexer niet geaarzeld had te doen, zou erkennen dat de operatie goed was, al was die dan door een junior-assistente verricht. Maar nee, ik had majesteitsschennis gepleegd en het bovendien gewaagd de standaardmethode, die zijn naam droeg, aan te tasten. Hij had geen enkel lovend woord voor mij. De aderen in

zijn slapen waren gezwollen en hij sprak met nauw bedwongen woede.
„Wij hebben de Lexer-Kraske-methode vastgesteld en daarmee uit," zei hij. „Er zullen voortaan geen experimenten van aanmatigende junior-assistenten meer plaatsvinden!"
Om mij voor mijn brutaliteit te straffen, was het mij niet geoorloofd het genezingsproces van de actrice te volgen. Dokter Kraske verwisselde zelf de verbanden. Ik voelde mij achteruitgezet en vond dat professor Lexer wel een woordje te mijnen gunste met zijn assistent had mogen spreken. Maar ik begreep dat ook hij deel van het systeem uitmaakte en dat er goede redenen waren om het gezag te handhaven en de jongeren op hun plaats te houden.
Toen de actrice op het punt stond ontslagen te worden, liet professor Lexer mij niettemin roepen om bij het laatste onderzoek aanwezig te zijn. Hij stelde mij officieel aan de beroemde dame voor als zijn assistente bij de operatie. Zij knikte mij vluchtig toe en keerde zich weer naar de professor om hem nog eens en nog eens voor haar mooie, nieuwe borsten te bedanken. De baas liet zijn ogen even op mij rusten, alsof hij zeggen wilde: „Heb maar geduld, meisje, jouw beurt komt ook. Alles op zijn tijd."
Mijn verhouding met dokter Kraske bleef gespannen tot de avond van de landelijke jaarmarkt. Professor Lexer was niet in de kliniek aanwezig; hij woonde een internationaal congres bij, waar hij de voornaamste spreker zou zijn over wond- en plastische chirurgie. Wekenlang had de staf vrijwillig gezwoegd om het rijke, klinische materiaal voor zijn voordracht te verzamelen. Het was de eerste keer sinds de oorlog dat een hoogleraar van een Duitse universiteit werd uitgenodigd om zijn plaats tussen de geleerden van alle landen in te nemen. Wij waren allen naar het station gegaan om onze prof goede reis te wensen.

Het was de tijd van de jaarmarkt, het grote oktoberfeest. Aan de rand van de stad, op het jaarmarktterrein, waren tenten opgezet voor allerlei vermakelijkheden, gokspelen, waarzeggers, cafés en eetgelegenheden. Er draaiden hele ossen aan het spit boven een vuur. Overal hing de geur van zuurkool met worst. In de grootste tenten waren de bekroonde landbouwprodukten van heinde en ver tentoongesteld. Ook vee werd er getoond: koeien en varkens. Inder-

daad was dit het hoofddoel van de jaarmarkt, maar voor de meeste stadsmensen, en ook voor de bezoekers van buiten, was dit een tijd om te drinken, te zingen en vrolijk te zijn.
Ik wandelde in de late namiddag tussen de kramen. Vroegere patiënten van het ziekenhuis herkenden mij en boden mij een glas schuimend „*Löwenbräu*" aan. De feeststemming was aanstekelijk; eindelijk hadden de mensen de ellende van oorlog en inflatie vergeten. „*O, du schöne Schnitzelbank*" zongen zij, en sloegen met hun bierpotten op de tafels de maat.
Toen het tijd was, haastte ik mij naar het ziekenhuis terug om er mijn eenzame nachtdienst waar te nemen. De rest van de staf ging naar de jaarmarkt.
In het ziekenhuis was het rustig. Mijn gebruikelijke ronden gaven mij geen reden tot ongerustheid; er waren geen spoedgevallen. Ik haalde papier en een schaar te voorschijn en begon allerlei vormen: kegels, schijven en bollen uit te knippen en op te plakken. Hoe kon ik dokter Kraske ervan overtuigen dat mijn mammaplastische methode een verbetering was...?
Plotseling weerklonk de bel van een ambulance en het gehuil van een politiesirene. Geschrokken sprong ik van mijn stoel op. Een gevecht op de jaarmarkt. Daar had zeker een kerel een andermans meisje gezoend! Ik zag er al gauw de gevolgen van: gewonden stroomden het ziekenhuis binnen en strompelden door de witte gangen. Bloed vloeide van lippen en uit neuzen. De mannen waren vuil, gehavend en nog steeds vechtlustig. Het was duidelijk te zien dat er met vuisten was gewerkt en met bierpotten krachtig op schedels was getimmerd. Zelfs de muzikanten hadden blijkbaar hun instrumenten voor dat doel gebruikt. De politie had met de vlakke kant van de sabel tegen de benen van de vechtenden geslagen, tot zij haar zelfbeheersing had verloren en de sabelpunten had gebruikt om de kreten van „plaats maken!" en „doorlopen!" kracht bij te zetten.
De verpleegsters waren overal ijverig bezig. Tussen de op banken en op de vloer liggende mannen liepen politieagenten met notitieboekjes rond en noteerden namen. De vredige nacht was op een gewelddadige manier verstoord.
„Dokter – hier, alstublieft!" „Dokter! Help alstublieft!" „Dit geval is dringend dokter!" Ik zag al gauw dat dit voor mij alleen onbegonnen werk was en liet de telefoniste weten dat zij onmiddellijk

dokter Kraskes privé-nummer moest bellen. Er kwam een boodschap terug: geen gehoor. Ik zou het alleen moeten klaarspelen.
Even later was iedere operatietafel in beslag genomen door een bloedende patiënt, die spoedbehandeling nodig had. Zodra de een wat opgelapt was, nam een ander zijn plaats in: meer hechtingen, meer verbanden, meer jodium. Er scheen geen einde te komen aan het aantal feestvierders wie de pret uit de hand was gelopen. Ten slotte waren er geen patiënten meer die onmiddellijke behandeling nodig hadden.
De politie drong aan op aangifte van kwetsuren en ik werd overladen met vragen... vragen... vragen.
Op dat ogenblik verscheen dokter Kraske in de deuropening.
Hij bood een vreemde aanblik, daar in de met bloed bevlekte spoedafdeling. Zijn hoge zijden hoed hing op een oor, een prachtige, met zijde gevoerde avondcape hing over zijn linkerschouder, en hij neuriede een wijsje uit „Die Fledermaus", terwijl hij met zijn wandelstok met gouden knop de maat sloeg. De hoofdverpleegster haastte zich naar hem toe, maar hij sloeg geen acht op haar opgewonden woorden en zong lustig door: „Herr Eisenstein, Herr Eisenstein..." waarbij hij op het ritme van de Straussmelodie heen en weer deinde.
Ik excuseerde mij bij de politie, ging op hem toe en zei: „Goedemorgen!"
Hij beantwoordde dat met een elegante buiging, die hem bijna op de grond deed belanden. Ik pakte hem bij de arm en fluisterde: „Kunt u niet beter naar bed gaan? Er is hier niets meer voor u te doen!"
Hij sloeg zijn arm om mijn schouders en samen zwaaiden wij door de gangen naar zijn kamer. Daar stond hij, midden in de kamer, nog altijd gelukkig, nog altijd zingend en zwaaiend. Zonder de minste hulp van zijn zijde kleedde ik hem uit; ik ontdeed hem van al zijn kleren tot hij, nog altijd zingend en zwaaiend, slechts zijn wandelstok en zijn hoge hoed overhield. Ik hielp hem in bed. Toen ik eindelijk zelf naar bed kon gaan, scheen de zon reeds mijn kamer binnen.
Tegen twaalf uur kwam er een boodschap van dokter Kraske, die mij vroeg in zijn privé-vertrekken verslag te willen uitbrengen. Daar vond ik hem bezig een klassieke kater te bestrijden. Hij had

een ijszak op zijn hoofd en een glas champagne in zijn hand om zijn oproerige maag te kalmeren. Hij bood mij een sigaret aan; zelf kon hij er nog niet van genieten.
Toen begon hij mij een glas champagne in te schenken. In zijn onvaste hand sloeg het glas tegen de fles, en ik kon mij onmogelijk nog langer goed houden. Ik barstte in lachen uit, en na een ogenblik lachte hij ook.
Zo werd een nieuwe vriendschap geboren. Dokter Kraske kwam een beetje uit de plooi en besprak chirurgische methoden met mij. Soms verwaardigde hij zich zelfs om naar mijn opinie te luisteren. Een enkele keer gaf hij mij in de operatiezaal de scalpel in handen en werd zelf assistent.
Professor Lexer kwam van het medisch congres terug en nam met opgetrokken wenkbrauwen en een glimlach nota van deze verandering. Maar hij vroeg nooit hoe die tot stand was gekomen.
Toen de tijd was gekomen om over mijn verdere stappen na het coassistentschap te denken, overlegden ze beiden met mij over wat ik het beste zou kunnen doen.
Ik stond op een tweesprong. Ik kon mijn academische carrière vervolgen, of ik kon een privé-praktijk beginnen. Mijn twee raadslieden besteedden vele uren aan het bespreken van het voor en het tegen. In hun ogen bezat ik alle eigenschappen voor een universitaire loopbaan. De jaren van hard werken en weinig salaris, die mij dan wachtten, waren geen beletsel voor mij, maar zij maakten mij duidelijk dat er één groot bezwaar was: ik was een vrouw. Mijn kansen op een academische aanstelling waren praktisch nihil. Een privé-praktijk dus. Dat was de enige mogelijkheid. Ik zou mijn leven wijden aan de plastische chirurgie.

HOOFDSTUK 16

GEMEENTEZIEKENHUIS

BESLUITEN OM EEN PARTICULIERE PRAKTIJK TE BEGINNEN WAS ÉÉN DING, maar dat besluit uitvoeren was een ander. Ik had geld nodig, en er was geen geld.

Zoals dat met de meeste Duitse families, vooral uit de ambtenarenstand, het geval was, waren de financiën door de inflatie geheel uitgeput. Het spaargeld was verdwenen, en het weinige dat mijn ouders van het salaris van mijn vader hadden kunnen overhouden, was nodig om Otto naar de universiteit te sturen. Vaders suggestie om bij het gemeenteziekenhuis te solliciteren, scheen de enige oplossing. Vreemd genoeg betaalden de gemeenteziekenhuizen hogere salarissen dan alle andere posities waarin dokters konden worden geplaatst.

Vol hoop keek ik uit naar een assistentschap in de chirurgie. Maar hier stootte ik mijn hoofd tegen een onoverkomelijke muur. Van alle geneeskundige specialisaties bestreed de chirurgie het sterkst de toelating van vrouwen. In 1920 was voor de meeste chirurgen de aanwezigheid van een vrouw bij de staf te onzinnig om over te praten. Ik voelde mij zo terneergeslagen dat ik, toen ik een vacature ontdekte bij de afdeling huidziekten – jawel, de verachte dermatologie! – en geslachtsziekten in het gemeenteziekenhuis van het nabije Stuttgart, solliciteerde en werd aangenomen.

Ik merkte al gauw dat mijn nieuwe chef heel anders was dan de grote, maar bescheiden universiteitsmannen, onder wie ik tot nu toe had gewerkt. Dokter Jaeger was nooit een universitaire positie aangeboden, het hoogste dat een Duitse dokter zou kunnen bereiken. Bij wijze van vergelding had hij van het ziekenhuis met zijn patiënten, zijn verpleegsters en zelfs het gewone personeel een domein gemaakt waarover hij de absolute alleenheerser was. Hij was een opgeblazen autocraat; erger nog, een die zich nooit vergissen kon.

Hij had een karakteristieke manier om zich in zijn volle lengte op te richten, zijn hoofd achterover te gooien en op militaire wijze bevelen te blaffen. Hij verwachtte dan onmiddellijke, nooit weifelende, militaire gehoorzaamheid.
Dokter Jaeger was een atleet, en hij was bezeten door een passie voor lichaamsontwikkeling. Een van zijn voorouders was de grondlegger van wetenschappelijke gymnastiek geweest, en daar was hij zo trots op, dat hij met de patiënten en de staf de traditie voortzette. Een gymnastiek- of sportprogramma zou misschien voor vele afdelingen van het gemeenteziekenhuis een uitstekend idee zijn geweest, maar in de afdeling voor geslachtsziekten kon men in die jaren niet verwachten dat men gonorroea door brugoefeningen zou kunnen genezen, en syfilis was nog nooit door het maken van handstanden of door gewichtheffen verdwenen.
De toestand van de meeste patiënten in deze afdeling was zo slecht dat fysieke inspanning niet zozeer een gezondheidsmaatregel dan wel een sadistische vorm van straf was. Ik kon het hun niet kwalijk nemen dat zij het atletiekprogramma van dokter Jaeger als een vorm van wraak van de samenleving beschouwden. Wat de staf betreft: wij werden, winter en zomer, bij hittegolven of sneeuwstormen, iedere morgen om zes uur in de tuin van zijn huis op de top van een heuvel verwacht. Daar moesten we dan ochtendgymnastiek doen. De plaats van deze vroege ochtendmarteling was prachtig. De terrastuinen van dokter Jaeger waren beroemd door een unieke verzameling van wilde bloemen, die hij van zijn vakantiereizen naar de Alpen had meegebracht. Maar dat vergoedde ons toch onze spierpijnen niet.
De mensen in de stad moeten zich geamuseerd hebben bij het zien van de troep onwillige gymnasten, sommige mager, sommige met een buikje, die in een vreemde verzameling sportkleren uit de tuin kwamen draven, de heuvel af en door de straten, achter dokter Jaeger die, terwijl zijn rode baard op en neer wipte, het tempo aangaf. Wij durfden niet weg te blijven. Het minste teken van zwakheid of onverschilligheid werd met extra werk bestraft.
Dokter Jaeger was een voorloper van Hitlers beweging „Kraft durch Freude" – door kracht naar vreugde – maar er was weinig vreugde wanneer wij hem volgden op weg naar kracht.
Als enig vrouwelijk lid van de staf moest ik mijn mannelijke collega's

overtreffen, althans wanneer ik wilde voorkomen dat men mij voor deze mannenwereld ongeschikt zou verklaren. Daarbij kwam mij mijn jongensachtige meisjestijd goed van pas. Buitendien was ik jonger, veerkrachtiger, en minder geneigd tot nachtelijke zittingen met bier en kaas dan de meeste leden van de staf. Toen later de positie van hoofdassistent vrijkwam en aan mij werd toegewezen, wist ik zeker dat mijn vlijt bij de morgenoefeningen mij dit buitenkansje had bezorgd. Mijn medische geschiktheid kwam pas op de tweede plaats.

De afdeling voor geslachtsziekten bestond uit drie gebouwen. Het eerste, gebouw 1 genoemd, was voor de mannen. Gebouw 2 was voor de vrouwen en meisjes die zich geen privé-behandeling konden veroorloven. Gebouw 3 was voor de prostituées. In de dagen vóór de antibiotica* was de behandeling van gonorroea pijnlijk en langdurig. Deze bestond uit dagelijkse injecties met 20% argyrol, een preparaat dat verschrikkelijk brandde. De meeste patiënten vertoonden allerlei complicaties. Sommige mannen hadden testikels die bijna tot de grootte van meloenen waren gezwollen, het urineren werd een marteling en vaak werden ook de ogen aangetast, soms met volslagen blindheid als resultaat. De behandeling tegen syfilis was minder pijnlijk, maar door de onervarenheid van de jonge co-assistenten werden vaak de aderen door de injecties geperforeerd, waarbij de sterke preparaten in het omliggende weefsel terechtkwamen. Patiënten in het derde stadium van syfilis werden vaak injecties in het ruggemerg toegediend, hetgeen soms weer tot ernstige zenuwbeschadigingen leidde.
In de vrouwenafdeling, gebouw 2, werd het lichamelijk lijden onmetelijk vergroot door de geestelijke ellende. Deze vaak onschuldige slachtoffers voelden zich voor het leven getekend. Er waren er die zelfs genezen niet meer tot hun kring konden terugkeren en voor de meesten was het moeilijk of zelfs onmogelijk om kinderen te krijgen. De injecties met preparaten tegen syfilis waren voor de vrouwen een beproeving; zij hadden nauwere bloedvaten, die diep in het weefsel lagen en moeilijk te vinden waren. Vaak was het bij deze

* Door micro-organismen afgescheiden stoffen, die de werkzaamheid van bacteriën tegengaan, zoals bijvoorbeeld penicilline.

patiënten bijna onmogelijk een ader te vinden die voor de injectienaald bereikbaar was.
Hierbij deed ik een ontdekking: als de patiënte haar neus dichtkneep, als een bazuinengel die op haar instrument blies, werd de halsslagader bereikbaar en bood een veilig en betrekkelijk pijnloos doel. Dit was de oorsprong van de „engel-injecties", die ik sindsdien altijd gebruikte wanneer er patiënten waren wier aderen niet aan de oppervlakte zichtbaar waren of die reeds vele pijnlijke injecties in de gewoonlijk gebruikte bloedvaten waren toegediend.
De vrouwen in gebouw 2 waren wantrouwend jegens buitenstaanders, maar zij waren kameraden in hun gezamenlijke ellende. Vaak hoorde ik hen zingen: *„Frag' ich das Schicksal, warum, warum. . . 's Gibt keine Antwort, das Schicksal bleibt stumm. . ."* „Vraag ik het lot waarom, waarom. . . dan krijg ik geen antwoord, het lot is stom."
Gebouw 3 kon men gerust het nachtmerriekasteel noemen. Het was in feite een gevangenis waar de vrouwen van het oudste beroep tot vaak ruw toegediende behandeling werden gedwongen. Er waren twee scherp afgescheiden groepen. De „lagere" groep bestond uit vrouwen van de straat, die regelmatig door de politie voor onderzoek werden meegenomen en in geval van ziekte in het gemeenteziekenhuis terechtkwamen. Tot de andere groep behoorden de beroepsmeisjes, die hun brood verdienden in gesloten huizen in de Kleine Klostergasse, de „warme" buurt van de stad.
Er waren gewoonlijk zo'n dertig of vijfendertig van deze priesteressen der commerciële liefde opgenomen. De meesten van hen waren jong en knap, en hun houding en gratie zou menige salon hebben gesierd. Zij hadden hun eigen erecode en als er een van hen in moeilijkheden zat, vond zij bij de anderen onmiddellijk steun. Zij namen hun beroep ernstig op en spaarden zoveel mogelijk. Allen haatten hun „madame", en dat niet alleen omdat zij onder haar bevelen stonden. In deze uitgeslapen zakenwereld lette de „madame" erop dat de meisjes voortdurend van nieuwe jurken en lingerie werden voorzien; niet omdat zij wilde dat zij er op hun best uit zouden zien, maar omdat dit allemaal voor rekening van de meisjes kwam, en als resultaat daarvan stonden ze voortdurend bij haar in de schuld. De enige manier waarop de meisjes aan deze horigheid konden ontsnappen, was door de fooien, en de slimmen onder hen wisten dure geschenken van hun klanten los te krijgen. Zij waren

ook bijzonder vindingrijk in het verbergen van hun spaargeld, dat op de meest onwaarschijnlijke plaatsen werd verstopt.
De dames van de Klostergasse kwamen tweemaal per week, elegant gekleed en delicaat geparfumeerd, voor onderzoek naar het politiebureau. Zij waren verplicht hun gestempelde kaart bij zich te dragen, een waarborg dat zij bij het laatste onderzoek vrij van ziekte waren, en de klanten hadden het recht deze kaart te zien – hetgeen zij ook deden wanneer zij niet te ongeduldig waren om een beetje voorzichtigheid te betrachten. Het kwam echter voor dat ondanks alle voorzorgen een van deze beroepsvrouwen door een zeeman werd besmet. Dan gaf ze „het" soms door aan een bezoeker uit de stad, die „het" als souvenir aan de zakenreis op zijn beurt mee naar huis nam, voor zijn fatsoenlijke vrouw.
De meisjes van de straat waren vaak blij met hun gedwongen verblijf in de kliniek. Zij waren dan tenminste voor een paar weken zeker van voeding en een soort dak boven hun hoofd. Maar de ingeschreven dames van de Klostergasse waren op onze attenties niet zo erg gesteld. Wanneer bleek dat zij ziek waren, hielden hun verdiensten natuurlijk op, en er was altijd wel een kans dat hun succesvolle carrière door complicaties zou worden afgebroken. De aankomst van een ingeschreven prostituée in het nachtmerriekasteel was altijd voor het hele ziekenhuis een sensationele gebeurtenis. Hier gooide zij de haar opgedrongen onderwerping van zich af. Zij haatte de verpleegsters en de dokters en verzette zich tegen de hygiënische en therapeutische maatregelen. Zij wees haar zusters van de straat met verachting af. Vuile woorden stroomden uit haar mooie mond en waar zij ging, liet zij gebroken borden en stukgeslagen wastafels achter.
Als er een van deze meisjes kwam, had dokter Jaeger een grote dag. Met zwaaiende jaspanden en schitterende ogen rechtte hij zijn gespierde schouders en bond de strijd aan. Meer dan eens keek de staf toe wanneer de nagels van zo'n meisje door zijn baard scheurden of wanneer zij hem in zijn hand beet. Als hij haar ten slotte klein had gekregen, werd zijn volle woede op haar losgelaten. De eerste straf was eenzame opsluiting. Als dat niet hielp, kreeg zij eten noch drinken. Dan kwamen de zweep of de waterspuit en ten slotte was er voor noodgevallen nog altijd het dwangbuis.
Op een zonnige middag, toen dokter Jaeger met vakantie was, viel

mij de taak toe om een meisje, Klara, bijgenaamd „de tijgerin" te ontvangen. Dit was de derde keer dat zij met syfilis was geïnfecteerd. Zij had alle reden om kwaad op de wereld te zijn, en dat was ze dan ook.
Er waren twee politieagenten nodig om haar uit de politiewagen te sleuren, de trappen van gebouw 3 op en een cel in. Nauwelijks was zij opgesloten of wilde kreten weerklonken door het gebouw. Ik ging erheen. Het was een groot, knap meisje, wier gezicht nu door vurige haat was vertrokken. Zij sprong op mij toe, greep mijn haar en stond toen een ogenblik naar die vuist vol haren te kijken. Dat gaf mij mijn kans. Met een harde, vlugge stoot gooide ik haar op haar bed. Bed en Klara vlogen tegen de muur en sloegen om, waarbij Klara's hoofd met een smak op de betonnen vloer terechtkwam. Toen was Klara buiten westen.
Een zo volledige overwinning had ik niet voorzien, en eigenlijk speet het mij dat ik Klara nog meer narigheid had bezorgd. Zij had al genoeg. Toen zij haar ogen opende, lag zij op haar rug in bed met een ijszak op haar hoofd. Ik zat naast het bed en voelde haar pols. „Rustig blijven," waarschuwde ik haar. „Je hebt je hoofd gestoten en nu heb je een hersenschudding. Als je rustig blijft liggen, zal het minder pijnlijk zijn." Zij wilde gaan zitten, maar ik hield haar tegen. „Luister naar me. Ik weet wat ik zeg. Er wordt ditmaal niet gestraft. Hier zijn wij allemaal mensen. Laat je door mij behandelen en ik zal zorgen dat je hier zo vlug mogelijk vandaan komt."
Zij keek mij aan en begon te huilen. Toen hield ze haar arm op voor een injectie.
Toen Klara naar de Klostergasse terugging, was er feest in de straat. De „warme" buurt was voor het publiek gesloten, een kostbaar gebaar, daar er nu geen betalende bezoekers werden toegelaten. Er was muziek en rijnwijn en er heerste een prettige stemming. Klara had mij uitgenodigd en ik ging erheen. Van toen af werd ik vaak geroepen als iemand zich daar niet goed voelde. Sommige meisjes bewezen mij de hoogste eer door mij te vragen hun spaargeld te bewaren, zodat dit door de „madame" tijdens haar systematische controle niet kon worden gevonden.
Ik ging van die meisjes houden, en enige tijd later was ik getuige van een „goede afloop" voor een van hen. Alma was ook een van de meisjes die mij hun vertrouwen hadden geschonken. Zij kwam uit

het Rijnland en had zelfs na een jaar in de Klostergasse haar landelijke frisheid behouden. Zij was van huis weggelopen nadat haar stiefvader haar een week voor haar trouwen had overvallen en onteerd.
Een van de meisjes kwam te weten dat Alma's verloofde haar zou komen halen. Het was als een verhaaltje in een sprookjesboek: een boer uit haar dorp had, tijdens een plezierreisje naar de stad, Alma ontdekt en had dat thuis aan haar verloofde verteld. De jongeman kwam zelf, bezocht het huis en vroeg natuurlijk om Alma. Toen hij hoorde waarom zij was weggelopen, huilde hij, zij huilde ook en zij verzoenden zich. Hij was bereid „madame" een buitensporige som voor de vrijlating van Alma te betalen.
Ik lachte om dit verhaal van allesoverwinnende liefde. Het klonk te onwaarschijnlijk om waar te zijn. Maar bij het volgende verplichte onderzoek kwam ook Alma; zij was vrij van ziekte, maar verraste mij door mij te verzoeken haar registratieboekje af te sluiten. Het was inderdaad waar: zij ging naar huis om te trouwen en vroeg of ik haar de eer wilde aandoen op haar bruiloft te komen.
Dat wilde ik in geen geval missen. Ik ging onmiddellijk naar dokter Jaeger en vroeg hem mij het weekeind vrij te geven.
„En wat kan er zo belangrijk zijn dat u er uw plichten voor wilt verzuimen?" wilde hij weten. Ik heb nooit goed kunnen liegen en vertelde hem de waarheid. Hij kreeg een geweldige aanval van woede. Ik had zijn staf en het hele ziekenhuis al schande aangedaan door mijn vriendschap met dit ontuig, en dit was wel het toppunt! Als ik ging, behoefde ik niet terug te komen!
Ik had genoeg van dokter Jaeger. Zaterdagsochtends liet ik mijn ontslagaanvrage op zijn bureau achter en nam de sneltrein naar Mainz.
Het was een prachtige bruiloft.
De volgende zondag ging ik direct van het station naar mijn kamer in het ziekenhuis, met het plan in te pakken en te verhuizen. Op mijn tafel lag, in tweeën gescheurd, mijn ontslagaanvraag. De volgende ochtend liet dokter Jaeger mij naar zijn spreekkamer komen. Met de wellustigheid van een oude doordraaier, terwijl hij, bij wijze van spreken, zijn lippen aflikte, vroeg hij: „Nou, vertel eens – hoe is het geweest?"
Mijn verslag van de keurige, zelfs plechtige bruiloft stemde hem

droevig teleur. Ik had geen wilde braspartijen en geen bacchanalen te beschrijven. Er waren bloemen in de kerk, kerkgangers op hun zondags. Op lange tafels onder de bomen was heel veel te eten en een eindeloze stroom van goede rijnwijn. Alma zelf was een bescheiden, zedige bruid.
„Och, ga door met je werk," mompelde hij en keerde zich af.
Maar mijn wraakzuchtige baas had nog niet met mij afgedaan. Ik weet niet of hij het deed om mij te straffen, maar hij gaf mij opdracht gegevens te verzamelen voor een studie die hij wilde publiceren. Leden van zijn staf werden om beurten tot dit soort werk gedwongen. Een serie merkwaardige geschriften onder zijn naam had de aandacht van de medische wereld getrokken. Er werden verschillende Jaeger-geneeswijzen in beschreven, terwijl statistieken en ziektegeschiedenissen hun doeltreffendheid moesten bewijzen.
Het geschrift, dat ik nu moest voorbereiden, handelde over de Jaegerbehandeling ter voorkoming van steriliteit bij vrouwen.

HOOFDSTUK 17

STEFAN

OP EEN LENTEMORGEN KREEG IK EEN TELEFOONTJE VAN MARGOT, die mij uitnodigde voor een wandeling. Margot, de vriendin uit mijn kinderjaren, woonde in Stuttgart, waar haar vader sinds de oorlog in de zakenwereld een belangrijke plaats innam. Wij hadden, toen ik ook in Stuttgart kwam wonen, de vriendschap hernieuwd. Margot was nog altijd een romantisch meisje, meegaand en zonder ambitie of richting, en jegens haar voelde ik mij zowel beschermend als ongeduldig. Ik had haar de laatste tijd wat vaker gezien, proberend haar door een reeks van tegenslagen heen te helpen. Haar vader was in financiële moeilijkheden geraakt, haar bruidsschat was met de rest van zijn bezit verdwenen, en haar verloofde voelde er blijkbaar weinig voor een meisje zonder geld te trouwen. Haar verloving werd verbroken.

Merkwaardig genoeg was Margot niet verontwaardigd – zoals ik geweest zou zijn – toen zij ontdekte dat de liefde van haar verloofde uitsluitend van geld afhing. Zij vond dat blijkbaar zeer begrijpelijk, in ieder geval begrijpelijker dan mijn verontwaardiging. Ik was niet op de hoogte, zei Margot; huwelijken werden altijd zo geregeld.

Zij wist dat ik die dag een vrije middag had.

„Else," zei ze, „ik moet met je praten." Maar ik had op de tafel in mijn kleine kamer een hele stapel gegevens voor dokter Jaegers publikatie liggen. Hij wilde zijn artikel de volgende morgen gereed hebben. Ik zei dat ik haar die dag niet kon ontmoeten.

Toen ging ik weer aan mijn tafel zitten. Het venster stond open om de zachte lentelucht binnen te laten, en ik zocht mijn weg door de statistieken van dokter Jaeger. Kolommen... nummers... duur van de infectie... aantal diplococci* per kubieke millimeter...

---

* Paarsgewijs groeiende, bolvormige bacterie.

eerste aanwending van het nieuwe serum... reactie... Een klop op mijn deur. Weer telefoon voor mij.
En weer was het Margots stem, maar nu angstig en buiten adem. „Else, iets verschrikkelijks – mijn vader – kom gauw, Else!"
Deze kreet om hulp kon ik niet negeren. Ik haastte mij terug naar mijn kamer om mijn tas te grijpen en stootte in mijn haast de tafel met paperassen om, zodat alle statistieken door de kamer vlogen. Maar ik rende weg en sloeg de deur achter mij dicht.
De deur van Margots huis, op de tweede verdieping, werd door een dienstmeisje met een wit, geschrokken gezicht geopend. „In de badkamer – hij heeft het in de badkamer gedaan!" zei ze. En daar vond ik Margot, op de vloer neergehurkt bij het lichaam van haar vader. Hij had zich met een viskoord opgehangen.
Enige uren later, toen de hulp uit het ziekenhuis was gekomen en gegaan, en de dode man onder een laken in zijn bed lag, kwam Margots moeder thuis. Zij kwam blijkbaar van de kapper, droeg een vrolijk bosje viooltjes op de lapel van haar dure mantelpakje en had blijkbaar haar middag winkelend doorgebracht, want zij was beladen met pakjes en dozen.
„Hoe kon hij mij dit aandoen!" gilde zij en toen: „Roep Stefan Arnold – hij is de schuld van alles!"
Margot keek mij vragend aan en ik telefoneerde. Ik kende de naam Stefan Arnold; het was de naam van een bankiersfirma in de stad. Niet lang daarna klonk beneden de deurbel en waar ik met Margot in haar kamer zat, kon ik de stem van de weduwe horen, om beurten beschuldigend, smekend en schreiend. Een diepe stem gaf geruststellende antwoorden.
„Ik kan het niet langer verdragen!" zei Margot plotseling. „Alsjeblieft, Else, ga erheen en vraag hem te vertrekken."
De bezoeker stond in de zitkamer met een brief in zijn hand. Denkend aan Margot, zei ik grofweg: „U kunt nu beter gaan. Dit is geen plaats voor een geldschieter!"
Hij staarde mij verwonderd aan. Iets minder zeker van mijn zaak, ging ik verder: „Uw aanwezigheid is hinderlijk voor mijn vriendin, ik geloof dat het beter is als u nu weggaat."
De weduwe wrong haar handen, terwijl de viooltjes op haar lapel dwaas op en neer wipten. „Het is inderdaad misschien beter dat je nu gaat, Stefan. Maar zul je goed voor ons zijn? Zul je edelmoedig zijn?"

Nu was *ik* verwonderd. Was hij wel, of was hij niet de schuld van deze tragedie?
„Ik maak het wel in orde. Maak je geen zorgen," zei hij tot Margots moeder. „En u, juffrouw. . ." hij keerde zich tot mij, „ik geloof dat u en ik eens samen moeten praten. Zegt u Margot maar goedendag. Ik zal op u wachten."
Verward liep ik naar boven. Margot stemde erin toe te gaan liggen en te rusten, en ik was vrij om te vertrekken. Ik droeg mijn tas naar beneden. Arnold Stefan nam hem van mij over en volgde mij in de stralende middagzonneschijn.
Even later zaten we aan een cafétafel tegenover elkaar. Hij sprak en ik luisterde. De brief, die hij ginds in de zitkamer in de hand had gehouden, was hem door de dode achtergelaten. Het was een lijst van Margots uitzet, haar prachtige linnen en zilver, haar piano, haar juwelen, die zij van haar grootmoeder had geërfd. Dit alles had hij bij de Arnold Bank als onderpand gegeven, in ruil voor een lening, en niettemin had hij alles stuk voor stuk verkocht.
„Daar had hij de gevangenis voor in kunnen gaan!" riep ik uit, toen de volle betekenis van dit alles tot mij doordrong.
De bankier haalde zijn schouders op. „Ik geloof dat wij hem dat wel hadden kunnen besparen," zei hij. „Hij moet gevoeld hebben dat hij zo niet verder kon. Het was al zo'n lange strijd geweest."
Het was geen ongewone geschiedenis. Een verkwistende vrouw, een zwakke echtgenoot, een behoefte om boven de beschikbare middelen te leven, tot iemand – in dit geval de onschuldige Margot en de vriend die bankier was – beroofd moest worden en een man het met zijn leven moest betalen. Wij spraken niet te lang over Margots vader. Stefan zweeg over het verleden en sprak over de toekomst.
„Wij moeten voor Margot en haar moeder een weg vinden om te kunnen leven. Misschien kunt u mij helpen iets te bedenken."
Wij zaten nog lang te praten, ofschoon wij al gauw van het onderwerp – Margot en haar moeder – afstapten. Het was laat toen hij mij naar het ziekenhuis terugreed. In mijn kamer lagen dokter Jaegers papieren nog over de vloer verspreid. Als in een droom ging ik naar bed.
De volgende morgen raapte ik de papieren bij elkaar, deed geen moeite om ze te rangschikken, en bracht ze naar dokter Jaeger. Hij staarde ernaar. „Maar u hebt het niet afgemaakt!" zei hij onte-

vreden. „Nee, dokter. Ik kan het niet. Het succes van de Jaegerbehandeling is niet bewezen."
Ik luisterde naar het verwachte standje. Ik was onverantwoordelijk, zorgeloos, onwetend, onwetenschappelijk en het vertrouwen dat hij in mij gesteld had onwaardig. Hij zei nog heel veel andere dingen, allemaal betrekking hebbend op het feit dat ik het vertikte het verloop van ziektegeschiedenissen te verdraaien en statistieken anders te rangschikken, alleen maar om hem een plezier te doen. Toen hij was uitgesproken, verliet ik zo beleefd mogelijk het vertrek.
Bij de begrafenis ontmoette ik Stefan weer, en daarna dronken wij koffie in hetzelfde kleine café. Hij had ernstig over Margots toekomst nagedacht.
„Wat jammer dat zij geen beroep heeft geleerd," zei hij.
„Zoals het mijne?" vroeg ik lachend.
„Niet zo'n zwaar beroep," zei hij. „U moet toegeven dat u wel een buitengewoon vak gekozen hebt." Er was geen twijfel aan de bewondering in zijn stem. „Als Margot bijvoorbeeld les kon geven! De tijd is voorbij dat een meisje om geborgen te zijn op een huwelijk kon rekenen."
„Ik kan mij niet voorstellen dat ik op een huwelijk zou moeten wachten," zei ik.
„Ik kan mij dat van u ook niet voorstellen, onverschillig in welke eeuw u geboren zou zijn."
Hij had een idee voor Margot en haar moeder, hoewel hij eraan twijfelde of zij genegen of in staat zouden zijn om te werken. Hij was van plan hen in een hotelbedrijf in de bergen te plaatsen. Hij wilde dit financieren, tot zij in staat zouden zijn zelf voor hun onderhoud te zorgen. Zijn makelaar had hem reeds verschillende voorstellen gedaan. Kon ik zondag met hem meerijden om de aanbiedingen te bekijken?
Met een licht hart nam ik aan de poort van het ziekenhuis afscheid van hem. Hij was een aantrekkelijke man en vrijgezel, hij had niets tegen vrouwen die een beroep uitoefenden en zondag zouden wij naar de bergen rijden. Ik trok mijn witte jas aan, zo gelukkig alsof het een baljapon was, en begon mijn middagronde, maar vond de tweede assistent, dokter Golden, op mij wachten. Hij moest mij meedelen, zei hij, dat hij in mijn plaats belast was met de verzorging van gebouw 2.

„En ik? Ben ik vanmiddag vrij?" vroeg ik. Ik had net zogoed kunnen vragen of ik ontslagen was. Dat zou mij niet verwonderd hebben. Hij schudde zijn hoofd en keek mij aan met een blik, half van medelijden en half van leedvermaak, en overhandigde mij een bundel kaarten. Ik keek ze in: gebouw 1. Nu begreep ik het. De enige vrouwelijke dokter van de staf werd aan de mannenafdeling toegewezen. Deze keer had dokter Jaeger zichzelf overtroffen.
Mijn eerste bezoek aan de mannenafdeling was een ervaring die ik mij nooit had kunnen voorstellen. Zestig mannen stonden in twee rijen opgesteld, iedere man aan het voeteneind van zijn bed, dertig aan elke kant. Ieder droeg alleen zijn pyjamajasje, de blauw en wit gestreepte ziekenhuisbroeken lagen op de plaats waar zij gevallen waren, rondom de voeten. Ieder klemde een fles urine in de rechterhand. Toen ik naderbij kwam, greep ieder, sommigen met, anderen zonder verlegenheid, naar het zieke orgaan en bood het mij ter onderzoek aan. Dit was routine.
„God geve mij kracht!" Ik haalde diep adem en begon onder begeleiding van nieuwsgierige blikken en onderdrukte geluiden de eerste rij af te lopen. Toen ik langs de tweede rij terugliep, zag ik dokter Jaeger in de deuropening staan. Met opengesperde neusvleugels en glinsterende ogen keek hij toe. Ik beëindigde mijn inspectie en rende het gebouw uit.
Het is herhaaldelijk bewezen dat mensen aan alles kunnen wennen. Dagen en weken gingen voorbij, en de mannen in gebouw 1 begonnen aan de vrouwelijke dokter te wennen. De groep patiënten daar was slechts een andere groep zieken, en ik een arts, wier plicht het was hen te helpen. Dokter Jaegers sadistische grap verloor zijn scherpte.
Stefan was gedurende deze fantastische ervaring mijn steun en toeverlaat. Na onze dag in de bergen gingen wij tweemaal in de week samen eten. Toen ik hem van mijn overplaatsing naar de mannenafdeling vertelde, werd zijn vriendelijk, geestig gezicht wit van woede.
„Wat heb je er ook te maken!" zei hij toen hij tot kalmte gekomen was. „Je bent tenslotte chirurg!"
Ik vertelde hem toen van de moeilijkheden die een vrouwelijke chirurg ontmoet: dat geen enkel ziekenhuis mij een plaats in mijn eigen vak wilde geven.

„Dan, lieve, moet je een eigen hospitaal hebben!" Toen ik verdrietig glimlachte, wel wetend hoe ver dit buiten mijn financieel bereik lag, bedekte hij mijn hand op de tafel met de zijne. „Het doet er niet toe," zei hij, „wij vinden wel een manier om het klaar te spelen."

Van toen af maakte hij het tot een gewoonte om mij in de loop van de dag in het hospitaal op te zoeken, soms om me voor een dineetje uit te nodigen of voor een avondwandeling, en soms alleen maar om te horen hoe het ging. Ik begon naar zijn bezoeken te verlangen. Zij waren het enige menselijke, beschaafde ogenblik van de dag. Mijn werk, en zelfs mijn omgeving, had ik nog wel kunnen verdragen; ik had mij dit leven vol menselijk lijden zelf gekozen. Maar dokter Jaeger maakte alles even moeilijk voor mij. Alleen de stem van Stefan aan de telefoon en zijn gevoelig, sympathiek gezicht tegenover mij aan tafel maakte dat ik mij weer menselijk en vrouwelijk kon voelen.

Wij konden altijd heerlijk samen praten. Hij was oprecht in mijn hoop en mijn streven geïnteresseerd. Mijn ervaringen met professor Kossik en professor Lexer vond hij steeds belangwekkend, en hij luisterde aandachtig, zelfs naar de meest technische details van chirurgische methoden en de verbeteringen, die ik erin wilde aanbrengen zodra mijn hand maar eerst weer een scalpel mocht vasthouden!

Stefan kon ernstig zijn en verstandig, en hij kon me aan het lachen maken zoals ik sinds mijn schooltijd niet meer gelachen had. Hij maakte zelfs dat ik om dokter Jaeger kon lachen! En alsof dit nog niet genoeg was, haalde hij me uit mijn tot ziekten en lijden beperkte levensweg en bracht mij in de wereld terug. Als een gids voerde hij me door de fascinerende doolhof van de internationale financiën, die meer en meer met regeren vervlochten raakten en zelfs invloed hadden op ons dagelijks leven. Het was een tijd waarin optimistische steden en staten scholen, ziekenhuizen en arbeidersbehuizingen bouwden, parken en sportterreinen aanlegden, alles met het oog op een beter leven voor het volk, en tegelijkertijd werk verschaffend aan het groeiende leger werklozen. Stefan had voor dit doel al ten minste één buitenlandse lening voor de stad Stuttgart kunnen verzorgen. Hij was ten zeerste betrokken bij Duitslands strijd voor economisch herstel van oorlog en inflatie. Stabiliteit scheen altijd

juist buiten het bereik van de ernstige mannen in de regering van Weimar te blijven. Hij en de andere bankiers die zijn economische inzichten deelden, hadden hun hoop gevestigd op doctor Gustav Stresemann, onze minister van buitenlandse zaken, en wel speciaal op de vriendschap die zich had ontwikkeld tussen Stresemann en de grote Franse staatsman Aristide Briand. Briand was de eerste Fransman die Duitslands behoefte aan „Lebensraum" – levensruimte – scheen te begrijpen, een behoefte die niet voortkwam uit nationale trots of imperialistische neigingen, maar eenvoudig een uitweg voor zijn groeiende bevolking en economie betekende.
Stresemann en Briand, zo vertelde mij Stefan, bespraken de mogelijkheid van teruggave van de Afrikaanse koloniën, die Duitsland ten gevolge van zijn nederlaag had moeten afstaan. Als we die terugkregen, zei Stefan, kon Duitsland economisch weer gezond worden.
Hij ging vaak naar Berlijn om met Stresemann te dineren. Bij die gelegenheid besprak de minister dan met een groep financiers de kwestie van buitenlandse leningen en binnenlands herstel. Een van de mannen die hij gedurende deze ontmoetingen leerde kennen, was de rampspoedige financiële goochelaar, Hjalmar Schacht.
Bij onze gezamenlijke diners vertelde Stefan mij over deze beroeringen in de grote wereld. Delend in zijn hoop en vrees voor Duitsland, volgde ik zijn economische en politieke uiteenzettingen even geïnteresseerd als hij mijn beschrijvingen van operaties. Dan vergat ik mijn moeilijkheden en vernederingen in het ziekenhuis. Ik besefte nauwelijks hoe afhankelijk ik van hem werd, tot hij mij op een avond ten huwelijk vroeg.
Ik zweeg. Als vriend was Stefan bijna onmisbaar voor mij geworden. Maar Stefan als echtgenoot – dat was een nieuw idee, en daar moest ik over denken.
Toen hij mijn aarzeling zag, lachte hij. „Je moet mij wel trouwen, Else, al was het alleen maar om je eigen kliniek te kunnen krijgen."
„Hoe kun je zo iets zeggen! Ik zou jou noch iemand anders trouwen ter wille van een ziekenhuis, hoeveel dat ook voor mij betekent!"
Stefan bleef lachen en ik begreep dat het maar plagerij was.
„Ik hoef je niet eens te trouwen om een kliniek te krijgen. Daar zou jij tòch wel voor zorgen, niet waar?" vroeg ik.
„Natuurlijk," zei hij, nu volkomen in ernst, „als bankier beschouw

ik jou als een eersteklas belegging. Zeg mij hoeveel je nodig hebt en ik zal ervoor zorgen dat je het krijgt. Maar ik zou het veel plezieriger vinden als je mijn vrouw was in plaats van mijn cliënt."
„Als ik je zou trouwen, Stefan," zei ik nadenkend, „zou je misschien anders over een kliniek voor mij denken. Ik zou maar een gedeelte van de tijd je vrouw zijn, weet je."
„Dat gedeelte betekent meer voor mij dan iedere andere ‚hele' vrouw," antwoordde hij. „Ik zou trots op je zijn, al zou ik met je patiënten moeten concurreren om een gedeelte van je tijd!"
Dit trof mij diep. Hier was een man die mij verzekerde – en hij meende het, zo goed kende ik hem nu wel – dat hij er trots op zou zijn een vrouw te hebben die chirurg was. Mario had onmiddellijk de beroepskant van mijn leven afgewezen, hij zou er niet aan gedacht hebben mij op die voorwaarde te trouwen. Directeuren van ziekenhuizen, bij wie ik had gesolliciteerd, mijn medestudenten aan de universiteit, iedere man die ik had gekend – een paar van mijn professoren uitgezonderd – hadden mijn streven koud, boos of met openlijke spot bejegend. Mijn vader was pas begonnen mij te respecteren toen ik had volgehouden en werkelijk de dokterstitel had behaald. Stefan was de eerste man die achting had voor mijn beroep, ja, mij zelfs zijn respect toonde. Ik was er hem buitengewoon dankbaar voor.
Maar dankbaarheid is geen goede grondslag voor het huwelijk. Dit zei ik tot mijzelf, toen ik die avond in mijn smalle ziekenhuisbed lag. Wat voelde ik werkelijk voor Stefan? Het was geen overstelpende verliefdheid, zoals ik voor Mario had gevoeld, maar misschien gebeurde dat maar eenmaal in het leven, en zou ik dat nooit weer voor een andere man voelen. Stefan was goed en vriendelijk; hij was begrijpend en moedigde mij aan. Hij was niet knap, maar zijn gezicht en zijn persoonlijkheid bezaten een harmonie die mij van het begin af had aangetrokken. Ik had respect voor zijn verstand en deelde zijn inzichten. Met hem zou ik gelukkig kunnen zijn.
De volgende dag deelde ik hem mijn besluit mee. Voor de eerste en inderdaad de enige keer in onze verhouding commandeerde hij mij. Hij stond erop dat ik de volgende morgen mijn ontslagaanvraag zou indienen.

HOOFDSTUK 18

EDENHAL

MET HULP VAN STEFAN KOCHT IK EEN KLEINE PRIVÉ-KLINIEK. DEZE lag in de buitenwijken van Stuttgart, een mooi huis in een grote tuin, en het bevatte genoeg ruimte voor een jonge dokter met een beginnende praktijk. Ik doopte het Edenhal, de naam van een legendarische vesting uit de riddertijd. Die naam was voor mij het symbool van de vastberadenheid, de moed en oprechtheid van het ridderschap.
Stefan bood mij Edenhal als geschenk aan, maar ik stond op een zakelijke overeenkomst met een hypotheek. Moeders beschermeling, Lena, werd mijn huishoudster en oom Alberts Gottlieb mijn huisbewaarder. Gottlieb was nog niet werkelijk oud, even zestig jaar, maar hij had de manieren uit een hoffelijker tijd. Oom Albert had hem in zijn testament goed bedacht. Niettemin kreeg hij tranen van blijdschap in de ogen toen ik hem vroeg om mijnentwil weer aan het werk te gaan.
Toen ik bij Edenhal aankwam en hem aan de ingang zag, kon ik zelf van vreugde wel huilen. Zijn lange, smalle figuur belichaamde voor mij de verwerkelijking van al mijn kinderdromen. Ik liep door de ruime hal naar de zitkamer met zijn vrolijke kleuren en ging toen nog even naar de openslaande ramen om naar Gottlieb te kijken. Lang geleden mocht ik van hem de dokterstas naar de boerderij dragen, en nu poetste hij de koperen plaat die mijn naam droeg. Hij poetste tot de plaat glansde als goud. Hij was gelukkig, maar niet gelukkiger dan ik.
Plotseling staakte Gottlieb het poetsen en verborg de poetslap onder de jas met koperen knopen van zijn uniform. Wij hoorden beiden het geluid van een auto in de oprijlaan.
De door een chauffeur bestuurde wagen getuigde van degelijke rijkdom. Gottlieb opende de deur en leidde een echtpaar van

middelbare leeftijd over de drempel van Edenhal. Ik stond voor het raam naar de plechtigheid te kijken en besefte er opeens de betekenis van. Ik draaide mij om en ging naar mijn spreekkamer om de eerste patiënt in mijn kliniek te begroeten.
Mevrouw von Hertz was niet bepaald ziek, maar zij was altijd moe en had geen belangstelling meer voor haar gewone bezigheden. Zij was in Stuttgart een vermaarde gastvrouw geweest, maar nu gaf ze geen dineetjes meer en ontving geen bezoekers. Dit kreeg ik bij stukjes en beetjes te horen. Haar man hield haar hand vast en moedigde haar aan. Als een verschrikt kind had zij geweigerd zonder hem de spreekkamer binnen te gaan.
„Vind je niet dat je het de dokter vertellen moet?" drong mijnheer von Hertz plotseling aan.
Zij schudde haar hoofd. „Och, ik vind niet dat het belangrijk is, Maurice."
„Alles is belangrijk," zei ik.
„Ziet u," zo begon zij, „het is alleen maar dat. . ." Toen zweeg zij weer.
Haar man hield aan. „Kom, Adèle, vertel het de dokter!"
„Nee, Maurice, nee!" Zij huilde, en verfrommelde haar zakdoekje. „Niemand kan mij helpen, breng me maar naar huis!"
Ik stelde mij voor wat het zou betekenen als mijn eerste patiënt weg zou lopen zonder zich zelfs te laten onderzoeken. Op de eerste van de maand verviel de eerste termijn van de hypotheek! Toen hoorde ik mijzelf met de kalmerende stem van oom Albert zeggen: „Waar zit het gezwel? Ik zal u geen pijn doen."
Ik had de waarheid ontdekt. Mijn woorden en de betovering die ik zo lang geleden in oom Alberts stem gehoord had, hadden mijn patiënte voor mij behouden.
Mevrouw von Hertz was er zeker van dat zij kanker in een van haar borsten had. In werkelijkheid was het een klein, onschuldig gezwel, maar haar angst, die uit schuldgevoel was ontstaan, zou haar vernietigd hebben. Omdat er zovelen op deze manier tegenover mij hebben gezeten, is haar geval interessant genoeg om te vertellen. Zij had, jaren geleden, een dwergpoedel gekregen. Haar enig kind had zij kort na de geboorte verloren en de hond nam de plaats van haar kind in.
Toen het mode werd poedels kaal te scheren, viel Puzzi's zilver-

blauwe jasje onder de schaar van de trimmer. De arme Puzzi, bibberend door zijn modieuze kaalheid, kroop onder de dekens van zijn meesteres, warmde zich aan haar boezem en zoog instinctief nu en dan aan haar tepel. Dus wist zij nu zeker dat het kanker was, het was haar eigen schuld – en zij schaamde zich zo!
Een week later werd Edenhals eerste patiënt genezen ontslagen. Het gezwel was verwijderd en het was niet kwaadaardig. De naam van mevrouw von Hertz begon weer in het stadsnieuws van de krant te verschijnen. Haar vrienden spraken over de gelukkige verandering en tegen een van hen fluisterde zij dat zij in mijn kliniek was behandeld.
Het gefluisterde verhaal ging rond en wierp dividend af. Weldra was Edenhal vol, en voor er veel tijd was verlopen, hadden wij zelfs een wachtlijst.
In het begin waren er evenveel medische als chirurgische gevallen; er kwamen mensen voor een dieet, om te herstellen, voor rust, om gewicht te verliezen of om aan te komen, zoals dat in een privékliniek vaak het geval is. Langzamerhand kon ik kiezen. In sommige van mijn medische gevallen trad ik in consult met andere medici, en zij zonden mij op hun beurt patiënten die plastische chirurgie nodig hadden. Er waren maar weinig ochtenden dat ik mij niet om acht uur in de operatiezaal stond te desinfecteren.
Er kwamen patiënten met brandwonden en door ongelukken veroorzaakte beschadigingen, veteranen wier littekens nog verbeterd konden worden, kinderen met gespleten verhemelte of misvormde oren, actrices die de schijn van jeugd wilden bewaren en een steeds groeiend aantal vrouwen die gehoord hadden dat de sinds de oorlog verbeterde techniek iemand een mooie neus of welgevormde borsten kon geven.
Vlugger dan ik had durven hopen, kwam de tijd dat Edenhal een nieuwe dokter nodig had. Ik schreef Evelyn Dauber en bood haar de positie van inwonend assistente aan. Ik wist dat ik mij op Evelyn kon verlaten, want ik had een groot respect voor haar medische kennis. Zij werkte, zoals ik dat had gedaan, sinds haar promotie in een stadsziekenhuis, en was dolblij met de verandering.
Dokter Dauber kwam, en nam onmiddellijk haar plichten in Edenhal waar. Wij hadden geen tijd om over onze studententijd te praten; ieder bed in ons kleine hospitaal was bezet. Bovendien was

Evelyn niet veranderd. Zij wijdde zich als altijd aan haar werk, en haar ernst liet geen scherts of luchtig woordje toe. Ofschoon deze deugden mij als studente eens hadden geërgerd, waren zij in een assistente onschatbaar. Zij had sinds haar universiteitsdagen aan gezag gewonnen, en was onvermoeibaar in het verzorgen van haar patiënten.

Ik had nog nooit met Evelyn in chirurgie gewerkt, maar alle twijfel aan haar bekwaamheid verdween de eerste keer dat zij mij bij een operatie assisteerde. Het was geen ernstig geval, maar het had zijn ontroerende, menselijke kant. Het betrof een arm meisje, ongeveer vierentwintig jaar oud, dat als dienstmeisje in betrekking was. Vijf jaar geleden, toen Duitsland nog door geallieerde troepen was bezet, werd zij verliefd op een Franse sergeant.

Er was toen een rage van sentimentele tatoeëringen, precies als na de tweede wereldoorlog, toen zelfs jonge meisjes van goeden huize er het slachtoffer van werden. Ook Bertha had de initialen van haar Fransman in een rood hart op haar dij laten prikken. Toen de bezetting voorbij was, ging de Fransman naar zijn land terug en Bertha was vergeten. Nu was zij verloofd met een brave man, die haar met ouderwetse hoffelijkheid het hof maakte. Zij had haar vroegere romance niet durven opbiechten en was er zeker van dat haar man alle respect voor haar zou verliezen als hij na het huwelijk de tatoeëring zou ontdekken.

Gelukkig kon de huid voldoende worden gerekt, zodat er geen transplantatie nodig was. In een kwartier tijds hadden wij de ontsierende tatoeëring weggesneden, de omringende huid samengetrokken en dichtgenaaid langs een zigzaglijn die weinig littekens zou nalaten. Het bleek toen dat Evelyn een vlugge, oplettende en betrouwbare assistente was. Zonder verdere twijfel aan de juistheid van mijn keus trok ik mijn handschoenen uit en gaf haar een klopje op de schouder. Zij draaide zich om en keek mij aan met een zo gelukkige blik dat het mij verbaasde. Hier was te veel vreugde na een zo onbeduidende operatie, ook al had ik dan voor het eenvoudige meisje de kans op een goed huwelijk gered. Maar, dacht ik, misschien toont Evelyn alleen hoe gelukkig zij is hier te zijn, waar zij onder ideale omstandigheden in een juweel van een ziekenhuisje kan werken. Ik feliciteerde mij nogmaals met de keuze van een assistente wier enthousiasme voor Edenhal al even groot was als het mijne.

Alles ging goed, behalve dat Stefan, die nog altijd op de trouwdag wachtte, ongeduldig begon te worden. Wij hadden in lange tijd niet samen gelachen. Er was nog een andere reden voor deze neerslachtigheid. Doctor Stresemann was gestorven, en met hem was ook een hoopvol uitzicht voor Duitsland gestorven. Ik wist hoe diep Stefan dit verlies voelde, en daarom had ik mij vrijgemaakt om samen met hem naar de begrafenis en Stresemanns huis in het Rijnland te gaan. De aartsbisschoppen van Mainz en Keulen namen beiden deel aan de plechtigheid, en mevrouw Stresemann deed mij in haar diepe rouw denken aan het verdriet van geheel Duitsland bij de dood van deze leider, wiens wijsheid en inzicht niet konden worden gemist.
Stefan rouwde als om zijn eigen vader.
Misschien, zo dacht ik op een avond, kan een gezellig familiediner hem opvrolijken. Hij was voor moeder al een liefhebbende zoon, en hij hield ervan met vader en Otto over politiek te praten. Mijn broer was nu student in de rechten, en een intelligente, levendige deelnemer aan de discussies. Deze familiebijeenkomsten waren als hij erbij was altijd vrolijk.
Terwijl ik onder het aanbrengen van leuke versieringen voor mijn kleine diner aan hem dacht, verlangde ik erg naar Stefan. Daar wij heerlijk weer hadden, zouden wij op het terras van Edenhal dineren. Ik ging al vroeg in de morgen naar de markt om een malse Elzasser kalkoen en kruiden voor de vulling te kopen. Ik kwam terug in Edenhal, maar vond er geen Gottlieb om mij met mijn vele pakjes te helpen. Terwijl ik bezig was ze uit de wagen te halen, vroeg ik mij af waar hij kon zijn, maar plotseling stond hij buiten adem naast mij en probeerde mij iets te vertellen, waarbij hij moeite had zijn opwinding te beheersen. Er was op de weg een ongeluk gebeurd, vertelde hij, bijna vlak voor onze deur. Hij had zich erheen gehaast en ervoor gezorgd dat het slachtoffer Edenhal werd binnengedragen. Het was een leerling van een middelbare school, die blijkbaar door een snelrijdende motorfiets tegen de grond was geworpen. Overal op de weg lagen schoolboeken, en zijn fiets was verwrongen en gebroken.
„En weet u wie hij is, dokter? Hij is de zoon van rechter Mollendorf!"
Ik kon Gottliebs voldoening niet delen. Misschien was het over-

dreven, maar nu het een zo voorname familie, de eerste magistraat van de stad, betrof, wilde ik niet de indruk wekken dat wij verkeersslachtoffers van de weg haalden om ze naar Edenhal te brengen. Zonder een woord voor de teleurgestelde Gottlieb, die een compliment verwacht had, haastte ik mij naar binnen.
Evelyn was bezig met eerste-hulpmaatregelen, en vertelde mij dat onze röntgenoloog met zijn draagbare installatie al onderweg was. In die dagen hadden maar weinig dokters en zelfs weinig ziekenhuizen een eigen röntgenuitrusting. Ik tilde het natte verband op dat Evelyn over het gezicht van de bewusteloze jongen had gelegd, en zag dat de hele rechterkant vol snijwonden zat. De ergste liep van hoog aan de linkerkant van het voorhoofd dwars over de neus naar de rechterkaak. In de linkerwenkbrauw zaten sneden, maar gelukkig was, zover ik kon zien, geen van beide ogen beschadigd. Vuil, stukjes grind en geronnen bloed bedekten veel van het gezicht en kleefden aan het kortgeknipte blonde haar. Sommige sneden bloedden nog. De jongen haalde moeizaam adem, zijn pols was langzaam maar sterk en zijn bloeddruk wat laag. Zijn kleren waren gescheurd en zijn handen geschaafd, maar verder leek hij niet gekwetst te zijn. Te oordelen naar zijn toestand en de wijze waarop volgens het verslag van Gottlieb zijn fiets beschadigd was, moest hij met een vaart tegen de weg zijn gesmakt, en zijn gezicht had daarbij het meest geleden. Misschien was er een schedelbreuk, en bijna zeker een hersenschudding.
Er werd zacht op de deur geklopt. Gottlieb bracht de ouders van de jongen binnen. Evelyn staakte een ogenblik het voorzichtige uitwassen van de wonden om ze hun zoon te laten zien, en daarna volgden ze mij naar de spreekkamer.
Mevrouw Mollendorf, een kleine, verwelkte vrouw met fijne trekken, die aan haar zoon herinnerden, zat op de rand van haar stoel en keek mij aan, haar verschrikte ogen vol tranen. De rechter stond met de handen op de rug, het grote hoofd gebogen, de zwarte baard rustte op het witte overhemd. Ook hij keek mij aan, stáárde mij aan, dacht ik, onder de samengetrokken, zwarte wenkbrauwen, tot ik mij als een beklaagde in zijn rechtszaal voelde.
Ik vertelde hun wat ik tot dusver, hangende het röntgenonderzoek, over de toestand van hun zoon wist; ik verklaarde de gevolgen van „shock" en wat wij deden om deze te ondervangen. Toen stak ik

mijn kleine speech af. Zodra de jongen bij kennis was, zou hij per ambulance naar het ziekenhuis van hun keus worden overgebracht. Mevrouw Mollendorf wendde zich tot haar man; zij zag er nu nog verschrikter uit. „Johann, alsjeblieft. . .!"
„Natuurlijk niet, Lise, wind je niet op," zei de rechter, en toen tot mij: „Dokter, is er een reden waarom u onze Ludwig niet hier zou kunnen houden?"
„O, nee!" riep ik in verwarring uit, „ik dacht alleen dat u misschien liever. . ." Ik kon niet onder woorden brengen wat hij zeker moest denken. . . dat ik nog een nieuweling was, een heel jonge chirurg, en vooral dat ik een vrouw was.
„Laat mij u dan zeggen dat het, als mijn jongen dan toch een ongeluk moest overkomen, op onze weg hierheen een geruststelling voor ons was dat het naar Gods wil gebeurde op een plaats waar hulp onmiddellijk te verkrijgen was. Het is niet nodig hem ergens anders heen te brengen. U zult goed voor hem zorgen."
„En zijn arme gezicht, al die littekens. . ." zei mevrouw Mollendorf schuchter.
„Ja," knikte de rechter, „wij hebben begrepen dat u specialiste in dit soort werk bent."
Dit blijk van vertrouwen had ik nauwelijks verwacht. Ik nam hen mee terug naar de kamer van de jongen, waar zij konden wachten tot hij weer tot bewustzijn zou komen. Evelyn zat naast de patiënt, waakte over pols en ademhaling, en wachtte op de uitwerking van de maatregelen die zij tegen „shock" had genomen.
Ik keek nog eens naar de jongen, en betastte de wonden met een vingertop om te zien hoe diep het weefsel beschadigd was. Ik was blij dat ik het chirurgische werk mocht doen; er behoefde na het voorzichtig herstellen van de wangen, de weggescheurde wenkbrauw en vooral de neus bijna geen litteken over te blijven. Ik keek op en zag dat mevrouw Mollendorf de hele tijd dat ik over haar zoon gebogen stond, scherp op mij had gelet. Toen ik afscheid nam om naar mijn andere patiënten te gaan kijken, lag er een hoopvolle glimlach op haar gezicht.
Terwijl wij de röntgenfoto's namen, opende de jonge Ludwig zijn ogen. Wij hadden geen breuk kunnen vinden, en hij herstelde al weer van zijn shocktoestand. Toen hij eindelijk zijn ouders herkende, glimlachte hij doezelig en viel al gauw in een gezonde slaap. De

rechter gaf, bijna opgewekt nu, nog eens blijk van zijn vertrouwen door er bij zijn vrouw op aan te dringen dat zij naar huis zou gaan en rusten.
„Kom nu maar, Lise, hij is in goede handen," zei hij, en met de arm om haar heen geslagen, dirigeerde hij haar de kamer uit naar de wachtende auto.
Nu de eerste maatregelen waren genomen en de jonge patiënt rustig sliep, had ik de handen vrij om met veel plezier zelf mijn diner te bereiden in plaats van dat door Lena te laten doen. Ik vulde de kalkoen volgens mijn eigen, handig gevonden recept: de borstholte met appels en rozijnen – dat was voor vader, die van deze ouderwetse Duitse vulling hield – maar de nek vulde ik met wilde rijst en oesters, naar Stefans smaak gekruid. Ik vond het een grappige gedachte dat één kalkoen twee generaties kon vertegenwoordigen die in denken en voelen een wereld van elkaar verwijderd lagen.
Het diner begon gezellig. Vader stelde veel vragen en ik antwoordde, terwijl moeder luisterde. Stefan was stil, maar hij wilde wel luisteren, en ik deed mijn best hem te amuseren met verhalen over het leven in Edenhal.
Gottlieb had, net als Faust, zijn jeugd teruggevonden en had Lena, die veertig jaren jonger was, ten huwelijk gevraagd. De kippen, die in het moderne, van kunstzonnen voorziene kippenhok wetenschappelijk werden verzorgd, legden eieren zo groot als van ganzen, soms met dubbele dooiers. Het gras op ons grasveld was groener dan enig grasveld in de omtrek. Nachtegalen hadden onze schoorsteen voor hun avondzang uitgekozen. Vader lachte bij mijn opschepperij.
„Prachtig, tot dusver," zei hij. „Maar hoe gaat het met de patiënten?" Hij hielp zichzelf aan een tweede portie van de vulling. Stefan speelde in gedachten met zijn eten; hij had de oestervulling bijna niet aangeraakt.
„O, de patiënten," gaf ik vader ten antwoord. „Zij maken het allemaal opperbest. Er is geen bed meer vrij. Ik denk erover om er een nieuwe vleugel bij te bouwen."
Stefans hoofd schokte omhoog, alsof hij zich in een beentje had verslikt. Vader at zonder vragen door, en moeder bediende zich nog eens, maar de gezelligheid was weg. Ik wachtte op de woedende uitbarsting, die blijkbaar op Stefans lippen zweefde.

Lena kwam binnen met de koffie. Gottlieb volgde en hielp haar met overdreven ridderlijkheid. Zijn stap was veerkrachtig, zijn ogen lichtten op wanneer hij zijn wit bekranste, kale hoofd naar haar donkere vlechten toe boog. Dit zou Stefan op iedere andere avond tot grappen en anekdotes hebben geïnspireerd. Maar vanavond wachtte hij tot die twee de kamer verlaten hadden, en toen kwam hij op het onderwerp Edenhal terug.
„Een nieuwe vleugel – dat is nou precies wat wij voor ons geluk nodig hebben!"
„Maar Stefan, ben je dan niet trots op Else's succes?" vroeg vader.
„Dat ben ik, en dat weet u wel. Maar ik? Iedere keer als ik probeer de trouwdag vast te stellen, is er een ander geval, een actrice met een onderkin of een bokser met een gebroken neus! Zij is zo vervuld van haar succes, dat ze vergeten heeft dat ze mij eens beloofd heeft met mij te zullen trouwen."
Moeder keek mij verwijtend aan. Ik ging op de leuning van Stefans stoel zitten en kuste hem op zijn bezorgde gezicht. Hij drukte mijn hand. „Het spijt mij, Else; ik ben zeker moe." Hij bleef nog een poosje zitten, zei toen dat hij vroeg naar bed wilde, en vertrok.
Zodra hij weg was, nam moeder het woord. „Hou jij van Stefan?" vroeg zij, en aan vaders vlugge blik zag ik dat die vraag ook hem bezighield. Ik antwoordde bedachtzaam: „Ja, ik houd van Stefan om wat hij is en om wat hij betekent. Wij hebben veel samen gemeen. Hij respecteert mijn werk, en ik kan ermee doorgaan als wij getrouwd zijn. Hij kan nooit àlles voor mij zijn, maar dat kan geen enkele man. De geneeskunde is mijn eerste liefde. Mijn man zal met een tweede plaats tevreden moeten zijn."
Moeder zuchtte. Dit was niet háár opvatting van geluk.
Vader zei: „Zou het nu niet een geschikte tijd zijn om te trouwen en een huwelijksreisje te maken? Als dokter Dauber zo goed is als jij zegt, moet ze in staat zijn Edenhal een paar weken te leiden. Nieuwe patiënten kunnen wachten tot je terug bent."
„Het zou goed voor je zijn eens een paar weken vakantie te nemen, Else, al houd je nog zoveel van je werk," voegde moeder eraan toe.
Ik deed alsof ik protesteerde tegen trouwen, omdat trouwen goed voor mij zou zijn, net als spinazie. Maar ik kon er niet veel tegen inbrengen. En Stefan stond in zijn recht. Ik was zo in Edenhal opgegaan, dat ik hem helemaal had vergeten.

„Ik kan het wel zo schikken dat ik kan gaan," zei ik. „Maar er is één geval, een jongen die een spoedoperatie nodig heeft."
„Een jongen! Is hij erg gewond?" vroeg moeder vol medelijden.
„Hij zou zijn leven lang een verminkt gezicht kunnen houden, maar het is pas vanmorgen hier voor de deur gebeurd, en dus kan ik hem helpen voor er zich littekens vormen. Waarschijnlijk zal hij in het geheel geen zichtbare littekens overhouden." Het was mijn gewoonte niet, zelfs niet met mijn familie, over mijn patiënten te spreken, maar deze geschiedenis zou de volgende morgen in alle kranten staan.
„U kent de familie, vader. Het is de jonge Ludwig Mollendorf."
„Toch niet de zoon van de rechter? Johann Mollendorf en ik hebben samen in één schoolbank gezeten!"
Ik knikte. „Ik ga nu even naar de jongen kijken. Misschien breng ik een verrassing voor u mee."
Zoals ik verwachtte, waren Ludwigs ouders teruggekomen en zaten nu bij hem. Uitgerust na zijn slaap, had Ludwig met smaak zijn avondeten genuttigd. Nu, met een licht verband over zijn gezicht, vertelde hij uitvoerig over zijn ongeluk. Evelyn stond naast hem en herinnerde hem eraan dat hij moest blijven liggen. Toen ik binnenkwam, stond rechter Mollendorf op.
„Is dit te druk voor de patiënt, dokter?" vroeg hij.
„Alleen maar omdat hij een hersenschudding heeft." Ik keek naar de kaart en schreef een zacht slaapmiddel voor. Met de kracht van de jeugd zou Ludwig dan morgen voor de eerste operatie gereed zijn.
Ik bracht de ouders naar buiten en leidde hen naar het terras, waar mijn vader en moeder koffie dronken. De rechter liet een verheugde uitroep horen en liep met uitgestrekte hand op mijn vader af. „Ik had door de naam al moeten weten wie de jonge dokter is!" zei hij, en trok Stefans lege stoel naar voren, naast vader. Ik belde om meer koffie en ging bij moeder en mevrouw Mollendorf zitten, maar hoorde toch dat de rechter met zijn zware stem tegen vader zei hoe verheugd hij was dat zijn zoon hier in Edenhal werd verzorgd. „Zij is nog een jonge vrouw, maar zij heeft al een goede reputatie."
Toen de Mollendorfs waren vertrokken, zei vader: „Nu kan ik begrijpen, mijn kind, waarom je Stefan vergeten hebt."
„Arme Stefan," zei moeder. Ik sloeg mijn armen om haar heen.

„Hij zal niet veel langer arme Stefan zijn!" beloofde ik.
Ditmaal hield ik woord. Ik nam geen chirurgische patiënten meer op, behalve wanneer ze op mijn terugkeer konden wachten.
Toen de hechtingen van Ludwigs gezicht waren verwijderd en mijn andere chirurgische patiënten waren ontslagen, trouwden we.

HOOFDSTUK 19

HUWELIJKSREIS

EEN MAAND LATER STUURDE IK OP EEN WARME LENTEAVOND DE glanzende, nieuwe Mercedes, een huwelijkscadeau van Stefan. Vogels zongen in het groen langs de weg en er was een zoete geur van wilde bergbloemen in de lucht. In zwijgende intimiteit gleden we door de schemering.
De weg klom en werd smaller. Wij kwamen in een motregen, die de vorm van de dingen verdoezelde. In het licht van de koplampen verscheen een waarschuwingsbord: „Werk in uitvoering" en ik verminderde vaart. Plotseling was er een scherpe, dubbele bocht. Ik had geen waarschuwingsbord gezien, dat had men blijkbaar tijdens het werk verzet. Ik rukte het stuurwiel zo ver mogelijk om, de wielen slipten en met een krakend geluid, alsof we tegen een muur opreden, raakten we een stapel stenen. Toen vlogen we over het muurtje dat de weg begrensde en door de lucht.
Mijn zinnen, gescherpt door het onmiddellijke gevaar van vernietiging, waren zich iedere beweging van de wagen en mijzelf bewust. Het vloog door mijn gedachten dat ik ten koste van alles moest vermijden tegen het stuur te worden gesmakt. Ik greep het stuurwiel vast alsof ik door de kracht van mijn vingers het onheil kon tegenhouden. In de paar seconden nadat de wagen de weg verliet en voor wij neerkwamen, probeerde ik, alsof het een staatsexamen betrof, uit te rekenen wat de kracht van de botsing van vijfduizend pond staal plus de bagage plus de menselijke lading bij een oorspronkelijke vaart van zestig kilometer per uur, nu verhoogd door de wetten van de zwaartekracht, op de door regen doorweekte weide beneden zou zijn.
Over deze razendvlugge berekeningen vloog een caleidoscoop van beelden: Bernie, de grote hond, metgezel uit mijn kindertijd, professor Jaegers rode baard, waaiend in de wind, het witte kalf met de

zwarte vlek, liggend in het stro, Gottlieb, die mijn koperen naamplaat poetste, oom Alberts jacquet met de jodoformgeur, de bruidssluier van een zedige prostituée...
En ondertussen bad ik, maar niet om van de dood te worden gered: „Lieve God, alstublieft, beloof mij iets – laat mij tot het laatste ogenblik bij bewustzijn blijven."
Dit had mij vervolgd sinds ik een klein meisje was, toen ik in mijn bed probeerde de slaap van mij af te houden om het laatste ogenblik van bewustzijn, vóór de vergetelheid, te kunnen betrappen.
Nu zou het mij misschien gelukken...
Toen kwamen wij neer.
Een voorwerp verscheen in vertraagd tempo uit de mistige duisternis: het embleem op de radiator. Mijn vingers hielden nog krampachtig de spaken van het gebroken stuur vast, ik draaide mijn hoofd om en zag Stefan bewegingloos tegen het dashboard liggen.
„Ben je dood?" vroeg ik, voor ik mij herinnerde dat er een ander antwoord op deze dwaze vraag was. Toen zocht ik zijn pols, en ik hield die nog vast toen hij zich bewoog en mompelde: „Wat is er gebeurd?" Langzaam, een voor een, probeerde hij zijn ledematen. Hij had snijwonden en blauwe plekken, maar er was niets gebroken. Langzaam ging hij rechtop zitten en trok zijn das recht. Deze bekende, onbewuste beweging, zo ongerijmd op dit ogenblik, stelde mij gerust.
Maar binnen in mij was er iets mis. Mijn borst deed pijn en er was bloed door mijn jasje op de leren bekleding gedruppeld. Met vreemde objectiviteit, alsof het een patiënt betrof, onderzocht ik mijzelf. De gebroken spaken van het stuur waren door mijn kleren, mijn ondergoed en... in mijn borsten gedrongen! Ik haalde er de splinters stuk voor stuk uit, haalde diep adem en was gelukkig met mijn diagnose: geen gebroken ribben, geen longen geraakt, alleen verscheidene verwondingen aan mijn borsten.
Er waren mensen om ons heen komen staan, de mannen in hun zondags zwart en de vrouwen met kanten schorten en mutsen met linten, want het was Goede Vrijdag. Zij schudden hun hoofden over de eens zo prachtige Mercedes, die nu tussen een bloeiende appelboom en de naakte stam van een pereboom lag. De takken en bladeren van de pereboom lagen verspreid in het rond. Zij hadden onze val gebroken. Het chassis van de wagen was als een harmonika

in elkaar gedrukt, en door de afgescheurde kap hadden wij een onbelemmerd uitzicht op de avondhemel.
Mannen raapten stenen op, braken de ruiten van de vastzittende deuren open en hielpen ons eruit. Onder de indruk van onze wonderbaarlijke ontsnapping bracht het bergvolk ons naar hun dorp, terwijl zij met zachte stemmen het gebeurde bespraken. In de „Albergo della Posta" naaide ik twaalf hechtingen in mijn gescheurde anatomie.
Tien dagen later zat ik achter het stuur van een nieuwe Buick. Stefan had nooit chaufferen geleerd. Hij zat naast mij, starend naar het donkere bos aan weerszijden van de weg. De herinnering aan het ongeluk lag als een ongelukssteen op onze toekomst.
Ten langen leste bereikten wij de Rivièra, en het sombere voorgevoel dat ons had achtervolgd, begon in het stralende zonlicht te vervagen. Aan een kant van de weg zagen wij malse weiden, omzoomd door altijd groene struiken en bedekt met wilde anemonen, aan de andere kant glinsterde in de zonneschijn de zee. Blauwe hemel, blauwe zee en weelderige schoonheid joegen de laatste flarden van onze donkere stemming weg.
In het Casino ontmoette Stefan een zakenvriend, firmant van een internationaal bankiershuis met hoofdkantoor in Parijs. Zoals dat zo vaak aan de Rivièra gebeurt, kwam uit die toevallige ontmoeting een onafscheidelijke vriendschap voort. Wij werden in een maalstroom van feesten meegesleurd, met champagne bij ontbijt, lunch en diner, onophoudelijk begeleid door het ritme van bands en orkesten, en dit alles gemengd met de geur van oranjebloesem, jasmijn en dure parfums.
Ik deed mee met de vrolijkheid, maar kon er mij niet aan overgeven. Sommige mannen zochten mijn gezelschap om te zitten en te praten. Het waren knappe, geestige mannen, onder wie enkele van de knapste koppen op internationaal financieel en politiek gebied. Zij dronken en dansten met de elegant geklede vrouwen, maar zij zochten voor conversatie mijn eenvoudig gezelschap op.
Stefan zag dit alles met bijzondere belangstelling aan. Ik had altijd zijn zakentalent bewonderd, maar na ieder feest gaf het mij een vreemd gevoel dat hij mij met mijn bijzonder soort succes complimenteerde. Hij sprak dan alsof ik een waardevolle belegging was, die op zekere dag dividend zou afwerpen.

Op een namiddag werd door een of andere gravin een tuinfeest gegeven. Deze gravin gaf ieder seizoen een dergelijk feest, en het was een der grote gebeurtenissen van de Côte d'Azur. Bij deze gelegenheid zou Bernhard Martel de eregast zijn. Bernhard Martel was een munitiefabrikant, die met veel buitenlandse regeringen in verbinding stond. Mijn man scheen er voortdurend aan te denken hoe belangrijk het was met deze man kennis te kunnen maken.
Wij lagen in onze strandstoelen en keken naar de branding, die tegen de rotsen van Juan-les-Pins sloeg. Stefan stond op en stelde voor nog even te zwemmen voor wij ons voor het feest zouden kleden. Ik bedacht een excuus om te kunnen blijven liggen en hij liep alleen het strand over en dook in de golven. Mijn ogen volgden hem tot ik hem in het glinsterende water niet meer kon zien. Plotseling voelde ik mij ondanks de warme zon huiverig, en ik dacht eraan hoe onze verhouding nu reeds was veranderd. Mijn verlangen ging uit naar de operatiezaal, en ik voelde een sterk heimwee naar Edenhal en de chirurgie.
Stefan kwam druipend terug. „Het is tijd om ons te kleden; vlug, haast je wat!" Met tegenzin stond ik op en volgde hem naar het hotel.
Toen wij op het feest waren aangekomen, haastte Stefan mij de marmeren treden naar de weelderige tuin af en rechtstreeks naar de tent met verversingen, waar mijnheer Martel met onze gastvrouw stond te praten. De grote Martel bleek een kleine, donkere, uitstekend verzorgde man te zijn, misschien iets te dik, en met een slim gezicht. Ik lette op zijn handen, die in tegenstelling tot zijn korte figuur smal waren, met lange, spits toelopende vingers.
Mijnheer Martel was een rustige, intelligente prater. Wij waren al spoedig in een levendige discussie gewikkeld, waarin hij volhield dat de suprapatriot – waarmee hij waarschijnlijk zichzelf bedoelde, daar hij niet alleen jegens zijn eigen land, maar ook jegens andere veel meer dan loyaal was geweest – inderdaad de grootste beschermer van de vrede was. Hij argumenteerde geestig en ik genoot van onze woordenwisseling. Toen hij belangstelling toonde voor de nieuwgevormde Duitse partij, verbaasde mij dat. Waren er dus werkelijk mensen die in de nationaal-socialisten geloofden? Toen ik iets zei over de oorlogswinsten, keek Stefan mij afkeurend aan en nam de conversatie over.

Kort daarna verliet ik de beide heren en liep een rustig laantje in. Ik hoorde stemmen: er werd Italiaans gesproken, en waar het laantje in een rozentuin uitkwam, zag ik de mensen, die ik horen spreken, enkele van hen op een stenen bank gezeten.
Reeds wilde ik mij omdraaien om hen te vermijden, maar toen zag ik dat een van hen Mario was.
Ik stond stil. Ik kon het niet geloven en bleef kijken. Hij was met de anderen in een geanimeerd gesprek gewikkeld. Toch was het niet vreemd dat hij hier was. Deze mensen vormden een betrekkelijk kleine, exclusieve kring, en in het seizoen ontmoetten zij elkaar in iedere luxebadplaats.
Terwijl ik nog stond te kijken, draaide Mario zich om en zag mij. Hij stond onmiddellijk op en kwam naar mij toe. Met zijn donkere ogen trachtte hij te ontdekken wat er in de mijne te lezen stond. Hij boog zich over mijn hand en kuste die. „Wat doe jij hier?" vroeg hij.
„Hetzelfde wat jij doet. Ik amuseer me."
„Werkelijk?" Hij scheen met dit ene woordje een menigte vragen te stellen. Samen wandelden wij het park in, weg van het feest, begeleid door de geur van jasmijn en vroege junirozen. Ten slotte zetten wij ons op het gras neer. Nu vlogen de vragen over en weer, en de antwoorden werden door nieuwe vragen onderbroken. Wat wilden wij, na deze lange scheiding, niet allemaal weten! De krekels mengden zich in onze gretige dialoog: „Weet je nog wel. . .?"
Impulsief sloeg Mario een arm om mij heen. Een ogenblik lang scheen dat juist en goed, maar toen kwam de werkelijkheid terug en ik stond op. ,,Het wordt laat. Mijn man zal wel naar mij uitkijken."
Mario sprong op. „Ben je getrouwd?" riep hij uit.
Nu viel er niets meer te zeggen en wij wandelden zwijgend naar de villa terug. Flarden van jazzmuziek klonken door de conversatie en het gelach. Het feest ging nog steeds door. Mario bleef midden op het pad stilstaan, greep mij bij de arm en draaide mij naar zich toe, zodat ik hem in zijn gezicht moest kijken.
„Ben je gelukkig?" vroeg hij.
„Ik geloof van wel."
„En je carrière. . .?"
„Ik hèb mijn carrière," antwoordde ik, rukte mij haastig los en rende het huis binnen.

In een hoek stond Stefan, in levendig gesprek met Martel gewikkeld. Zij namen nauwelijks de tijd om mij toe te knikken, en tot tweemaal toe moest ik zeggen: „Het wordt al laat," eer hij kon besluiten mee te gaan.
Mario, die bij de deur stond, boog stijfjes toen wij voorbijgingen.
In het hotel wachtte Stefan een telegram. Hij moest onmiddellijk thuiskomen. „Om een belangrijke zaak af te sluiten," zei hij verontschuldigend.
De zenuwachtige aandacht voor de details van het pakken en de algemene verwarring kwamen mij goed van pas.
Mijn eigen emoties waren al even verward, maar ik kon ze onder de drukte van het vertrek verbergen. Stefan behoefde zich niet te verontschuldigen dat hij de huwelijksreis bekort had. Ik was blij dat ik terug kon gaan.

HOOFDSTUK 20

WEER THUIS

EEN PAAR UREN SLAAP, EN TOEN SPOEDDEN WIJ ONS DOOR HET ONTwakende landschap terug. Vogels tjilpten, en er was een dauwige bloemegeur in de frisse morgenlucht. Ik reed in eenzame stilte. Wij gingen naar huis! Stefan sprak met een hoge, opgewonden stem over de toekomst en wat die ons zou kunnen brengen. Hij kende sommige leiders van de nieuwe partij die de belangstelling van Bernhard Martel had opgewekt; de enige partij die Duitslands eer zou kunnen herstellen en het land de rechtmatige plaats in de internationale politiek zou kunnen teruggeven.

Er bestond voor hem geen twijfel dat de nationaal-socialisten bij de volgende verkiezingen, of spoedig daarna, aan de macht zouden komen. En nu zou hij, met deze nieuwe connectie, mijnheer Martel, voor Duitsland werkelijk belangrijke transacties kunnen afsluiten! Hij had reeds Amerikaanse bankiershuizen gevonden die naar zijn voorstellen wilden luisteren. Het zag er voor Duitsland beter uit dan het sinds de dood van Stresemann ooit had gedaan.

„Ik zou hem daarbij uitstekend kunnen helpen," zei Stefan. Hij had gezien dat mannen, die hij bewonderde, graag met mij praatten en naar mijn mening luisterden.

„Wat is dat allemaal, met die nationaal-socialisten?" viel ik hem in de rede. „Eerst sprak mijnheer Martel over ze, en nu jij! Hoe kan een verstandig mens in een dergelijke troep fantasten vertrouwen hebben? Als ze in hun eigen leuzen geloven, kunnen ze Duitsland zelfs naar een nieuwe oorlog leiden!"

Stefan maakte een ontkennend gebaar. „Er komen geen oorlogen meer!" zei hij vol vertrouwen. „Als Duitsland weer machtig is en zijn rechtmatige plaats onder de zon weer inneemt, zal dat een waarborg voor de vrede zijn. En deze mannen, deze nationaal-socialisten, willen Duitsland sterk maken!"

„Maar dan doen ze dat op de verkeerde manier! Het schijnt mij toe dat ze alleen maar persoonlijke macht zoeken."
„Nee, nee... wacht maar af! Wij zullen Duitsland weer sterk en welvarend maken. Wij zullen de wereld tot vrede dwingen!"
Toen begon hij over plezieriger dingen te praten. Hij had voor ons huis een mooi, antiek Italiaans slaapkamerameublement gekocht. Ook had hij zijn architect opgedragen plannen te ontwerpen voor een geluiddicht laboratorium dat, voorzien van de laatste chemische en fysische apparatuur, in de nieuwe vleugel van Edenhal zou worden gebouwd. Hij was weer de vriendelijke, goedhartige echtgenoot; niet de eerzuchtige man van de Rivièra, maar de Stefan die ik kende.
De volgende dag arriveerden wij voor de grote deuren van ons nieuwe huis. Ik stopte, maar zette de motor niet af. „Ik ga even door naar Edenhal, ik blijf niet lang weg," zei ik. Stefan knikte en liep de treden van het bordes op.
Ik reed naar de mij zo goed bekende ingang van Edenhal. De koplampen beschenen de koperen plaat. Nu pas voelde ik dat ik weer thuis was. Gottlieb en Lena begroetten mij alsof ik maanden weg was geweest. Maar toen Evelyn Dauber binnenkwam, gedecideerd, op en top de dokter, zakte onze blijdschap. Zij was het nooit eens geweest met de wijze waarop ik omging met deze employés, met wie ik zoveel jeugdherinneringen deelde.
Wij deden samen een ronde langs de patiënten. Toen liet Evelyn zich in een stoel in de spreekkamer vallen. Zij vroeg – en haar ogen vernauwden zich: „Heb jij gezegd: om tien uur de operatie van mevrouw Peterson? Je opereert toch altijd om acht uur 's morgens?"
Haar toon ergerde mij. „Ik ben nu getrouwd, Evelyn," antwoordde ik. „Geef mijn arme echtgenoot de kans om mij tenminste aan het ontbijt te zien. Het zal vaak genoeg voorkomen dat hij de lunch of het avondeten alleen zal moeten gebruiken."
Ik nam mijn handschoenen op om te vertrekken, maar dokter Dauber schoof een stapel brieven naar mij toe en sloeg de agenda open. Met een zucht van berusting las ik de aanvragen en gaf de nodige antwoorden. Een van de afspraken was met een plaatselijke nationaal-socialistische leider, wiens zoon met een hazelip was geboren.
Weer wilde ik vertrekken, en weer probeerde mijn assistente mij

terug te houden. Zij toonde mij de kaarten van de patiënten die zij gedurende mijn afwezigheid had behandeld. „Wees redelijk, Evelyn," protesteerde ik, „mijn man wacht op me."
Ik wist dat Stefan Evelyn niet mocht en haar behandelde met een vormelijke beleefdheid die haar geërgerd moet hebben. Maar de onbeheerste blik in haar ogen openbaarde mij een mengeling van verachting en haat waarop ik niet was voorbereid. Ik ging weer zitten en bood haar een sigaret aan. Zij weigerde die met een bruusk en vijandig gebaar. Ik rookte en wachtte tot zij haar zelfbeheersing zou hebben teruggevonden. Toen stond ik op, en legde mijn hand op haar schouder. Zij beefde. „Wat scheelt je, Evelyn? Ik geloof dat je aan vakantie toe bent. Je hebt te hard gewerkt terwijl ik weg was."
Zij schudde mijn hand van haar schouder en keerde mij haar gezicht toe. Haar mond was een strakke, rechte lijn, en er was pijn in haar ogen. Toen stroomden de woorden van haar lippen. „Nee, ik heb geen vakantie nodig! Er is hier al te veel vakantie geweest! Er is zoveel werk te doen om alles goed te laten lopen! En jij gaat maar wekenlang weg! Het is een schande dat je er zelfs maar over hebt gedacht om weg te gaan, terwijl je hier zo hard nodig bent. En een huwelijksreis nog wel!"
„Je schijnt niet te beseffen hoe gelukkig je bent!" ging ze voort, bijna struikelend over haar woorden. „Je hebt met je plastische chirurgie buitengewoon veel succes! Uit het hele land komen de mensen naar Edenhal. Je hebt een prachtige gave in je handen, je hebt je al een reputatie opgebouwd. . . en je riskeert dat alles om een ‚Hausfrau' te worden. Trouwen!" Er lag een wereld van verachting in dat laatste woord.
„Heb jij een hekel aan mannen, Evelyn?"
Zij gaf geen antwoord.
„Vertel me eens, waarom?"
Langzaam, in de stilte van de rustige kamer, begon Evelyn te vertellen, en voor het eerst in al die jaren dat ik haar kende, vertelde zij mij iets over haarzelf. Zij was de oudste uit een gezin van tien kinderen. Haar vader werkte bij een rijksinstantie, en zoals dat met ondergeschikte ambtenaren vaak het geval is, was hij thuis een slechtgehumeurde tiran. Iedere dag maakte hij aanmerkingen op alles wat zijn vrouw deed; op haar koken, haar manier van huishouden, de wijze waarop zij de met regelmatige tussenpozen

geboren kinderen opvoedde. Zijn ergernis steeg als zijn vrouw in de kraam lag, want dat stuurde de regelmaat van zijn seksuele bezigheden in de war.
Eens, terwijl zijn vrouw in de aangrenzende kamer bezig was een kind ter wereld te brengen, kwam hij de keuken binnen, waar Evelyn de borden waste, en viel haar met oneerbare bedoelingen lastig. Pas toen de dokter kwam, gelukte het haar te ontsnappen.
Meisjes, overvallen en verleid door mannen van haar eigen gezin, waren voor mij geen nieuws. Ik had dergelijke verhalen in het stadsziekenhuis en in de Klostergasse gehoord, en ik had er de slachtoffers van gezien. Veel van deze meisjes waren van huis naar de prostitutie gevlucht. En Evelyn was in de geneeskunde gegaan, zoals een non de sluier aanneemt. Of misschien toch niet?
Zij staarde mij met haar levendige, lichte ogen aan. Het scheen dat zij trachtte mijn gedachten te lezen, zoals ik stellig de hare lezen kon. Zij was verre van koud en passieloos. Haar bitterheid om mijn huwelijk kon zeker niet alleen door haar zorg voor Edenhal worden verklaard. Bewegingloos keken wij elkaar aan. Tranen rolden langs haar wangen en zij wendde haar gezicht af.
Diep ontroerd ging ik vlug naar buiten, naar de wagen. Mijn voet drukte het gaspedaal met kracht naar beneden, en ik besefte dat ik in Edenhal nu een ander soort therapie zou moeten toepassen.

HOOFDSTUK 21

POLITIEKE HORIZON

STEFAN ZAT IN ZIJN STUDEERKAMER TE SCHRIJVEN. HIJ NAM MIJ MIJN langdurige afwezigheid niet kwalijk. Hij had het druk gehad met het samenstellen van een lijst van namen en telefoonnummers, en het maken van plannen voor ontvangsten, waarbij mannen van de nieuwe partij en leiders van de industriële en financiële wereld elkaar onofficieel in ons huis zouden kunnen ontmoeten.
De eerste ontvangst, op een zaterdag, begon stipt op tijd met de aankomst van meneer Junker, mijn cliënt, die mij onmiddellijk terzijde nam en mij overstelpte met vragen over de hazelip van zijn zoontje. Ik maakte een grapje over het niet vermengen van zaken en genoegens, en ontsnapte om mijn plichten als gastvrouw te vervullen.
Hermann Göring kwam binnen. Met een breed gebaar nam hij het hele vertrek vol mensen als het ware over, en hield hof als een goedmoedig vorst. Hij stelde ons mevrouw Ebling voor, die in zijn gezelschap was gekomen. Deze sluwe, ambitieuze vrouw had zich reeds een twijfelachtige reputatie verworven door een affaire met een industrieel, die haar van champagne en diamanten voorzag, terwijl haar man het slechts tot rijnwijn en rijnstenen kon brengen. Nu scheen zij zeer onder de indruk van haar meer dan corpulente metgezel; haar schitterende ogen gingen steeds weer naar zijn gezicht terug. Göring besprak schilders en schilderijen met Stefan, die een kleine uitgezochte verzameling moderne kunst bezat.
De bijdragen van mevrouw Ebling tot de conversatie bewezen dat zij op dit gebied veel meer kennis bezat dan de vroegere officier van de luchtmacht, die zij zo bewonderde. Als het haar voornemen was zich aan een sterke man-van-de-toekomst te hechten, dan zou zij, zo dacht ik, ditmaal weleens goed geraden kunnen hebben.
De kamer was weldra vol gasten. De meesten van hen herkende ik,

ofschoon zij door Stefan waren uitgenodigd. Ik zag de actrice Constance Menz, begeleid door Kurt Wolf, een jonger lid van een van Duitslands grootste staalfirma's. Wolf schudde Göring de hand; zij hadden elkaar al eerder ontmoet. Ik ging van groep tot groep en hoorde over niet anders praten dan over politiek en industrie.

Er was wat beweging bij de deur. Iemand kwam opvallend laat binnen. Het was doctor Joseph Goebbels met zijn vrouw Magda, wier avondjapon betere dagen had gekend.

Goebbels leek nog maar heel weinig op de onaantrekkelijke jongeman die, toen wij nog in München studeerden, getracht had Inez te verleiden. Zijn kleermaker en zijn schoenmaker hadden handig zijn kromme rug en zijn horrelvoet gemaskeerd. De onvruchtbare neiging om schrijver te worden, had hij afgelegd in ruil voor de veelbelovende positie van woordvoerder van de nieuwe partij. Toen hij mij herkende, scheen hij zich even wat minder behaaglijk te voelen, maar al spoedig was hij weer zichzelf, met de cynische glimlach die ik zo goed kende, pronkend met zijn nieuwe rol. Evenals in onze universiteitsdagen maakte zijn listigheid mij ongeduldig.

„Wat denkt u tot stand te brengen als uw partij aan de macht komt?" vroeg ik hem ronduit.

„Alles wat onze Führer belooft!" Goebbels' stem rees en werd luider, alsof hij een vergadering in de openlucht toesprak; de gesprekken stokten en aller ogen werden op hem gericht – wat dan ook de bedoeling was. „Wij zullen het Duitse volk naar de overwinning voeren! Wij zullen over middelmatigheid en minderwaardigheid triomferen! Duitsland zal de leidende macht worden en *wij* zullen Duitsland leiden!"

Op deze uitbarsting volgde een ogenblik van stilte. Het was alsof de mensen niet wisten hoe zij hierop moesten reageren. Toen applaudisseerde Hermann Göring, en de muren van onze overvolle ontvangkamer schudden toen de anderen zijn voorbeeld volgden.

„En dat zal gebeuren zodra de oude Hindenburg tot zijn voorvaderen zal zijn verzameld."

Görings omvangrijke, met medailles bezette borst trilde, en hij klonk met Stefan, die naast hem stond.

Er ging ergens een telefoon. De huisknecht fluisterde mij toe dat dokter Dauber van Edenhal mij wilde spreken. Een van de patiën-

ten, mevrouw Weiss, voelde zich niet goed en drong eropaan dat ik zelf naar haar zou komen kijken. Ik sloop weg, verkleedde me, en reed naar de kliniek.
Er was met mevrouw Weiss niets ernstigs aan de hand. Na een glas melk met magnesia zou zij zich al gauw beter voelen.
Toen dokter Dauber mij zonder verdere vragen mijn jas aanreikte, bleef ik even aarzelen. „Is er iets niet in orde?" vroeg zij.
Ditmaal waren de rollen omgekeerd, ditmaal was *ik* het die heftig uitbarstte: „Alles is mis! *Mene mene tekel upharsin**; ik kan het handschrift op de muur bijna zien! De leiders van de nazi-partij vieren hun aanstaande overwinning al!"
Evelyn Dauber werd ernstig. „Zij zijn nog niet aan de macht! Er kan nog van alles worden gedaan. Er móét iets worden gedaan om hen te bestrijden!" Zij dacht na, en ging verder: „Mij dunkt dat wij, vrouwen, er het eerst onder te lijden zullen hebben. Waarom zouden wij geen oppositie organiseren?"
Ik voelde er niets voor om naar Stefans gasten terug te gaan, gooide mijn mantel over een stoel en ging zitten. Het volgende uur waren wij in een levendige discussie gewikkeld hoe wij de Duitse vrouwen met een vredesprogramma tegen de nazi's zouden kunnen verenigen. Wij vonden zelfs een naam voor een dergelijke organisatie: de *Deutsche Frauen Freiheits Partei* – de Duitse vrouwen vredespartij, zoals deze partij later werd genoemd.
Toen ik eindelijk thuiskwam, waren de gasten vertrokken. Ik was te moe, en misschien nog te veel met mijn gedachten bij de bespreking met Evelyn, om te vragen hoe de avond was afgelopen, maar dat hoefde ik niet te vragen. Stefan was buitengewoon in zijn schik en vertelde mij alles. De avond had zijn hoogste verwachtingen verwezenlijkt. Voor zij afscheid namen, was hij met een groep van zijn gasten overeengekomen dat zij hem in zijn bank zouden ontmoeten voor het bespreken van stappen tot het verkrijgen van leningen ten bate van Duitsland – dat wil zeggen: van de partij.
Die nacht heb ik weinig geslapen. Was het mogelijk dat deze groep volksleiders de toekomstige leiders van Duitsland en misschien van

* Het geheimzinnige schrift aan de wand, waarover wordt gesproken in het Oude Testament (Daniël 5: 25-28). Het betekent: geteld, geteld, gewogen en te licht bevonden, met welke woorden de dood van koning Belsazar werd aangekondigd.

de gehele wereld vertegenwoordigden? Zou het de juiste tactiek zijn de vrouwen op te roepen om deze politieke gangsterbende te bestrijden? Zouden Duitse vrouwen, gewend als zij waren aan de eeuwenlange overheersing van hun vaders, broers en echtgenoten, de moed vinden om tegen mannen op te staan? Toen deze vragen bij mij opkwamen, vroeg ik mijzelf af wat mijn eigen houding zou zijn als mijn loyaliteit op de proef zou worden gesteld. Behoorde deze een echtgenoot toe, die druk bezig was plannen te beramen om zijn eigen belangen zowel als die van Duitsland te dienen? Had hij gelijk wanneer hij zei dat de nazi's hun doel zonder bloedvergieten zouden kunnen bereiken? Of was er wel degelijk grond voor mijn voorgevoel van naderend onheil?
Evelyn twijfelde niet aan het dubieuze gehalte van deze nieuwe mannen. En toch moest ik er wel degelijk rekening mee houden dat haar haat jegens àlle mannen de werkelijke oorzaak van haar bittere voorspellingen zou kunnen zijn.
Bij het ontbijt stelde ik mijn man deze vragen. Toen ik het woord opportunisme bezigde, was Stefan bepaald ontsteld. „Hoe kun je aan mijn vaderlandsliefde twijfelen?" vroeg hij. „Het is mijn wens Duitsland te helpen door zijn nieuwe leiders te helpen. Zeker, daar zal ik ook van profiteren. Natuurlijk! En waarom niet? Ik doe waardevol werk. Wat goed is voor Duitsland, is ook goed voor mij. Maar ik doe het in de eerste plaats voor Duitsland!" Toen werd het mij duidelijk dat hij bezeten was door een onontwarbaar mengsel van oprecht patriottisme en eigenbelang.
Mijn zondagsbezoek aan de kliniek moest kort worden, want ik had Stefan beloofd dat ik voor de lunch terug zou zijn. Maar Evelyn had ook een slapeloze nacht gehad. Zij had onze besprekingen inderdaad zeer ernstig opgenomen en een plan voor de D.F.F.P. uitgewerkt dat vele bladzijden besloeg. Nu drong ze eropaan dat ik het zou lezen.
Ik kwam pas uren na de lunch thuis. De omelet, die Stefan zelf zou bereiden, moest nu wel bedorven zijn, en ik zou wel met verwijten ontvangen worden. In plaats daarvan werd ik verwelkomd door een stralende echtgenoot, die nog meer politieke gasten om de cocktailtafel had verzameld. Ik was niet in de stemming om hun vrolijkheid te delen. Alles wat ik hoorde, bevestigde mijn vermoeden dat gedurende de maanden die ik aan het oprichten en het wel-

slagen van Edenhal had besteed, in Duitsland een verontrustende nieuwe kracht had wortel geschoten, en dat Stefan er nauw mee was verbonden.
Toen de gasten waren vertrokken, hadden Stefan en ik een vrij triest diner. Wij konden in het bijzijn van de huisknecht alleen over onbeduidende dingen spreken, maar later, in de bibliotheek, barstte het conflict los. Wij namen het zelfs mee naar het grote Medici-bed. Twee verschillende politieke filosofieën lagen tussen de handgezoomde lakens, en ik vond het wel vreemd dat een zo onpersoonlijke kwestie als politiek het weefsel van mijn huwelijk uiteen kon scheuren.
De volgende morgen bracht de heer Hans Junker zijn pas acht maanden oude zoon met de hazelip voor onderzoek. Mevrouw Junker was ook tegenwoordig, alleen maar tegenwoordig; af en toe knikte zij of uitte een paar woorden van instemming met haar echtgenoot. Hij stapelde verwijten op haar hoofd over de mismaaktheid van zijn kind, en gaf haar de schuld van zijn teleurstelling over de schande, die een mismaakt kind voor hem betekende. Ik had medelijden met de vrouw, die daar in haar mooie kleren nederig de verachting en de beledigingen van haar heer en meester onderging.
Bij het onderzoek bleek dat het kind een misvorming van de bovenlip had, een kloof die tot in de neusvleugel doorliep, maar zich gelukkig niet tot in het verhemelte uitstrekte. Toen ik de volgende dag de operatie verrichte, volgde ik de Lexer-methode, aangepast aan de prille leeftijd van de patiënt. Hierbij moest ik het kraakbeen van de neusvleugel vervormen, zodat het bij de andere neusvleugel zou passen. Zij moesten op gelijke wijze met de neuspunt worden verbonden. Daarna werden de zachte weefsellagen gehecht om de kloof te doen verdwijnen, en de huid van de lip werd zodanig afgewerkt dat er het kleinst mogelijke litteken zou overblijven.
De kleine patiënt herstelde voorspoedig. Zoals iedere moeder was mevrouw Junker blij dat de misvorming van haar kind was verdwenen, maar zij toonde zich pas werkelijk gelukkig toen de verbanden werden verwijderd, haar man de lip inspecteerde en zo goed was te kennen te geven dat de operatie was gelukt. Toen hij daarna op het bezit van een zoon begon te pochen, straalde haar hele gezicht.
Op een middag, kort voor het kind naar huis zou gaan, bracht

mevrouw Junker mevrouw Magda Goebbels mee naar de kliniek. Na even naar het kind in zijn ledikantje te hebben gekeken, begonnen de vrouwen over hun kinderen te praten, maar heel anders dan twee moeders die ervaringen uitwisselen en wedijveren in trots op hun kinderen. Terwijl Evelyn Dauber en ik toehoorden, probeerde de een de ander met hoogdravende woorden te overbluffen. Zoals zij het voorstelden, was iedere zoon een toekomstige Siegfried, iedere dochter een toekomstige moeder van helden. Hun kinderen zouden de wereld beërven, zoals hun echtgenoten er de leiders van zouden zijn. Zij waren als twee moderne, vlees geworden Rijnmaagden, die slechts een orkest nodig hadden om uit te barsten in wagneriaanse zang en lof op hun halfgodjes van echtgenoten. Ik wist maar al te goed dat zij in het openbaar baadden in de schijn die van hun mannen afstraalde, maar hun beledigingen slikten achter gesloten deuren en doorweekte zakdoeken. Zij hadden geen besef van wat het „*Kinder, Küche und Kirche*" – kinderen, keuken en kerk – in welke woorden de nationaal-socialist de gehele vrouwenwereld samenvatte, in waarheid betekende. Zij uitten de knechtende spreuk met ontzag, alsof het een tribuut aan de vrouw gold.
Evelyn Dauber kon de gelegenheid niet weerstaan. Zij trachtte hen te overtuigen dat vrouwen erkenning hadden gevonden op terreinen die tot nu toe voor het mannelijk geslacht gereserveerd waren geweest. Dit denkbeeld begroetten zij met een hooghartig schouderophalen. Wie verlangde er tenslotte naar onafhankelijk te zijn? O, zeker, de vrouwen hadden het voorrecht van stemrecht. Maar deze vrijheid was alleen dàn een eer wanneer zij ten bate van de echtgenoot werd gebezigd. Een beroep op hun vrouwelijke trots en waardigheid had niet de minste uitwerking. Zij beschouwden Evelyn nu eenmaal als de uitzondering, de ongetrouwde vrouw die de mannenwereld haatte omdat geen man haar ooit had willen hebben. Zij waren ontsteld bij het idee van een vrouwenpartij zoals de D.F.F.P. Niettemin, om hun sympathie voor de ongelukkig verwrongen geest van dokter Dauber te tonen, tekenden zij allebei een van Evelyns aanmeldingsformulieren, en schonken voor het onsympathieke doel een flink bedrag.
Zij vertrokken. Lachend keken wij naar de handtekeningen, maar wij werden het niet eens over de manier waarop ze moesten worden benut. De presidente van de nieuwe Duitse vrouwenpartij voor de

vrede wenste haar verdere campagne op deze in het oog vallende namen te baseren. Dan zouden anderen volgen, vrouwen die niet bevreesd zouden zijn voor het misnoegen van hun mannen. Daar was zij zeker van.
Ik dacht er anders over. „Onze organisatie heeft vrouwen van een geheel ander gehalte nodig," zei ik. „Vrouwen met geestkracht en karakter, niet dit soort zoete poezen die zich door hun meesters laten overheersen."
„Maar een campagne kost geld!" verweerde zich Evelyn.
„Natuurlijk," stemde ik toe. „En het zou gemakkelijk zijn van onze rijke klanten giften los te krijgen. Maar geld aannemen van mensen die onze overtuiging niet delen, is eigenlijk oneerlijk."
Evelyn was hevig verontwaardigd. „Hoe durf je mij van oneerlijkheid te beschuldigen?" viel ze uit. „Je wilt je eigen geweten schoonwassen! Sinds je met een rijke man getrouwd bent, heb je je eigen overtuiging verraden! Ik zie niet in hoe ik nog langer voor jou zou kunnen werken!" Zij nam de formulieren op en verliet de kamer.
Ik was verstomd.
Even later kwam Lena verlegen, met rode wangen, door de open deur de kamer binnen. Zij wees naar haar linkerhand, waaraan een smalle verlovingsring prijkte. „Dokter, zeg mij alstublieft of ik goed gedaan heb."
Zij ging met onze knappe chauffeur Willy trouwen. Sinds hij bij ons was gekomen, waren ze verliefd op elkaar geweest. Maar zij hadden tot nu toe nog niet aan trouwen kunnen denken, omdat door zijn langdurige werkloosheid na de oorlog zijn weinige spaargeld geheel was opgegaan. Nu ging het hem beter. Behalve zijn betrekking bij Edenhal had hij nog een aanstelling bij de nieuwe partij gekregen: hij moest 's avonds als instructeur optreden. Zij zouden natuurlijk ook na hun huwelijk blijven, maar later hoopten zij kinderen te krijgen. De nieuwe partij geloofde in kinderen, veel kinderen, en beloofde een toeslag voor ieder kind dat geboren zou worden.
Wat kon ik nog zeggen? Ik gaf haar mijn zegen en beloofde Willy opslag. Het speet mij voor de arme, verliefde Gottlieb, en ik dacht ook even aan mijn eigen, moeilijke huwelijk. Maar het gelukkige meisje holde de kamer uit om haar verloofde het goede nieuws te vertellen. Voor Lena en Willy zouden er geen problemen zijn. Zij

zouden het ene kind na het andere produceren, tot meerdere glorie van de partij, de Führer en het vaderland.
Plotseling realiseerde ik mij hoe grondig de nazi-propaganda in het Duitse leven was doorgedrongen. Het zaaide immers ook disharmonie in mijn eigen huis?
Ik klopte op Evelyns deur. Zij zat aan haar schrijfbureau en schreef klaarblijkelijk haar ontslagaanvrage. Toen ik de kamer binnenkwam, stond zij op. „Ik zal toegeven, Evelyn," zei ik tot haar, „ik doe met je mee. Maar in het belang van Edenhal kan ik mij niet openlijk met de zaak vereenzelvigen. Laten wij met vereend verstand werken, *sine ira et studio**."
Zij sloeg haar armen om mij heen en begon mij wild te kussen. Ik maakte mij los en herhaalde plechtig: „Zonder boosheid of vooroordeel." Wij schudden elkaar de hand en ik verliet de kamer.
Willy opende het portier van mijn auto. Zijn arm schoot uit en hij uitte de afgebeten groet: „Heil!" In een nadenkende, neerslachtige stemming reed ik naar huis.
Stefan was blij mij te zien en bracht mij een cocktail. Ik wilde geen politieke discussies meer. Het schoot mij te binnen dat Otto thuis was van de universiteit en stelde voor om mijn familie te eten te vragen. Dat wilde Stefan graag, en ik vond het een goede gedachte Evelyn op te bellen en haar ook uit te nodigen. Ik kreeg een bruuske weigering. Toch begreep ik Evelyn nu beter. Zij nam mij Stefan kwalijk, maar ze zou mij iedere man in mijn leven kwalijk hebben genomen. En dan was er nog meer. Stefan deed hoofdzakelijk zaken met mensen uit de hogere economische en sociale kringen, en die konden in Evelyns ogen geen genade vinden. Zij kon noch voor anderen, noch voor zichzelf een gemakkelijk leven aanvaarden; voor haar moest het leven hard zijn. Het was voor haar een noodzaak tegenstand te overwinnen om te kunnen voelen dat zij iets bereikte. Edenhal, en nu de D.F.F.P., gaven haar de wrange vervulling die zij nodig had. Zij verlangde buiten haar werk niet naar gezelschap. Levensvreugde wees zij hooghartig af. Ik begreep dat Evelyn volkomen gelijk had mijn uitnodiging te weigeren. Zij zou zich als gast in ons huis nooit op haar gemak voelen.
Die avond sleepte de conversatie aan tafel zich moeizaam voort,

---

* Zonder boosheid of vooroordeel.

ondanks Otto's pogingen er wat gang in te brengen. Eerst toen Stefan was vertrokken om een vergadering bij te wonen, kwam de oude familiegezelligheid terug. Het leek wel een samenzwering tussen moeder, Otto en mij om het heden uit de eetkamer te weren, want we spraken alleen over voorvallen uit onze kindertijd en we konden daar hartelijk om lachen.

Vader zat stil en in gedachten, tot hij ten slotte zei: „Kind, je voelt je tegenwoordig niet gelukkig. Misschien kun je ons beter vertellen wat eraan hapert."

Ik schudde mijn hoofd. „We hebben allemaal onze problemen, vader, en het wordt tijd dat ik leer de mijne zelf op te lossen. Het zal wel in orde komen."

Toen ze vertrokken waren en ik met sombere gedachten alleen bleef, had ik een ogenblik spijt dat ik mijn zorgen niet had gedeeld met hen die mij het liefst waren. Maar toen vaagde een golf van jeugdig zelfvertrouwen al deze twijfel weg.

Ik had Edenhal, en dat was mijn toeverlaat. Het werk, waarvan ik hield, zou mij kracht geven om iedere hindernis te overwinnen. De voortdurende discipline die het van mij eiste, zou mij zelfs kunnen helpen mijn huwelijk in rustiger banen te leiden.

HOOFDSTUK 22

GEMASKERD BAL

LENA EN WILLY VERTROKKEN OP DE VASTGESTELDE DAG VOOR DE huwelijksreis, waarvoor de kliniek had bijgedragen.
In hun afwezigheid bewees Evelyn dat zij vrijwel alles kon, van een zeis scherpen tot stoelen repareren toe. Wanneer de verpleegsters met werk waren overladen, was ze zelfs niet te trots om een kamerpot te legen of de operatiezaal te schrobben. In geval van nood nam zij iedere taak op zich. En er waren geen verdere demonstraties van haar verborgen gevoelens jegens mij. Onze verhouding bezonk tot een rustige samenwerking, zowel in de kliniek als bij haar politieke bezigheden. Mijn gezag in Edenhal bleef onaangetast, maar in de D.F.F.P. was zij de leidster, die op mijn persoonlijke, intellectuele en financiële hulp kon rekenen.
Onze partij groeide slechts langzaam, maar andere partijen, die hier en daar ter bestrijding van de nazi's waren opgericht, verging het niet beter.
Nu er zo'n opvallende tweespalt tussen Stefans politieke ideeën en de mijne bestond, kon Evelyn maar niet begrijpen waarom ik er zo hardnekkig op gesteld was mijn huwelijk in stand te houden. Zij wist niet dat ik buiten mijn respect voor de huwelijksgelofte nog een andere dringende reden had. Ik verwachtte een kind.
Stefan was opgetogen over dit vooruitzicht. Al onze geschillen smolten weg, en voor het eerst in ons huwelijk waren wij elkander zeer na. Wij vertrokken voor een rustige vakantie naar Zwitserland. Ik deed gewillig afstand van de vreugde van inspannende tochten op de ski's en bracht de zonnige dagen met Stefan op de oefenhelling door, trachtend hem skilopen bij te brengen. Het was een hopeloze taak, maar we hadden veel pret.
Oudejaarsavond vierden de gasten van het hotel – er waren er ongeveer driehonderd – gezamenlijk. Te midden van al deze

vrolijkheid klonken Stefan en ik zwijgend op het nieuwe jaar, dat ons een nieuw leven zou brengen.
Ongeveer een half uur na het middernachtelijk souper werd ik plotseling door hevige hoofdpijn en misselijkheid overvallen. Zeggend dat ik wat hoofdpijn had en graag even wilde gaan liggen, verzocht ik Stefan bij het gezelschap te blijven, terwijl ik naar mijn kamer ging. Al gauw bemerkte ik dat ik de symptomen van een acute voedselvergiftiging had. Ik speelde het klaar de telefoon te bereiken, maar slechts om een doodzenuwachtige telefoonjuffrouw te horen zeggen dat de dokter overstelpt was met gevallen van mensen die plotseling ziek waren geworden. Ik behandelde mijzelf zo goed als ik kon met wat ik in mijn medicijntas had, kroop in bed en probeerde stil te blijven liggen. Maar spoedig gingen de krampen over in telkens terugkerende pijnen, die zich tot mijn onderlijf uitstrekten en met steeds kortere tussenpozen optraden. Zij werden steeds heviger – tot er een ogenblik van plotselinge verlichting kwam. Buiten adem viel ik op mijn kussen terug.
Toen Stefan kwam om naar mij te kijken, was ik nog maar half bij bewustzijn. Vervuld van angst en schrik, toen hij mij daar in een bloedplas vond, trachtte hij wanhopig de dokter te bereiken. Ik schudde mijn hoofd. Ik wist dat ik mijn kind verloren had.
In de dagen en nachten die volgden en waarin ik langzamerhand mijn krachten terugvond, meende ik steeds de flauwe kreten van een pasgeboren kind te horen. Zodra ik daartoe in staat was, reisden wij naar huis terug, en ik hervatte mijn werk in Edenhal, wetend dat voor de rest van mijn leven de zieken mijn enige kinderen zouden zijn.
Stefan verdiepte zich weer in zijn werk met de nazi's. De plaatselijke vertegenwoordigers kwamen ieder uur van de dag mijn huis binnen, en de nationale leiders ontboden hem voortdurend naar vergaderingen in München en Berlijn. Hij maakte er geen geheim van dat het hem in Duitsland zowel als in het buitenland gelukt was leningen voor hen te verkrijgen. Waarvoor dat geld moest dienen, was evenmin een geheim. Mannen, vrouwen, kinderen, huisvrouwen en vooral werklozen werden dagelijks in verschillende nazi-organisaties bijeengedreven. Het leger van de ontevreden jeugd, de *Hitlerjugend*, groeide zienderogen aan.
Ik twistte nu niet langer met Stefan, en toen hij voorsloeg dat wij op

vastenavond naar het artiestenbal zouden gaan, stemde ik toe. Zijn opmerking: „Ze komen allemaal", behoefde geen uitleg. „Ze" – dat konden alleen de nazileiders zijn, die zijn blinde bewondering hadden gewonnen.
In dit winterse seizoen had de oude stad met zijn besneeuwde poorten, gevels en bogen een geheel eigen bekoring. Ik vond het heerlijk in München te zijn, blij zelfs dat Stefans zakelijke besprekingen ons twee dagen voor het bal in onze suite van het hotel *Vier Jahreszeiten* hadden gebracht.
Ik slenterde door de straten en langs de pleinen waar Inez en ik gelukkige studenten waren geweest, en toen vrienden vroegen wat ik op het bal zou dragen, werd ik herinnerd aan de plannetjes die we maakten, gebogen over onze studieboeken, toen wij voor het propaedeutisch examen studeerden.
Het onderwerp voor het artiestenbal was Dante's Inferno. Alle beroemde doden uit de geschiedenis kwamen erbij te pas. Ik vond uit dat er ten minste drie Cleopatra's, twee Lucretia Borgia's, twee Salomé's en verschillende uitgaven van Mefistofeles zouden zijn. Met een soort vastberaden vrolijkheid had Stefan zijn kostuum rechtstreeks uit Parijs laten komen en weigerde plagend mij te vertellen wat het was. Alle reeds lang geleden overleden grote verleidsters zouden blijkbaar meerdere malen aanwezig zijn, en ik voelde er niets voor mijzelf als nog weer eens een Egyptische koningin uit te dossen.
Tijdens een van mijn wandelingen ging ik een oude studentenherberg aan de rand van Schwabing binnen, en zette mij aan de bekende, gebeeldhouwde tafel. De eigenaar kwam mij begroeten met Mitzi, de kat, op zijn hielen. Zij sprong op mijn schoot alsof zij mij herkende en lag daar tevreden te spinnen. Ik streelde haar, dronk diep van de herinneringen en de Spatenbräu, en kreeg een idee. Waarom zou ik niet als kat gaan? Ook een kat kan er als een koningin uitzien!
Omdat ik, net als Stefan, een geheim wilde hebben, zei ik dat ik alleen naar het bal zou gaan en hem in onze loge zou ontmoeten. Bij mijn aankomst vond ik de artiestenclub geheel getransformeerd, met in de grote zaal een podium voor het orkest, rijen loges voor de grote heren uit Dante's onderwereld, en een menigte tafeltjes aan de rand van de dansvloer voor de minder groten.

Druipsteenkegels hingen met mos getooid van de zoldering, spinnen loerden in glinsterende webben en de verlichting was in overeenstemming met de enscenering gedempt.
Ik sloop de loge binnen en daar zat Stefan als oosters potentaat, met een geweldige snor en juwelen op zijn tulband. Zijn donkere ogen brandden door de spleten van het masker. Hij lachte toen hij mij herkende. „Hoe echt iets voor jou, Else! Nu je tussen alle grote dames uit de geschiedenis kunt kiezen, kom je als een gewone straatkat!"
Ik nam het glas ijskoude champagne dat hij mij aanbood en begon toen mijn kattewandeling tussen de dansers. Daar ik de enige was die op deze wijze was gekostumeerd, verleidde ik heel wat groten uit de onderwereld tot een dansje. Ik vloog lachend van arm tot arm, tot een dreigende Mefistofeles hardnekkig weigerde mij naar de loge te laten gaan.
Toen de muziek ophield, maakte ik mij van hem los en ging naar onze loge terug. Mefistofeles volgde mij. Ik zwaaide met mijn overgrote kattestaart naar zijn duivelshorens om hem weg te jagen, maar onverdroten volgde hij mij tot in de loge. Hij had iets bekends, en toen hij al te verliefd begon te doen, slaagde ik erin zijn masker weg te trekken. De lach bestierf mij op de lippen toen ik in het gezicht van Joseph Goebbels keek. Mijn plezier verdween; ik deed mijn masker af en ging zitten.
„Ik dacht wel dat jij het was," zei hij, en kwam naast mij zitten. „Mevrouw Arnold, ik heb u allang iets willen zeggen." Met een geheel andere stem, overredend en zonder zijn gebruikelijk, smalend cynisme, trachtte hij mij een denkbeeld te geven van wat ik op een belangrijke plaats in de nationaal-socialistische beweging zou kunnen doen. „U zou een van de belangrijkste vrouwen in de partij kunnen worden," zei hij. „U hebt energie en temperament. Vrouwen zouden u met blind enthousiasme volgen. Met ons zou u een grootse toekomst kunnen hebben!" Zijn arm glipte weer van de leuning van mijn stoel om mij te omhelzen en hij fluisterde: „Wij hebben je nodig, en *ik* heb je nodig."
Ik stond op. „Niets is voor jou een beletsel, niet waar? Zelfs niet het feit dat mijn man een van je medewerkers is!"
Hij lachte. „Die kleine bankier? Hij heeft zijn werk gedaan. Wij hebben hem niet meer nodig."

Toen kwam Stefan uit de duisternis achter mij te voorschijn. „Dat is genoeg," zei hij. „Kom Else, wij gaan naar huis."
Goebbels stond op, boog, en verliet de loge.
In de zitkamer van ons hotel hadden Stefan en ik een woordenwisseling die tot in de vroege morgen duurde. Tot mijn stomme verbazing stapte hij over Goebbels' pogingen tot toenadering heen, alsof het een soort compliment voor hem zowel als voor mij was. Wetend dat hij mij vertrouwen kon, was hij niet beledigd maar gevleid dat een andere man zijn vrouw aantrekkelijk vond, en dan nog wel een man uit de hoogste nazi-kringen. Van alles wat hij had gehoord, scheen hij zich alleen te herinneren dat men mij een plaats in de leiding van de partij had aangeboden.
„Goebbels heeft gelijk, Else!" riep hij uit. „Dan krijg je een kans om je vaderlandsliefde te tonen! Je bent een geboren leidster, en je bent het ons vaderland schuldig je gaven ten bate van Duitsland te gebruiken!"
Hij sprak met zoveel blijkbare oprechtheid dat ik door de ernst van zijn gevoelens werd getroffen, hoewel zeker niet door zijn raad. En zo, met een vuur dat andere getrouwde paren alleen voor hun meest persoonlijke ruzies bewaarden, twistten wij weer eens over onze verschillende politieke inzichten.
„Je mag dan misschien hun leuzen onderschatten, maar met de karakters van deze mannen kun je dat niet doen! Je kunt onmogelijk geloven dat het voor Duitslands bestwil is wanneer hun het land wordt toevertrouwd! Hoe kun je achting voor hen hebben, jij, die Stresemann hebt gekend!"
Stefan bloosde. „Ik heb nooit gezegd dat zij van dezelfde klasse zijn als Stresemann!"
„Dat zou ik ook zo denken! Ze zijn zo verschillend van hem als de nacht van de dag!"
„Maar er is nog een verschil, een hoogst belangrijk verschil," zei Stefan met een bittere glimlach. „Stresemann is dood, maar deze mannen leven! Begrijp je het dan niet, Else? Een land heeft niet altijd het geluk op een kritiek ogenblik een groot man te bezitten. Duitsland staat voor de ondergang! De nationaal-socialisten zijn de enigen die in staat zijn het land te redden. Zij zijn jong en vitaal. . ."
„Stefan, wat jij voor kracht houdt, is bluffende zelfverheerlijking,

gewichtigdoenerij! Adolf Hitler is niets anders dan een onbeduidende huisschilder met afhangende schouders. En hij is omringd door onwetend geboefte."
„Hoe kun je dat zeggen? Goebbels is een academicus! Je hebt zelf met hem college gelopen."
Nu moest ik lachen. „Ja, en daarom ken ik hem zo goed! Hij is een man zonder geweten, een bedrieger, een leugenaar. Je hebt zelf gehoord hoe vlug hij erbij was om zich van je te ontdoen."
„O, dat – dat zijn praatjes van een man over de echtgenoot van een vrouw die hij aantrekkelijk vindt."
Deze openbaring van wat mijn echtgenoot gewillig aan beledigingen wilde slikken, schokte mij diep, en hij zag dat aan mijn gezicht. „Else, laat je oordeel niet door persoonlijke tegenzin beïnvloeden," smeekte hij, „verwerp dit aanbod niet! Er zijn nu eenmaal in iedere partij goede en slechte mensen. Is Kurt Wolf een boef? Is hij een man zonder karakter?"
Dit was de enige die Stefan kon noemen om mij de mond te snoeren. Voor Kurt Wolf had ik achting, ofschoon ik hem niet goed kende. Hij was een belangrijk industrieel, en buitendien een eerlijk mens. „Hij is een goed mens, zoals jij een goed mens bent," zei ik. „En ik geloof dat jullie bedrogen worden, en eens tot de ontdekking zult komen hoe verschrikkelijk jullie bedrogen zijn. Ik hoop alleen maar dat je het nog bijtijds zult ontdekken."
„Is het integendeel niet mogelijk dat jij jezelf bedriegt? Denk er eens aan wat een kans dit is om goed te doen, de nieuwe partij te helpen leiden, je beginselen te dienen, daar waar zij nut kunnen hebben..."
„Belachelijk! Dit soort arrogante tirannen wil nooit naar iemand luisteren, laat staan naar een vrouw."
„Je hebt het mis – Goebbels heeft bewondering voor je en zal wèl naar je luisteren! En denk eens aan wat het voor jou persoonlijk kan betekenen, voor Edenhal – en dan denk ik er nog niet eens aan van hoeveel belang het voor mij zou kunnen zijn jou in een bevoorrechte positie bij de toekomstige regering te hebben."
Ik had er genoeg van. De jaren van opportunisme en rationalisering „voor Duitslands bestwil" hadden bij Stefan hun ondermijnende werk gedaan. Met een bijna lichamelijk gevoel van bevrijding, alsof ik banden had verbroken die mij lange tijd hadden gekneld, zei ik: „Stefan, je wist dat ik deze mannen alleen heb verdragen om thuis

de vrede te bewaren. Nu moet ik je zeggen dat ik al vele maanden geleden mijn lot tegenover het hunne heb geplaatst. Ik ben een van de oprichtsters van de D.F.F.P."
Stefan verbleekte. Hij strekte zijn handen naar mij uit alsof hij mij van een afgrond wilde redden. Met bevende stem zei hij: „Hoe heb je zo iets kunnen doen? Nu ben ik bang voor je veiligheid!"
„Mijn veiligheid!" riep ik uit. „Zie je nu, Stefan? Je eigen woorden tonen hoe weinig vertrouwen je in die helden van jou hebt. Je bent nú al bang voor ze!"
Hij was bleek en geschrokken, maar hij schudde het hoofd. Ik had diep medelijden met hem, maar kon niet anders doen dan hem goedenacht wensen en naar mijn kamer gaan.
De volgende morgen, in de trein op weg naar Stuttgart, voelden we beiden dat verdere woorden nutteloos waren. Stefan verborg zijn gezicht achter de financiële pagina's van zijn krant, en ik keek uit het venster naar de besneeuwde Beierse bergen en dacht aan de voortekens die mij op de vastenavond waren geopenbaard. Er was die avond voor mij geen carnavalsvrolijkheid geweest. De verwachtingen uit mijn studententijd, die een ogenblik lang werkelijkheid waren geworden, begonnen al weer te verbleken. Van nu af zou er voor mij geen vreedzame, geïsoleerde, kleine wereld zijn om in te werken, geen rustig huis en liefhebbende metgezel om mij aan het eind van de dag op te wachten. Ik was gedwongen geweest mijn eigen lot in handen te nemen. Evelyn Dauber zou tevreden zijn. Nu was het tijd om mijn eigen plaats in de vrouwenbeweging tegen het nationaal-socialisme in te nemen. Ik kon de gevolgen van een openlijke verbintenis met de D.F.F.P. slechts vermoeden. Mijn huwelijk was al niet meer te redden, dacht ik. Edenhal, zelfs het recht om praktijk uit te oefenen, zou diezelfde weg kunnen gaan. Ik luisterde naar het ritme van de wielen op de rails en overpeinsde dat ik nu in een richting ging, waarvan het einde inderdaad in duisternis was gehuld.
Het noodlot kwam tussenbeide en bood mij uitstel van beslissing aan. Bij de ochtendpost bevond zich een brief van mijn oude universiteitsvriend Djerginski, die nu een vrij belangrijke positie bij de sovjetregering had. In de jaren 1929 en 1930 was er in de Oekraïne hongersnood geweest, en met de honger kwamen ziekten.
Dit jaar – 1931 – werd het land rondom Astrakan en langs de be-

neden-Wolga geteisterd door een epidemie, en dokters van verschillende Europese landen meldden zich vrijwillig om te proberen de ziekte te stuiten. Djerginski drong er bij mij op aan mij bij de vrijwilligers aan te sluiten. De voorzienigheid had deze brief juist op tijd bezorgd. Ik aarzelde niet, maar schreef onmiddellijk naar Djerginski en nam zijn uitnodiging aan. Toen vertelde ik het nieuws aan de twee mensen die het meest bij mijn vertrek betrokken zouden zijn. Stefans antwoord was tweezijdig. Hij gaf toe dat een volledige verandering van omgeving goed voor mij zou kunnen zijn en zelfs mijn politieke principes tot klaarheid zou kunnen brengen. Een bezoek aan Rusland en de communisten zou mij waardering voor de leerstellingen van de nazi's bij kunnen brengen. Een dergelijk avontuur bracht echter ook gevaren mee.
Eén ogenblik was ik verbaasd. „Gevaren, Stefan?" vroeg ik. „Denk je dat de communisten mij aan de eerste de beste lantaarnpaal zullen ophangen? Of ben je bang dat ik als overtuigd communiste terug zal komen?"
„Ik voel me niet gerust," antwoordde hij. „Je hoort zoveel – het is moeilijk feiten van propaganda te onderscheiden, maar het is een barbaars land. Ik kan alleen maar hopen dat je veilig zult zijn. En het zal mij bij de partij geen goed doen, wanneer ze horen dat mijn vrouw een uitnodiging van de roden heeft aangenomen."
„Och, ik zal veilig genoeg zijn," zei ik. „En ik kan werkelijk niet weigeren ‚het huis der nooddruftigen' binnen te gaan, alleen omdat sommigen van jouw vrienden mij misschien verkeerde motieven zouden toeschrijven."
Daarna moest ik met Evelyn in het reine komen. Zij was woedend bij de gedachte dat ik Edenhal wilde verlaten. Zij protesteerde dat zij weer de volle verantwoordelijkheid voor de kliniek zou moeten dragen. Maar haar werkelijke reden tot boosheid kwam voor den dag toen zij deze reis als weer een grillige neiging tot avontuur bestempelde.
Zij beschuldigde mij ervan dat ik als een lafaard wilde ontsnappen. „Nadat je je man eindelijk een eerlijke bekentenis van je politieke overtuiging hebt gedaan, loop je weg om de verantwoordelijkheid te ontgaan. Je bent wispelturig, onbetrouwbaar, onberekenbaar, en je bezit geen greintje moed!"
Dat waren ernstige verwijten, maar ik was niet in de stemming mijn

plannen te laten varen. Ik had mijn hulp al toegezegd. En ik wist dat ik deze kans om een geestelijke inventaris op te maken en mijn situatie objectief te bekijken, zeer nodig had. Ik slaagde erin zowel Stefan als Evelyn te overtuigen dat ik gelijk had.
Toen ik op de trein naar Moskou stapte, was ons afscheid dan ook vriendschappelijk.

HOOFDSTUK 23

PEST IN ASTRAKAN

OP REIS NAAR MOSKOU VERDWEEN LANGZAMERHAND DE WESTERSE beschaving. Toen ik het grensstation Nijgeroloje bereikte, kreeg ik het gevoel dat van dit punt af mijn leven mij niet meer toebehoorde. Ik had het laatste beetje luxe verloren: mijn privé-leven.

Mijn eerste verblijf in Moskou duurde maar kort, drie dagen, juist lang genoeg om allerlei inentingen te ondergaan – tegen pokken, pest, cholera, tyfus en nekkramp. Djerginski was overladen met werk, en had slecht een paar minuten vrij voor een half-officieel bezoek. Hij vond evenwel nog gelegenheid om mij een toegangskaart te bezorgen voor een lezing met demonstratie van professor Froemkin, wiens naam in Europa beroemd werd door zijn pionierswerk op het gebied der seksuologie. Dit was een bewijs van Djerginski's goede wil, die ik mij van vroeger nog zo goed herinnerde.

De demonstratie vond plaats in de Arbat-kliniek, waar ik een aantal medici uit verschillende Europese landen aantrof. Wachtend op het begin van de demonstratie, trachtten ze zich in verschillende talen met elkaar te onderhouden. Ik begreep dat de werkwijze van professor Froemkin, zoals die ons nu zou worden getoond, lang niet ieders instemming had.

Toen werd een brancard de demonstratieruimte binnengereden, en de bezoekende medici haastten zich de toeschouwersplaatsen op het amfitheater in te nemen. Bijna onopvallend kwam professor Froemkin binnen, en daarbij vergeleken was het binnenkomen van de meeste Duitse hoogleraren, die gewoonlijk met applaus werden begroet, als dat van een prima-donna.

Professor Froemkins specialiteit was het herstel van verminkte mannelijke geslachtsdelen, en wij kregen nu te zien hoe hij dat deed. Maar zijn methode riep bij de toekijkende medici zoveel vragen op, dat na de operatie de tolk wanhopig zijn handen ophief om de

vragenstroom te stuiten. De dokters uit het westen waren het voor een groot deel niet met de Russische hoogleraar eens, en bovendien waren zij het onder elkaar ook oneens. In antwoord op de kritiek die zijn werk had uitgelokt, produceerde professor Froemkin statistieken van honderden gevallen waarin patiënten door dit soort chirurgie voor geestelijke afwijkingen waren behoed. Toch leek zijn methode mij hopeloos primitief, en het bleek dat verscheidenen van de bezoekende medici het met mij eens waren.
Toen ik in de trein naar de Kaspische Zee stapte, werd ik door rillingen en koorts overvallen, de reactie op het geconcentreerde aantal inentingen. In de slaapwagen van de op smalspoor rijdende trein, deelden mannen en vrouwen de onbeklede planken, die voor bedden doorgingen. Tot mijn geluk was mijn slaapgenoot een kleine, Japanse collega, die precies tegen mijn rug aan paste. Op de bovenplank sliep een weldoorvoede Hollander. Hij snurkte en liet voor zijn Russische partner maar weinig plaats over. De ramen van de trein waren gesloten, maar het fijne zand van de Russische steppen drong door de kieren naar binnen. Eerst dacht ik dat ik zand op mijn huid voelde, maar al gauw merkte ik dat er wandluizen over mij heen kropen. Ik draaide het licht aan, de enige luxe in dit kale compartiment. Mijn reisdeken, mijn enig overgebleven reliek van de westerse beschaving, was zwart van de luizen. Ik maakte mijn slaapgenoot wakker en vroeg om hulp. De Rus boven mij ergerde zich aan ons gepraat, en beval de Hollander het licht uit te doen. De onhandige kerel kon het knopje niet vinden, maar wel de lamp bereiken. Hij probeerde deze los te schroeven, maar de trein schudde plotseling en hij viel uit zijn kooi. Ik greep hem nog bij zijn broekband om te proberen zijn val te breken, maar zijn gewicht was zowel voor mijn vingers als voor zijn knopen te groot. Hij viel met zijn volle gewicht op mijn bed, zwaar genoeg, zo hoopte ik, om wat van die wandluizen te verpletteren. Misschien gebeurde dat ook wel, maar de Hollander greep zijn afzakkende broek en klom brommend en half in slaap naar zijn kooi terug. Ik draaide het licht uit en trachtte de nog overblijvende uren van de nacht zo goed mogelijk door te komen.
Vroeg in de morgen toonde Astrakan ons zijn armelijke aanblik. Dit was de hoofdstad aan de mond van de Wolga, de uiteindelijke bestemming van de Wolgaschippers, de plaats waar de luxebont-

soorten en exotische schatten van het nabije Russische oosten werden verscheept, waar tweederde van de bevolking op primitieve vlotten van boomstammen op het water van de delta leefde. Het was een ongelooflijk vuile haven. De stank deed de vreemdelingen hun adem inhouden, en hun maag kwam in opstand. Aan de kaden was het zo erg dat de stank bijna zichtbaar werd. Overal stonden vaten met 'verse' kaviaar, krioelend van maden. De stank was eenvoudig verlammend. Alleen de meest geharden bleven langer dan voor hun doel noodzakelijk was.
In de Barmhartigheidskliniek voegde ik mij bij mijn collega's uit alle streken van Europa. Dokter Rosoff, die met de ontvangst was belast, bracht ons bij onze eerste bijeenkomst van de toestand op de hoogte. Er waren daar vroeger ook epidemieën van tyfus, pest en cholera voorgekomen. Er waren altijd menselijke bacteriëndragers die de ziekten op anderen overbrachten. Deze epidemie was niets anders dan hongerkoorts, ofschoon de symptomen lichtelijk varieerden. Maar wat kon men van een zeehaven verwachten? Hij haalde bij zijn retorische vraag zijn schouders op.
Wij hadden al een van de dagelijkse tochten van getroffenen naar het stadsziekenhuis gezien. Zij kwamen van nederzettingen aan de beneden-Wolga, van de Kaukasische bergen en van de Aziatische steppen, die aan de andere kant van de grote rivier lagen. Zij kwamen alleen of in groepen, jong en oud, hele gezinnen te zamen om hier te sterven, ja zelfs bereid om te sterven. Zij hadden geen hoop, weinig vertrouwen in dokters en medicijnen, en hun godsdienst had men van officiële zijde uitgewist. Iedere dag werden er in Astrakan drieduizend lijken verbrand. Maar de Russische dokter gaf te kennen dat dit alles niet erger was dan gewoonlijk – tenminste niet véél erger – er was niet veel aan te doen.
Maar wij, achtentwintig dokters, hadden onze eigen werkkring verlaten om hier te komen helpen, en het commissariaat voor Volksgezondheid steunde ons. Onmiddellijk gingen wij aan het werk. Onze eerste taak was het tot stand brengen van een organisatie en het vaststellen van werkwijzen.
Dokter Garron uit Brussel werd tot hoofd van de bacteriologische afdeling gekozen. Hij verloor geen seconde tijd, maar haastte zich naar en van de barakken en bracht een preparaat mee. Na één blik door zijn microscoop kwam hij naar de bijeenkomst terug, met

zijn handen zwaaiend van opwinding. „Dames en heren! *C'est la plague!*" Hij zette de microscoop op de conferentietafel. „*Regardez, messieurs, mesdames – pas de question – c'est la plague** *!*"
Een rilling voer door de aanwezigen. Onze gedachten gingen terug naar onze studententijd, toen wij de *pasteurella pestis* bestudeerden. Er waren twee typen, builenpest en longenpest, en vaak waren zij beide in één patiënt aanwezig. De vraag vloog in een menigte talen door de zaal. „*Quelle spécies? Che typa? Welk type?*"
Dokter Garron antwoordde triomfantelijk, zijn stem rees boven het rumoer uit: „*La pasteurella pestis, une bacille spécifique, gram-negative! Comme il est joli!*" Hij wees naar het glaasje. „Nog nooit heb ik zo'n duidelijk, volmaakt preparaat gezien – *c'est magnifique!*"
De anderen konden zijn wetenschappelijke extase niet delen. Sommigen raakten onbewust even een kleine zwelling op de heup aan, waar de inenting nog maar een paar dagen geleden had plaatsgevonden, en zochten naar het korstje dat bescherming beloofde. Maar de ongerustheid na dokter Garrons diagnose verdween al spoedig. Wij organiseerden onze krachten voor werk in de zalen, de dieetafdeling, de serologie en de pathologie. Ik werd tot inspectrice van de organisatie benoemd. Telegrammen vlogen naar het instituut van Pasteur in Parijs en het Keizer Wilhelm-instituut in Berlijn. Intussen begon onze dikke Hollander, dokter Strassen, die door hard werken in twee dagen tijds zes pond lichter was geworden, in samenwerking met dokter Garron ons eigen serum te produceren. Allen in de Barmhartigheidskliniek werden door nieuwe hoop bezield. De eerste zending serum kwam aan, werd toegediend, en het aantal sterfgevallen begon te verminderen.
Maar niet genoeg. De uitgebreide verslagen van de westerse wetenschap toonden aan dat het serum meer resultaat had moeten afwerpen. Er was beslist iets niet in orde. Wij hadden een nogal opgewonden vergadering, in de loop waarvan onze Russische collega de kans schoon zag om de westerse wetenschappelijke methoden belachelijk te maken, en daarna begonnen wij een systematisch onderzoek.
Binnen enkele dagen kwam een merkwaardig feit aan het licht.
Veel van onze patiënten brachten grote, primitieve zandlopers mee,

* Het is pest...! Kijk, dames en heren – geen twijfel aan, het is pest!

waarin het zand vier tot vijf uren bleef doorlopen. Als het zand bijna geheel was doorgelopen, ging het met de patiënt onveranderlijk slechter. In vele gevallen bevond hij zich, niettegenstaande het serum, in extremis, en blies met het vallen van de laatste zandkorrels de laatste adem uit. Wij besloten de zandlopers in beslag te nemen. Iedere nieuwe patiënt moest dit primitieve symbool van massapsychose afstaan. Maar al gauw verschenen er andere, en wij konden niet ontdekken waar ze vandaan kwamen.
Toen kreeg onze Zwitserse zenuwarts, dokter Turi, een uitstekend idee. Iedere patiënt kreeg bij het betreden van de kliniek een zandloper cadeau. Deze zagen er precies zo uit als die welke de patiënten van huis meebrachten: deze was ook van gedroogde schapehuid – perkament – gemaakt, zo dun dat de schaduw van het zand te zien was. Maar de zandlopers van de kliniek waren in het midden iets nauwer gemaakt door om de natgemaakte huid fijn koord te winden. Het duurde dus veel langer eer het zand was doorgelopen, en het serum kreeg meer tijd zijn werk te doen. Samen met het toepassen van hygiënische maatregelen en een goed dieet begon het de verwachte resultaten te tonen. Binnen vijf maanden triomfeerde de moderne medische wetenschap, met hulp van de psychologie, over pest en bijgeloof.
Nu dokter Garron geen mooie exemplaren van de *pasteurella pestis* meer had om onder zijn microscoop te bekijken, begon hij zich op zijn terugreis voor te bereiden. Wij besloten dat wij hem een afscheidsfeestje zouden geven. Dit was een uitdaging aan mijn reputatie als gastvrouw. Die had ik weliswaar in het westen verkregen, maar hier in het oosten wilde ik haar hoog houden. Het menu was aan onze omgeving aangepast: verse zwarte kaviaar (zonder maden), geserveerd met fijngehakte ui, die in onze ziekenhuistuin was gegroeid; steur à la Sorbonne, gestoofd met laurierblaadjes van de Kaukasische hoogvlakte; chateaubriand met béarnaise-saus en als dessert cake met koffie.
Er moest koffie na het eten zijn, en of dat nu demitasse, een grote demitasse of demitasse in een soepkom was, er *moest* koffie zijn! Maar er was geen koffie te krijgen. Ik weigerde het gebruikelijke Russische 'njet* te aanvaarden en begon in de vroege morgen, voor-

* Neen.

zien van allerlei ruilartikelen, een tocht door de straten van Astrakan. Maar overal waar ik naar koffie vroeg, keken de mensen mij aan en wezen op hun voorhoofd.
Na vele uren lopen over de ronde straatkeien brak de hak van mijn linkerschoen. Ik ging een kleine winkel binnen en zat daar op de vloer, nu vrijwel besloten om het zoeken maar op te geven. Terwijl de schoenmaker de hak aan het eenmaal modieuze sandaaltje vastmaakte, vertelde ik hem van mijn schoenen slijtende tocht. De *tovaritsj** verdween. Uit het halfduistere vertrek naast de winkel kwamen geluiden. Toen hij terugkwam, toonde hij mij triomfantelijk een halfvergane zak. Ik opende die en er kwam een muffe geur uit, die enigszins aan koffie herinnerde.
„Die is nog heel vers," zei de schoenmaker met een heldhaftig gebaar. „Ik heb hem kort voor de revolutie gekregen!"
Maar het was in ieder geval koffie. Dolblij overhandigde ik hem een stuk zeep en beiden tevreden, namen we afscheid.
Het nieuws van mijn geslaagde tocht verspreidde zich door de kliniek. Russen en niet-Russen van onze staf kwamen naar de keuken om de muffe bonen te zien en te ruiken. Maar hoe moesten wij ze malen? Er waren in Astrakan, en misschien wel in heel Rusland, eenvoudig geen koffiemolens. Wij gingen op zoek naar iets dat dienen kon, maar vonden niets – tot dokter Turi uit zijn zak een neurologische hamer te voorschijn haalde – het kleine hamertje voor het onderzoek naar reflexen. Het lichte instrument was niet bepaald voor deze taak berekend, maar neuroloog, patholoog, bacterioloog en internist, ieder van ons kreeg een beurt om zijn kracht en uithoudingsvermogen op de bonen te beproeven, tot de laatste tot vrij grove korrels waren geslagen.
Het afscheidsfeestje was eigenlijk meer dan een afscheid van dokter Garron: wij vierden onze overwinning op de pest. In deze vreemde, half-oosterse, vuile stad, duizenden kilometers van onze onberispelijke laboratoria en ziekenhuizen en van onze normale levenswijze, waren deze menslievende geleerden uit vele landen samengekomen; zij spraken verschillende talen, maar hadden allen dit ene doel: het redden van mensenlevens, met groot risico voor eigen leven. Tijdens de harde strijd met de dodelijke ziekte was er geen tijd geweest om

* Kameraad.

over het menselijke aspect van deze mobilisatie van kennis en vaardigheid na te denken. Maar nu wij aan de feestelijke tafel zaten, vrolijk of ernstig, lachend om elkanders grappen of verdiept in discussies over wetenschappelijke opvattingen, beschouwden wij elkaar met waardering, zelf met genegenheid. Het was een demonstratie van de broederschap van wetenschapsmensen, die boven het verschil in talen, boven nationale vooroordelen en contrasterende levenswijzen stond. Ik herinnerde mij de teleurstelling waarmee ik zes maanden geleden Duitsland had verlaten en verheugde mij erover dat ik hier mijn vertrouwen in de menselijke geest bevestigd vond.

Ondertussen werd ik van alle kanten gecomplimenteerd met mijn menu en de wijze waarop het was uitgevoerd, en vooral met de koffie, die, hoewel wat slap en tamelijk muf, toch in ieder geval echte koffie was.

De volgende dagen vertrokken de vrijwilligers een voor een. Toen werd het de zesde november, zes maanden na onze aankomst in Astrakan. Ik behoefde alleen nog wat kleinigheden af te doen voor ik ook kon vertrekken. Met behulp van een tolk had ik voor het commissariaat voor Volksgezondheid het rapport over onze werkzaamheden geschreven.

Mijn ontslagmening was getekend en dat scheen aan deze leerzame periode een einde te maken. Ik verlangde naar het comfortabele Westeuropese leven.

Laat in de morgen stormde een zuster mijn kamer binnen. „Dokter, kom gauw!" riep ze uit. Een oude *moujik* in afdeling 9 lag onder hevige pijnen te sterven. Hij was enige dagen tevoren met lichte pestsymptomen in de kliniek opgenomen. Deze morgen had hij de eerste injectie met het serum gekregen. Spoedig daarna klaagde hij over maagpijn. Hij begon over te geven en kreeg de blauwe tint van cyanose*. Toen volgden stuiptrekkingen en ten slotte, met schuim op de mond, stierf hij.

Het leek eerst een acuut geval van tetanus. Maar toen binnen enkele minuten een tweede en een derde slachtoffer met dezelfde symptomen stierven, kwam de medische staf haastig in de pathologische afdeling bijeen. Dokter Viquet voerde met buitengewone nauw-

---

* Blauwzucht; blauwe kleur van huid en slijmvliezen.

keurigheid de lijkschouwing uit. Er was geen twijfel aan de diagnose: de doodsoorzaak was strychninevergiftiging. Binnen vierentwintig uur was het dodental tot driehonderd gestegen, en allen hadden zij dezelfde symptomen gehad, ongetwijfeld door dezelfde oorzaak. Nadat wij alle andere bronnen hadden uitgesloten, kwamen wij tot de onvermijdelijke conclusie dat er in een deel van de serumvoorraad strychnine aanwezig moest zijn. Maar in welk deel? Dat uit Berlijn? Of dat uit Parijs? Misschien in dat van ons eigen serologisch laboratorium? Wat de verwarring nog vergrootte, was het feit dat, toen de verschillende zendingen voor onderzoek en cultuurproeven werden verzameld, de zusters en oppassers elkaar wantrouwend aankeken: alle etiketten waren verdwenen. Of dit opzettelijk of door nalatigheid was gebeurd, hebben wij nooit kunnen ontdekken. Telefonisch rapporteerde ik de strychninecatastrofe aan Moskou. De volgende morgen kwamen er per vliegtuig twee ambtenaren om een onderzoek in te stellen.
Zij ondervroegen de nog aanwezige buitenlandse vrijwilligers een voor een achter gesloten deuren. De Russische dokters ontkenden iedere verantwoordelijkheid voor het maken en opbergen van het pestserum.
Als inspectrice was ik een natuurlijk doel voor hun achterdocht. De ambtenaren vielen over het feit dat ik op het punt had gestaan om te vertrekken. Waarom had ik mijn ontslagmening precies op de avond van de ramp getekend? Had ik geweten wat er zou gebeuren? Na twee dagen van ondervragen bracht men mij onder bewaking van de beide ambtenaren aan boord van het vliegtuig naar Moskou. Zij hadden mijn valies doorzocht en de papieren, die ik had verzameld als documentair verslag over het vrijwillige werk van de dokters en de wijze waarop zij de pestepidemie hadden overwonnen, waren in beslag genomen.
In de vroege avond kwamen wij op het vliegveld van Moskou aan. Een auto bracht ons door een natte sneeuwstorm naar het gerechtsgebouw, waar twee cipiers de plaats van mijn oorspronkelijke bewakers innamen. Mijn valies was verdwenen. Nu werden ook de papieren, die ik gedurende de reis zelf had vastgehouden, mij afgenomen, genummerd en ingeschreven door een beambte die als mijn tolk zou optreden. Mijn vragen bleven onbeantwoord. Mijn verzoek om een onderhoud met kameraad Djerginski, of zo mogelijk

met een lid van het commissariaat voor Volksgezondheid, werd genegeerd, evenals mijn verzoek de Duitse ambassade te verwittigen. Na lang wachten kwam een geüniformeerde beambte de sombere kamer binnen en beval mij hem te volgen. Onze kleine stoet bestond verder uit de tolk en twee zwijgende gevangenbewaarders. Wij liepen door vele gangen en hielden stil voor een zware, eiken deur. Een van de bewakers gaf een bevel, en de deur werd van binnenuit geopend. Wij bevonden ons in de gerechtszaal.

De haveloze kleding van de deurwaarders en de groep burgers – want dit was een openbare rechtszitting – en zelfs van de rechters tegen de achtergrond van de pracht van de oude, tsaristische rechtszaal, gaf mij een gewaarwording van onwerkelijkheid, alsof ik naar twee foto's op één negatief keek. Het volksgerecht was tot een zitting opgeroepen om een misdadiger te berechten die honderden onschuldige kameraden had vergiftigd. De tenlastelegging werd voorgelezen, en de officier van justitie en de staatsgetuigen – de twee ambtenaren – slingerden mij dwars door de zaal beschuldigingen naar het hoofd. De papieren die ik had meegebracht, waren nergens meer te bekennen. Ik had geen advocaat, niemand om mijn zaak te behandelen, behalve de tolk.

Na twee uren werd ik wegens sabotage ter dood veroordeeld. Geboeid werd ik langs de eerste rijen banken geleid. Mannen en vrouwen op de achterste banken stonden op om mij te zien en spogen naar mij. Ik probeerde even stil te staan om hen te vertellen dat ik de levens van hun broeders gered had en niet gekomen was om te doden, maar om te genezen. De gevangenbewaarders letten noch op hen, noch op mij, doch duwden mij de zaal uit en lange, slecht verlichte gangen door.

Omlaag gingen wij, steeds verder omlaag door de ingewanden van de oude gevangenis. De muren waren koud en vochtig, en op sommige plaatsen liepen wij tot onze enkels door de modder. Er was een machtig, steeds aanzwellend geluid, dat aan stromend water deed denken. Wij kwamen aan een trap met uitgesleten treden die naar beneden leidde en de lantaarn van de bewaker die vóór mij liep, wierp een lichtstraal op een spinneweb. Tussen de aanvallen van een vleermuis door weefde de spin vlijtig aan haar tere web. Getroffen door de parallel tussen mijn ellende en die van de spin, bleef ik staan kijken. De spin beproefde de elasticiteit van haar web;

toen de vleermuis er weer tegenaan vloog, raakte hij het lege weefsel, terwijl de spin veilig terzijde zat, daar waar het aan de granieten zoldering bevestigd was.
Ik hoorde een hysterisch gelach en besefte plotseling dat het uit mijn eigen keel kwam. „De spin!" riep ik, „de spin leeft!"
De bewaker keken naar mij, niet op hun gemak. De man achter mij duwde mij even in de rug en ik liep door. Eindelijk bereikten wij een ijzeren deur. Ik ging naar binnen, de deur ging dicht en werd achter mij op slot gedaan. Dit was mijn cel.
Bevreesd, maar ook nieuwsgierig, bekeek ik het vochtige, kleine hol waarin ik misschien uren, of zelfs dagen zou moeten doorbrengen. De oude, stenen zoldering was doorgezakt en het vertrek was nauwelijks hoog genoeg om er rechtop in te kunnen staan. Water sijpelde langs de muren, de vloer was nat en modderig. Er waren drie meubelstukken: aan de ene kant een tafel en een gebroken, houten stoel, aan de andere kant een ijzeren kot met een vervuilde matras.
Eindelijk stond ik nu van aangezicht tot aangezicht met de verschrikkelijke werkelijkheid van mijn toestand. Dit was de beruchte Lublianka-gevangenis. Het water van de rivier scheen wel direct over de zoldering van mijn cel te stromen, met een geluid dat aanzwol als de tonen van een orgel. Dat geluid was overal om mij heen, vulde mijn cel en het was als werd het zinloze refrein, dat door mijn hoofd speelde: „Van Moskou naar Astrakan, van Astrakan naar Moskou!" er voortdurend door herhaald.
Een sleutel werd met veel lawaai omgedraaid, de deur werd geopend en een oude man kwam binnen. Hij zette een brandende kaars op de tafel. Zijn met vele rimpeltjes omringde ogen hadden een vriendelijke uitdrukking, en hij vroeg me wat hij mij brengen kon: eten, sigaretten, wodka?
„Papier en potlood," zei ik. Hij zocht in zijn zakken en overhandigde mij een paar vellen gekreukeld papier en een stompje potlood. Ik ging aan de tafel zitten en schreef Djerginski een boodschap, waarin ik hem mijn toestand uitlegde en hem vroeg om de hulp van de Duitse ambassade in te roepen. De oude man nam het briefje aan, trachtte de naam van de geadresseerde te lezen en keerde zich weer naar de deur. „Laat het alstublieft direct bezorgen," stamelde ik. Hij knikte en ging weg.

De cel was ijzig koud, waterdruppels vloeiden langs de muren en het water boven mij maakte rommelende geluiden. Toen kwamen ratten uit hun vochtige holen. Het waren kleine, grijze ratten, en zij waren brutaal. Een knabbelde aan mijn schoen, een tweede zat op de grond naast mijn stoel en keek mij met zijn scherpe, kleine oogjes aan.
Zij waren voor mij geen vreemden. Ik had hun menigmaal te eten gegeven, deze onderzoekdieren, die in het laboratorium hun leven voor het mensdom gaven. Nu kreeg ik een vreemde inval: verzamelden zij hun krachten om hun soortgenoten te wreken die voor de medische wetenschap ter dood waren gebracht? Zou ik mezelf tegen een aanstormend leger van knaagdieren moeten verdedigen? Ik zag ze door de cel glippen, ze waren vriendelijk, levendig, en gevangenen zoals ik. Een kleintje klom op de tafel en speelde met het potlood dat de bewaker had laten liggen. Het kleine schepseltje rolde het naar mij toe en kwam zonder vrees steeds dichterbij, tot ik zijn snorren en spitse tandjes kon zien.
Ik nam het potlood op en begon te schrijven, of liever iets in mij begon te schrijven. Ik was twee mensen: het veroordeelde lichaam, dat zijn laatste uren doorbracht, en de andere ik, die het papier met een potlood in tweeën deelde, boven het ene gedeelte „debet" en boven het andere „credit" schreef. De eerste post op de debetzijde was nogal kinderlijk: Heb Bernie zonder reden driemaal geschopt . . . min drie. Op de creditzijde verscheen: Gebroken vleugel van spreeuw genezen. . . plus één. En zo ging het voort, door vele voorvallen en jaren. Over Astrakan kwam er niets bij.
Toen de lijst zo volledig was als mijn herinnering toeliet, was het tijd om de balans op te maken en te zien hoe het met het saldo stond. Er waren achtenzeventig min- en tweehonderd zestien plus punten. Dus heb ik gedurende mijn verblijf op aarde meer goed dan kwaad gedaan, dacht ik. Toen ging ik op de matras liggen en sliep.
Ik werd wakker door het rammelen van sleutels. De cipier stond op de drempel. Ik stond op en volgde hem, de cel uit. Dit moet het uur zijn, dacht ik, het uur voor zonsopgang, wanneer veroordeelde gevangenen ter dood worden gebracht. Ik verbeeldde mij zelfs het geklik te horen van de geweren die in gereedheid werden gebracht. Maar toen wij de ondergrondse tunnel verlieten en de uitgesleten treden van de trap opgingen, was er geen ander geluid dan onze

voetstappen en het verminderende geruis van het water. In plaats van de vochtige stenen kwamen er nu houten planken onder onze voeten. Er werd een deur geopend en wij gingen een kamer binnen. Ik stond te knipperen in het elektrische licht, dat na het kaarslicht in de cel en de halfverlichte gangen mij bijna verblindde.
Rondom een grote schrijftafel zaten verscheidene mannen. Een van hen, die op de voornaamste plaats zat, stond op en reikte mij de hand. Hij begon rap te spreken, een stroom van Russische woorden waarvan ik er maar één verstond, en dat hij verschillende keren herhaalde: „excuus." Zijn toon was vriendelijk en ik kon eruit opmaken dat hij zich verontschuldigde. Hij nam een document op van het bureau en terwijl hij het hardop voorlas, keek ik naar de envelop met de officiële aantekening *Cejjus!*", uiterst dringend! Het was er in grote letters opgeschreven en met rode inkt onderstreept. Toen de man uitgesproken was, stond een van de anderen op en wenkte mij hem te volgen. Hij bracht mij tot aan de vestibule van het gerechtsgebouw, en het volgende ogenblik ademde ik de ijzige morgenlucht van het rode Moskou in.
Er stond een auto, en mijn begeleider liet mij haastig instappen. Toen wij bij het eens zo prachtige Hotel Metropole waren aangekomen, hielp hij mij uitstappen en begeleidde mij naar de ontvangst. Hij gaf de bediende een bevel en vertelde mij daarna dat kameraad Djerginski mij binnen een uur zou komen bezoeken, waarna hij met een opgelucht *daswidanje* verdween.
De bediende zocht de sleutel en ik stond te wachten. De hal, bijna leeg op dit uur, was slecht verlicht en ik schrok toen ik plotseling in het Frans werd aangesproken. Het was als een stem uit een andere wereld. „*Ma chère collègue! Comme je suis enchanté de vous revoir!*"*
Nu wist ik dat ik weer terug was tussen de levenden. Dit was de jonge Viquet, de patholoog die op de rampzalige dag, toen de patiënten stierven aan strychninevergiftiging, de autopsie had verricht. Ik greep de twee handen van de Fransman en schudde die tot ik zijn verbaasde gezicht zag. „Ik ben zo blij u gezond en wel terug te vinden," zei hij, „hebben ze ooit ontdekt waar dat fatale serum vandaan kwam? Ik weet zeker dat het Instituut Pasteur geen blaam. . ."

---

* Mijn dierbare collega! Wat ben ik blij u weer te zien!

„Nee, ze hebben het niet gevonden," zei ik plotseling heel moe, en toen de klerk mij de sleutel overhandigde, liet ik de Fransman zonder meer staan. Achter de klerk aan beklom ik langzaam de met rood pluche bedekte trappen, die nog aan de keizerlijke tijd herinnerden.
Eenmaal in mijn kamer, wierp ik mijn kleren af en nam een bad. Het water stroomde langzaam en lauw uit de gedeukte kranen, maar het deed mij lichamelijk en geestelijk herleven. Toen ik na het bad weer binnenkwam, stond er op de tafel, waarvan het sierlijke, marmeren blad op wankele poten stond, een blad met dampende thee, verse kaviaar en een klein flesje wodka.
Spoedig daarna liet Djerginski zich aandienen. Hij begroette mij met oprechte bezorgdheid. Mijn briefje uit de cel had hem bereikt, zei hij, en het hof was onmiddellijk in een nachtelijke zitting bijeengekomen om mijn zaak te herzien. Mijn documenten bewezen mijn onschuld. Hij wist niet hoe hij het onrecht en de narigheid, die ik had moeten doorstaan, kon goedmaken. Zijn regering en het gehele land stonden diep bij mij in de schuld voor mijn hulp ten tijde van de ramp aan de Wolga. Hij had een vrijgeleide bij zich waarmee ik overal in de U.S.S.R. kon reizen. Waar zou ik heen willen gaan? Wat zou ik willen zien? Hij zou alles verzorgen wat ik wenste, ik had maar te vragen.
Toen ik hem zei dat mijn enige wens was naar huis terug te keren, nam hij onmiddellijk de telefoon op en verzorgde een plaats in het eerstvertrekkende vliegtuig. Ik zond telegrammen naar Stefan en dokter Dauber. Djerginski reed met mij naar het vliegveld. Hij praatte over onze studententijd in München, informeerde beleefd naar Inez en vroeg met ongeveinsde nieuwsgierigheid naar Goebbels' politieke werkzaamheden.
„Ik heb begrepen dat ze niet van ons houden," zei hij, toen wij over de nazi's spraken. „Denkt u dat ze goed voor Duitsland zijn?"
Ik schudde mijn hoofd. „Ik zou niet weten waar ze goed voor zijn," zei ik.
Op het trapje naar de vliegmachine greep hij mijn hand en zei met de ernst die ik mij nog uit het verleden herinnerde: „Vergeet niet dat wanneer je ooit naar Rusland terug zou willen komen, er altijd een plaats voor je zal zijn, een plaats die jou waardig is."
Toen de machine vertrok, wuifde hij.

HOOFDSTUK 24

HET JACHTHUIS

IN BERLIJN BEGROETTE STEFAN MIJ HARTELIJK EN OOK IK WAS OPRECHT blij hem weer te zien. Hij begreep al heel spoedig dat mijn Moskouse ervaringen aan iedere sympathie die ik voor de bolsjewieken gehad mocht hebben, een einde hadden gemaakt. Zijn eigen enthousiasme voor de nazi's was daarentegen niet verminderd, maar tactvol vermeed hij dat onderwerp en bracht mij op de hoogte van de laatste gebeurtenissen.

De nationaal-socialisten hadden gedurende de zes maanden van mijn afwezigheid in dit kritieke jaar 1931 grote vorderingen gemaakt.

Zij hadden miljoenen volgelingen uit alle rangen en standen te zamen gebracht. Het waren niet allemaal overtuigden, maar de *Nationaal Socialistische Duitse Arbeiderspartij* beloofde iedereen wat, en verschafte voor werkelijk loon partijwerk aan velen die lange tijd van een werklozenuitkering hadden moeten leven.

De groothandel ging onder het stelsel van internationale financiële samenwerking enorm vooruit. Stefan had zelf zijn bezit uitgebreid en grote beleggingen gedaan in de staaltrust die door buitenlands kapitaal werd gesteund. Hij had zijn bekendheid met Bernhard Martel in menig contract voor de bewapening ten goede kunnen gebruiken. Hij en de wapenfabrikant werkten ten nauwste samen met Joseph Goebbels, die nooit meer de gebeurtenis in München had aangeroerd. Ik zou hen allen weer ontmoeten, zei Stefan, te zamen met andere belangrijke politieke en industriële figuren voor wie Stefan, om mijn thuiskomst te vieren, een weekeind-jachtpartij had gearrangeerd.

Zijn grootste verrassing bewaarde Stefan voor het laatst: hij had Hinterburg gekocht, een zeer oud en volgens zijn beschrijving zeer fraai jachthuis. Het lag in de Spessartbergen, een jagersparadijs,

een streek van woeste bossen op de noordelijke grens van Zuid-Duitsland, even ten oosten van Frankfort aan de Main. Stefan had een klein fortuin aan het huis besteed, en daar zou het feest te mijner ere plaatsvinden. Hinterburg had ruimte voor vele gasten. Wij zouden op fazanten en kwartels, op herten en wilde zwijnen jagen.
Stefan zag met zo'n jongensachtig verlangen naar dit door hem voorbereide feest uit, dat ik hem onmogelijk kon teleurstellen.
Hoewel ik weinig zin had om gastvrouw voor zijn nazigezellen te zijn, lieten mijn trouw en meer nog mijn genegenheid voor hem geen weigering toe. Ik was dus, na een vlug bezoek aan het sanatorium en aan mijn ouders in Esslingen, gereed om met hem naar Hinterburg te vertrekken.
Wij gaven er de voorkeur aan met de trein te gaan, omdat een sneeuwstorm de wegen door de Spessart onbegaanbaar had gemaakt, hoewel men verwachtte dat tegen het weekeinde de wegen en skihellingen weer bruikbaar zouden zijn. De huisbewaarder, Rottman, begroette ons aan het station. Twee fraaie Trakenerpaarden stonden voor een zwartgelakte slede gespannen. Op hun dekens was het wapen van Hinterburg geborduurd, een zwarte wilde-zwijnenkop met witte snijtanden op rode ondergrond. Warm ingepakt onder de reisdekens, met de koelte van de ijle berglucht op ons gezicht, reden wij onder het klingelen van de sledebellen door de wit-beklede wouden.
De slede nam een bocht en gleed langs een drie meter hoog smeedijzeren hek. Wij gleden door een poort en ik hield mijn adem in bij wat ik zag: het jachthuis was in werkelijkheid een middeleeuws kasteel met granieten wanden en torens. De late middagzon scheen op een koperen dak, groen van ouderdom, en op de witte sneeuw die op de rand van het kopergroen lag. Reusachtige, blauwe sparrebomen vormden een symmetrische en majesteitelijke afbakening van de oprijlaan. Tussen de donkere stammen door zagen wij overal de glinsterende sneeuw. Het uitgebreide park was met sneeuw bedekt; hier en daar waren bedienden bezig de sneeuw van de paden te scheppen.
Rottman sprong van de bok en trok onze dekens opzij. Wij stampten met onze voeten, die ondanks de dekens toch koud waren geworden, en gingen de stoep op naar de ingang, terwijl het getinkel van de

sledebellen op weg naar de stallen zwakker werd, een lieflijk geluid in de koude, stille lucht. De grote deur zwaaide open en wij gingen een hoge hal met balkenzoldering binnen. Men kon zich voorstellen dat een middeleeuwse baron met zijn honderden aanhorigen er zijn drinkgelagen had gehouden. Nu stonden de huisbedienden hier gereed om hun nieuwe meesteres te begroeten.
Trots liet Stefan mij het jachthuis zien. Vroeger was het een klooster geweest, en het was gebouwd in een strenge, groots-eenvoudige stijl. Er waren gedeelten die nog uit de tijd van de kruistochten stamden. In dit alles had men de gemakken en de luxe van onze eigen tijd aangebracht. Wij wandelden door ruime hallen en kamers, die door houtblokken in grote open haarden heerlijk werden verwarmd. Ik liep door het huis als een kind door een sprookjesland, geïmponeerd door wat ik zag. Toch had ik een gewaarwording van iets machtigs en onheilspellends, dat door het vrolijk vlammende haardvuur niet werd weggenomen. Mijn liefde voor het eenvoudige kon deze weelderige pracht niet helemaal aanvaarden.
In mijn eigen kamer gekomen, schudde ik dit onplezierige gevoel van mij af. Als ik gastvrouw wilde zijn, was er veel voor mij te doen. Ik trok slacks aan, rolde de mouwen van mijn wollen shirt op en was klaar om aan het werk te gaan, maar kon nog niet besluiten waar ik zou beginnen. Als het aan mij had gelegen, zou ik naar buiten zijn gegaan en mij bij de sneeuwscheppers hebben aangesloten, maar de rol van gastvrouw moest ik met waardigheid vervullen.
Ik ging naar beneden, naar de keuken. Het was een enorme keuken, en goed voor het bereiden van feestmalen uitgerust. De keukenmeisjes maakten een „Knicks" en glimlachten. De kok las mij het menu voor en toonde een welvoorziene provisiekamer.
In de hal stond de huishoudster op mij te wachten. Zij toonde mij de badkamers; het waren er maar drie en zij had die laten poetsen tot alles blonk. Toen toonde zij mij de logeerkamers. Daar schrok ik werkelijk even. Het waren de vroegere cellen van de monniken, nog geheel intact en onveranderd, behalve dat Stefan op de smalle ledikanten, die waarschijnlijk voor het heil van de ziel alleen maar stromatrassen hadden gekend, dikke, verende, moderne matrassen had laten leggen. En ook had hij enkele doeken uit zijn collectie van impressionisten en kubisten tegen de effen muren gehangen.

Maar bij al zijn goede zorgen had hij evenwel op ieder nachttafeltje een herinnering aan de vroegere bewoners laten liggen, de bijbel. Mij verkneuterend bij de gedachte hoe doctor Joseph Goebbels en zijn goddeloze trawanten deze bedlectuur zouden vinden, liet ik de bijbels liggen waar zij lagen. Ondanks de ijzeren bedden en de bijbels had Stefan alles bijzonder goed verzorgd. Er was voor mij bijna niets meer te doen. Ik trok een leren jasje aan, ging even naar de bijkeuken om een paar suikerklontjes te halen en liep naar buiten om een wandeling door het al donker wordende bos te maken. Hier was alles even mooi: de bomen, de lucht, en het ononderbroken sneeuwtapijt waarop mijn laarzen verse afdrukken maakten. Een jong hert vloog voor mij langs. Het hield stil, keek even met onschuldige ogen naar de indringster en vluchtte het kreupelhout in. Ik kwam bij de stallen die nu helder verlicht waren, en ging naar binnen. Rottman was bezig de paarden te voederen. Zij stonden met glanzend geborstelde huid in onberispelijke boxen. De hengst hinnikte verheugd en zijn neusgaten trilden toen hij de suikerklontjes van mijn hand likte. Maar de merrie wilde mijn vriendschap niet. Zij schopte boos tegen de houten omheining en toonde de bezoekster haar tanden.
Rottman kwam bij mij staan en merkte terloops op: „Als Harras vriendelijk is, moet u een goed mens zijn!" Toen, verlegen door zijn ongewone familiariteit, nam hij weer de serviele houding van een ondergeschikte aan. Ik bood hem een sigaret aan, die hij beleefd accepteerde, en vroeg hem mij iets over Hinterburg te vertellen. Hij woonde al vijftig jaar lang in het kasteel. Als novice had hij het gebouw, dat toen nog tot klooster diende, voor het eerst betreden; hij wilde priester worden. Als twijfel en verleiding hem begonnen te plagen, gaf het bos met de majestueuze pijnbomen hem vrede. Op een van deze tochten had hij Leonora, de dochter van de houtvester, ontmoet. Hij vocht tegen zijn natuurlijke driften, maar het vlees was sterker dan de wil, en de jonge mensen ontmoetten elkaar telkens weer.
Met schuldig geweten biechtte hij bij de abt, die hem absolutie gaf op voorwaarde dat hij het meisje nooit weer zou zien. Enige weken later bracht de houtvester het nieuws dat Leonora een kind verwachtte.
Zonder toestemming vluchtte hij uit het klooster naar de bossen en

het huis van het meisje. Op het hun zo bekende pad vloog Leonora hem tegemoet, maar voor hij haar kon bereiken, werd zij getroffen door een vallende boom, die haar en het kind doodde.
De abt verpleegde Rottman tot hij weer gezond was en hij werd knecht in het klooster. Tien jaren later, op dezelfde dag en bijna op dezelfde plek waar Leonora gestorven was, werd de abt door een wild zwijn aangevallen en gedood.
Sinds die tijd gebeurden er in Hinterburg vreemde, onverklaarbare dingen. De monniken hadden getracht de geesten uit te drijven met gebed en speciale missen, maar hun rust werd voortdurend verstoord en dit was de reden waarom de orde het oude kasteel te koop had aangeboden.
„Zwerven er nog geesten door Hinterburg?" vroeg ik Rottman plagend. „Heb je ze ooit gezien?"
„De doden hebben mij nooit verontrust. Ik ben altijd hun vriend geweest," antwoordde de oude huisbewaarder ernstig.
Ik ging weer naar buiten, ontroerd door het verhaal van Rottman en de vreemde, antieke schoonheid van deze plek, die Stefan met zijn goede smaak had ontdekt. Konden wij dit weekeinde maar samen alleen blijven, of desnoods met enkele goede vrienden! Ik wrokte tegen het binnendringen van zogenaamde supermannen, die ik als onze gasten zou moeten ontvangen. Ik wilde dat ik ze kon ontmaskeren, dat ik Stefan kon laten inzien wat een kleine, sluwe, op eigen voordeel bedachte mannetjes ze waren, en dat hij als mens meer waard was dan zij allen met elkaar. . . Ik zou ze in zijn ogen belachelijk willen maken!
Ik kreeg een inval en ging Rottman zoeken. Samen gingen wij naar het huis, en klommen de ladder naar de zolder op. Hij duwde een luik open en door een net van spinnewebben doorzochten wij een waar paradijs voor liefhebbers van antiek. Altaarkleden en priesterkleding van onschatbare waarde, bedekt met stof, lagen keurig opgevouwen op tafels. De noordelijke toren was vol zwaarden, lansen en harnassen, daar misschien achtergelaten door de kruisvaarders die het kasteel gebouwd hadden.
In de zuidelijke toren ontdekte Rottmans lantaarn een zeldzame collectie harpen, die varieerden van de eenvoudige eensnarige tot de meersnarige eolushharp. Hadden de minnezangers hier eeuw na eeuw hun muziekinstrumenten achtergelaten? Of was dit de

vergeten collectie van een verzamelaar? Rottman wist het niet. Deze dingen waren hier al toen hij een halve eeuw geleden als jongeman naar het klooster was gekomen.
De volgende uren besteedden wij aan het bevestigen van de antieke instrumenten tussen de schoorstenen van het oude kasteel. Met grote vindingrijkheid maakte Rottman ze vast aan een stalen, draad die hij uit zijn kamers kon bewegen. Wij wilden de geest, die verondersteld werd in Hinterburg te wonen, een beetje helpen. Toen zochten wij een volledig harnas bij elkaar, en vol vuil en stof droegen we onze buit naar Rottmans kamers.
Stefan was intussen in de kelder met het controleren van de wijnvoorraad bezig geweest. Onder het stof van jaren en de webben van vele spinnengeneraties had hij menige goede, oude fles gevonden. Toen wij elkaar bij het souper ontmoetten, was hij door het vele proeven nogal vrolijk. Wij maakten een lijst op van de wijnen die bij de weekeindmenu's konden worden gebruikt.
Een groot gedeelte van de volgende dag bracht ik in de keuken door. Het enorme, met hout gestookte fornuis stond vol ketels en pannen met de meest uiteenlopende gerechten: wilde champignons uit de bossen, het in room gesmoorde borstvlees van kwartels, fazanten gevuld met kastanjes, een reerug, en brood dat in de stenen oven langzaam gaar bakte. Ik proefde van alles. Stefan was met zijn keuze van kok heel gelukkig geweest.
De decoraties voor de jachttafel kwamen uit de Spessartbergen. Zilveren denappels nestelden zich tussen lange dennetakken. Bitterzoet glansde in het kaarslicht. De zware, bronzen kandelaars waren versierd met woeste, kleine zwijnskoppen, die uit bijenwas waren gemaakt.
Stefan en ik dronken samen een martini, liepen rond de tafel en bewonderden alles. Daar de gasten nu ieder ogenblik verwacht konden worden, ging ik naar boven om mij te kleden. Ik trok een paar witte, wildlederen slacks aan met een zwarte angora sweater, en om mijn middel droeg ik het mooie welkomstcadeau van Stefan, een rood leren ceintuur met de zwijnskop van Hinterburg in koper op de gesp. Zwart, wit en rood – ongewild droeg ik de kleuren van het vroegere Duitse keizerrijk.
Toen ik het geluid van een auto hoorde, vloog ik naar beneden om de eerstaangekomen gasten te verwelkomen, Kurt Wolf en

Constance Menz. Een gloednieuwe Austro-Daimler bracht het echtpaar Goebbels en Bernhard Martel. Dit was de eerste keer dat ik Joseph Goebbels zag in het grijze nazi-uniform, dat later zo bekend zou worden. Magda, die nooit erg gelukkig was in het kiezen van haar kleding, voelde zich blijkbaar weinig op haar gemak in een Tirools kostuum, dat eruitzag alsof zij het voor deze gelegenheid had gehuurd. Het echtpaar Junker kwam voorrijden; zij hadden hun zoontje en een kindermeisje meegebracht.
De gasten werden naar hun kamers gebracht, dienstmeisjes en knechten liepen haastig door de gangen, druk bezig met uitpakken. Reeds begon Stefan ongerust te worden over onze laatste, ontbrekende gast, toen een oude landauer langzaam de oprijlaan kwam inrijden. Hermann Göring perste zich met moeite door het nauwe portier naar buiten en riep ons al van verre toe: „Onze wagen heeft panne! Dit was het beste dat ik kon vinden. Ik breng een paar extra-gasten mee!"
Hij hielp mevrouw Ebling bij het uitstappen over de ijzige treetjes en bracht haar beschermend naar de open deur, waar wij stonden te wachten. Nu stapten er nog twee heren uit. Een van hen droeg het zwarte Italiaanse fascistenuniform, maar ik staarde naar de ander.
Göring stelde hen voor: graaf Ciano, de Italiaanse minister van buitenlandse zaken, en zijn privé-secretaris, signor. . .
De naam was onverstaanbaar, maar die hoefde ik ook niet te verstaan. Mario boog zich over mijn hand.
Ik had niet verrast behoeven te zijn. Als ik niet in het buitenland was geweest, had ik kunnen weten dat graaf Ciano zich in Duitsland bevond. De Italiaanse regering speelde al met de nazi-leiders onder een hoedje en Göring wilde natuurlijk pronken met zijn gast, de Italiaanse minister. Hij zou er natuurlijk ook voor zorgen dat zijn gast zich uitstekend zou vermaken – zij het op andermans kosten. En Mario! Toen wij verloofd waren was hij een eerzuchtige beroepsdiplomaat. Nu had hij in de hoogste regeringskringen een vertrouwenspositie. Het was een schok voor mij om Mario te zien, en nog wel in gezelschap dat ik verachtte. Tenslotte wist ik niet wat Mario's gevoelens waren. Misschien was hij al even misleid als Stefan. De gedachte dat hij hier met mij onder één dak zou zijn, bezorgde mij overigens een ogenblik van panische schrik.

Gelukkig zorgde Göring voor afleiding. Stefan had mijn familiestamboom prachtig versierd op perkament laten aanbrengen en het stuk goed in het oog vallend onder de grote elandskop boven de schoorsteenmantel opgehangen. Voorouderverering – tenminste indien men alleen „onbesmette" voorouders had – behoorde toen al tot de nazi-geloofsbelijdenis. Men droeg zijn voorouderspas, het certificaat van afkomst, als een lidmaatschapskaart van het meesterras met zich mee.
Nu trok deze stamboom Görings aandacht. Hij nam zijn eigen *Ahnenpass* uit zijn zak, vergeleek die met de mijne, en vond een gemeenschappelijke voorvader in de persoon van hertog Bolko II van Münsterberg en Silezië. Met luide stem kondigde hij vrolijk zijn verwantschap met de vrouw des huizes aan.
Ik nam het Göring eigenlijk al kwalijk dat hij niet alleen Ciano, maar ook diens secretaris had meegebracht zonder vooraf de toestemming van zijn gastheer te vragen. En bovendien wenste ik helemaal geen familie van zijn soort te hebben. Daarom wees ik hem er vriendelijk op dat hij bij mij ten achter stond, omdat mijn voorouders in rechte lijn van keizer Barbarossa afstamden. Gekwetst keerde hij zich af en voegde zich bij mevrouw Ebling.
Er werden cocktails geserveerd en daarna begaven de gasten zich naar hun kamers. Ik nam een brandende kaars en ging van deur tot deur, klopte aan en vroeg: „Is alles in orde?" Toen ik bij de laatste kamer in de gang kwam, stond Mario in de open deur. Hij vroeg met een spottende piepstem: „Is alles in orde?" trok mij de kamer in, en in zijn armen.
„Wist je dat ik kwam?" vroeg hij.
„Natuurlijk niet. *Les amis de nos amis sont nos amis* – de vrienden van onze vrienden zijn onze vrienden." Het waren luchtige woorden, maar mijn hart sloeg wild. Ik draaide mij om en vluchtte naar de veiligheid van Stefans kamer.
Graag had ik met Stefan over Mario gesproken – ik had hem nooit over onze verloving verteld – maar ik wist niet goed wat te zeggen. En Stefan had het veel te druk met zijn zorg voor het diner, het personeel en zijn gasten, om naar mij te luisteren. Hij was zelfs te opgewonden om zijn das zelf te strikken. Ik deed het voor hem, ging naar mijn eigen kamer, gooide mij op bed en snikte in mijn kussen.

Een halfuurtje later liep ik, in avondjapon en vrijwel hersteld van de emoties, weer om de dinertafel, ditmaal om de met het wapen bedrukte naamkaartjes te plaatsen. De tafelschikking moest als gevolg van de komst van de onverwachte gasten worden veranderd en ik had al een extra-man, want Bernhard Martel was alleen gekomen. Maar nu had ik er drie.
Ik keek naar de kaartjes in mijn hand. Ik was van plan geweest Göring aan mijn rechterkant te zetten, hoewel ik daar liever Martel of zelfs Kurt Wolf had gehad, maar ter wille van Stefan moest het Goebbels of Göring zijn, en Goebbels kon ik helemaal niet verdragen. Maar ik had al even weinig zin om Göring als tafelbuurman te hebben. Het kaartje met Ciano's naam zette ik neer op de plaats aan mijn rechterzijde. Dit mocht dan een klap voor Göring zijn, maar het was ook een compliment: de graaf was zijn gast. En bovendien had ik het protocol aan mijn kant, want Ciano was de enige in het gezelschap die inderdaad lid van een regering was, en bovendien van een buitenlandse regering. En ik kon in het minzame Italiaans zonder inspanning een oppervlakkig dinergesprek voeren.
Magda Goebbels, wier huwelijk haar voorrang gaf, had reeds een plaats naast Stefan. Nu zette ik Constance Menz aan zijn linkerhand, zodat hij tenminste één intelligente, aantrekkelijke vrouw naast zich had om mee te praten, en naast Constance zette ik Göring. Mevrouw Junker, Kurt Wolf en Ciano maakten die kant vol. Aan de andere kant Magda, Martel – Stefan zou dat prettig vinden – dan mevrouw Ebling, Goebbels en Junker.
Ik had nog één kaartje over – Mario. Roekeloos legde ik het op de plaats waar ik stond: aan de linkerzijde van de gastvrouw. En terwijl ik dat deed, schoot mij iets in de gedachten: wij waren met zijn dertienen aan tafel! Ik huiverde, maar op hetzelfde ogenblik lachte ik hardop. Dit paste prachtig bij Hinterburg met de spoken! Ik kon verder niets doen, tenzij ik besloot een hevige hoofdpijn te krijgen en de avond op mijn kamer door te brengen. Maar ik was geen hevige-hoofdpijn-type, en buitendien wilde ik dit diner voor geen geld van de wereld missen. Ik ging naar de zitkamer, waar mijn gasten nu samenkwamen.
Toen wij eenmaal gezeten waren, was Stefan weer zichzelf en een charmante gastheer. De smokings, de militaire uniformen van de

heren en de blanke schouders die boven de laaguitgesneden avondjaponnen van de dames uitkwamen, dat alles gaf een indruk van distinctie, wat men dan ook van sommige aanwezigen mocht denken. Stefan bracht het gesprek op de jacht, die voor het weekeinde was beloofd. Göring, die zichzelf voor een groot jager hield, pochte op zijn prestaties, maar Martel stak hem de loef af met een verhaal over een jacht in Afrika. Kurt Wolf had op rendieren en ijsberen gejaagd, terwijl graaf Ciano's voorkeur uitging naar de jacht op berggeiten en antilopen. Mario was zwijgzaam, evenals ik.
Bij de gevulde fazant wisselden mevrouw Junkers en Magda Goebbels recepten voor het vullen van gevogelte uit. Weer moest ik mevrouw Ebling bewonderen, die handig de conversatie van keuken en wild naar het theater en de schone kunsten leidde. Goebbels scheen zeer met Constance Menz te zijn ingenomen, hij leunde over de tafel om naar haar geestigheden te luisteren.
Junker, politiek genoeg om in dit gezelschap aan zaken te denken, vertelde dat onze geëerde president onder het tekenen van een akte weer eens in slaap was gevallen. Dit was een van de vaste nazi-grappen over Hindenburg: om te bewijzen dat hij seniel was, spraken zij voortdurend over zijn vergeetachtigheid en zijn neiging om telkens in slaap te vallen. Zolang hij nog president van het rijk was, werden hun plannen om de macht te grijpen gestuit, en het was algemeen bekend dat zij, als zij maar gekund hadden, de oude veldmaarschalk graag in zijn graf zouden hebben geduwd.
Het spottend gelach waarmee Junkers opmerking ten koste van de goede, oude man werd begroet, ergerde mij. Ik verzocht zo beleefd mogelijk om aan tafel geen politiek te bespreken. En dat ogenblik koos Martel om met een spottende blik in mijn richting op te merken dat het interessant zou zijn iets over mijn ervaringen bij de bolsjewieken te horen.
Mario keerde zich tot mij, zo verrast dat hij zijn gewone handigheid vergat. „Maar Else, ik wist niet dat je in Rusland was geweest!"
Elf paar ogen richtten zich op mij en op Mario naast mij. Göring smakte bijna hoorbaar met zijn lippen. „Else, hè?" zei hij. „Jullie zijn dus geen vreemden voor elkaar! Kom nou, vertel ons jullie geheim!"
Mijn gezicht brandde. Ik keek naar Stefan, die bleek was geworden. Mario kwam mij te hulp. „Wij zijn vrienden geweest, hoewel wij

elkaar in jaren niet hebben gezien. De mogelijkheid van een huwelijk werd uitgesloten door de koppige wil van onze gastvrouw om haar praktijk te blijven uitoefenen en," voegde hij er galant aan toe, „mijn gebrek aan inzicht en respect voor haar onafhankelijke geest." Hij hief zijn glas op. „Op onze gastvrouw, op de wetenschap en vooral op haar bijzonder begaafde, chirurgische handen."
Mario bleef nog altijd Mario, charmant, geestig, teder. Voor kwaaddenkendheid was geen aanleiding meer, en de toost werd van harte meegedronken. Junker boog over zijn glas naar mij, en dacht zonder twijfel aan zijn zoon, die gaaf in zijn bedje boven lag te slapen. Stefans hand beefde, maar toen hij zijn glas ophief, glimlachte hij mij toe.
In de zitkamer groepten de gasten na het diner rond de behaaglijkheid van het haardvuur, en dronken hun koffie. In een hoek legde Goebbels beslag op mij. „Heil de witte lelie, de trouwe echtgenote! Nu heb ik je toch eens zien beven en bleek worden! Ik hoop maar dat je hand niet zal beven wanneer ik je de eer aandoe je mijn neus te laten veranderen."
Ik lachte mijn liefste glimlach. „Wat jij nodig hebt, is geen nieuwe neus, maar een nieuwe ziel!" zei ik vriendelijk. Hij antwoordde met een niet te herhalen grofheid uit onze studententijd.
Oppervlakkig gezien ging de avond genoeglijk voorbij. Zo omstreeks twee uur merkte ik op dat het misschien wat laat werd, want de jagers wilden zich bij zonsopgang verzamelen. Met een hartelijke handdruk wenste ik iedereen goedenacht en gelukkige jacht.
Stefan volgde mij naar mijn kamer. Zonder boosheid of jaloezie in zijn stem vroeg hij ernstig: „Waarom heb je mij dat nooit verteld?"
Ik had er geen antwoord op. „*Tu ne quaesieris* – Je hebt het me nooit gevraagd. –" Ik zette een oude plaat op de grammofoon. „*Du bist nicht der Erste. – Du musst schon verzeihen* – Vergeef mij alsjeblieft dat je niet de eerste bent."
Met een bijna onhoorbaar „goedenacht" verliet Stefan de kamer. Ik ging door met platendraaien, melodieën uit „Die Fledermaus", „Faust", de ene plaat na de andere. Ik neuriede bij „Santa Lucia" het refrein van een Heidelbergs studentenliedje: „*Selbst auf die längste Nacht folget ein Morgen* – Zelfs op de langste nacht volgt een morgen." Maar de nacht was nog niet ten einde. Ik keek op mijn

horloge. Het was tien minuten voor drie. Zou Rottman eraan denken om drie uur aan de draad te trekken. . .?
Buiten raasde een plotselinge windvlaag door de sparren. Bijna op hetzelfde ogenblik klonk boven in het huis spookachtige muziek, licht en tinkelend. Ik begreep onmiddellijk dat het van de schoorstenen kwam waar wij de harpen hadden geplaatst. De natuur had de taak van Rottman overgenomen. De vreemde muziek klonk luider en luider naarmate de windkracht toenam. Ik zette de grammofoon af, rende de gang in, en botste tegen Stefan, die haastig een huisjas over zijn pyjama had aangetrokken. De gasten kwamen uit hun kamers. Mevrouw Goebbels en mevrouw Junker klemden zich bevend van angst aan elkander vast. Hun mannen volgden hen op de hielen met zaklantaarns waarvan de lichtstralen op de hoeken van vloer en zoldering speelden. Het Ierse kindermeisje van de Junkers kwam ademloos binnenhollen, het slapende jongetje in haar armen.
Het laatst verscheen Martel, met een slaapmuts op zijn kale hoofd. Bij het zien van deze komische figuur begonnen de gasten zich wat beter te voelen, maar plotseling verscheen uit het donkere einde van de gang een schrikaanjagende gestalte. Het was een man in een middeleeuws harnas. Langzaam, met knarsende knieën en luid klinkende stappen, kwam hij op ons toe. Hermann Göring trok klappertandend een pistool uit zijn pyjamazak en richtte die heldhaftig op de indringer. Bevreesd dat hij werkelijk op de geharnaste figuur zou schieten, stapte ik haastig tussen de twee krijgers in. Nog altijd in avondkostuum, stelde ik mijn spook voor: „De geest van Hinterburg!"
Göring liet het pistool vallen en schreeuwde in hysterische verwarring: „God zij dank! De oude draak is dood! Wij zijn aan de macht! Heil der Führer – Heil Hitler!"
De gasten stonden als verstomd.
Ik sloeg het vizier op. Het gezicht van de oude huisbewaarder kwam te voorschijn als bewijs hoe lachwekkend en veelzeggend Göring zich had vergist. „De geest van Hinterburg, vrienden, niet de geest van Hindenburg!" Het lachen ten koste van Göring ging niet van harte. Men voelde zich verlegen.
Het geluid van de harpen stierf weg en de gasten gingen een voor een weer terug naar bed.

HOOFDSTUK 25

DE WILDE-ZWIJNENJACHT

IN HET IJLE DAGLICHT VAN DE VROEGE MORGEN, NOG VOOR ZONSOPGANG, schenen de gebeurtenissen van de vorige nacht vergeten te zijn. De jagers vielen vrolijk aan op een ontbijt van vers brood en versgekarnde boter, worstjes en gerookt vlees, honing en jam, allemaal produkten van Hinterburg. Er was vrij veel rumoer, het blaffen van honden, roepen naar elkaar en naar de bedienden. Alleen Görings gemelijk goedemorgen verried ontevredenheid.
Zodra zij vertrokken waren, ging ik naar mijn kamer en viel in een diepe slaap. De wijzers van de klok stonden op twaalf toen ik wakker werd en in Stefans verdrietige gezicht keek. Hij was uitsluitend van de jacht teruggekomen met het doel mij over de vorige avond te onderhouden. Hij verweet mij dat ik, wat een volmaakt weekeinde had kunnen worden, totaal had bedorven. De vertoning van de geest was schandelijk, de kwestie met Mario had hem in de grootste verlegenheid gebracht, ik had een scherpe tong, en was soms zelfs beledigend jegens zijn belangrijkste gasten. Waarom gedroeg ik mij zo? Wilde ik hem dan helemaal ruïneren?
Mijn grap had blijkbaar een verkeerde uitwerking gehad. In plaats dat het Stefan duidelijk was geworden hoe onecht zijn helden waren, had het hem boos op mij gemaakt. Wat mijn woordenwisseling met Göring en met Goebbels betrof, kon ik niet veel ter verdediging zeggen.
Hierin had hij gelijk. Het past een gastvrouw niet haar gasten te tonen hoezeer zij hen veracht. Maar in de kwestie met Mario trachtte ik hem gerust te stellen. Die verloving was zo lang geleden en zo volkomen verbroken, dat er eigenlijk nooit aanleiding was geweest om hem erover te vertellen.
Maar die verklaring maakte hem nog bozer. „Je wist dat hij kwam!" riep hij beschuldigend uit. „Je hebt deze ontmoeting voorbereid!

Waarom moest dat juist hier gebeuren, in het bijzijn van iedereen? Heb je dan geen schaamtegevoel?"
Ik staarde Stefan aan en plotseling sloeg hij zijn armen om mij heen. „O, Else, vergeef mij, dat heb ik niet gemeend – ik ben zo in de war. . ." stamelde hij.
Het deed mij pijn hem zo ongelukkig te zien; het was niet mijn bedoeling geweest hem te kwetsen. Toch had hij instinctief gelijk. Mario's tegenwoordigheid verwarde mij, en hoewel zijn bezoek niet vooruit was beraamd en ik er in het geheel niet op was voorbereid, voelde ik mij toch schuldig. De eenvoudige, eerlijke woorden om Stefan gerust te stellen en alles tussen ons weer goed te maken, kon ik niet vinden. En omdat ik niet in staat was de juiste woorden te zeggen, zei ik in het geheel niets.
Er werd op de deur geklopt. De huisknecht kwam vragen of ik bij de dameslunch op het terras aanwezig wilde zijn. Ik verontschuldigde mij bij Stefan en ging naar de douchekamer.
Toen ik terugkwam, was Stefan weg. Ik trok een wollen japonnetje aan en ging naar beneden. De dames zaten er in hun bontjassen op mij te wachten, de zon scheen en op het beschutte, zuidelijke terras was het behaaglijk zitten. Zij hadden door de bossen gewandeld en van de winterse schoonheid genoten. „Jammer," zei een van hen, „dat u er niet bij kon zijn." Ze meenden dat mijn huishoudelijke plichten mij in beslag hadden genomen en vermoedden niet dat ik mijn emotionele verwarring in de slaap was ontvlucht.
De huisknecht serveerde aperitieven. Constance Menz en mevrouw Ebling vroegen mij ondeugend lachend hoe ik die spookvoorstelling had gearrangeerd. Anders dan Stefan hadden zij zich bij het schouwspel van de ontmaskerde supermannen uitstekend geamuseerd. Iedere methode, zei Constance Menz, was goed, zolang het een prik gaf in de opgeblazen ballon der mannelijke zelfvoldaanheid. Mevrouw Ebling, die zich zonder twijfel het gedrag van haar held herinnerde, glimlachte voldaan.
De dames Goebbels en Junker glimlachten ook, maar aarzelend. Hun leek de hele conversatie verdacht veel op majesteitsschennis. „Jullie kunnen gemakkelijk om de mannen lachen," mompelde mevrouw Junker. „Jullie zijn alle drie onafhankelijk. Maar wij. . ." Zij zuchtte.
Wij gingen naar binnen om te lunchen. Aan een klein tafeltje

zat het Ierse kindermeisje en gaf het kind van de Junkers te eten. De kleine jongen babbelde opgewonden met zijn moeder. Ik merkte dat hij moeilijkheden had met de uitspraak van de „r" en de „s", en maakte in mijn gedachte een notitie om, wanneer ik weer op Edenhal was, het kind nog eens te onderzoeken.
Er werd door de dames veel gesproken over de heerlijkheden die wij de avond tevoren hadden gegeten. In deze ontspannen atmosfeer vonden zelfs mevrouw Goebbels en mevrouw Junker de moed om te vragen hoe mijn man op Mario's tegenwoordigheid had gereageerd.
Zij waren lichtelijk teleurgesteld toen ik hun openhartig verzekerde dat Mario en ik officieel verloofd waren geweest. Maar toen ik eraan toevoegde dat ik, als ik weer voor de keus zou komen te staan, weer het huwelijk voor de geneeskunde zou opgeven, waren ze bepaald geschokt. Mevrouw Junker, lichtelijk van haar stuk gebracht, volgde het kindermeisje naar boven, en mevrouw Goebbels ging met haar mee. Toen zij weg waren, spraken de beide artiesten over de beste opvoeringen van deze winter; ik verontschuldigde mij en ging naar de keuken.
Voor alles was gezorgd. Huishoudelijke problemen waren er niet. In een regenjas met kap gewikkeld, ging ik een wandeling maken, in een richting, tegenovergesteld aan die waaruit het gerucht van de jagers kwam. Ik stapte door de sneeuw, eindelijk alleen met mijn gedachten en gevoelens, en stuitte op twee stenen kruisen, die een paar meter van elkaar stonden. Knielend sloeg ik de sneeuw eerst van het ene kruis, toen van het andere, en las de namen van het jonge meisje en de oude man die Rottmans leven hadden gevormd. Mijn lippen vormden een vage bede om hulp bij mijn persoonlijk dilemma. De warme aanraking van een hond stoorde mij. Ik keek op: daar stond Mario naar mij te kijken, een fazant en een koppel kwartels bengelend aan zijn ceintuur. Hij had de jachthond hierheen gevolgd, denkend een vogel te vinden die hij had aangeschoten. Een ogenblik lang keken wij elkaar zwijgend aan. Onze haastige omarming, de vorige avond in Mario's slaapkamer, had ons wel duidelijk gemaakt dat wij nog van elkander hielden. Wij waren ons maar al te goed bewust dat wij onze kans op geluk hadden gemist.
Maar nu begon Mario met lage, dringende stem te beweren dat

wij althans onze vriendschap zouden kunnen voortzetten. „Wij kunnen hier immers vaak samen zijn?" zei hij. „Het zal wel vaker voorkomen dat de partijleden elkander onder het voorwendsel van een jachtpartij willen ontmoeten. Dat kunnen heerlijke dagen voor ons worden, Else!"
„Laat ik je even iets duidelijk maken, Mario," zei ik. „Ik ben getrouwd, en ik houd niet van bedrog. En dan nòg iets. Ik ben, ondanks mijn gasten, geen nazi. Ik ben geen lid van de partij en ik ben het met de partij niet eens. Ik ben hier eenvoudig als Stefans vrouw en als gastvrouw. Wat hij is, doet er niet toe. Maar je moet in ieder geval weten dat ik actief tegen de nazi's optreed. Ik ben lid van de D.F.F.P."
Nu werd Mario boos. „Je bent niet bij je verstand, Else! Heb je er enig idee van wat je riskeert?"
„Aan welke kant sta jij?" vroeg ik hem.
„Aan de kant van mijn regering, natuurlijk," antwoordde hij.
„Maar jij, je hoeft niet eens een beslissing te nemen, je kunt je met het getij mee laten drijven. Waarom moet je altijd een standpunt innemen? En dan nog aan de verkeerde zijde!"
„Trek het je niet aan," zei ik. „Wat er ook gebeurt, ik zal nooit de tijd vergeten dat wij samen gelukkig zijn geweest." Ik reikte hem mijn hand en Mario boog zich over voor een handkus.
Een bekende, sarcastische lach klonk achter ons en Joseph Goebbels zei: „De geliefden zijn weer samen. Hoe interessant!"
Ik draaide mij om en onderweg naar huis dacht ik aan Stefan. Ik moest hem redden uit de onaangename positie waarin hij door mijn schuld was geraakt. Het was mijn plicht zijn trots in de ogen van zijn machtige vrienden te beschermen.
Iedereen sprak die avond aan tafel over de jacht, over mooie schoten, en over de missers, waarbij het wild ontkomen was. De eetlust was erdoor aangewakkerd, ze aten allen als wolven. De frisse berglucht had blijkbaar de herinnering aan de gebeurtenissen van de vorige nacht weggeblazen. Deze mannen pochten op hun fysieke kracht en durf. Indien de moderne omgeving en wapens er niet waren geweest, hadden zij hun eigen oervoorvaderen kunnen zijn, bluffend op de buit van de dag.
Mario en ik bleven de hele avond zorgvuldig uit elkanders buurt. Stefan was bijzonder zorgzaam voor mij en deed zijn best om een

beeld van de zuiverste, huiselijke eendracht te geven. Hermann Göring was op zijn vrolijkst. De volgende dag, bij de jacht op wilde zwijnen, zou hij gelegenheid krijgen de rol te spelen van de oude Germaan en zijn vaardigheid bij de jacht te demonstreren.
De jacht zou om vier uur 's ochtend beginnen. Ik veroorzaakte algemene verbazing, toen ik zei dat ik aan dit grootste gebeuren van het weekeinde zou deelnemen.
Die ochtend, toen de negen jagers hun verscholen standplaatsen innamen, blies er een koude wind. Deze plaatsen, voor iedere jager een, waren in een wijde boog opgesteld, met ongeveer negen meter tussenruimte. De mijne lag in de oostelijke helft van de boog, merkwaardigerwijze tussen die van Göring en die van Goebbels. Het was op dit vroege uur bitter koud en al spoedig voelde ik mijn handen en voeten verstijven. Daar viel niet veel aan te doen, want het geringste geluid zou het wild kunnen afschrikken.
Eindelijk hoorden wij in het westen de kreten van de drijvers, gevolgd door geweerschoten. Een everzwijn, niet gewond, kwam in zicht. Göring was er vlug bij, maar zijn schot miste volkomen. Goebbels volgde onmiddellijk, maar zijn kogel schampte slechts de schouder. De woedende ever rende recht op mijn schuilplaats af en bood mij een volmaakt doelwit. Ik kon hem niet missen. Richtend op de plek tussen zijn ogen, vuurde ik. Met een huiveringwekkende kreet sloeg het dier over de kop en rolde nog een paar meter door. Wild trapte hij met zijn poten en kleurde de sneeuw rood met het bloed dat uit zijn bek en neus stroomde. De jagers verlieten hun schuilplaatsen en renden naar de buit. Boven hun kreten uit klonk plotseling uit Hermann Görings schuilplaats een luid geschreeuw. De grote jager, woedend om zijn gemiste schot, had uit de schuilplaats willen klimmen, maar verloor daarbij zijn evenwicht en kwam in het doornige struikgewas terecht. Uit de schrammen en steken van takken en dorens stroomde bloed over zijn gezicht.
Ik holde naar hem toe om hem te helpen, maar hij wees mij terug. Zwaar leunend op de schouders van twee drijvers liet hij zich naar het huis brengen. Nu hij de rol van grote jager niet had kunnen spelen, wilde hij tenminste de gewonde krijger zijn.
Verontrust haastten Stefan en ik ons naar zijn kamer. De rest van het gezelschap troepte achter ons aan. Ik zag dat er nog een paar

dorens in zijn vlezige wangen zaten en haalde mijn dokterstas uit mijn kamer. „Laat mij u alstublieft helpen! Het is zo gebeurd," drong ik aan.
„Raak mij niet aan!" snauwde hij. Uit zijn reistas haalde hij een met een rubberkurkje afgesloten flesje en een injectiespuit. Met een handigheid die routine verried, vulde hij de spuit, rolde zijn mouw op en stak de naald onder de huid.
„Mijnheer Göring!" riep ik uit. Ik was oprecht geschrokken. Ik had door bepaalde verschijnselen kunnen vermoeden dat hij aan narcotica verslaafd was, maar de man bezat al zoveel eigenschappen die mij tegenstonden, dat ik aan een dergelijke geheime zonde niet eens had gedacht. Nu had hij, om de moed te vinden om een paar schrammen te verdragen, zich onwillekeurig aan het hele gezelschap verraden, en toen dat tot hem doordrong, barstte hij in woede uit.
„Maak dat jullie wegkomen!" gilde hij, en ik kon niet nalaten aan de kreet van het wilde zwijn te denken.
Later vond hij goed dat het Ierse kindermeisje van de familie Junker zijn wonden zou verzorgen, maar hij stond erop onmiddellijk te vertrekken, teneinde zijn eigen dokter te kunnen raadplegen. Zijn auto was weer gerepareerd, en een plaatselijk lid van de partij in het naburige dorp reed hem voor. Nogal schaapachtig nam hij afscheid en stapte in. Diep in de achterbank weggezakt, de behulpzame mevrouw Ebling naast hem, verliet de ontluisterde Germaanse held ons met een zwak „Heil".
Zijn vertrek was een sein dat de mindere grootheden niet konden voorbijzien. Graaf Ciano en Mario stapten in een gehuurde auto en vertrokken, na ons kort, maar beleefd te hebben bedankt. Goebbels bedankte niet eens. Hij zette de machtige motor van zijn wagen aan, wachtte ongeduldig op zijn vrouw en Martel en reed weg zonder een woord of een blik voor zijn gastheer en gastvrouw. De overige gasten deden het wat rustiger. Zij bleven nog voor de lunch, die niet bijzonder gezellig was, en reden toen neerslachtig weg.
Het weekeinde was voorbij. Het was zeker geen succes geweest, en bij het dovende haardvuur overstelpte Stefan mij met verwijten.
„Je hebt dit weekeinde moedwillig bedorven! Je hebt mij op alle mogelijke manieren vernederd. Je hebt mijn gasten belachelijk ge-

maakt, mijn toekomst geruïneerd en je hebt de kroon op je werk gezet door Hermann Göring te beledigen!"
Wetend dat verklaringen en verontschuldigingen nu vergeefs zouden zijn, ging ik naar mijn kamer en pakte mijn koffers. Ook ik verliet Hinterburg in een gedeprimeerde stemming. Toen Rottman mij aan het station afzette om de trein van middernacht te halen, overhandigde ik hem een briefje voor Stefan. „Nu wij het erover eens zijn dat wij het nooit eens kunnen zijn, zal ik uit je leven verdwijnen. Wees zo goed een scheiding niet in de weg te staan. De verschillen tussen ons zijn niet te overbruggen."
De volgende middag was ik terug in Edenhal, met niets dan mijn persoonlijke bezittingen en een gewonde geest.

HOOFDSTUK 26

DE D.F.F.P.

EVELYN DAUBER VERWELKOMDE MIJ MET OPEN ARMEN. HET „HEIL" van chauffeur Willy had een onheilspellende klank. Hij had de vorige avond op het hoofdkwartier van de partij geruchten gehoord dat Göring tijdens zijn verblijf in ons jachthuis een vreemd ongeluk was overkomen.

Ik zette alle gedachten aan Stefan uit het hoofd en verdiepte mij in de rapporten over de gebeurtenissen in de zes maanden die ik in Rusland had doorgebracht. Het inkomen van Edenhal was gedurende mijn afwezigheid scherp gedaald, maar daar stond tegenover dat er een aanzienlijke lijst was van patiënten die op mijn terugkomst wachtten.

Evelyn zat tegenover mij, klaar om de tijdstippen voor consultaties en operaties te noteren. Ik keek haar ietwat mismoedig aan. Deze vrouw was zeer bekwaam, bezat grote vaardigheid en een indrukwekkende kennis. Bovendien was zij uitstekend op de hoogte van de nieuwste ontwikkelingen. Waarom had zij de kliniek gedurende mijn afwezigheid niet behoorlijk kunnen leiden? Wat was er mis met haar?

Onder mijn blik voelde Evelyn zich kennelijk niet op haar gemak. Met haar gewone dienstbaarheid wachtte zij op orders. Toen begreep ik het! Zij kon zelf geen orders geven – zij kon ze alleen maar uitvoeren! Voor het eerst zag ik haar als een zielig schepsel, geremd, veroordeeld om zich altijd voor een sterkere wil dan de hare te buigen, terneergedrukt door het gevoel van haar eigen minderwaardigheid, een slachtoffer van omstandigheden en ook van haar eigen verzwegen medelijden met zichzelf. Zij zou in geen enkele omstandigheid ooit een leidster kunnen zijn.

Ik vroeg naar de vorderingen in de D.F.F.P. Op deze plotselinge wending in het gesprek was zij niet voorbereid, en zij gaf hakke-

lende antwoorden. Met tegenzin deed zij mij verslag van de bijna complete mislukking. Daar was ik al enigszins op voorbereid geweest. Maar nu kon ik eindelijk openlijk tegen de nazi's optreden. Evelyn was daar niet door beledigd, integendeel, zij was dolblij. Leiding geven was haar een last, en zij was blij dat zij daarvan ontheven was. Zij toonde een lijst van vrouwen die misschien lid zouden willen worden, maar die zij niet had durven benaderen. Urenlang spraken wij over de manier waarop wij een grotere organisatie zouden kunnen opbouwen.
Wij werden door het bellen van mijn privé-telefoon onderbroken. Het was Stefan. Hij wilde mij spreken, desnoods in Edenhal. Ik weigerde. Ik zag geen heil in een ontmoeting, die toch tot dezelfde conclusie zou moeten leiden.
„Alsjeblieft, Stefan, het is afgelopen," zei ik. „Ik wens je het allerbeste." Ik hing op.
Er verscheen een nieuwe glans in de ogen van Evelyn toen de betekenis van mijn woorden tot haar doordrong. Maar ik wilde geen sympathie, en zeker geen misverstand van het soort dat zich nu misschien in haar geest begon te vormen. Ik overhandigde haar de papieren met de woorden die zij zich zeker herinnerde: *Sine ira et studio* – zonder boosheid of bijgedachten.
En zo begon ik aan een campagne voor de D.F.F.P. De volgende week stond ik op een slecht verlicht podium in een naburige stad om een groep armelijk geklede vrouwen toe te spreken. Toen ik met twaalf handtekeningen terugkeerde, kon Evelyn de namen door haar tranen heen nauwelijks lezen. Dit was voor haar het begin van de overwinning.
Mijn geestdrift werd enigszins bekoeld toen ik mevrouw Junker opbelde om haar te vragen haar kind voor een controlebezoek bij mij te brengen. De in het nauw gebrachte dame kuchte, stotterde, maar bekende ten slotte dat haar man haar alle verdere omgang met mij, zowel in mijn spreekkamer als elders, had verboden. Het ziekteverslag van Junker junior ging in de „non-actief" portefeuille.
Ik zag Stefan nog eenmaal terug. Dat was toen ik naar de bank ging om de laatste afbetaling te storten en Edenhal vrij op mijn naam te verkrijgen. Hij begroette mij afgemeten en vroeg mij hem naar zijn privé-kantoor te volgen. Ik liet hem het stempel: „geheel afbetaald" op het document zien, maar daar stelde hij geen belang in.

Hij leek afwezig. Ik voelde mij schuldig, denkend dat ik hem in zijn zaken waarschijnlijk groot nadeel veroorzaakt had. Maar neen, het ging hem goed. Zijn band met de partij was blijkbaar sterk genoeg geweest om het rampzalige weekeinde op Hinterburg te overleven. Of misschien, dacht ik, kunnen de partijleiders hem nog altijd gebruiken.
Zijn verdriet, zo bekende hij met zijn gewone openhartigheid, die ik altijd in hem bewonderd had, was om mij, en ons mislukte huwelijk. Hij kon mijn strijdlust niet begrijpen. Wel mijn afkeer van de nazi's, maar waarom moest ik hen in het openbaar bestrijden? Dat ging zijn verstand te boven. Zij waren de toekomst van Duitsland! Toch bewonderde hij mijn moed. Wilde ik als een klein bewijs van zijn waardering een nederige gift voor een van mijn liefdadige fondsen aannemen? De cheque die hij daarvoor tekende, bedroeg precies de aanschaffingsprijs van Edenhal.
Ik schudde het hoofd, scheurde de cheque in tweeën en gooide de snippers in de prullenmand. Stefan liet mij uit, en ik ging naar mijn advocaat, met wie ik een afspraak had.
In zijn wachtkamer vond ik mevrouw Ebling, die daar op de laatste echtscheidingspapieren wachtte. Zij keerde zich koeltjes af. Naar haar begroeting te oordelen, was ik nooit haar gastvrouw geweest. Deze afwijzing deed mij niets; ook zij behoorde in mijn „non-actief" portefeuille. Het enig belangrijke was voor mij nu het succes van de D.F.F.P.
Een van onze meest enthousiaste aanhangsters was Carola Tillman, een oorlogsweduwe, die een bescheiden erfenis had benut om een uitgeverij te stichten. Zij publiceerde een weekblad voor vrouwen, dat actuele artikelen over het dagelijkse gebeuren, onderhoudende verhalen en huishoudwenken bevatte. Haar programma omvatte zowel politiek als poetsgoed, romantiek en de beste manier om vlekken te verwijderen. Carola's belangstelling ging vooral uit naar grote persoonlijkheden. Zij bewonderde hun succes en stelde hen haar lezers ten voorbeeld.
In wezen was zij een aardige vrouw, verdraagzaam en vriendelijk, maar gemakkelijk te beïnvloeden. Haar privé-leven had zij gewijd aan de opvoeding van haar drie zoons, van wie de vader bij Verdun gesneuveld was.
Zij had een vaag plan om in haar weekblad een tegenhanger te

creëren van de populaire mythe die door de nazi's werd verspreid: de superman. Zonder de minste persoonlijke politieke overtuiging zag zij in onze beweging het symbool voor de supervrouw. Op deze manier, meer door de naïveteit van de uitgeefster-eigenares dan om grondiger reden, kregen wij in het Vrouwenweekblad gelegenheid de D.F.F.P. te propageren. Maar dat kon niet lang duren.
Op een morgen in maart 1932 bevond ik mij in Carola Tillmans kantoor. De persen wachtten nog op de voltooiing van het hoofdartikel: „Wat zal in het Derde Rijk de plaats van de vrouw zijn?" Een goed uur lang beschreef ik voor Carola de toekomst van de vrouwen onder de nazi's: vernedering, slavernij. Zij luisterde aandachtig en liet door een stenografe opnemen wat ik zei, opdat mijn mening in het artikel zou kunnen worden weergegeven.
Terwijl de zetters al aan het werk waren, werd de deur geopend en Adolf Hitler, gevolgd door Goebbels en enkele anderen, kwam binnen. Ik behoefde door Carola niet te worden voorgesteld om het harde gezicht, de fanatieke ogen en de bijgeknipte snor te herkennen. Vaak had ik tussen de toehoorders gezeten en geluisterd naar deze man, die ondanks zijn slechte grammatica en onhandige spreekwijze altijd een magische uitwerking op zijn toehoorders had. En nu stond ik tegenover hem. Met een kort „Heil" nam hij ons op. Toen richtte Carola de vraag uit het hoofdartikel direct tot hem: „Wat zal naar uw mening, mein Führer, de positie zijn van de vrouwen in het Derde Rijk?"
Hitler, die nooit in staat was voor de vuist weg een antwoord te geven, liep het kantoor op en neer en dacht na. Ondertussen keek Goebbels mij woedend aan. „Dus jij bent de vijand naar wie wij zoeken! Jij bent degene die de geest van de trouwe Duitse vrouwen vergiftigt? Ben je er zo op gesteld uit te vinden wat wij met verraders doen?"
Ik keek naar Hitler. Hij liep nog steeds, als een niet helemaal geslaagde imitatie-Napoleon, met grote passen het kantoor op en neer, de handen op de rug, het hoofd naar voren tussen de opgetrokken schouders. Eindelijk bleef hij vlak voor Carola staan en toen sprak het nazi-orakel: „Voor mij tellen de vrouwen alleen mee van acht uur 's avonds tot acht uur 's morgens."
„Wat een huichelachtige viezerik!" riep ik uit.
De Führer was blijkbaar te verrast om te antwoorden. Een ogen-

blik lang trilde hij van top tot teen, alsof hij een beroerte zou krijgen, toen klikte hij met zijn hakken, groette met zijn gewone „Heil", en alsof er niets gebeurd was, verliet hij het vertrek.
Goebbels wierp mij een vernietigende blik toe en volgde hem naar buiten.
Het hoofdartikel in het volgende nummer van het Vrouwenweekblad ging over de behandeling van zuigelingenexceem.
Jaren later besprak ik deze gebeurtenis met professor Ernst Königsberger, een bekende psycholoog, die vele jaren Hitlers persoonlijke arts was geweest. Hij gaf mij de volgende verklaring van Hitlers merkwaardige reactie op mijn belediging. Hitlers seksuele abnormaliteit bestond daarin dat hij de massa van zijn volgelingen „*Deutschland erwache!* – Duitsland ontwaakt" – toeschreeuwde. Tijdens de pauze, die hij hier volgens gewoonte op liet volgen en die algemeen tot een van zijn grootste, demagogische wapens werd uitgeroepen, vond hij volledige seksuele bevrediging.
Had ik twee jaar later, toen hij de leider van heel Duitsland was, deze belediging geuit, dan zou ik dit verhaal nu niet kunnen vertellen. Misschien zou Hitler op dezelfde wijze hebben gereageerd, maar zijn S.S.-mannen zouden mij voorgoed het zwijgen hebben opgelegd.
Toen ik openlijk met antinazi-propaganda begon, lieten de beter gesitueerden Edenhal in de steek. Het speet mij niet hen te zien vertrekken, want hun plaats werd ingenomen door een steeds groter wordend aantal vrouwen uit de middenklasse, die in de voor hen ongewone luxe van onze omgeving verzorging en herstel vonden.
Bij het behandelen van deze nieuwe groep patiënten overtrof Evelyn Dauber zichzelf. Met hen voelde zij zich op haar gemak, zij vond het heerlijk voor hen te zorgen. Bij deze mensen had zij geen gevoel van minderwaardigheid, en zij genoot van hun waardering. Mijn speciale vak was nog altijd chirurgie, maar mijn politieke bezigheden waren een ernstige belemmering voor mijn werk. Op papier ging de D.F.F.P. goed vooruit, maar in werkelijkheid verloren wij meer oude leden dan er nieuwe bijkwamen.
Tijdens een bijeenkomst in Dresden zag ik hoe groot de duivelse macht van onze tegenstanders was. De D.F.F.P. had de grootste zaal gehuurd. Honderden en honderden vrouwen waren er samengekomen. Aandachtig luisterden zij naar mijn ernstig pleidooi voor

de wettelijke erkenning van ongehuwde moeders. Toen ik mijn rede beëindigde met een voorstel voor een verzoekschrift naar de *Reichstag*, werden er ontelbaar veel armen omhoog gestoken. De meerderheid was bereid om te tekenen.
Plotseling kwamen Hitler en Goebbels de zaal in en bestegen de treden naar het podium. Toen zij herkend werden, steeg er een enorm gejuich uit het publiek op. Hitler liet dit enige minuten over zich heen gaan, toen hief hij zijn handen op en er was onmiddellijk stilte. Hitlers geweldig toneeltalent pakte de toeschouwers. „Duitse vrouwen. . .! Teken dat verzoekschrift niet! Voeg geen nieuw hoofdstuk toe aan Duitslands vernederingen!"
Een vrouw die op de eerste rij zat, rende het podium op en kuste zijn schoenen. Tot mijn grote ontsteltenis herkende ik Carola Tillman. „Ik heb drie zonen, *mein Führer*!" gilde ze hysterisch. „Als zij kunnen dienen om de eer van Duitsland te redden, neem ze, neem ze. . .!"
Deze demonstratie van zelfvernedering was de aanleiding tot een wilde ovatie. Bijna alle vrouwen stonden op en gilden als met één stem: „Heil Hitler!"
Gedurende de maanden van bijeenkomsten en toespraken kruisten zich Hitlers pad en het mijne meer dan eens. Vaak sprak hij een menigte toe in een bierkelder aan de ene kant van de straat, terwijl ik in een zaal aan de overkant sprak.
Op een avond in de zomer van 1932 hielden wij allebei een redevoering in Kassel. Hitler hield toen een aantal verkiezingsredevoeringen, terwijl ik deed wat ik kon om een groep werkende vrouwen in een ander gedeelte van de stad aan onze zijde te brengen. Na mijn voordracht had ik trek in een glas bier en ging een van de vele cafés in de hoofdstraat binnen. Het was er vol overtuigde aanhangers van beide groepen. Er waren luidruchtige twistgesprekken, de toon werd steeds heftiger, en er bestond kans dat, zoals in die onheilspellende dagen overal in publieke gelegenheden, er een bloedig gevecht uit zou voortkomen. Iedere dag meldden de kranten gevallen van jonge mensen die in bierhallen, vergaderzalen en stegen waren vermoord. De lijst van slachtoffers die het nazi-ontuig maakte, leek maar al te zeer op een lijst van oorlogsslachtoffers.
Hitler kwam binnen, zocht een stoel en als door een onzichtbare

hand geleid kwam hij recht op de tafel af waar ik alleen zat. Ik was in Kassel vrij goed bekend, en ook mijn actie tegen de nazi's was geen geheim. Hitler beantwoordde een luidruchtige begroeting van vele aanhangers en toen viel er een stilte waarin allen om ons heen afwachtten wat er zou gebeuren. Ik wist een ogenblik lang niet wat te doen, maar toen drong het waanzinnige van deze ontmoeting tot mij door, en ik begon te lachen. Hitler lachte ook, ging zitten en bestelde bier.

Ik bereidde mij voor om weg te gaan, maar ik voelde dat de situatie een ironisch humoristische zijde had. Wij hadden tenslotte iets gemeen: wij waren beiden openbare sprekers. Ik kon misschien van deze meester in de demagogie iets leren dat mij in mijn strijd tegen hem weleens van pas zou kunnen komen. Dus vroeg ik hem: „Waaraan schrijft u uw succes als spreker eigenlijk toe?"

Hitler kreeg bij deze vraag een kleur van genoegen. „Als ik een menigte toespreek, of het er nu vijf of vijfduizend zijn, dan kies ik een persoon, man of vrouw, die op de tweede rij zit. Die spreek ik rechtstreeks toe, en als hij of zij gedurende mijn toespraak tweemaal huilt en eenmaal lacht, weet ik dat ik mijn toehoorders gewonnen heb!"

Wat een nuchtere, eenvoudige analyse gaf deze man, die zelf toch allesbehalve nuchter en eenvoudig was! Met twee indringende frasen: „Duitse eer", en „Duitse vernedering" had hij het hele volk weten te bezielen. Geen wonder dat de D.F.F.P. grond verloor. . .

Wij vonden een vurige bekeerlinge in Constance Menz, die tijdens het noodlottige weekeinde in Hinterburg mijn liefste gast was geweest. Constance had nooit belang gesteld in politiek, zij was eenvoudig als Kurt Wolfs vriendin naar Hinterburg gekomen. Nu kwam zij tot het inzicht dat niemand, zelfs de artiesten niet, zich afzijdig kon houden tegenover het noodlot dat Duitsland bedreigde. Avond aan avond, nadat zij aan het einde van een voorstelling haar buigingen had gemaakt, deed zij het applaus met een gebaar verstillen en sprak dan in welgekozen woorden tot haar bewonderend publiek over vrijheid, democratie en vrede.

Kurt Wolf, nog steeds haar vriend, woonde al haar voorstellingen bij. Daar hij een van de grootste Duitse wapenfabrikanten was, werd hij bij de intiemste nazi-besprekingen betrokken en kende hij

hun brutale, onbarmhartige jacht naar de macht. Constance overtuigde hem dat zijn persoonlijke afkeuring niet voldoende was, dat hij iets positiefs moest doen. Hij kwam bij ons en gaf ons een belangrijke bijdrage.
Ik was trots op deze nieuwe bondgenoot, van wie ik altijd, niettegenstaande het gezelschap waarin ik hem leerde kennen, een gunstige indruk had gehad. Dank zij zijn financiële steun konden wij nu onze campagne voor het werven van nieuwe leden uitbreiden. Maar onze vijanden werden dagelijks sterker, en wij moesten wel inzien dat wij voor een verloren zaak streden.
Kurt Wolf kwam met een voorstel. Hij had vele connecties in het buitenland, mensen met verstand en inzicht, die vreesden dat nazi-Duitsland zou trachten de wereld te beheersen. Het was mogelijk dat deze mensen, in een laatste poging om dat onheil te weren, met ons wilden samenwerken.
Daarom vertrok ik in de herfst van 1932 naar Parijs, zogenaamd om een medisch congres bij te wonen, maar in werkelijkheid gewapend met een lijst van namen en adressen die Wolf mij had bezorgd. Ik reisde in een open sportwagen en had twee koffers, een schrijfmachine en mijn oude, draagbare grammofoon bij mij. Aan de grens bij Saarbrücken wilde men mij niet doorlaten. Andere wagens werden prompt gecontroleerd en konden doorrijden naar waar op slechts drie meter afstand de Franse vlag veiligheid beloofde. Ik zag ze gaan en werd door paniek aangegrepen. Had Willy, onze chauffeur, mij verraden? Of had Goebbels' dreigement mij eindelijk achterhaald?
Een douanebeambte wenkte mij naar het kantaar te komen en naar een binnenkamer, waar mij bevolen werd mijn kleren uit te trekken. Een grondig onderzoek door een vrouwelijke douanebeambte bracht geen verboden papieren of geldswaarden aan het licht. Voor de lijst die Kurt Wolf mij had gegeven, toonde zij geen belangstelling. Intussen werden de douanebeambten door andere afgelost. Een man van middelbare leeftijd bladerde door mijn paspoort. Ik kende hem; hij was de man van een van de patiënten die enkele maanden tevoren in Edenhal een succesvolle operatie had ondergaan. Hij keek mij vluchtig aan, gaf geen teken van herkenning, en overhandigde mij mijn paspoort, voorzien van het officiële stempel.
Ik ging naar mijn wagen terug en kwam tot de ontdekking dat de

hele binnenbekleding eruitgetrokken was, tot het laatste draadje toe. Maar dat kon mij niet schelen. Met mijn handen stijf aan het stuur geklemd, passeerde ik de grens. Enige kilometers verder stopte ik aan de kant van de weg, liet mijn hoofd in mijn handen zakken en dankte God dat mijn werk mij een vriend in de nood bezorgd had.
In Parijs besteedde ik een week aan vruchteloos zoeken naar Kurt Wolfs persoonlijke en zakelijke betrekkingen, maar bemerkte dat de meesten van hen met vakantie aan de Rivièra waren. Ik besloot door te rijden naar Cannes.
Bijna de allereerste die ik daar tegen het lijf liep, was Bernhard Martel. Deze verbazingwekkende man was werkelijk blij mij te zien, hoewel hij volledig van mijn politieke actie op de hoogte bleek. Hij trok mij een bar binnen en stond erop met mij een cocktail te drinken. Lachend herinnerde hij zich weer de gebeurtenissen in ons jachthuis. Daarna bood hij mij aan in zijn villa bij Cannes te komen logeren.
Dat kwam mij goed van pas, want mijn beperkte geldmiddelen smolten snel weg. Maar ik betwijfelde of hij zijn uitnodiging zou handhaven als hij hoorde met welk doel ik hier was gekomen. Ik vertelde het hem en hield niets voor hem geheim. Het verbaasde hem niet.
„Tenslotte wil je niets anders dan vrede," zei hij laconiek en nam een teugje van zijn cocktail. „Maar het grootste gevaar voor de vrede zijn de communisten. De hele wereld wapent zich om hen te stuiten. Een machtig Duitsland is de enige waarborg voor de vrede. En zelfs als het tot een oorlog tussen Frankrijk en Duitsland mocht komen, hebben wij altijd nog de Maginot-linie. . ."
Martel had blijkbaar al het mogelijke gedaan om de machten in evenwicht te houden. Ondertussen wapende de wereld zich en het geld stroomde bij hem binnen. Hij kon aan de Rivièra zitten, zich amuseren en cocktails drinken, omdat Hitler voor hem werkte. Misschien indirect, maar het resultaat was hetzelfde.
„En laten wij nu naar het Casino gaan en dansen, of als u dat misschien liever wilt, ‚*corriger la fortune*!' " Wij gingen naar het Casino. Ik keek naar het draaiende rad terwijl de croupiers riepen: „*Mesdames et messieurs, faites vos jeux*!" Hier veranderde het toneel nooit, alleen de acteurs verschilden van jaar tot jaar. Ditzelfde toneel had ik nog niet zo lang geleden samen met Stefan gezien. . . Ik

zette een van mijn weinige duizendfrank-fiches op nummer zestien. „*Rien ne va plus. . .!*" Het rad stopte en de croupier annonceerde: „*Le numéro seize!*" Nummer zestien had gewonnen! Ik nam de vijfendertigduizend frank op, gaf de croupier een fooi en ging naar buiten, naar het terras.
De witte schuimgolfjes van de Middellandse Zee glinsterden in de maneschijn.
Even later voegde Martel zich bij mij. Wat had ik voor een systeem. . .?
„Dat is een beroepsgeheim," zei ik. „Maar ik zal het u vertellen. Mijn chirurgische specialiteit is het scheppen van een fraaie boezem. Acht is het Arabische teken voor borst, en twee maal acht is zestien. *C'est tout!*"
Wij dineerden en dansten. Ik voelde mij opgewekt en streelde mijn welgevulde beurs. Martel bleek een charmante, attente metgezel te zijn. Misschien zou ik hem voor onze zaak kunnen winnen.
Zijn hartelijk „*Au revoir*" in de hal van het hotel klonk bemoedigend.

HOOFDSTUK 27

ZONDER VADERLAND

VAN DE PLEZIERIGE WEKEN AAN DE RIVIÈRA MAAKTE IK GEBRUIK OM alle belangrijke mensen die mij zouden kunnen helpen, op te zoeken. Bernhard Martel lachte mij uit. „Die mensen zijn hier voor hun genoegen," zei hij. „Zij zullen niet naar je luisteren."

Op een morgen in maart werd ik door de telefoon gewekt. Martel wilde graag met mij op het hotelterras ontbijten.

Ik stond op, nam een douche, kleedde mij aan en, als altijd te ongeduldig om op de lift te wachten, rende ik de trappen af. Ik merkte niet dat overal opgewonden mensen in groepjes stonden te praten! Bernhard Martel zat aan het eind van het terras. Hij keek mij strak aan, bood mij een gardenia om op mijn jurk te dragen en wees op een stapel Franse en buitenlandse kranten, die over de tafel verspreid lagen „*Voilà, votre ami* – kijk maar eens wat uw vriend gedaan heeft!"

Hitler had zich tot rijkskanselier laten benoemen. Het draaide mij voor mijn ogen: dit betekende het einde voor Duitsland, voor Europa en zeker voor mijzelf. Bernhard Martel bood mij nogmaals de rust en veiligheid van zijn villa aan, en ditmaal accepteerde ik zijn uitnodiging, dankbaar als een kind.

Uren later kreeg ik telefonische aansluiting met Edenhal, en mijn ergste vrees werd bewaarheid. Willy liet mij weten dat het sanatorium door de nieuwe leiders was overgenomen en dat dokter Dauber was gearresteerd. Met luide stem riep hij: „Heil Hitler!" en hing op.

Wat nu? Mijn gastheer raadde mij aan naar de bank te telefoneren en mijn rekening op vaders naam te laten zetten. Maar in mijn hart wist ik dat het hiervoor al te laat was. Het verwonderde mij dan ook nauwelijks meer toen men mij een uur later telegrafeerde dat alles, ook mijn niet onbelangrijke bankrekening, in beslag was genomen.

De rest kon ik een paar dagen later in een exemplaar van het *Berliner Tageblatt* lezen: „Prijs van 100.000 Mark op het hoofd van voortvluchtige D.F.F.P.-leidster."
Er heerste een vreemde stemming in het huis van Martel. Hij kon ternauwernood zijn opgewonden blijdschap bedwingen. De nazi-putsch, waardoor Hitler rijkskanselier van Duitsland was geworden, had hij voorzien, maar hij had niet geweten wanneer deze kon worden verwacht. Hij vond het prachtig dat zijn voorspellingen waren uitgekomen, en hij wist hoe zijn zaken hiervan zouden profiteren. Voortdurend was hij aan de telefoon. De lucht om hem heen was als met elektriciteit geladen.
Zijn gast was zwaarmoedig en neerslachtig. Ik had mijn land, en alles wat dat voor mij betekende, verloren. Al mijn werk en liefde die ik aan Edenhal had besteed, waren tenietgedaan. Mijn compagnon en vriendin was gearresteerd. Het was mogelijk dat ik mijn familie, van wie ik luchthartig afscheid had genomen, nooit weer zou zien. Buitendien had ik geen geld, behalve wat ik had meegebracht en de franken die ik aan de roulettetafel had gewonnen.
Toen mijn gastheer besloot voor een ontmoeting met de nieuwe leiders naar Berlijn te vliegen, dacht ik er ernstig over om hem te vergezellen en mij met mijn vervolgers te confronteren. Maar hij achtte dit gelijk te staan aan zelfmoord, en ik moest het daarmee wel eens zijn.
Op de avond voor zijn vertrek voegde zich een jonge Franse marineofficier bij ons. Ik had hem al eens ontmoet. Wij praatten gedrieën over mijn moeilijkheden. Niet alleen was ik zonder huis en zonder geld, maar ik kon ook mijn beroep niet uitoefenen. Ik was een vrouw zonder land en een dokter zonder vergunning.
Bernhard Martel verontschuldigde zich; hij ging pakken voor de reis. Luitenant Vaissoux en ik maakten een wandeling door de tuinen. „Zeg eens," zei Charles Vaissoux, „ik weet misschien een oplossing! U moet een Fransman trouwen! Dat zou prachtig zijn! Dan hebt u een land, vergunning om praktijk te doen en nog een echtgenoot bovendien. Fransen zijn goede echtgenoten, madame!"
Ik dacht bij mijzelf dat hij inderdaad een charmante echtgenoot zou zijn, maar ik lachte.
„Ik meen het!" hield hij vol. „Ik zou zelf om de eer vragen – als ik maar. . ."

„Als u maar niet getrouwd was!" veronderstelde ik.
„Nee, mevrouw, dat is het niet. Maar ik heb een grote dwaasheid begaan en nu zit ik verschrikkelijk in de knoei!" Hij zuchtte als onder zorgen gebogen, maar werd meteen weer vrolijk. „Ik ga mijzelf bevrijden en dàn, mevrouw. . ."
Ik drukte mijn sympathie uit, al wist ik niet waarmee. Spoedig daarna nam hij afscheid en vertrok.
De volgende morgen wenste ik mijn gastheer goede reis en behouden terugkeer.
Nu was ik geheel alleen. Overdag zat ik op het strand en 's avonds op het terras en steeds zwierven mijn gedachten weer door dezelfde doolhof, om er altijd op hetzelfde punt weer uit te komen. Ik kon geen antwoord op mijn vragen vinden, geen uitweg uit mijn ellende.
Op een avond zat ik een detectiveverhaal te lezen. De radio speelde zachtjes. Het nieuws kwam door, en ik hoorde: „Een jonge marine-officier, Charles Vaissoux, een zoon uit een van Frankrijks oudste geslachten, heeft zichzelf op het jacht van de bekende actrice. . . een kogel door het hoofd geschoten. Wijlen zijn vader was. . ."
Het verdere nieuws drong niet meer tot mij door. Hij heeft zich dus uit zijn moeilijkheden gered, dacht ik – er is altijd een laatste uitweg. . .
Martel keerde voor de begrafenis van zijn jonge vriend naar Cannes terug. Later zaten wij in zijn studeerkamer en hij vertelde mij wat hij in Berlijn had gehoord en gezien. Ik had bij verstek terechtgestaan, beschuldigd van verraad, en ik was veroordeeld. Er was een arrestatiebevel uitgevaardigd en men zou zeker een beroep op Frankrijk doen om mij aan Duitsland uit te leveren.
Met deze woorden verdween de veiligheid die hij mij had aangeboden. Ik kon mijn gastheer nooit in het gevaar brengen ervan te worden beschuldigd dat hij een door de justitie gezochte vluchteling verborg. Ik pakte mijn koffers en dankte hem voor zijn gastvrijheid en vriendelijkheid. Hij bood mij zijn hulp aan wanneer ik die nodig mocht hebben, maar ik was ervan overtuigd dat hij zich opgelucht voelde toen ik in mijn wagen wegreed.
De sportwagen met het Duitse nummerbord kon Frankrijk ongehinderd verlaten. Ik reed naar een klein hotel in het vorstendom Monaco, dat een traditionele vluchthaven voor uitgewekenen was. Daar bleef ik verscheidene verdrietige dagen, centimes besparend

door de kilometer naar het strand te lopen, en in gedachten nog altijd bezig een weg uit mijn moeilijkheden te zoeken.
Op een late namiddag reed ik, in een poging mijn pessimistische gedachten een andere wending te geven, door de nauwe straten van Monte Carlo. Monaco is niet veel groter dan zijn beroemde hoofdstad; het kleine land bood mij een veiligheidszone van niet meer dan twaalf kilometer lengte. De inscripties op de verweerde kilometerstenen waren bijna niet meer te lezen, zodat men nauwelijks wist waar het ene land ophield en het andere begon. Soms stond een huis op Frans gebied en lag de tuin in Monaco!
Ik kreeg honger en stopte voor een kleine slagerswinkel om wat salami te kopen. Toen ik weer buitenkwam, stonden er, aangetrokken door het Duitse nummerbord, vier Franse gendarmes bij mijn wagen. Zonder het te weten, was ik de grens overschreden. Dodelijk verschrikt rende ik de vestibule van een huis binnen. Een kleine tuin leidde naar een straatje dat buiten het gezicht van de politiemannen lag. Urenlang, zo scheen het mij, liep ik op de ronde keien heen en weer. Eindelijk sloop ik als een dief terug naar de vestibule en gluurde door het sleutelgat van de oude deur. De gendarmes waren verdwenen. Met bevende handen stak ik het sleuteltje weer in het contact.
Toen ik in mijn hotel terug was, dacht ik ernstig na. Zo kon het niet veel langer doorgaan. En er was een oplossing waaraan ik tot nu toe opzettelijk geen aandacht had willen schenken. Op het vliegveld van Moskou had Djerginski zijn afscheid besloten met een belofte: „Er zal voor jou hier altijd een plaats zijn."
De gedachte dat ik naar Moskou zou moeten terugkeren, vond ik verschrikkelijk. Maar waar kon ik heen? Waar moest ik wonen? Waar kon ik werken? Het was alsof ik van alle kanten werd ingesloten, zoals ik ervoor stond was het *sauve qui peut*... ik was ten einde raad, dus...
Toen ik in gebroken Russisch een telegram probeerde op te stellen, trok de portier, van geboorte een Litauer, zijn wenkbrauwen op. Maar hij was er trots op mijn fouten te kunnen verbeteren, al keurde hij ook ieder contact met de tegenwoordige Russische regering af. Het telegram werd verzonden, en ik probeerde geduld te hebben tot het antwoord kwam. Maar er kwam niets. De volgende morgen lag ik op het strand te zonnen en te peinzen over mijn

ellendige toestand, toen ik mijn naam hoorde roepen. Het was een boodschappenjongen van het hotel met het antwoord op mijn telegram naar Moskou. Er werd mij een positie bij het commissariaat voor Volksgezondheid aangeboden.
Ik las het telegram over en over, en plotseling zei een prettige stem: „Dat moet een gewichtig telegram zijn als ze het op het strand komen brengen." Ik keek naar de door de zon verbrande man, die dicht bij mij languit in het zand lag, en antwoordde vriendelijk, mij ervan bewust dat ik dagenlang, behalve met de portier, geen woord met iemand had gewisseld. Oneindig opgelucht door de oplossing van mijn probleem, voelde ik mij weer mens worden.
Wij zetten de kennismaking voort in een kleine bar. Daar vernam ik dat de nieuwsgierige meneer een Amerikaan was, die zijn vakantie aan de Rivièra doorbracht. Wij aten samen gezellig op het terras van een restaurant, en hij bracht mij naar mijn hotel. Wij spraken voor de volgende morgen op het strand af.
De portier was verwonderd dat ik zijn hulp voor de beantwoording van het telegram, waar ik zo ongeduldig naar had uitgezien, van de hand wees. Een week later, toen ik met Henry naar het Amerikaanse consulaat reed om naar de mogelijkheden van mijn emigratie naar Amerika te informeren, was het nog steeds niet beantwoord.
De vice-consul bekeek mijn pas en ging het Duitse immigratiequota na. Mijn nummer, zei hij, zou over ongeveer drieëneenhalf jaar aan de beurt komen; misschien, wanneer ik de juiste sponsors wist te vinden, iets eerder.
Verslagen wilden wij weer weggaan, maar de vice-consul riep ons terug. Hij stelde Henry een vraag. „Bent u getrouwd?"
„Nee," zei Henry.
„Als het voor u zo belangrijk is dat deze dame naar Amerika gaat, waarom trouwt u haar dan niet?"
Henry en ik keken elkaar aan en lachten. Wij lachten de hele rit terug, waarbij wij roekeloos over de grens reden en alleen maar bij toeval niet door de gendarmes werden gezien.
Dagenlang praatte Henry over het voorstel van de vice-consul. Hoe meer hij erover dacht, des te beter beviel het hem. Ik vertelde hem dat Vaissoux een Frans huwelijk had voorgesteld. Hij antwoordde dat voor een verstandshuwelijk een Amerikaan te verkiezen was. Het bleef tussen ons een grapje, maar er kwam een ogenblik dat het

voor mij niet langer een grapje was. Ik had Henry van het begin af aantrekkelijk gevonden; hij was, na Mario, de knapste man die ik ooit had ontmoet, hij was een sympathieke, hartelijke vriend en – ik moest het tot mijn verbazing bekennen – nog iets meer. Hij was de eerste Amerikaan die ik had leren kennen, uitgezonderd de enkele die ik hier en daar op feesten en ontvangsten had ontmoet. Misschien was het juist dat Amerikaanse in hem dat mij aantrok, het vrij zijn van verouderde tradities, de frisheid van zijn luchthartige zowel als zijn ernstige stemmingen. Bovendien bewonderde ik hem; hij was een ontwikkeld man, een talenkenner, en hij had Europese geschiedenis gestudeerd. Ik had geloofd dat ik nooit van een andere man dan Mario zou kunnen houden, en voor Stefan had ik genegenheid en trouw gevoeld, maar niet het adembenemende dat wij liefde noemen. Tot overmaat van ramp merkte ik nu dat ik van Henry ging houden. Ik haatte de vice-consul, die in zijn onschuld het idee van een huwelijk met Henry mogelijk had gemaakt. Dat geloofde ik tenminste, en wij hielden niet op over ons grapje te lachen, tot wij op zekere avond samen langs het strand wandelden en Henry mij in zijn armen nam. „Dit is belachelijk, Else," zei hij met ergernis in zijn stem. „Je blijft er maar om lachen – wat is er zo gek in een huwelijk met mij? Ik was op je verliefd vóór die idioot van een vice-consul erover begon. Ik dacht dat je mij wel mocht. . ."
„O, ja, dat wel!" Ik lachte weer, maar ditmaal van verlichting en geluk. „Het is best mogelijk dat ik van je houd!"
De vriendelijke portier en de „idioot van een vice-consul" waren getuigen bij ons huwelijk. Mijn tijdelijk Amerikaans paspoort was het mooiste huwelijkscadeau dat Henry mij kon geven.
Een paar dagen later stonden wij aan de verschansing van de *Vulcania* en zagen de lichten van Europa in de verte verdwijnen. Een oude rabbijn, die in onze nabijheid zat, schudde zijn hoofd over de Duitse krant die hij las.
Ik vroeg of ik de krant even in mocht zien. Mijn ogen vielen op twee vetgedrukte koppen: „Kurt Wolf, bekend industrieel, heeft zelfmoord gepleegd!" Dat was het eerste.
Op een andere bladzijde, iets kleiner gedrukt, las ik: „Eerste vrouw door nazi's onthoofd – Dokter Evelyn Dauber, D.F.F.P.-presidente en oprichtster, terechtgesteld."

HOOFDSTUK 28

DWAALWEGEN EN HINDERNISSEN

EEN UITGEWEKENE IS EEN VLUCHTELING EN EEN BALLING. IK WIST dat deze definitie op mij niet van toepassing was; de vrouw van een Amerikaan wordt automatisch door de Amerikaanse wet beschermd, het land van haar echtgenoot is het hare. Maar als ik mijn verhaal eerlijk wil vertellen, kan ik niet ontkennen dat ik geleden heb, evenals allen die plotseling ontworteld zijn.

De eerste hindernis die ik ontmoette, was de taal. Ofschoon ik naast Latijn en Grieks verscheidene moderne talen beheerste, was Engels daar niet bij, en zeer zeker niet de Amerikaanse versie daarvan.

Een paar weken na mijn aankomst in New York vroeg een van Henry's vrienden ons om met hem een tocht in de omstreken te maken. Zij stikten van het lachen toen ik de wilgekatjes – die ik wilgepoesjes noemde – langs de weg bewonderde. Een paar uur later hield de gastvrouw voor een benzinestation stil en vroeg mij beleefd: „Do you want to go and powder your nose?"*, wat de Amerikaanse manier is om iemand in de gelegenheid te stellen naar het toilet te gaan. Maar dat wist ik niet, dus ik zei: „Ja, graag, maar kan ik dat niet hier doen?" Weer een geweldig gelach, waar ik mee instemde toen ik begreep waar het om ging.

Ik had natuurlijk gehoord dat Amerika het land van de overvloed was. Evenals andere Europeanen dacht ik dat men de dollars zo maar van de trottoirs kon oprapen, maar deze illusie verdween toen Henry aankondigde dat zijn vakantie voor onbepaalde tijd was verlengd. Hij had zijn positie bij de oliemaatschappij verloren. Zijn aandelen daalden en wij moesten zuinig leven tot de zaken weer beter zouden gaan. Met tien dollars per week moest ik rondkomen, in een éénkamer- plus kitchenette flat.

---

* Wilt u misschien uw neus gaan poederen?

Op een keer nodigde Henry vrienden te eten, en zij verheugden zich op een echt Europees familiediner. Zou ik, om hem een persoonlijk plezier te doen, een „lemon meringue"-taart willen maken? Daar had ik nooit van gehoord, maar ik wilde graag mijn best doen.
Met een bezwaard hart telde ik mijn schaarse dollars en belegde $ 1.98 in een populair kookboek. Ik sloeg op: „Pie, lemon meringue", en onthutst las ik de volgende zin over en over: „Cut in the shortening." „Cutting", dat wist ik wel: insnijden, maar wàt was „shortening"...? Ik moest dus voor nog eens $1,50 een woordenboek kopen, *Websters Populaire Editie* geheten. Ik sloeg de bladen om. „Shortening: van shorten, korter maken; speciaal materiaal als spek en boter of vet dat gebruikt wordt om gebak bros te maken." Zo, dàt was het!
Nog een portie van het weekgeld werd besteed om een blikken taartvorm, een maatglas en een houten deegrol te kopen. Ik volgde het recept stap voor stap. Tot mijn ergernis bleef het geval aan de deegrol plakken. Na bijvoeging van meer „shortening" viel het uit elkaar. Ik plakte het met meer water aan elkaar en toen werd het hard als steen. En ten slotte was de hoeveelheid deeg groot genoeg om er een restaurant mee te openen.
Toen Henry van zijn dagelijkse ronde van de arbeidsbureaus terugkwam, keek hij medelijdend naar mijn onvruchtbare pogingen. Ik zei: „The duff is tuff."
„Wàt...?
„The duff is tuff!"
Het duurde wel een uur eer ik geloven wilde dat het zelfstandige naamwoord „dough" – deeg – wordt uitgesproken als „do" en het bijvoeglijke naamwoord „tough" – taai – als „tuf", en toch waren bijna alle letters hetzelfde!
Het kleine diner was een succes. Henry's vrienden waren opgetogen over de Hongaarse goelasj en keken vol verwachting uit naar de „lemon meringue"-taart die hun gastheer had beloofd.
Ik had het druk in de keuken, en was bezorgd voor mijn meesterstuk. De taart, die eerst maar „tuff duff" was, rustte nu heerlijk in zijn blikken vorm, klaar om te worden overgebracht op de glazen schaal, waaraan ik mijn laatste vijftig cent had besteed. In mijn zenuwachtige haast liet ik alles vallen. Ontsteld zag ik het op de vloer terechtkomen, een grote massa gemengd geel en wit. Er zat

niets anders op: ik schepte de ruïne op en klutste alles te zamen in een prachtige massa van taartkorst, vulling en schuim.
Wat poedersuiker eroverheen en het was gebeurd. De dames verslonden mijn meesterwerk en wilden absoluut het recept van deze „Viennese delight" hebben!
Zo vond ik bij stukjes en beetjes mijn weg in ons nieuwe leven. Maar met Henry was het anders. Hij had het grootste deel van zijn leven in het buitenland doorgebracht. Zijn schitterende geest, zijn degelijke opvoeding en zijn natuurlijke aanleg voor talen hadden hem belangrijke posities in Amerikaanse ondernemingen in Europa, Afrika en het Verre Oosten bezorgd. Toen hij naar zijn vaderland terugkeerde, was hij feitelijk een vreemdeling, en het was 1933, het dieptepunt van de depressie. Met zijn charmante manieren maakte hij al gauw vrienden, maar ongelukkigerwijze behoorden de meesten tot de „speak-easy" bezoekers*, die in deze dagen van drankverbod geleerd hadden een gemakkelijke vlucht uit hun moeilijkheden te zoeken in de nevelen van de „badkuipjenever"**.
Ik had eerder dronkaards gezien, maar zij behoorden tot de lagere klassen, metselaars en fabrieksarbeiders, die hun weekloon en de uren van zaterdag- tot zondagnacht in een halve verdoving boven hun bier en eigengemaakte wijn doorbrachten. Op zondagmiddag kregen hun vrouwen regelmatig een pak slaag, en op maandagmorgen keerden zij als volgzame arbeiders naar hun werk terug.
De weinige voorbeelden van dronkaards uit de hogere klassen werden als diepgezonken uitgeworpen en haastig weggemoffeld als er gasten werden aangekondigd. Onder de beter gesitueerde Europeanen werden dronkaards als een schande beschouwd.
Het was moeilijk de bittere waarheid te aanvaarden dat mijn liefhebbende en geliefde echtgenoot een gewoontedrinker was. Was het in het begin al moeilijk geweest een betrekking te vinden, nu waren deze moeilijkheden verduizendvoudigd. Ik zou voor ons beiden de kost moeten verdienen en zorgen dat hij de medische behandeling kreeg die hij nodig had. Ik kènde Henry; hij was het allerbeste gewend, en ik kende ook de behandeling die hij in een

---

* Bezoekers van clandestiene bars.
** Eigengemaakte jenever of gin; hierbij werd vaak de badkuip gebruikt.

stadsziekenhuis zou krijgen. Maar die waren overvol, niet voldoende van personeel voorzien en slecht gefinancierd. Ik wist dat privébehandeling de enige oplossing was. Ook deze kosten zou ik moeten bestrijden.
Ik had er geen ogenblik aan getwijfeld dat ik in mijn nieuwe land weer een medische praktijk zou kunnen beginnen. Daarvoor was de tijd nu aangebroken; ik vroeg mijn vergunning aan en trok van het ene ziekenhuis naar het andere om te vragen of er voor mij een plaats beschikbaar was. Ik had deze weg al eerder bewandeld. De meeste deuren waren voor een vrouwelijke chirurg gesloten, en wanneer men bovendien nog een buitenlandse was, werd men automatisch afgewezen.
Op een van die dagen zat ik bij een arbeidsbureau op Henry te wachten, toen een knappe, jonge vrouw het vertrek verliet waar de sollicitanten werden ondervraagd. Zij had een vurig blosje op iedere wang en een vreemde uitdrukking op haar gezicht, half frons, half zure glimlach. In plaats van na haar onderhoud het kantoor te verlaten, zoals de anderen dat – soms ontmoedigd, soms uitdagend – hadden gedaan, keek zij de wachtkamer rond en liet zich in een stoel naast de mijne vallen. Zij draaide zich, met nog steeds die merkwaardige uitdrukking op haar gezicht, naar mij toe, alsof zij een pas opgedane ervaring met iemand wilde delen.
Er was slechts de aanmoediging van een glimlach voor nodig. Zij stelde zich aan mij voor. Als zoveel New Yorkers die ik ontmoet had, kwam zij uit het midden-westen. Zij was een gediplomeerde verpleegster, werkzaam in een kleine kliniek voor geboortecontrole, en zij had een speciale taak: het verzamelen van preparaten voor het onderzoek naar een nieuwe spermadoder, een chemisch produkt, dat door het vernietigen van het sperma zwangerschap zou voorkomen. De kliniek betaalde $ 0,50 per monster.
Zij was overal heen geweest, maar zonder het minste succes. Dit was het vierde of vijfde arbeidsbureau waar zij onvriendelijk, en zelfs grof, was weggestuurd. Zij lachte goedgehumeurd. Natuurlijk, het was een ongewone geschiedenis, dat wel, maar mensen werden toch ook betaald voor bloedtransfusies, en zoogmoeders werden betaald voor hun melk. Waarom zou een gezonde man, die geen werk kon vinden, niet blij zijn met wat extra geld? Maar zij had nog geen enkele donor gevonden, en wist niet meer wat ze moest doen.

Ik dacht dat een seksuoloog haar wel zou kunnen helpen. De geregelde massages die bij prostaat-afwijkingen werden voorgeschreven, eindigden altijd met een ontlading van spermavloeistof. Er moest toch wel ergens een dokter zijn die in het belang van de wetenschap naar haar zou willen luisteren?
„Natuurlijk, waarom heb ik daar niet aan gedacht?" riep mijn nieuwe kennis uit. „Bent u verpleegster?"
Toen zij hoorde dat ik dokter was, vroeg zij mij met haar mee te willen gaan naar een specialist die zij kende. Ons eerste bezoek had succes: toen de dokter het probleem eenmaal begreep, beloofde hij, ofschoon hij de hele zaak nogal vermakelijk vond, haar aan monsters te zullen helpen.
De week daarop, toen de dokter wat meer tijd voor ons had, kwamen wij terug. Beverly kreeg een flinke voorraad sperma en mijn vriendelijke collega en ik spraken over ons vak. Ik vertelde hem over mijn ervaringen in het stadsziekenhuis van Stuttgart; dat interesseerde hem en hij bood aan mij aan het hoofd van een ziekenhuis voor te stellen.
Ik werd daar aangesteld en van de eerste dag af waren mijn collega's vriendelijk en behulpzaam. Zij gaven mij vrijwillig hun vriendschap, lachten om mijn Engels, maar waren hartelijk en altijd bereid mij te helpen.
Het was alsof Edenhal alleen maar in een droom had bestaan. Ik was weer terug waar ik was begonnen: in een stadsziekenhuis. Maar de kliniek werd voor mij een vluchthaven, ver van huiselijke omstandigheden, die met de dag pijnlijker werden. Op elk uur van de dag lagen flessen, glazen en Henry's vrienden door ons kleine appartement verspreid, en Henry zelf was te zwaarmoedig of te vrolijk, of hij lag in een roes. Ik had verdriet om hem en om het onheil dat over ons beiden gekomen was. Ongeduldig wachtte ik op mijn vergunning om een praktijk te kunnen beginnen en genoeg te verdienen om hem een goede behandeling te kunnen laten geven. Ofschoon het mij veel te lang duurde, kwam mijn vergunning er toch met weinig vertraging door. Mijn Heidelbergse graad maakte het gemakkelijker; ik was gepromoveerd aan een van de vijf vooraanstaande universiteiten van de wereld en behoefde alleen maar mondeling examen te doen. Nu kon ik weer mijn naambord voeren, hoewel er geen Gottlieb was om het te poetsen, noch een Edenhal

om mijn vaardigheid te tonen. Mijn baas in de kliniek bood mij aan zijn teveel aan patiënten naar mij toe te sturen, en op grond van deze belofte verkocht ik Henry's weinige resterende aandelen en opende een kleine praktijk.

Henry had het behalen van mijn diploma met een aanval van *delirium tremens* gevierd. Hij lag nu in een privé-ziekenhuis, waarvan men de kosten als beroepshoffelijkheid had verlaagd tot tweehonderd vijftig dollar per week.

Een privé-praktijk groeit langzaam, en ik bracht nog iedere week enige dagen in het ziekenhuis door. Ik moest bekennen dat ik er niet in slaagde de problemen van kosteloze medicijnen, waar de andere dokters reeds lang aan gewend waren, onder de knie te krijgen. Vooral gedurende de depressiejaren stonden er lange rijen van wachtende patiënten, en iedere dokter kreeg ongeveer dertig patiënten per uur te behandelen. Ik ging koppig door met aan iedere patiënt veel te veel tijd te besteden en hem medicijnen voor te schrijven die niet in de ziekenhuisapotheek voorkwamen. Aan het eind van iedere dag moesten de andere dokters patiënten voor wie ik geen tijd meer had, van mij overnemen, en de apothekers zonden voortdurend recepten terug met de aantekening „niet in voorraad". Aanvankelijk onderhield de baas mij hier vriendelijk over, maar zijn goede wil was niet onuitputtelijk en ten slotte verkoelde zijn belangstelling voor mij zodanig dat ik geen privé-patiënten meer van hem verwachten kon.

Beverly bleef echter mijn vriendin, en door haar connecties kreeg ik vele patiënten. Een van de eerste was een jonge Italiaanse vrouw die dolgraag kinderen wilde hebben, maar in de eerste maanden van haar zwangerschap steeds weer een miskraam kreeg. Ik constateerde dat zij aan een hormonen- en vitaminengebrek leed, en ik hielp haar met oplettende zorg door een succesvolle zwangerschap heen. Al spoedig kwamen haar familieleden en vele van haar buren naar mijn spreekuur. Deze vrouwen legden de basis van een algemene praktijk, die mij mettertijd een huis vol patiënten bracht.

HOOFDSTUK 29

HET LAND VAN ONVERWACHTE MOGELIJKHEDEN

IN EEN ALGEMENE PRAKTIJK KOMEN, NAAST DE GEWONE GEVALLEN, vanzelf ook gevallen voor die plastische chirurgie nodig maken. Toen een moeder bij mij kwam klagen dat de oren van haar zoon als die van een ezel van zijn hoofd afstonden, en een andere patiënte huilde over het ongemak en de lelijkheid van haar hangende borsten, waren zij dankbaar dat ik de chirurgische correctie zelf kon uitvoeren. Zij zonden mij anderen, wier leven door aangeboren of later veroorzaakte mismaaktheid werd bedorven. Langzamerhand was ik in staat mijn algemene praktijk aan andere dokters over te dragen en mij op mijn specialisatie toe te leggen. Na enige tijd was het mij mogelijk naar een geriefliker appartement met een beter adres te verhuizen.

Gedurende een bezoek aan het privé-sanatorium, waar Henry van een van zijn periodieke aanvallen herstelde, kreeg ik een relatie die mij voorstelde aan een ander soort cliënten, een ongunstig soort. Henry's kamer lag rechts aan een lange gang, maar toen ik uit een andere richting een wild tumult hoorde, ging ik die kant uit. Er ging een deur open en een man van middelbare leeftijd, gekleed in een kostbare, zijden pyjama, kwam de deur uit. Hij zwaaide een zware stoel boven zijn hoofd. Ik vroeg hem het meubelstuk neer te zetten, maar ik moest dat verzoek verscheidene malen herhalen alvorens hij er gehoor aan gaf, zich omdraaide en weer naar zijn kamer terugging. Bij volgende bezoeken zag ik hem terug, en op een dag kwam hij op het zonneterras naast mij zitten en begon te praten.

Mike, zoals ik hem zal noemen, was verslaafd aan verdovende middelen. Als jongen was hij van huis weggelopen en, werkend op een boot, naar China getrokken. Daar leerde hij opium en heroïne kennen, kwam in de smokkelhandel terecht, en werd na verloop

van tijd een rijk man. Hij had een dochter bij een Chinese vrouw, die bij de bevalling was gestorven.
Hij nam een foto uit zijn portefeuille en liet mij die zien. Het was het portret van een heel mooi meisje, met de exotische lieflijkheid die men zo vaak in gemengde rassen ziet. Haar vader vertelde mij dat zij zestien jaar oud was, en binnenkort van de Zwitserse kostschool, waar zij werd opgevoed, met vakantie naar New York zou komen. Zij dacht dat haar vader een geslaagde New Yorkse bankier was, en nu wilde hij van zijn verslaving genezen zijn voor zij aankwam.
Op dit punt gekomen, verborg de man zijn hoofd in zijn handen en huilde. „Ik háál het niet!" snikte hij. „Ik heb de kracht niet om met die kuur door te gaan!"
Ik zat lange tijd met hem te praten en trachtte hem wat morele moed bij te brengen. Toen ik opstond om weg te gaan, greep hij mijn hand.
„Wacht even," zei hij. „U bent goed voor mij! U kunt mij helpen! Wilt u morgen weer terugkomen en met mij praten?"
Daarna ging ik Mike iedere dag opzoeken, en de dag brak aan dat hij het sanatorium geheel genezen kon verlaten. Toen hij hoorde dat ik dokter was, riep hij uit: „Verd. . ., dat is prachtig!" Ik begreep niet wat hij bedoelde.
De dag na zijn ontslag uit het ziekenhuis vond ik een cheque met een bedrag van vijf cijfers bij de morgenpost. Dat was toch zeker een vergissing? Ik had geen recht op betaling, ik had hem niet medisch behandeld, maar hem uit zuiver menselijk mededogen geholpen. Ik besloot hem dit de eerste keer dat ik hem zag uit te leggen, en hem de cheque terug te geven.
Een paar dagen later belde Mike mij 's avonds laat op. Hij had een geval voor mij, een kogelwond, die onder absolute geheimhouding behandeld moest worden. Ik was op weg naar een kleine Italiaanse jongen, het kind van een van mijn toegewijde patiënten, die een keelontsteking had. Ik zei Mike de gewonde man naar een ziekenhuis te brengen, waar ik een consult met een andere specialist kon houden en de eventuele operatie onder aseptische omstandigheden kon verrichten. Mike antwoordde, blijkbaar geërgerd, dat hij mij binnen vijftien minuten zou komen halen. Langzaam legde ik de telefoon neer, en begreep wat iedere Amerikaan allang begrepen

zou hebben: dat Mike een gangster was. Het volgende ogenblik belde Angelo's moeder weer, mij smekend onmiddellijk te komen; de jongen leek te stikken en zij vreesde voor zijn leven. Ik haastte mij in mijn wagen en reed zo hard ik kon naar het eind van de Grand Concourse, het verste deel van de Bronx.

Angelo was er gelukkig niet zo slecht aan toe. Ik sneed het gezwel open en de jongen kon weer ademen. Verwarmd door de opluchting en dankbaarheid van de ouders reed ik op mijn gemak weer naar de stad terug. De dringende oproep van Mike had ik bijna vergeten.

Op ongeveer tien meter afstand van mijn deur stond een zwarte sedan. Mike stapte eruit, kwaad en ongeduldig. In het licht van de vestibulelampen zag ik nog twee figuren, weggedoken op de achterbank. Mike volgde mij naar mijn spreekkamer.

„Doe uw jas niet uit – neem wat u nodig hebt en ga mee," zei hij.

„Niet zonder chirurg," zei ik.

„Bent u helemaal krankzinnig?" snauwde hij. „U hebt lang genoeg gedraald! En tegen deze kerels kan ik u niet beschermen als zij nijdig op u worden!"

Op dit ogenblik werd er luidruchtig op de deur geklopt. Ik deed open en Henry kwam met enkele van zijn vrienden binnen. Misschien dacht Mike dat zij van de politie waren; hij liet in ieder geval mijn arm en mijn tas los en stormde naar buiten.

Ditmaal waren Henry's wanordelijke drankvrienden mij werkelijk welkom. Ik stelde een fles cognac tot hun beschikking en sloot mij in mijn slaapkamer op, met een kussen op de telefoon gedrukt voor het geval Mike weer zou opbellen. De volgende morgen schreef ik zijn adres op een envelop, sloot er de cheque in en liet ze in de brievenbus vallen.

Maar zo gemakkelijk kwam ik van mijn connectie met de onderwereld niet af. Ik stond blijkbaar op hun voorkeurlijst. Mike kwam vaak naar mijn spreekkamer terug, telkens met een of ander fantastisch voorstel. Hij probeerde niet meer geweld te gebruiken, maar trachtte mijn bezwaren met uitvoerige schijnwaarheden te weerleggen. Er zijn veel soorten misdadigers, sommige geestelijk minderwaardig, andere geesteszíek en weer andere met werkelijk talent. Iemand heeft eens gezegd dat indien deze begaafden maar de helft van hun intelligentie op een wettig doel zouden richten, zij even

rijk en bovendien geachte burgers zouden zijn geworden. Met zijn handigheid om de wet in zijn voordeel uit te leggen, had Mike een van de beste advocaten van het land kunnen zijn.
Eens vertelde hij mij van een revolverheld die zijn vingers verschrikkelijk had verbrand. Dat zou zeer zeker een huidtransplantatie rechtvaardigen, maar ik wees erop dat dit tevens zijn vingerafdrukken zou veranderen, en toen ik volhield dat een „moedwillig ongeluk" geen rechtvaardiging voor onwettige chirurgie was, gaf hij gebelgd zijn pogingen op.
Toen zijn mooie dochter aankwam, gaf hij, om haar aan de New Yorkse wereld voor te stellen, een weelderig feest. Ik herkende er vele gezichten van de financiële en „society"-pagina's van de krant, en Mike haastte zich er nog veel meer aan te wijzen. Ik was naïef genoeg om verbaasd te zijn over de dunne lijn die de onderwereld van New Yorks zogenaamde „beste kringen" scheidde.
Mike deed voor zijn dochter wat in zijn vermogen was. Hij zond haar, behoorlijk begeleid, op een reis om de wereld, en zij keerde terug, verloofd met een Zuidamerikaanse diplomaat. Haar verloofde, trots op de Eurazische schoonheid van zijn bruid, stelde voor de bruiloft op zijn haciënda te laten plaatsvinden. Haar vader, de „grote New Yorkse bankier", vloog naar het zuiden om bij het huwelijk tegenwoordig te zijn.
Na zijn terugkeer belde hij mij op om mij de groeten van een oude vriend over te brengen. Hij had bij het huwelijk Bernhard Martel ontmoet, de wapenfabrikant, wiens vriendschap in de eerste dagen van mijn ballingschap ik niet had vergeten. Martel liet mij weten dat hij spoedig naar de Verenigde Staten zou komen.
Mike verheugde zich op dit bezoek. Hij had het respect dat hij als vader van de bruid genoot, zo op prijs gesteld, dat hij het besluit had genomen „onder de wet te komen", zoals hij dat uitdrukte. Met de hulp van Martels invloed wilde hij op internationale schaal zaken gaan doen. De positie van zijn Zuidamerikaanse schoonzoon zou hem daarbij natuurlijk goed van pas komen.
De aankomst van Bernhard Martel moest gevierd worden. Hij was bijna vaderlijk trots op de wijze waarop ik in mijn nieuwe vaderland was ingeburgerd en in „de juiste kringen" verkeerde.
Natuurlijk bevond Mike zich onder de gasten, en voor ik iets kon zeggen dat hem in verlegenheid zou kunnen brengen, maakte hij

zich van de conversatie meester. Hij speelde de gerespecteerde zakenman en deed vleiende verhalen over door hemzelf bedachte operaties die ik op sommige leden van zijn personeel zou hebben verricht. Hij vond dat ik een vakantie nodig had en wilde mij deelgenoot maken van de grote zaken die hij en Martel gingen doen. Mijn verbaasde zwijgen beschouwde hij als een belofte dat ik hem niet zou verraden.
De volgende dag stelde hij mij als zijn lijfarts voor aan een groep mannen die een bespreking hielden zoals aan de conferentietafel van een bankier plaats had kunnen vinden. Zij spraken over geld en politiek op hoog internationaal niveau. En al luisterend hoorde ik Mike het plan ontvouwen voor een „grote zaak", die in Zuid-Amerika zou worden gedaan. De eerste stap zou zijn „de juiste vent" erin te krijgen; Mike en zijn groep zouden dan de macht achter de „troon" zijn. Het was mij langzamerhand wel duidelijk geworden dat ik luisterde naar een groep internationale gangsters, bezig een komplot te smeden om een land te overmeesteren dat, naar zij dachten, op grote schaal geëxploiteerd zou kunnen worden. Ik zag hoe sommige gezichten verhelderden bij het vooruitzicht Amerika te kunnen verlaten. Maar er lag achterdocht in hun ogen toen Mike voorstelde een grote som geld, die in een safe in Wallstreet was opgeborgen, als werkkapitaal voor de operatie op te nemen. De vrijmoedigsten onder hen zeiden kortweg dat zij niet in het opnemen van dat geld zouden toestemmen, tenzij zij persoonlijk bij de transactie aanwezig konden zijn. Mike liet het voorstel vallen.
Na beëindiging van de bijeenkomst bracht Mike mij naar mijn spreekkamer terug. Hij scheen rusteloos en, dacht ik, nerveus.
„Ik heb er genoeg van," zei hij. „Ik wil eràf zien te komen, ik wil niets meer te maken hebben met het soort volk dat u juist hebt ontmoet. Ze wantrouwen mij, ze wantrouwen iedereen en beloeren iedere stap die ik doe."
Meer nog aan zijn houding dan aan zijn woorden, merkte ik dat de onderwereld hem begon in te sluiten. „Er is maar een oplossing," ging hij verder. „Ik zal moeten verdwijnen. Ik heb dat geld uit de safe nodig, maar ik kan het er zelf niet uitnemen. Maar u kunt dat wel! Ik machtig u en zal uw handtekening bij de bank deponeren."
Wat een ongelooflijk voorstel, dacht ik. Maar ik zei niets.

„Neem het er allemaal uit!” riep hij, zich naar mij overbuigend, en vertrouwelijk voegde hij eraan toe: „Houd een derde voor uzelf, of geef het aan liefdadigheid, als u dat liever doet. U hoeft mij alleen maar de rest te geven. Dat zal genoeg zijn om in Zuid-Amerika opnieuw te beginnen.”
Ik had genoeg gehoord. „Nee, Mike!” zei ik. „Ik kan je niet helpen. Ik ben dokter. Ik kan me niet permitteren iets te maken te hebben met dingen die niet helemaal in orde zijn.”
Ik voegde er niet aan toe dat het geld naar mijn mening met bloed bevlekt was, en dat het een ironische komedie zou zijn het voor een liefdadig doel te gebruiken. Het drong ook tot mij door dat Mike’s vriendjes mij nooit lang genoeg zouden laten leven om mijn aandeel te kunnen gebruiken, hetzij voor een wetenschappelijk, hetzij voor een liefdadig doel.
Mike’s woorden werden steeds dringender, hij sprak inderdaad als een wanhopige – maar hoe hij ook aanhield, ik kon niet toegeven. „Ik begrijp u niet,” zei hij ten slotte verbaasd. „Ik bied u een grote som geld aan. Ik heb hulp nodig, en gauw! Als ik mij van deze ratten wil losmaken, moet ik het onmiddellijk doen, voor zij lont ruiken. Wij moeten ons haasten, want de banken zijn zaterdagsmiddags gesloten! Alsjeblieft, dokter, help mij!” Ik schudde het hoofd.
Ik kreeg een uitnodiging om het weekeinde bij vrienden buiten door te brengen, en dat was voor mij een welkome ontsnapping. Gretig nam ik de uitnodiging aan en hoopte dat Mike bij mijn terugkomst vertrokken zou zijn. Toen ik maandagmorgen de krant opnam, zag ik dat hij inderdaad vertrokken was, maar niet op de manier die ik had verwacht. Een bericht op de eerste pagina meldde dat Mike Sullivan, een vooraanstaande figuur uit de onderwereld, was doodgeschoten – een uur voor zijn vliegtuig naar Zuid-Amerika zou vertrekken.
Mike’s dood sneed mijn merkwaardige connectie met de gangsterwereld af, maar een enkele eenzame vluchteling herinnerde zich soms mijn naam, en kwam onder allerlei voorwendsels mijn medische hulp inroepen.
Zo kwam eens, laat op een middag, een bleke, pafferige jongeman mijn wachtkamer binnen en voor mijn verpleegster hem kon tegenhouden, liep hij rechtstreeks mijn spreekkamer in.

Ik vroeg hem zijn naam en adres. Hij negeerde mijn vragen en wees op een litteken dat van zijn rechteroog tot zijn kin reikte. Even dacht ik dat ik hem herkende als de man wiens portret door de F.B.I. naar alle plastische chirurgen was gezonden. Maar hij gaf mij de tijd niet dit na te gaan en zeker niet om te telefoneren. Hij bracht een bundel bankbiljetten te voorschijn en kwakte die op mijn schrijfbureau.

„Dat zijn vijfduizend knaken, dokter," zei hij. „En *dit* dient om u te laten weten dat ik vlug werk wil zien." Hij nam een revolver uit een schouderholster onder zijn jas en legde die bovenop het geld.

Ik probeerde tijd te winnen. Ik was er bijna zeker van dat hij de gezochte John Dillinger was. Dus legde ik hem uit dat de instrumenten gesteriliseerd moesten worden en dat mijn verpleegster op het punt stond naar huis te gaan. Ik raadde hem aan de volgende dag terug te komen, dan zou ik de operatie onder betere omstandigheden kunnen verrichten.

Maar mijn bezoeker bleef nors en vastberaden. Hij wilde dat litteken nu, onmiddellijk, verwijderd hebben en zonder verder uitstel. De verpleegster stond aarzelend op de drempel, wachtend op wat ik van haar zou verlangen. Ik zei: „Ga maar naar huis, Ethel. Ik kan deze kleine operatie wel alleen af en buitendien wacht Jack op je. Hij heeft tien minuten geleden opgebeld."

Verrast en verward keek zij mij aan. Ik hoopte maar dat zij mijn verwijzing naar een niet bestaande vriend goed zou begrijpen en de politie zou opbellen. Zij zocht haar spullen bij elkaar en ging naar de deur. Het lelijke gezicht van de man vertrok nerveus. Hij scheen het voor en tegen van haar te overwegen. Maar toen zij de deur uitging, deed hij niets om haar tegen te houden. Mijn voorstel hem een voorbereidende verdoving toe te dienen, werd nors geweigerd. Hij volgde al mijn bewegingen, zijn hand nooit ver van zijn revolver. Toen ik met mijn voet op het pedaal van het steriliseerapparaat trapte en het deksel met een klap opensprong, sprong hij op. Hij keek in de doos, zag de instrumenten en stak zijn hand uit naar het glanzende metaal. De gloeiende stoom brandde natuurlijk zijn huid en met een kinderlijke kreet van pijn sprong hij achteruit. Ik draaide mij woedend naar hem toe. „Kijk nu wat je gedaan hebt, idioot! Nu moet ik alles opnieuw steriliseren!"

Ik duwde hem in een stoel, en streek wat zalf op zijn verbrande

hand. Voor een ogenblik zat hij daar rustig, met de revolver op schoot, en keek naar mijn voorbereidingen. Toen ik het steriliseerapparaat weer aanzette, zag ik de tijdklok van de hoogtezon en dat gaf me een idee. Ik wond de tijdklok op en hield mij bezig met het vullen van een injectiespuit met novocaïne. Plotseling begon de waarschuwingsbel van de lamp met groot geraas af te lopen. Mijn onwelkome bezoeker sprong letterlijk in de lucht. Wat hij gedacht moet hebben, heeft hij mij niet verteld, maar waarschijnlijk was die bel voor hem zo iets als een inbraakalarm.
Hij greep de revolver en het geld en even snel als hij gekomen was, verdween hij door de achterdeur.
Later werd mijn vermoeden bevestigd. Mijn onwelkome patiënt was Dillinger, de beruchtste gangster van allen. De politie had hem de bijnaam „staatsvijand nummer een" gegeven, en een algemene jacht op hem geopend. Twee maanden later liep hij bij het uitgaan van een bioscoop in Chicago in de val en werd doodgeschoten.

HOOFDSTUK 30

EXCURSIES IN MEDISCH ONDERZOEK

NA MIJN ERVARING MET DILLINGER BESLOOT IK DAT HET HOOG TIJD werd een reisje naar Europa te maken. Reeds op de eerste dag dat ik weer een praktijk had, beloofde ik mezelf dat ik, zodra mijn praktijk goed liep, de oude wereld terug zou zien. Mijn eigen land was, zolang de nazi's daar regeerden, voor mij gesloten, maar ik hield van Frankrijk en Zwitserland, en daar wilde ik heen.

Ik maakte de reis niet alleen uit gevoelsoverwegingen; ik had serieuze plannen. Henry had in een scheiding toegestemd, en ik wilde de benodigde stappen nemen om de scheiding, die praktisch al had plaatsgevonden, ook wettelijk in orde te brengen. Ook wilde ik verder gaan met een onderzoek waarvoor ik mij al twee jaar lang had geïnteresseerd. Ik had in New York werk verricht aan het instituut voor langere levensduur, en daar nieuwe aanwijzingen gevolgd op de weg naar verwezenlijking van het eeuwig menselijke verlangen: niet alleen het leven te verlengen, maar er ook de jeugdige kracht en gezondheid bij te houden.

De kinderlijke verwondering die mij grootvader von Zeller in de wereld der natuurwetenschappen had doen volgen, had mij nooit verlaten. Onderzoek had mij al aangetrokken sinds mijn studentendagen en mijn werk in het laboratorium van professor Bettmans kliniek, toen wij de bijna magische samenstelling van koemest hadden ontdekt. En ook later, toen ik, op weg naar Astrakan, in Moskou de demonstratie van professor Froemkin had bijgewoond. Een woord, dat hij tijdens zijn voordracht toevallig liet vallen, had bij mij weer de wens aangewakkerd mij in de onopgeloste mysteriën van het biologisch onderzoek te verdiepen. Professor Froemkin had toen namelijk gezegd dat het helen van wonden bleek te worden bespoedigd door het gebruik van het Bogomolets-serum.

Alexander Bogomolets was de Russische pionier van het onderzoek naar de mogelijkheid het leven te verlengen. Hij had in de Kaukasische vlakten een stam gevonden, waarvan de leden honderd vijfenzeventig jaar oud werden en op de leeftijd van honderd vijfendertig nog kinderen kregen. Met toestemming verrichtte hij autopsies op doden van zeer hoge ouderdom en ontdekte dat de bindweefsels in nog jeugdige toestand verkeerden. Bindweefsel is het weefsel dat iedere cel en ieder orgaan in het lichaam om geeft; kraakbeen bijvoorbeeld, en het veerkrachtige weefsel dat de randen van een wond bij het herstel samentrekt, zijn twee soorten van bindweefsel. Tot Bogomolets zijn ontdekking deed, werden deze weefsels beschouwd als alleen noodzakelijk voor de lichaamsopbouw, waarbij zij dienden als stootkussen en omlijsting om de cellen en organen van elkaar te scheiden en de delen van het lichaam op hun plaats te houden. Als de jeugd van deze weefsels bewaard kon blijven, zou de droom van levensverlenging werkelijkheid kunnen worden.

Bogomolets keerde naar zijn laboratorium terug en stelde een serum samen voor het verjongen van bindweefsel. Dit serum was van de milt en het merg van door een ongeluk omgekomen jonge mensen gemaakt; in het lichaam vormen milt en merg het bindweefsel. Zijn A.C.S. (Anti Cytotoxic Reticular Endothelial Serum) werd in de daaropvolgende jaren in Rusland aan een wijdverbreid onderzoek onderworpen. Na de tweede wereldoorlog maakten de Russen bekend dat het herstel van drie miljoen gewonden door behandeling met A.C.S. was bespoedigd, en men zei dat Stalin de laatste tien jaar van zijn leven zijn levenskracht aan dit serum te danken had gehad.

Met de uitbundigheid van een ontdekker maakte dokter Bogomolets overdreven aanspraken op de uitwerking van zijn serum. Het werd verondersteld alles te genezen, van de bof tot krankzinnigheid. Onderzoekers zetten thans overal in de wereld zijn experimenten voort.

Nu was het 1938, en er kwam bericht van het instituut voor langere levensduur te Parijs dat de Barschach dierenafdeling van het Instituut Pasteur op het gebied van de verjonging van het lichaam een opzienbarende ontdekking had gedaan. Oude, afgeleefde straathonden, waarop men het experiment had toegepast, renden met de doelbewustheid van de jeugd door de straten van Parijs achter

teefjes aan. Als dit de uitwerking was op honden, had men hoop dat het nieuwe produkt met evenveel succes voor mensen zou kunnen dienen.
Ik liet in Parijs geen tijd verloren gaan, maar begaf mij onmiddellijk naar het instituut. Dokter Barschach schreef zijn succes toe aan een verbeterde methode bij het bereiden van A.C.S. Ik bracht menig uur in het instituut door, bestudeerde de nieuwe methode van bereiding en leerde alles wat mijn collega's mij over het nieuwe serum konden vertellen.
Naast mijn plezier in het terugzien van mijn Europese collega's en het bestuderen van hun werk, bezorgde Parijs mij nog een andere verrassing. Ik zag Stefan terug.
Van vrienden had ik gehoord dat hij uit Duitsland was ontsnapt en nu in Parijs woonde. Toen ik daar aankwam, zocht ik contact met hem, en hij kwam om mij mee uit eten te nemen. Hij zag er ouder uit en zijn haar was geheel grijs geworden. Zijn gezicht had die uitdrukking van innerlijke moeheid, kenmerkend voor zo velen van de ontwortelden die in een vreemd land een nieuw leven moesten trachten te beginnen en die zich altijd, wakend of slapend, bewust waren van de jager die hen achtervolgde. Maar zijn geest was niet verslagen. Hij had zijn heerlijke gave om te kunnen lachen niet verloren. Hij kon nog altijd van een vrolijk ogenblik genieten, hoe donker ook de schaduwen rondom hem waren. En zijn verstandig oordeel en degelijke principes, die hem hadden verlaten toen hij door de nazi-supermannen was verblind, had hij teruggevonden.
Hij vertelde mij dat hij reeds teleurgesteld was toen ik – naar ik dacht tevergeefs – trachtte hem zijn vergissing duidelijk te maken. Hij herinnerde mij aan dat ogenblik in hotel „Vier Jahreszeiten" in München, toen ik hem na het gemaskerde bal vertelde dat ik actief voor de D.F.F.P. werkzaam was en hij zichzelf hoorde zeggen dat hij bevreesd was voor mijn veiligheid. De waarheid van wat ik toen zei, namelijk dat hij bang was voor de nazi's, had hij toen niet willen inzien. In Hinterburg was hij woedend op mij geweest, maar nadat wij uit elkander gegaan waren, besefte hij dat hij woedend was omdat hij zich gevangen wist in een val van politieke intriges die hij zelf had helpen opzetten. Toen ik Duitsland verliet, was hij al bezig een uitweg te zoeken, pogingen te doen om zijn bezittingen naar het buitenland over te brengen en daar nieuwe

zakenconnecties aan te knopen. Maar bij de laatste verkiezingen, waarbij de nazi's terrein verloren en de gematigden wonnen, dacht hij dat hij nog tijd genoeg had. Hitlers aanstelling als rijkskanselier kwam als een onverwachte slag.
„Onmiddellijk sloten zich de gevangenismuren om Duitsland," zei hij. „Jij was een balling met een prijs op je hoofd, dokter Dauber werd ter dood veroordeeld. Kurt Wolf maakte een einde aan zijn leven. Ik ben nog gelukkig geweest: ik ben er levend uitgekomen."
Veel meer dan zijn leven had Stefan niet kunnen redden. Hij bemerkte in Parijs dat zijn grote bankconnecties voor hem van nul en gener waarde waren. Na het schandaal, waarin ontdekt werd dat een sluwe, Russische vluchteling, Staviski, de gastvrijheid van zijn nieuwe vaderland had misbruikt en met zwendelarijen een fortuin had verzameld, werd er een wet aangenomen die buitenlanders van bankwezen en financiën uitsloot. Stefan schraapte nu een inkomen bij elkaar door tegen commissie juwelen voor zijn mede-refugiés te verkopen.
Wij ontmoetten elkaar vaak om uit eten te gaan, en het was alsof de nazi-nachtmerrie, en zelfs ons huwelijk, nooit hadden bestaan. Wij waren weer vrienden zoals wij geweest waren toen ik nog in het ziekenhuis in Stuttgart werkte en wij elkaar ons wedervaren vertelden, en praatten, praatten. . .
Toen wij afscheid van elkander namen, zei ik: „Stefan, kom naar Amerika. Je kunt daar je leven weer opbouwen zoals ik het mijne weer heb opgebouwd. Je kunt daar het werk vinden waaraan je gewend bent."
Hij haalde zijn schouders op. „Het zal jaren duren eer mijn quotanummer aan de beurt zal komen. En intussen – nu ja, Parijs is Parijs, en mijn Frans is beter dan mijn Engels. . ."
Ik ging van Parijs naar Zwitserland, voor het gelukkigste gedeelte van mijn reis. Mijn ouders en Otto waren erin geslaagd reisvergunningen te krijgen. Wij ontmoetten elkaar in een klein hotel in een van de afgelegen plaatsen hoog in de Alpen. Sedert de nazi-muur was opgetrokken, hadden wij naar deze ontmoeting verlangd, maar er niet op durven hopen.
Toen de gezegende dagen ten einde waren, namen wij zonder verdriet afscheid. Zoals we het nu gedaan hadden, konden we het immers weer doen?

Nadat ik weer thuisgekomen was, gelukte het mij een weg te vinden om in mijn vrije tijd, naast mijn groeiende praktijk van plastische chirurgie, mijn onderzoekwerk voort te zetten. Ik kreeg de beschikking over de diensten van een bacterioloog die aan het Keizer Wilhelm-instituut verbonden was geweest, dokter Ernest Fuhrman, die de Barschach-wijziging van A.C.S., zoals mijn Franse collega's mij die geleerd hadden, zou voortzetten. Wij hadden enige moeilijkheden om het ruwe materiaal te verkrijgen en begonnen gaandeweg andere wegen ter vernieuwing van de weefsels te zoeken. Voor een van onze experimenten gebruikten wij trypsine, een eindprodukt in ons lichaam van proteïne. Het wordt onder andere in urine gevonden. Het gelukte mijn grijsharige chemie-tovenaar, dokter Fuhrman, hieruit een nieuw produkt te maken, een bijzonder sterk opwekkend middel. Wij noemden het „trebiotine", van het Griekse *bios*, dat „leven" betekent en welke naam wij gebruikten om de opwekkende waarde van het preparaat aan te duiden.
Dit produkt wekte de belangstelling van enige Zwitserse relaties. In een tijd dat een nieuwe oorlog in Europa onvermijdelijk scheen, zou een opwekkend middel zonder schadelijke bijverschijnselen van groot nut kunnen zijn. Er werden gedurende de Tour de France-wielerwedstrijden en door de Zwitserse Himalaya-expeditie proeven mee genomen.
Trebiotine bewees boven de gewone cafeïne of de cola's, die meestal gebruikt werden, grote voordelen te bezitten. Ik herinner me nog zeer goed een voorval dat aantoonde hoe sterk dit nieuwe preparaat werkte. Dagelijks kregen wij verslag van het hoofdkwartier in Delhi, waarin een Engelse correspondent van de expeditie het wonderbaarlijke succes van de tabletten meedeelde. Het hield de klimmers wakker en onvermoeid. Maar aan het eind van de eerste week kreeg men in Bern een dringend bericht: „Stuur iets tegen *Staender.*" Wij begrepen het niet. *Staender* is een Duits woord, dat standaard betekent, een voorwerp waaraan iets kan worden opgehangen, zoals een hoedenstandaard. „Zend iets tegen standaard", zoals wij het eerst lazen, had geen zin.
Het raadsel werd opgelost toen de onmiddellijke oorlogsdreiging de expeditie bekortte en de bergbeklimmers naar huis terugkeerden. Het middel, zeiden zij, was zo krachtig dat na veertien uur klimmen op een hoogte van zesduizend meter hun slaap gestoord werd door

seksuele opwinding. *Staender* bleek in de taal van de jonge atleten erectie te betekenen.
Wij wisten dat wij met trebiotine een ontdekking met grote mogelijkheden hadden gedaan. Het enig overblijvende probleem was dat de chemische verbinding te vluchtig was om houdbaar te zijn, men kon er niet langer dan drie maanden op vertrouwen. Met de steun van een Zwitsers-Amerikaanse stichting werkten laboratoriumgeleerden van beide werelddelen om een weg te vinden het middel langer houdbaar te maken. Toen kwamen de resultaten, verkregen bij de sportproeven en het klimmen, onder de ogen van de Britse regering.
Gedurende een van mijn nu veelvoudige reizen naar Europa ging ik naar Londen en ontmoette daar de onderminister van marine, lord Munsell, en de eerste minister, sir Neville Chamberlain. De eerste minister stelde belang in het oprichten van een laboratorium in Engeland, waar dit produkt aangemaakt en verbeterd zou kunnen worden. De oorlog brak uit en onderbrak het werk in internationaal verband, maar de Zwitserse luchtmacht gebruikte trebiotine gedurende de hele oorlog.
Het wonder van trebiotine lag in de enzymen, de auxinen en heteroauxinen uit dat onaangenaam ruikende laboratorium van professor Bettmans kliniek. Daar hadden wij gezocht naar de genezende factoren in koemest, die de boerenzoon van een zeldzame en hevige huidziekte had genezen.
Wij verkregen trebiotine van ongeveer dezelfde bestanddelen in urine. Voor het onderzoek in Zwitserland werd iedere morgen honderd vijftig liter verse paarde-urine aan het laboratorium afgeleverd, ons bezorgd door bemiddeling van de Zwitserse regering en afkomstig van de paarden van een eersteklas cavalerieregiment. Er werd nooit aan de waarde van het middel getwijfeld, maar tot dusver was het probleem van de houdbaarheid nog niet opgelost.

Ik reisde in die tijd geregeld naar Zwitserland. Als ik er was, voegde mijn familie zich in dat vredige en vrijheidslievende land bij mij. In het voorjaar van 1940, toen ik weer eens in Europa was, koesterde ik het voornemen mijn familie voorgoed buiten Duitsland te houden. Toen ik mijn vader een jaar tevoren het laatst had gezien, zei hij: „Je bent gewoonweg een forens! Wij nemen geen afscheid, wij

zeggen *auf wiedersehen!*" Otto zei: „Maak je geen zorgen, er komt altijd wel weer een München – wij krijgen geen oorlog." Maar nu wàs er oorlog. Ik maakte alle mogelijke voorbereidselen. Zodra ze eenmaal in Zwitserland waren, zou ik hen Amerikaanse, beëdigde verklaringen kunnen bezorgen, en het stempel van de consul van de Verenigde Staten op hun paspoort. Ik behoefde maar te wachten tot zij in Bazel waren.
Het was nog steeds een oorlog in naam alleen, wat de Amerikanen een „zitoorlog" noemden. Aan de ene kant van de Rijn waren de Duitse soldaten, aan de andere kant de Fransen, en iedere dag wuifden zij elkander toe. „Nog niet schieten, jongens, het is veel te mooi weer!" Ik wachtte vele dagen lang in Bazel, waar iedere dag vluchtelingen aankwamen die al hun bezittingen in Duitsland achter hadden gelaten, en ik luisterde naar de radio alsof het een verbindingsdraad met mijn ouders was. Toen hoorde ik op zekere dag de harde, scherpe stem van Joseph Goebbels. Er kwam een mededeling van de soort die hij graag zelf deed.
Duitse pantserdivisies waren de lage landen binnengerukt. De oorlog was in ernst begonnen. Ik belde de Amerikaanse consul op en vroeg wat dit voor gevolgen kon hebben. Hij zei: „*Alle reisverloven naar het buitenland zijn in Duitsland ongeldig verklaard.*"
Had hij het geweten, dan had Goebbels zich in gedachten kunnen verheugen over het feit dat hij met de ramp, die hij en zijn medeplichtigen op de wereld had losgelaten, toevallig ook zijn persoonlijke wraak op mij had genomen. Ik heb mijn ouders nooit weergezien.
Stefan geschiedenis eindigde, zoal niet gelukkiger, dan toch minder treurig. Toen de pantserdivisies naar Parijs rolden, zocht hij zijn magere bezittingen bij elkaar en verkocht ze om een kleine, tweedehandse Franse auto te kunnen kopen. Maar hij had helaas nooit leren chaufferen. Op zoek naar een geschikte chauffeur, ontmoette hij een Poolse kolonel, die ook haast had om Parijs te verlaten; niet alleen om de nazi's te ontvluchten, maar ook om zich in Londen te kunnen voegen bij het Poolse regiment dat daar gevormd werd. De kolonel kon een auto besturen, en samen ontsnapten zij naar het zuiden, terwijl de Duitsers Parijs uit het noorden binnenrukten. In Lourdes scheidden zich hun wegen, en daar vond Stefan de schrijver Franz Werfel en zijn vrouw Alma, die ook op de vlucht waren.

Zij wachtten in die oude stad aan de voet van de Pyreneeën op een kans om de bergen naar Spanje te kunnen overschrijden. Stefan, die zelfs in de moeilijkste omstandigheden nog wel iets kon vinden om te lachen, deed zijn vrienden een verslag van zijn avonturen met de hoogmoedige maar niet al te pientere kolonel; Werfel schudde van het lachen en verklaarde dat hij nog eens een toneelstuk zou schrijven met Stefans verhaal als uitgangspunt. Dat deed hij, en hij gebruikte daarbij Stefans goedmoedigheid, zijn vlugge geest en vindingrijkheid om zich uit hopeloze situaties te redden en vooral ook zijn ontembare wil om te leven. Het stuk, *„Jakobowsky en de kolonel"*, werd met veel succes op Broadway gespeeld. De drie uitgewekenen bezochten de heilige plek van Onze-Lieve-Vrouw van Lourdes, en in de grot waar het boerenmeisje Bernadette Soubirous visioenen had van de maagd Maria legde Werfel een belofte af dat hij, indien hij uit de handen van de nazi's zou ontsnappen, een stuk zou schrijven ter ere van de madonna. Ook die belofte hield hij, en zo ontstond *Het lied van Bernadette.*
De Werfels en Stefan vonden op de een of andere manier hun weg naar Lissabon. In januari 1941 landde Stefan in New York. Hij had slechts een toeristenvisum, en wij, zijn vrienden, deden alles om hem in Amerika te houden. Hij hield ervan ons op zondag voor de lunch uit te nodigen en zijn beroemde „eieren-Benedict" te maken. Ik was diep ontroerd toen hij op een dag een pak brieven – mijn liefdesbrieven – voor den dag haalde die ik hem in onze verlovingstijd en gedurende de eerste jaren van ons huwelijk had gezonden. Ze behoorden tot de weinige bezittingen die hij door alle gevaren heen had weten te behouden.
Wij lazen de brieven samen over en voelden weer de schaduwen naderen die ons huwelijk bedreigden. De nazi's waren een van de onderwerpen waarover wij nooit konden lachen. Maar Stefan hield niet van treurig zijn. Hij haalde andere verhalen uit ons verleden op, en deed mij lachen omdat hij het op een manier deed zoals alleen hij dat kon.
Toen kwam Pearl Harbor. Met vele anderen die in dit goede land een bestaan hadden gevonden, bood ik mijn diensten als arts bij het leger aan. Ik wilde graag overal dienen, maar bij voorkeur overzee. Ik weet niet om welke redenen, misschien omdat ik een vrouw of omdat ik een Duitse was, maar mijn aanbod werd afgeslagen.

HOOFDSTUK 31

NIEUWE WAARDEN, NIEUWE VOORUITZICHTEN

MET TROTS EN VERBAZING ZAG IK HOE MIJN NIEUWE LAND ZICH OP de strijd voorbereidde. De leden van mijn beroep bundelden hun krachten om onmiddellijk de verantwoordelijkheden van de oorlogstijd te kunnen aanvaarden; artsen, en vooral chirurgen, voelden zich door nieuwe drang bezield, werkwijzen die gedurende de eerste wereldoorlog waren ontwikkeld, werden weer opgehaald, bijgewerkt en met penicilline en sulfa op modern niveau gebracht. Voorraden bloed en bloedplasma verbreedden op enorme wijze de eens zo smalle marge van de chirurgische veiligheid. De plastische chirurgie ging, evenals de andere taken van de geneeskunde, met grote stappen voorwaarts, zoals ik dat ook gedurende de eerste wereldoorlog had gezien. Ik herinnerde me weer mijn ervaringen in de Lexer-kliniek, waar ik het groeiende aantal mannen met misvormende wonden van de slagvelden had zien komen. De plastische chirurg had een voordeel boven de andere; hij werkte ver van de slagvelden, zodat risico een kleinere rol speelde, en de hulpmiddelen van de geneeskunde, maar vooral de bekwaamheid van de chirurg, veel beter tot hun recht kwamen. Hij had bovendien nog een andere taak: hij moest niet alleen het lichaam, maar ook de geest herstellen. De gewonden zelfs maar een deel van hun oorspronkelijke uiterlijk terug te geven, betekende ook voor hun zieleleven een grote steun. Een van mijn eerste oorlogspatiënten was luitenant Burne, een slachtoffer van de aanval op Pearl Harbor. Men had hem uit het marinehospitaal ontslagen en hij was nu met ziekteverlof. Zijn gebroken rechterarm en de diepe vleeswond in zijn schouder waren genezen, hij was weer volkomen gezond en bereid om zich weer bij de vloot te voegen. Maar het was niet prettig om naar hem te kijken. Een ontploffing had een laag kruitpoeder onder zijn huid gedrukt en zijn gezicht was nu een paarsrood masker. De genees-

kundige dienst van de marine zou daar bij gelegenheid nog wel iets aan doen, maar nu was daar geen tijd voor. De oorlog zou jaren kunnen duren en de luitenant was nu met verlof. Toen de plastische chirurgen zijn geval bespraken, luisterde hij toe. De meerderheid was het erover eens dat een huidtransplantatie in dit geval gerechtvaardigd was. Dit betekende het wegnemen van de verkleurde huid en het aanbrengen van een nieuwe huidlap, die elders van het lichaam moest worden gelicht. De vraag was nu: moest het een vrije of een steeltransplantaat worden? Een vrije transplantaat is een huidlap die los op de beschadigde plek wordt aangebracht. Bij een steeltransplantaat blijft de huidlap op de oorspronkelijke plaats aan de overige huid verbonden en groeit vandaar uit op de nieuwe plaats aan. Ook de dikte van de nieuwe huid moest worden vastgesteld. De volledige huid bestaat uit het epidermis, of de opperhuid, en verscheidene lagen levend weefsel, met daaronder de vetlaag. Een chirurg moet beslissen wat de dikte van het transplantaat zal zijn, en dat hangt van verschillende omstandigheden af.
Een van de chirurgen was van mening dat een steeltransplantaat met gebruik van de Gillie-buis de zekerste manier was om een gezonde huidtransplantatie te verkrijgen. In dat geval wordt een stuk van de huid, van de arm bijvoorbeeld, over een buis gerold, terwijl een zijde vast blijft zitten. Na twee of drie weken wordt dit stuk huid naar het gezicht overgebracht. Daartoe wordt de arm tegen het gezicht gelegd en gezicht en arm te zamen in een gipsverband onbeweeglijk bij elkaar gehouden. De huid groeit dan van de arm af verder, en hecht zich, gevoed door de bloedvaten van de arm, op het gezicht. De patiënt leeft in het gipsverband als het ware onder een tent van zijn eigen huid. In dat verband worden gaten geboord voor de ademhaling, de voeding en voor de chirurgen, om het vorderen van de groei te kunnen controleren.
Argumenten vlogen over en weer, tot de oudste van de groep specialisten een samenvatting gaf van wat wij hadden besproken.
Hij herinnerde ons eraan dat het overplanten van huid, nadat Hamilton dit in 1847 had ingevoerd, een algemeen gebruikte werkwijze van plastische chirurgen was geworden, dat de techniek verbeterd was door Reverdin, die het plaatsen van kleine huideilandjes, van twee tot zes centimeter groot, aanbeval; en door Tierach en

Ollier, die volledige huid gebruikten, alle lagen inbegrepen. Het nadeel van deze methoden was, zoals wij allen wisten, dat bij het genezen de onderliggende elastische weefsels normaal naar elkaar toe groeien en daarbij worden samengetrokken, waarbij ook de oppervlakte wordt meegetrokken. Dit heeft tot gevolg dat de nieuwe huid rimpelt en grote littekens toont waar de normale en de overgeplante huid samengroeien. Dank zij de uitvinding van een nauwkeurig mechanisch instrument, de dermatom-trommel van Padgett, kon nu een huid tot op een dikte van 0,0464 tot 0,0508 centimeter worden gesneden, en daardoor konden littekens en huidrimpels nu tot een minimum worden beperkt. In het geval van deze patiënt behoefde de huid niet tot op grotere diepte te worden verwijderd, zodat er slechts een dunne, nieuwe huidlap nodig was. Alleen in gevallen van diepere beschadiging was een steeltransplantaat beter. Een vrije huidlap zou hier voldoende zijn.
Luitenant Burne had zich van de verschillende methoden op de hoogte gesteld. Hij had geen tijd voor al deze bewerkelijke technieken. Hij wilde terug naar zijn schip, en weer vechten om zijn kameraden, die bij de verraderlijke aanval op Pearl Harbor gedood of verminkt waren, te wreken. Hij verbaasde de chirurgen door hen te vertellen hoe zijn gezicht werkelijk aanvoelde.
„Die kruitdeeltjes schijnen in een dunne laag te liggen, vrij regelmatig verspreid en op hun plaats gehouden door een soort omlijsting van geronnen bloed, vlak onder de huid. Dokters, maakt van mij maar een proefkonijn. Waarom kunt u niet eenvoudig de opperhuid van mijn gezicht wegnemen, de rommel wegschrapen en dan eens zien wat de natuur kan doen?"
Ik moest plotseling denken aan een geval in professor Bettmans kliniek, twintig jaar geleden. De patiënt was een jonge soldaat, die uit een Russisch kamp was teruggekeerd. Zijn gezicht was paarsrood, niet zo veel verschillend van luitenant Burne, en eveneens een gevolg van een ontploffing die kruitdeeltjes onder de huid had gedeponeerd. Het gezicht van de soldaat werd steriel gemaakt en er werd ter verdoving ethylchloride opgespoten. Toen, tot grote verwondering van het amfitheater vol studenten, opende professor Bettman een kleine gereedschapskist waarin een elektrische motor en een aantal draadborstels lagen, zoals knutselaars gebruiken om hun met de hand gemaakte produkten te polijsten.

De dokter begon nu met een van deze draadborstels de huid van het gezicht af te pellen. Bloed uit de haarvaten bedekte met een helderrode laag alles in de omgeving, de professor en zijn assistenten inbegrepen. Ik herinnerde mij ook, dat wij gedurende deze operatie verrast werden door het gezicht van dansende vlinders boven in de operatiezaal, een vreemde plaats voor vlinders. Maar het bleken stukjes watten te zijn, die door de draaiende borstel waren gegrepen en door de motor omhoog waren geblazen.
Ik vertelde dit alles aan de consulterende specialisten, en de beslissing viel uit ten gunste van luitenant Burne's voorstel. Het gehele plan van huidtransplantatie werd opgegeven; wij zouden eens zien wat pellen zou kunnen doen.
Toen de huid gesteriliseerd was, verwijderden wij met een fijn scheermesje de opperhuid. Daarna schraapten wij, met fijn schuurpapier om lapjes gaas gebonden, de huiddeeltjes weg die zich in het geronnen bloed hadden genesteld. Wij zetten dit pellen en schrapen voort tot wij de lederhuid bereikten, de laag onder de opperhuid. Uit die laag wordt de huid van het lichaam steeds vernieuwd. Zij laat piramidevormige puntjes – die papillen worden genoemd – naar de opperhuid groeien. Toen wij klaar waren, kwamen deze plekjes, die voor de nieuwe groei zouden zorgen, als sneeuwklokjes uit. Zij hadden slechts licht en lucht nodig om te bloeien. De openliggende lederhuid werd besprenkeld met een weefselextract dat van de patiënt zelf afkomstig was. Deze vloeistof verkregen wij uit zijn bloed, en we verrijkten haar met enzymen die bevruchtend zouden werken. Toen werd er niet meer dan een dunne laag gaas over het rode, rauwe gezicht gelegd.
Reeds na enkele dagen begonnen zich op deze rauwe oppervlakte kleine huideilandjes te vormen. De ultraviolette stralen van de hoogtezon hielpen de genezing bespoedigen, maar de beste hulp was wel de koppige wil die de patiënt aan den dag legde. Na een week bedekte een rozige laag nieuwe huid het gezicht van de luitenant.
Bij een van mijn bezoeken aan het hospitaal vroeg hij mij of deze behandeling zou kunnen dienen voor de verwijdering van de diepe littekens en putjes die het gevolg waren van acne*. Zijn zuster was

* Zogenaamde meeëters.

daar een slachtoffer van. Zij had gedurende de jaren van haar groei ernstig aan acne geleden en bij geen enkel van de bekende middelen baat gevonden. Ten slotte kreeg zij een behandeling met röntgenstralen en dat had wel geholpen. Slechts af en toe verscheen er nog eens een puistje. Maar haar gezicht was door littekens verkleurd en beschadigd. Jane had zich willen melden voor een verpleegsterskorps, maar ze was bang dat haar zwaar beschadigde huid daarbij een beletsel zou blijken te zijn. Zij was zo neerslachtig dat haar broer zich zorgen over haar maakte. Toen hij vóór zijn operatie met verlof thuis was, had Jane hem met de schijnbaar onherstelbare verminking van zijn gezicht willen troosten. Haar eigen mismaaktheid kwam hierbij ter sprake, en voor het eerst kreeg hij begrip voor de ellende van een jong meisje dat weet onaantrekkelijk en onbemind te zijn, en zonder liefde te moeten leven. Zij had geen vriendjes, ging niet uit en kwam nergens. Zo was het al haar tienerjaren geweest. Met een kalme, berustende stem vertelde zij hem dat zij meer dan eens aan zelfmoord had gedacht, maar daarvan had afgezien om het verdriet dat zij daarmee haar familie zou aandoen.
„Ik maak mij ongerust," zei haar broer. „In een dergelijke geestestoestand kan er van alles gebeuren."
Ik stelde voor dat zij naar New York zou komen, en zij kwam inderdaad een paar dagen later naar mijn spreekkamer. Zij was vergezeld door een jongeman met fijne, gevoelige gelaatstrekken, die zij voorstelde als een vriend die mij ook om raad wilde vragen. Ik vroeg hem in het park te willen gaan wandelen en over een uur terug te komen, om daarna al mijn aandacht aan Jane te wijden.
„Mijn broer heeft u zeker verteld," begon zij, „hoe ongelukkig en moedeloos ik was. Hij was zo ongerust dat hij erop stond mij naar een psychiater te laten gaan."
„Hebt u dat gedaan?" vroeg ik.
„Natuurlijk, omdat hij het mij vroeg, "antwoordde zij. „Maar het hielp niet. Ik had een muur om mij heen gebouwd waar zelfs een deskundige niet doorheen kon. Ik weigerde mee te werken. Misschien," zo voegde zij er met een tikje inzicht aan toe, „wilde ik liever in mijn eigen narigheid blijven zitten."
Zij zweeg een ogenblik en zocht haar zakdoek. Toen, met bevende stem, zei ze dat zij mij wilde spreken over Bill, wiens probleem dringender was dan het hare. Hij was een ouderejaars student in

muziek, en hij studeerde aan dezelfde universiteit als zij piano en orgel. Zij waren vrienden geworden zoals mensen die zich uitgeworpen voelen naar elkander toe worden gedreven, maar het duurde vele maanden eer zij wist wat Bills probleem was. Zij had de gewoonte aangenomen om naar de kerk te gaan waar hij 's zondags orgel speelde om wat bij te verdienen. Na een paasconcert, toen zij samen door de zachte lentelucht wandelden, nog onder de indruk van de kerkdienst, was hij eindelijk in staat geweest haar zijn moeilijkheden toe te vertrouwen. Hij was het enige kind van een weduwe, die hard had gewerkt om hem groot te brengen en voor zijn muziekstudie te betalen. Een jongen die de meeste tijd met studeren doorbrengt, is meestal niet zo goed in sport, het kon hem niet schelen dat hij „zusje" of „moederskindje" werd genoemd. Maar op een dag aan het strand – hij was toen omstreeks zestien jaar – wees een van zijn schoolvriendjes naar hem en begon te lachen. „Kijk eens naar zijn linkerborst!" riep hij uit. „Hij lijkt wel een meisje!"
Hij had daar nog nooit eerder op gelet, maar nu zag hij dat zijn linkerborst inderdaad iets groter was dan de rechter. Het was een klein, maar goed zichtbaar verschil. Het gevoel dat zijn klasgenoten hem een soort rariteit vonden, maakte dat hij zich nog meer van de anderen afzonderde en hij was blij toen het tijd voor hem werd om naar college te gaan. Met de jaren zag hij de borst groeien tot zij werkelijk zo groot was als een vrouwenborst. Hij dorst zelfs geen meisje aan te spreken tot Jane's vriendelijkheid zijn gereserveerdheid had doorbroken.
En dus hadden deze twee ongelukkige mensen elkander getroost, tot Jane's broer haar over zijn geslaagde operatie schreef en erop aandrong dat zij naar New York zou komen om mij te consulteren. Toen had ze tegen Bill gezegd: „De chirurg die mijn broers gezicht heeft opgeknapt, kan mij misschien ook helpen. Kom alsjeblieft mee, zij kan misschien iets voor je doen."
Bill staarde haar aan. „Jane, liefste, wat is er mis met je gezicht?" vroeg hij. „Het is mooi!"
Terwijl zij sprak, had ik Jane's gezicht bestudeerd. Ik zag de grijsachtige kleur, de slechte kwaliteit van de huid, de diepe littekens en putten. Wij zouden veel tijd nodig hebben voor proeven en een grondige kosmetische behandeling. Toen zij aan het laatste gedeelte

van haar verhaal kwam, met Bills opmerking over haar gezicht, bloosde zij donkerrood. Deze plotselinge blos veranderde haar zo, dat zij inderdaad zo mooi was als zij moest zijn in de ogen van de jongeman die van haar hield. Op dat moment stond mijn besluit vast haar van deze littekens te bevrijden en tegelijk met haar gezicht haar zelfrespect te herstellen.

Toen hij even later tegenover mij zat, was Bills verlegenheid spoedig overwonnen. Jane had mij immers alles al verteld? Maar nu er oorlog was, had hij er nog een probleem bijgekregen. Hij had zijn impuls om zich vrijwillig aan te melden niet durven opvolgen, maar hij zou nu wel gauw worden opgeroepen om zich te laten keuren. Zijn gezondheid was goed, en er was geen reden waarom hij zijn land niet zou dienen – maar hij rilde bij de gedachte dat hij in barakken en legerkampen zou moeten leven, blootgesteld aan de nieuwsgierigheid en spot van de andere mannen. Dit vooruitzicht bezorgde hem nu reeds nachtmerries.

Het onderzoek van de jongeman toonde een ontwikkeling van de linkerborst die menig meisje hem benijd zou hebben. Ik legde hem uit dat dergelijke ontwikkelingen vaker voorkwamen. Gynaecomastie worden ze genoemd, en waarschijnlijk vinden ze hun oorzaak in een niet goed uitgebalanceerde klierwerking. Behandeling met hormonen helpt maar zelden, vooral niet wanneer de onregelmatigheid slechts aan één kant voorkomt. Maar het kan met een kleine, chirurgische ingreep verholpen worden, en daarom zei ik tegen de jongeman, dat als hij nu direct naar het ziekenhuis kon gaan, de zaak spoedig in orde zou zijn.

Het leek wel of Bills goede vooruitzichten Jane gelukkiger maakten dan die voor haarzelf. Als een bezig huisvrouwtje begon zij plannen voor zijn verblijf in het ziekenhuis te maken.

„Geef mij het adres van je moeder – en het telefoonnummer van je muziekleraar. Welke maat pyjama draag je? Heb je voorkeur voor een kleur? Je hebt een tandenborstel nodig en tandpasta! En een scheermes! Ik moet de lotion voor na het scheren niet vergeten. . ."

Nu was het Bills beurt om te blozen. Met een verlegen blik naar mij nam hij Jane mee om de inkopen te gaan doen. Ik vroeg Jane, die van plan was verpleegster te worden, of zij Bills operatie wilde bijwonen, maar daar zag zij van af. Bill stond haar te na.

Bills operatie was eenvoudig. Aan de benedengrens van de tepelhof

werd een kleine insnijding gemaakt, en door de ontstane opening werden klierweefsels en vet verwijderd. De onderlagen en de huid werden vervolgens weer gehecht. De operatie duurde ongeveer een half uur. Toen Bill uit de verdoving wakker werd, lag hij in zijn eigen bed, nog doezelig, maar zonder zijn vrouwelijke borst en zonder psychisch trauma.
Terwijl hij herstelde, onderging Jane een reeks van huidproeven. In haar geval zou de schuurpapierbehandeling, die haar broer had ondergaan, niet voldoende zijn, evenmin als de Kromayer-methode van pellen, die ik voor het eerst in professor Bettmans kliniek had gezien, hoewel wij hiervoor nu verschillende verbeterde elektrische instrumenten hadden. Bij Jane waren alle huidlagen en zelfs onderhuidse lagen aangetast, en niet overal even diep. Er waren diepe putjes en groeven, die dwars door de gladde, natuurlijke spanning van de jeugdige huid liepen. De littekens waren zelfs te diep om met een scherp, chirurgisch instrument te worden verwijderd. Er was maar een methode die ik met vertrouwen zou kunnen toepassen: een diepe huidpelling. Dat zou vrij veel tijd in beslag nemen, en wij stelden het uit tot na Bills vertrek.

Tot voor korte tijd was huidpelling een stiefkind van het medische beroep geweest. Verzoeken van patiënten om acne en pokputjes weg te nemen, werden in het algemeen als louter ijdelheid van de hand gewezen, met gevolg dat de namen van obscure schoonheidsspecialisten, die deze operatie wel wilden verrichten, van de een naar de ander werden doorgegeven alsof het namen van aborteurs waren. Gewetenloze lieden konden ongestraft de ongelukkigen exploiteren. Vaak hadden zij noch de handigheid, noch de kennis om het werk naar behoren te verrichten, en zij spraken over geheime recepten en dergelijke om de bevreesden en de beschaamden aan te trekken.
Onder normale omstandigheden wordt de huid in een periode van zeven jaar geleidelijk vernieuwd, maar diepe littekens verdwijnen daar niet door. Het afpellen van de gezichtshuid betekent een kunstmatige versnelling van deze huidvernieuwing, en daarbij wordt speciale aandacht aan de dieptewerking besteed. In de handen van een specialist, die deze methode bedachtzaam en met de nodige zorg voor de algemene reactie van de patiënt uit-

voert, is dit een van de fijnste en doeltreffendste werkwijzen. Het succes van huidpelling hangt af van bepaalde natuurlijke oliën. Deze oliën behoren tot de oudste medicamenten van de mensheid. Als een Zuidamerikaanse Indiaan gewond wordt, breekt hij een tak van een cassiastruik af – de cassia behoort tot de kaneelfamilie – en laat het sap ervan op de wond druipen. De ervaring van vele generaties heeft hem geleerd dat dit zal helpen om het litteken zo klein mogelijk te houden. De oliën van deze plantesoort bevatten, geraffineerd, zestig percent natuurlijke carbolzuren, en hun bijtende werking veroorzaakt een snelle afschilfering van ongewenste huidlagen, van littekens dus. Terzelfder tijd oliën en stimuleren zij de groei van het nieuwe weefsel. Met hun hulp kunnen wij een langzaam herstel van de huidweefsels bereiken, een genezing met een minimum van littekenvorming.
Deze oliën zijn voor de plastische chirurg van onschatbare waarde. De littekens zijn altijd een punt van zorg voor de chirurg, en vooral in de plastische chirurgie vormen zij een bedreiging voor zijn succes. Wat baat hem al zijn bekwaamheid als zijn werk ten slotte door ontsierende littekens wordt bedorven. Toch is een litteken het bewijs dat het lichaam zijn genezend werk heeft gedaan. Een wond heelt van binnen uit. Eerst trekken zich de onderlagen samen, en daarna de oppervlakte. In de onderlagen van de huid groeien veerkrachtige weefsels over de wond, en verenigen door samentrekking de wondranden, waardoor dan de littekens ontstaan. Dit was gebeurd toen de wondjes door acne, in Jane's gezicht veroorzaakt, genazen. En ten dele was het dit wat wij wilden proberen ongedaan te maken.

Voor wij tot de operatie overgingen, namen wij proeven met kleine plekken op Jane's arm. Op ieder plekje smeerden wij een verschillend mengsel van bijtende en genezende oliën en wachtten daarna de reactie af. Op deze manier waren wij bij voorbaat zeker dat wij, om haar eigen genezende kracht bij te staan, de juiste combinatie zouden vinden.
Bij de operatie zelf werd het gehele gezicht schoon en steriel gemaakt en daarna verdoofd. Toen werden eerst de diepe putjes behandeld met het oliemengsel dat op de arm het beste resultaat had gehad. Uur na uur werd deze behandeling herhaald, tot de bodem van de

putjes gelijk was gekomen met het huidoppervlak. Het oude littekenweefsel was dus afgeworpen en er was geen putje meer. De volgende morgen controleerde ik het resultaat; enkele van de putjes waren weer weggezonken, en die werden dus opnieuw urenlang op dezelfde manier behandeld. Toen op de derde dag de huid haar effen oppervlak had behouden, werden de oliën over het gehele gezicht gespreid, waarna pleisters werden aangebracht die het als een masker bedekten, en zodoende het oppervlak tegen de lucht en tegen infectie beschermden.

De operatie zelf was ten einde; nu moest worden afgewacht hoe de huid onder het beschermende masker zou genezen. Na jaren van afgeslotenheid begon in de twee weken van wachten Jane's persoonlijkheid op te bloeien. Zelfs met het verband nog op haar gezicht, scheen zij zich bevrijd te voelen van de ontsiering die haar van het normale leven had afgezonderd. Ons door de oorlog veroorzaakt tekort aan verpleegsters vulde zij aan door het werk van een leerling-verpleegster te doen; zij schikte bloemen en gaf de planten water, zij leegde de beddepannen en maakte bedden op. Jeugdige patiëntjes waren dol op haar om haar vriendelijkheid en haar onuitputtelijke voorraad verhaaltjes. Gewoonlijk hebben verpleegsters weinig sympathie voor plastische chirurgie, maar zij droegen Jane een warm hart toe. Toen de dag van de „ontsluiering" was aangebroken, kwamen zij naar haar kamer en waren even verheugd over het resultaat als ik.

Jane's nieuwe gezicht rechtvaardigde inderdaad die blijdschap. Haar huid was glad, zonder lelijke plekken, en gloeide van gezondheid. Haar broer, nu gereed om weer naar zee te gaan, en de toegewijde Bill, waren er allebei om haar geluk te delen.

Gedurende de oorlogsjaren ontving ik vele kaarten, gestempeld: „Postmaster New York" van Bill, en „Postmaster San Francisco" van Jane, die er geen gras over had laten groeien en zich bij het verpleegsterskorps had aangesloten. Toen de oorlog in Europa zowel als in de Pacific voorbij was, kwamen deze twee gelukkige jonge mensen naar mijn spreekkamer en Jane pakte een kersehouten dienblad uit, dat zij helemaal uit Okinawa voor mij had meegebracht. Een jaar later was ik peettante voor hun kleine zoon in hun huis in Virginia. Bij het doopfeest stelde baby's oom, nu majoor Burne, een toost in:

Hier is een dronk op de hogere macht
Die ons gezond weer te saam heeft gebracht
Op wetenschap, liefde en goede wil
En op de gezondheid van kleine Bill.

HOOFDSTUK 32

DE FOLLIES CLUB

DE METHODEN DIE GEBRUIKT WERDEN OM HET NORMALE UITERLIJK en het geluk van luitenant Burne en zijn zuster Jane te herstellen, zijn gebaseerd op de genezende kracht van het lichaam zelf. Dit is niet het geval met „*face lifting*" – gelaatsverjonging – waarnaar de mensen zo nieuwsgierig zijn. Een gezichtsverjonging is een chirurgische methode om de tekenen van ouderdom te laten verdwijnen.

Op een dag verzocht men mij ter gelegenheid van de jaarlijkse lunch van de „Follies Club" over dit onderwerp een lezing te houden. Gewezen actrices en „show-girls" willen zo lang mogelijk de jeugdige schoonheid behouden die eens hun kostbaarste bezit was. Maar ook talloze andere vrouwen hebben mij gevraagd hun iets over gelaatsverjonging te vertellen – en, als de waarheid gezegd moet worden – mannen ook.

De wens het jeugdige uiterlijk te behouden, wordt niet altijd door ijdelheid ingegeven. Er zit vaak een harde noodzaak achter. Tegenwoordig wordt de jeugd aanbeden en zelfs in het zakenleven worden kennis en ervaring vaak geringer geacht dan een glad, jeugdig gezicht. Een vrouw van vijfenveertig kan een volmaakte secretaresse zijn, of hoofd van een kantoor, maar het is best mogelijk dat zij nooit de kans krijgt om dit te bewijzen als zij er zo oud uitziet als zij is.

Deze maatstaf geldt niet alleen voor vrouwen. Bijna iedere verkoper, zelfs die alleen met mannelijke klanten te maken heeft, verkoopt meer als hij er jong uitziet dan wanneer zijn haar grijs wordt en zijn rimpels verraden dat hij de vijftig is gepasseerd. In een tijdperk waarin de levensduur steeds verlengd wordt, waarin mannen en vrouwen van middelbare leeftijd over meer vitaliteit beschikken dan die van vorige generaties, geldt nog steeds de on-

gerijmde waarheid dat het in vele beroepen rampzalig is wanneer men er naar zijn leeftijd uitziet.
Lucille McCann en Sarah Baxter (zo zal ik hen noemen) nodigden mij dus uit om een lezing te houden voor de „Follies Club". Deze twee vrouwen van middelbare leeftijd waren oorspronkelijk bij mij gekomen om hun gezichten door plastische chirurgie te laten verjongen. Terwijl zij met mij zaten te praten, kon ik de sporen van hun verdwenen schoonheid duidelijk zien, en ik zag ook dat niet alleen de tijd, maar ook verdriet en tegenslag hun werk hadden gedaan. Lucille was vóór haar tijd grijs geworden. Haar gezicht toonde diepe lijnen, haar oog- en mondhoeken hingen neer, een bewijs dat zij ook geestelijke littekens had. Wat Sarah betreft, kon men zien dat de handig aangebrachte rouge en poeder de weinig fraaie huid en slappe gelaatsspieren verborgen van een vrouw, die lange tijd onverschillig voor haar uiterlijk was geweest. Een goede kapster had gedaan wat mogelijk was, maar noch een schoonheidsspecialiste, noch zelfs de opwekking van het ogenblik, kon de diepe lijnen verbergen die door verdriet waren ingegrift. Niets, geen betere tijden of gelukkiger omstandigheden, kon deze sporen uitwissen. Zij hadden terecht begrepen dat alleen chirurgie hier helpen kon, en dus waren zij naar mijn spreekuur gekomen.
Op het hoogtepunt van haar succes was Lucille getrouwd. Zij had afstand gedaan van haar carrière en was gelukkig. Sarah was nooit getrouwd, maar had aanbidders en juwelen verzameld tot haar schoonheid haar in de steek liet. De ironie van het noodlot had hier zowel de wijze als de onwijze ten val gebracht.
In het begin van de jaren twintig was Lucille McCann de leidende schoonheid van de weelderige schouwspelen die de „Ziegfield Follies" beroemd hebben gemaakt. Zij vertoonde zich in tule en zwellende golven van zijde en werd in het midden van het toneel neergelaten in een kristallen lichtkroon, die gedrapeerd was met mooie meisjes. Of zij kwam uit een verborgen deur te voorschijn om als waternimf in een veelkleurige fontein haar weelderige vormen te laten bewonderen. Dat nummer vooral bracht haar altijd een geweldige ovatie.
Wat er later gebeurde, vertelde zij mij tijdens het bezoek in mijn spreekkamer. De man die zij zich uit een lange lijst van geschikte bewonderaars had gekozen, stond aan het hoofd van een bekende

advocatenfirma. Hij was knap, rijk, charmant, twintig jaar ouder dan zij, en gaf haar liefde zowel als luxe. In ruil daarvoor werd zij een model-echtgenote. Zij genoot van haar plaats in de maatschappij en besteedde veel geld aan stille weldadigheid. Mensen van het theater, die aan lager wal waren geraakt, konden altijd op haar steun rekenen. Het park van haar landgoed werd dikwijls opengesteld voor kinderen uit arme gezinnen, en dan werden er picknicks georganiseerd. Vaak werd ze met haar man in het theater gezien, en de directeuren probeerden nog lange tijd haar in de showbusiness terug te krijgen, maar zij sloeg alle aanbiedingen af.
Toen kwam de beurskrach van 1929. Lucille's echtgenoot kreeg een plotselinge hartaanval en moest wekenlang liggen. Met het verdwijnen van zijn kapitaal verdween ook zijn moed. De liefhebbende echtgenoot veranderde in een tiran in een rolstoel, die haar ieder uur dat zij niet naast hem doorbracht kwalijk nam. Midden in een kaartspel kon hij zijn kaarten neersmijten en haar vragen waarom zij naar de kapster was geweest en voor wie zij een nieuwe lippenstift had gekocht. Lucille's beste jaren werden aan een despotische invalide opgeofferd, tot de dag waarop hij, in woede over een nieuwe voorjaarshoed, die zij gekocht had, een nieuwe aanval kreeg en overleed.
Na zijn dood verviel Lucille in een diepe moedeloosheid. Toen het grote huis verkocht was, verhuisde zij naar het tuinmanshuis. Daar leefde zij als een kluizenaarster, zonder levenslust of levensdoel.
En daar ontmoette zij weer Sarah Baxter, de beroemde revuester, wier naam reeds in stralend licht op Broadway prijkte toen Lucille nog oefende in geleende dansschoentjes. Sarah had haar carrière opgegeven om in Europa een leven van luxe te leiden. Tijdens de hysterische vrolijkheid van de jaren twintig had zij een stoet opeenvolgende bewonderaars gehad, onder wie zich Europese graven en Zuidafrikaanse diamantkoningen bevonden. Op de foto die Lucille het laatst van haar had gezien, werd Sarah in een vergulde koets met vier witte paarden naar het grote, Parijse operabal gereden.
En nu stond Sarah aan de deur van het tuinmanshuis met een monsterkoffer om chocolade en schoenveters te verkopen. Lucille herkende haar bijna niet. Haar muiskleurige haar hing onverzorgd om haar gezicht, haar huid was gevlekt, haar tanden slecht en grijs.

Zij droeg een rafelige jas en de hakken van haar schoenen waren scheefgelopen.
Sarah's geschiedenis was die van de hebzuchtige vrouw die in haar eigen val liep. Zij werd verliefd op een violist die in een café speelde en legde alles wat zij bezat aan zijn voeten. Geld en diamanten verdwenen, gezondheid en schoonheid gingen dezelfde weg en toen zij niets meer had, verliet hij haar.
Sarah's ongeluk deed iets in Lucille ontwaken. Welk recht had zij in eenzaamheid te treuren over haar tegenslag, terwijl zo veel van haar vroegere vriendinnen, vrouwen als Sarah, doodarm waren en hulp nodig hadden? Waren er niet meer van deze ongelukkigen te vinden die zij een onderkomen, gezelschap en geestelijke steun kon bieden? Zouden er geen vroegere „Follie-girls" te vinden zijn die, net als zij, er beter aan toe waren en graag mee zouden willen helpen? Dit denkbeeld groeide en zo werd de „Follies-Club" geboren. Zodra Sarah, met een dak boven haar hoofd en drie voedzame maaltijden per dag, weer haar kracht en zelfrespect had teruggevonden, begonnen de twee vriendinnen een onderzoek naar het wel en wee van hun vroegere toneelzusters.
Op een dag trok Sarah Lucille voor de grote, staande spiegel. Lachend wees zij naar de twee vrouwen van middelbare leeftijd, die betere en gelukkiger dagen hadden gekend. „Hoe kunnen wij die anderen nieuw leven brengen – hoe kunnen wij ons zelfs maar aan hen vertonen? Wij, de beroemde schoonheden, wij zien er zo oud uit als Methusalem!"
En zo bracht het feit dat zij iets gevonden hadden om voor te leven hen naar mijn spreekuur. Zij wilden liefst onmiddellijk naar het ziekenhuis gaan en samen een kamer nemen. Toen ik hen duidelijk maakte dat eerst Sarah's tanden verzorgd moesten worden, wat wel twee maanden zou kunnen duren, waren zij een ogenblik teleurgesteld. De nieuwe energie, die in hen was opgeweld, wilde een uitweg, en ieder uitstel was voor hen een deceptie. Toen lachte Lucille om het sombere gezicht van haar vriendin – zij hadden al zolang gewacht dat zij nu nog wel wat langer konden wachten.
Een paar maanden later kwamen zij terug. Ditmaal brachten zij foto's mee die op het hoogtepunt van hun succes waren genomen. „Dokter, zouden wij er werkelijk weer zo uit kunnen zien?" vroegen ze.

„Nee, dames," antwoordde ik. „En dat is ook niet wat u werkelijk wilt. Het leven heeft zachtheid en waardigheid aan uw trekken gegeven. Het ideaal van gelaatschirurgie is niet een oppervlakkige imitatie van jeugd, maar het leggen van nadruk op rijpere schoonheid."

Lucille McCann en Sarah Baxter waren goede patiënten, ze bewezen dat beroepsschoonheden niet altijd voorgoed bedorven zijn. Zij klaagden nooit, en toonden integendeel grote dankbaarheid voor de kleinste attenties van het ziekenhuispersoneel.

Toen de laatste verbanden waren afgenomen, keken zij elkander lange tijd aan. Sarah's ogen liepen vol tranen, Lucille zocht woorden om haar gevoelens uit te drukken. „Dokter, u hebt ons bedrogen! Zo mooi als nu zijn wij nooit geweest!"

Mettertijd werd de „Follies Club" de veilige toevlucht waarvan zij hadden gedroomd. Sarah werd het zoeken naar hulpbehoevenden nooit moe. Lucille, verstandig en vol mededogen, vond altijd een weg om hen te helpen. Hun vroegere collega's verheugden zich in het vernieuwen van oude vriendschappen.

Maar een nieuw probleem dreigde de vrede van de twee vriendinnen te verstoren. De leden van de „Follies Club" smeekten hen voortdurend het geheim van hun nieuwe jeugd te openbaren. Hoe waren zij in staat geweest de schoonheid van hun glansdagen te behouden? Ten slotte stelde Sarah voor: „Laten wij hun de waarheid vertellen. Laten wij onze plastische chirurg vragen een lezing over gelaatsverjonging voor hen te houden. Het is eigenlijk iets dat zij allen moeten weten."

Sinds die tijd ben ik naar vele „Follies Club"-lunches geweest, als lid van het bestuur en officiële arts van de organisatie. Maar mijn eerste kijk op die verzameling van gewezen showgirls zal ik nooit vergeten. De zaal, getooid met witte rozen en seringen, was vervuld van het speciale timbre van theaterstemmen en het typerende uiterlijk van theatermensen – de ongewone coupe aan een japon, de zware mascara en de dikke poederlagen op de gezichten. Onder het vrolijke gepraat en gelach was de spanning te voelen. Zij wisten wat het onderwerp van de voordracht zou zijn en ervaring had mij, geleerd dat er op iedere bijeenkomst enkelen zijn die gespannen de belofte van eeuwige jeugd verwachten. In deze bijeenkomst moeten dat er meer zijn geweest.

Hoe kan men een leek gelaatschirurgie verklaren? Het is natuurlijk een chirurgische ingreep, en dus in hoge mate technisch. Maar toch kan het in niet-technische termen worden uitgelegd.
Eerst vertelde ik hun wat er, als wij ouder worden, eigenlijk gebeurt. Het uiterlijk van de jeugd ligt in de gladheid van de epidermis, de opperhuid. Deze gladheid is afhankelijk van twee hoofdsteunen onder de huid: de elastische weefsels en de vetdeeltjes, de *lipoïden*. Deze elastische weefsels zijn door de gehele werkelijke huid verdeeld; het zijn dezelfde weefsels die de randen van een wond samentrekken en de basis voor een litteken vormen. „Lipoïden is een andere naam voor vet," zo vertelde ik mijn toehoorsters. „De meesten van ons hebben geen goed woord voor vet over." Hier werd even om gelachen, en ik vertelde hun verder dat de wijze waarop het lichaam boter, olie en andere vettige voedingsmiddelen verwerkt om er het eigen lichaamsvet van te maken, een van de chemische wonderen van de natuur is, en dat de vettige weefsels een taak hebben bij het opnemen van zuurstof door iedere cel. Deze gladde voering van vet onder de huid, mits met mate, is ook een van de eigenschappen van de jeugd.
Bij het komen en gaan van onze verjaardagen beginnen de elastische vezels hun veerkracht te verliezen en daarvan verschijnen de eerste tekenen in de fijne lijntjes aan de buitenhoeken van onze ogen, de kraaiepootjes. Tegelijkertijd begint het vetweefsel van karakter te veranderen. In plaats van een veerkrachtige, gladde voering wordt het een oneffen laag, met dunne plekken en geconcentreerde dikten, bijvoorbeeld in de oogzakken onder de ogen en verdikte bovenste oogleden, en natuurlijk de onderkin. Door het ontbreken van veerkracht en de gelijke verdeling die het vetweefsel kenmerkte, begint de huid in vouwen en rimpels over het gezicht te vallen. Nu kunnen wij, zelfs in magere gezichten, de verzakkende halslijn en crêpeachtige hals zien, en de diepe lijnen van neus tot mond, terwijl in sommige gezichten dan ook diepe rimpels in het voorhoofd komen. Verticale rimpels behoeven overigens geen teken van veroudering te zijn, er zijn mensen die ze van hun geboorte af hebben! Gewoonlijk zijn deze rimpels een gevolg van overontwikkeling van de spieren, en die te verwijderen behoort niet tot de gelaatschirurgie. Het doel van deze chirurgische ingreep is dus het optrekken van de huid tot zij weer glad is, en het verwijderen van vetopeenhopingen

indien die zich gevormd mochten hebben. Dat moet dan zo gebeuren dat de ingreep zo onzichtbaar mogelijk is. Wij moeten er ook aan denken dat de huid rekbaar is. Als wij dus de huid alleen maar optrekken en wat bijknippen, krijgen wij weliswaar resultaat, maar voor niet langer dan enkele maanden. Wij moeten dus de huid op een stevige basis bevestigen.
Vaak heeft een vrouw van middelbare leeftijd niet meer nodig dan een verbetering van de oogleden. De huid rondom het onderste ooglid en bij de buitenhoekjes van de ogen wordt van de onderliggende weefsels losgemaakt, het overtollige wordt bijgeknipt en de overblijvende huid wordt naar de slapen opgetrokken. Indien men het teveel volgens een zigzag lijn afsnijdt, zal de naad, zelfs al in de eerste dagen van genezing, nauwelijks zichtbaar zijn. Pleisters beschermen de plekken tegen infectie en beschadiging. De patiënte kan de volgende dag weer aan haar gewone werk gaan en, indien zij een donkere bril draagt, zelfs weer uitgaan. Een verzakte kinlijn kan ook door een aparte behandeling worden verbeterd. Het hangende vlees en – in geval van een dubbele kin – het overtollige vet worden verwijderd. Maar deze operatie is meestal niet bevredigend omdat een lang, horizontaal litteken overblijft, en de omtrekken van het gezicht niet worden hersteld. Om een ware gelaatsverjonging te bereiken, moet het gehele gezicht worden opgetrokken.
Hoe voeren wij zo'n operatie uit? Dit was wat mijn toehoorders wensten te horen, en ik vertelde hun wat over de achtergrond van de werkwijze. Vroeger, zo zei ik, werd alleen aan beide zijden bij de slapen een stukje huid weggesneden, vlak voor en evenwijdig met de haarlijn. Dit liet op iedere slaap een litteken na, en de verbetering van het gezicht was maar zeer tijdelijk.
De moderne werkwijze is: het wegnemen van een stukje weefsel aan beide zijden van de schedel boven de oren, een eindje boven de haarlijn. Onder dit weefselstukje ligt de slaapspier, en de fascia, het dikke bindweefsel dat deze spier bedekt, voorziet ons van een stevige balk, waaraan de opgetrokken huid later kan worden bevestigd.
De insnijding wordt rondom het oor gemaakt, zowel ervoor als eronder, en in de groef erachter. De huid wordt op de jukbeenderen tot aan de mondhoeken en naar beneden tot aan de hals van de

onderlagen losgemaakt. Met fijne tangen trekt de chirurg de huid strak en knipt het overtollige bij kleine stukjes tegelijk af. Wanneer dit gebeurd is, worden de hechtingen zo geplaatst dat er zo weinig mogelijk littekens zichtbaar zullen zijn.
De weefsels achter de oren zijn zwaar, en als ze losser worden, hebben ze de neiging dikke vouwen te vormen. Een algemene werkwijze om die vouwen te verwijderen, bestaat uit het wegknippen van de overtollige huid in een driehoekje achter het oor. Dit vormt echter een horizontaal litteken, dat maar al te vaak aan de rand van het haar zichtbaar is, en dus hinderlijk voor vrouwen die hun haar omhoog of kortgeknipt willen dragen.
Lang geleden heb ik mijn eigen oplossing hiervoor gevonden, en wel door ook de huid achter de oren op te trekken, zodat de overtollige huid bij de oorspronkelijke insnijding van de schedelhuid kan worden weggewerkt.
Een van mijn andere verbeteringen is het vermijden van hechtingen vóór het oor, omdat een hechting altijd een litteken nalaat, hoe fijn dat dan ook is. Daartoe voeg ik de randen van de huid zodanig bijeen dat alleen de onderlagen dichtgenaaid behoeven te worden. De opperhuid, de epidermis, valt voor het oor op zijn plaats, groeit aan zonder hechting en toont geen litteken.
Mijn toehoorders volgden mij in zwijgende concentratie. Ik behoefde maar naar sommige van de gefronste voorhoofden te kijken om eraan te worden herinnerd dat ik nog over het verwijderen van voorhoofdrimpels moest vertellen.
Daarbij zijn gevallen waarbij het hele voorhoofd moet worden opgetrokken. Hiervoor wordt de oorspronkelijke insnijding in wigvorm over de schedelhuid gemaakt; de voorkant van de schedelhuid en de voorhoofdshuid worden dan losgemaakt en opgetrokken.
Deze werkwijzen, zoals ik ze voor de „Follies Club" beschreef, hebben in de vele gezichten, die ik in staat geweest ben zonder littekens te verjongen, hun juistheid bewezen. Het succes hangt evenwel niet alleen af van verfijnde techniek, maar meer nog van de gevoeligheid van de vingertoppen van de chirurg en van zijn voorstellingsvermogen. Een onvoldoend optrekken betekent mislukking, te veel echter veroorzaakt een masker, dat zelfs niet kan glimlachen. Evengoed als een beeldhouwer een door God geschonken talent moet hebben om meesterstukken te scheppen, zo

moet de plastische chirurg, om een goed resultaat te bereiken, op zijn minst met een tikje van dat talent gezegend zijn.
Kan een gezicht meer dan eens worden hersteld? Daar wisten mijn toehoorsters het antwoord wel op. Leden van hun beroep hadden er geen geheim van gemaakt hoe vaak zij hun gezicht wel hadden laten behandelen. Edna Wallace Hopper, die de „eeuwige bakvis" werd genoemd, had zes of zeven behandelingen ondergaan.
En, vroegen mijn luisteraarsters, hoe zit het met de verdoving? De meeste gevallen worden plaatselijk verdoofd. Maar soms geef ik de voorkeur aan een algemene verdoving, zeer zeker wanneer de patiënte allergisch is voor novocaïne of aanverwante stoffen, en ook wanneer de patiënte nerveus is. Tegenwoordig is de algemene verdoving een prachtig gecontroleerde, wetenschappelijke techniek. Een kleine voorbereidende verdoving, aangepast aan de individuele patiënte, brengt een volledige ontspanning en de minste nawerking. Een van de grote vorderingen die gedurende de tweede wereldoorlog zijn gemaakt en waarvan alle chirurgen – en vooral de plastische chirurgen – profiteren, is de controle op het bloeden. Nog betrekkelijk kort geleden moest de chirurg vertrouwen op kleine hoeveelheden adrenaline, die bij plaatselijke verdoving aan de novocaïne werden toegevoegd. Wij hebben nu een variatie van middelen die bloedingen helpen voorkomen. Vitamine K, toegediend voor en tijdens de operatie, is er een van. Het experimentele onderzoek heeft de aandacht gevestigd op de flavanoïden, die uit grapefruit, citroenen en andere citrusvruchten en ook uit wilde kastanjes, worden getrokken. En natuurlijk hebben vooral de antibiotica de veiligheid bij de chirurgie aanzienlijk verhoogd.
En wat, zo vroeg ik mijn toehoorsters, kan de patiënte zelf doen om tot het succes van de behandeling bij te dragen? Zij kan heel veel doen. Na de operatie komt de genezing, en de genezing, hoe wonderbaarlijk de hulpmiddelen van de moderne geneeskunde ook mogen zijn, blijft afhankelijk van de patiënte en de staat van haar gezondheid. Bij plastische chirurgie bestaan geen spoedoperaties. De patiënte kan er zelf de tijd voor kiezen. Er is alle gelegenheid om de chirurg onder de gunstigste omstandigheden te laten werken. Een gelaatsbehandeling begint met een grondig algemeen onderzoek, waarbij ook urine en bloed worden betrokken. Vitaminegebrek en gebrek aan mineralen, bloedarmoede in iedere vorm, het

gewoontegebruik van barbituraten* 's nachts en benzedrine** overdag, moeten, voor men met de operatie begint, ook worden buitengesloten. Dit alles is niet alleen noodzakelijk voor veilige chirurgie, maar vooral ook om de natuurlijke geneeskracht van het lichaam te beschermen en op te voeren.

Ook de geestelijke toestand van de patiënte is belangrijk. Het dient nauwelijks te worden gezegd dat zij het volste vertrouwen in de chirurg moet hebben. Zij moet verder alle zorgen thuislaten. Een rustige, ontspannen geest, samen met de juiste pre-chirurgische zorg, vormen een patiënte die niet alleen gedurende de verdoving, maar gedurende het hele proces meewerkt.

Al te veel patiënten begrijpen niet hoe gunstig het voor hen is, zelf in de gelegenheid te zijn het tijdstip voor de operatie te bepalen. Zij stellen allerlei voorwaarden: de operatie moet op die en die dag gebeuren, want de verbanden moeten eraf voor hun echtgenoot van een zakenreis thuiskomt, of vóór de cocktailparty op de volgende donderdag. Natuurlijk moet er met familie- of beroepsverplichtingen rekening worden gehouden. Maar de eerste overweging is dat de patiënte in de best mogelijke fysieke en geestelijke toestand moet verkeren. Dit is de belangrijke bijdrage die de patiënte zelf kan leveren.

En na al deze technische toelichtingen, wat doet zo'n behandeling werkelijk voor een gezicht? Dat kunt u het beste zelf zien. Ga voor een spiegel staan, leg de vingers van beide handen voor en de duimen achter het oor. Trek nu de losse huid naar boven tot alle rimpels verdwijnen.

Wanneer ik dit voorstel doe, in de spreekkamer of op het podium, is er altijd een beweging van de handen naar het gezicht. De vrouwen van de „Follies Club" waren geen uitzondering. Bijna iedere vrouw probeerde het. Toen zij elkaar op dit onbewuste gebaar betrapten, ging er aan de lunchtafels gelach op. Daarom waagde ik het een oude anekdote te vertellen; onder chirurgen is zij bekend genoeg.

„Dames," zei ik, terwijl ik zelf mijn gezicht met mijn handen zo optrok dat ik mijn lippen nauwelijks kon bewegen, „zelfs al zou u

---

* Slaapmiddelen.
** Opwekkend middel.

uw gezicht herhaaldelijk laten optrekken, toch behoeft u niet bang te zijn dat uw navel nog eens als een kuiltje in uw wang zal verschijnen." Dat oogstte een gulle lach.
Zoals bij alle bijeenkomsten van vrouwen die ik had toegesproken, wachtten ook de leden van de „Follies Club" nauwelijks tot het applaus was weggestorven om het podium te beklimmen en mij met vragen te overstelpen.
Een knappe, kleine vrouw was de eerste. „Dokter, doet het pijn?" vroeg ze. Dit is een eeuwige vraag en er is een vast antwoord op.
„Er is bij gezichtschirurgie weinig pijn. Als de operatie met plaatselijke verdoving wordt uitgevoerd, krijgt u van tevoren zoveel sedatieven dat u alleen de eerste prik van de naald voelt. En bij algehele verdoving voelt u natuurlijk helemaal niets."
Direct kwam de volgende vraag: „Is er pijn na de operatie?"
„In de meeste gevallen helemaal niet," antwoordde ik naar waarheid. „Het gezicht wordt goed verbonden, met een drukverband. Het enige dat geëist wordt, is dat u de eerste achtenveertig uur volkomen rustig blijft. En gedurende die tijd bent u op een vloeibaar dieet. Maar de meeste vrouwen zal het verliezen van een paar pondjes geen kwaad doen!"
„Moet ik verbanden dragen als ik uit het ziekenhuis kom?"
„In deze moderne tijd," antwoordde ik, „kunnen wij altijd een verband ontwerpen dat er als een tulband uitziet. Wij kunnen het zelfs passend maken bij uw cocktail- of avondjapon."
Tot dusver waren de vragen dezelfde als in iedere groep, maar plotseling werd ik eraan herinnerd dat ik mij onder theatermensen bevond. Een opvallend geklede vrouw wees naar haar eigen, goed verzorgde hoofd en zei verontwaardigd: „Beste dokter, dit is toevallig een echte, met de hand gedrapeerde tulband!" Daarna wond zij de zijden plooien los en leunde agressief naar voren om haar oren en voorhoofd te laten zien. „En let er goed op dat ik mijn gezicht *niet* heb laten behandelen!"
Sommigen van de clubleden sloegen lachend hun armen om hun beroemde toneelzuster, wier naam in die tijd in lichtende letters aan een Broadway-theatergevel prijkte.
Een vierkante figuur, karikatuur van haar vroegere schoonheid, viel hen heftig in de rede. „Dit is geen tijd voor grapjes! Ik wil weten hoe lang je zo'n tulband dragen moet!"

Haar vraag maakte hen weer aan het lachen. Het woord tulband kon blijkbaar niet meer ernstig worden opgevat.
„Goed, dames, laten wij het kind en de tulband bij de naam noemen. De tulband, of liever de verbanden, moeten gedragen worden tot de hechtingen zijn uitgenomen en alles behoorlijk is genezen. Deze periode is voor iedere patiënte anders. De gemiddelde tijd is ongeveer een week."
Uit een andere hoek van de zaal kwam een zeer geïnteresseerde stem: „Ik heb iemand gezien die haar gezicht had laten behandelen en zij was helemaal bont en blauw, alsof ze een pak slaag gehad had. Is dat altijd zo na die operatie?"
„Verkleuring," vertelde ik haar, „is het natuurlijke gevolg van bloeding tijdens de operatie. Maar, zoals ik al heb aangetoond, de moderne middelen houden de bloeding volkomen onder controle, en er is dus als regel na de behandeling weinig verkleuring."
Een andere vrouw herinnerde zich dat een van haar vriendinnen na zo'n behandeling van haar oogleden twee prachtige „blauwe" ogen had, waar ze twee weken mee had rondgelopen.
Ook hierop volgde gelach, dat onderbroken werd door een vrij jonge vrouw die verlegen vroeg: „Zou mijn man het kunnen zien als ik mijn gezicht had laten behandelen?"
Deze vraag houdt de meeste vrouwen bezig. Het antwoord hangt grotendeels van de verhoudingen in het huwelijk af. Ik weet van gevallen waar een man zelf zijn vrouw naar mij toebracht. Andere vrouwen stellen de operatie uit tot de echtgenoot op een langdurige zakenreis gaat.
Ik heb de dames van de „Follies Club" toen nog een geheimpje verteld. Op mijn spreekuur komen steeds meer mannen, en werkelijk niet alleen van toneel, film of televisie, voor wie het uiterlijk natuurlijk van groot belang is. Maar het is een welbekend feit dat de directeur van een schoenenzaak of een herenmodezaak grotere omzetten maakt als zijn gezicht jong en ongerimpeld is. En dan is er altijd nog de oudere echtgenoot, die er ter wille van zijn vrouw jonger wil uitzien.
„Ik heb ondervonden," zei ik, „dat de meeste vrouwen toestemming van hun man krijgen om hun gezicht te laten behandelen. Maar als hij erop staat dat u met ere oud moet worden, zult u zich bij het leger der soldaten van het leugentje om bestwil moeten scharen.

U zou een zieke vriendin of een tante kunnen gaan bezoeken, en twintig jaar jonger terugkomen. Een weekje vakantie van huishoudwerk kan er veel toe bijdragen om er weer jong uit te zien en u jonger te voelen."
„Maar wat moet ik zeggen als hij naar de littekens achter mijn oren vraagt?" wilde iemand nog weten.
„Kust uw man u nog altijd achter de oren? Dan moet u maar eens met uw kapster gaan praten! Laat haar de littekens achter een passend kapsel verbergen."
Toen was er nog een laatste vraag. Hoeveel kost zo'n behandeling? Maar dit probleem kan beter in de beslotenheid van de spreekkamer worden behandeld. Ieder geval is weer anders. En tegenwoordig wordt de plastische chirurgie niet meer beschouwd als een luxe voor rijke of ijdele vrouwen alleen.
Zij is, evenals iedere chirurgische behandeling, bereikbaar voor allen, al naargelang de behoefte en de draagkracht van de patiënt.
Ik had nog wat goed nieuws voor het laatst bewaard, en toen het vragen voorbij was, vertelde ik het hun. Er zijn huidpelinstrumenten ontworpen die wij gebruiken voor het verwijderen van fouten in de huid, zoals acneputjes en littekens van pokken.
Deze instrumenten zijn nu zo volmaakt, dat wij ze ook kunnen gebruiken voor het wegnemen van rimpels en andere tekenen van ouderdom.
Dit is een veel eenvoudiger methode dan de klassieke „gelaatsopheffing" en er is geen reden waarom de chirurg er geen uitstekende resultaten mee zou verkrijgen, tenminste als de onderliggende structuur door de jaren niet al te zeer heeft geleden. Zelfs in gevallen wanneer „opheffing" noodzakelijk is, kan de toegevoegde huidpelling de vrouwelijke droom: een gezicht te bezitten dat de ouderdom niet toont, in vervulling doen gaan.

HOOFDSTUK 33

LAATSTE DOEK VOOR EEN GROOT ACTRICE

ONDER AL MIJN ONTMOETINGEN MET MENSEN UIT DE TONEELWERELD IS er een die voor mij nooit haar glans zal verliezen. Het was mijn tragisch voorrecht als haar arts tegenwoordig te zijn bij de laatste akte in het leven van een groot toneelspeelster.

Velen is tijdens hun leven deze eretitel door hun toegewijde bewonderaars gegeven, maar slechts weinigen hadden de werkelijke grootheid om hem zowel tijdens hun leven als in de herinnering van de mensen ook na hun dood te dragen. Een van die weinigen was zij. Haar talent bleek niet alleen in toneelstukken, in musicals en operettes, maar vooral leeft zij als een van onze grootste dramatische actrices in onze herinnering voort. Zij speelde rollen die warm waren en teder, en rollen met de grootheid van de Griekse tragediën. Zij was een kleine vrouw, ofschoon zij op het toneel soms groot leek. Haar gezicht was beweeglijk en aantrekkelijk, hoewel niet mooi – slechts weinig grote toneelspeelsters zijn werkelijk mooi geweest – en zij had donker haar, dat weggolfde van een prachtig voorhoofd. Daar het privé-leven van een patiënt ook na de dood onaangetast moet blijven, zal ik haar hier Alice Turner noemen.

Toen zij voor het eerst bij mij kwam, trad zij op in een succesvol stuk, en ik schreef op haar kaart de onheilspellende diagnose: „kleine zwelling in linkerborst, waarschijnlijk carcinoom*." Zij sloeg geen acht op mijn dringend verzoek om een onmiddellijke biopsie**, en, indien het gezwel inderdaad kwaadaardig mocht blijken, de noodzakelijke verwijdering van de borst. Ik herinner mij haar afwijzend antwoord.

---

* Kanker.

** Proefoperatie.

„Ik heb nu geen tijd om aan mezelf te denken. Het stuk staat en valt met mijn optreden."
De voorstellingen moesten doorgaan. Ze gingen zes maanden of langer door, en toen was Alice Turner bereid zich te laten opereren. Maar de hele linkerborst was reeds veranderd in een gezwollen, rode massa. De klieren onder en boven het schouderbeen stonden als harde bulten onder de strakke huid. Diepblauwe aderen lagen tegen elkander gedrongen. Ook haar arm was gezwollen en pijnlijk. Mijn diagnose en conclusie werden door de beste autoriteiten op dit gebied bevestigd: het was te laat voor een chirurgische ingreep. In de zes maanden die volgden, werden wij vriendinnen. Zij had dagen van pijn, waarop verdoving toedienen het enige barmhartige was dat wij konden doen. Zij had dagen van woede en opstandigheid. Zij aanvaardde de mededeling dat zij nog slechts een paar maanden te leven had niet kalm, niet als een martelares.
Zij raasde, schreeuwde met de volle kracht van haar prachtige stem haar verontwaardiging uit, zij overtrof haar grootste woedescènes op het toneel. Maar er waren ook dagen dat wij samen lachten. Dan haalden wij herinneringen op. En soms vertelde zij mij dingen die zij nog nooit aan iemand had verteld, over haar kindertijd, haar vader, en de man van wie zij haar hele leven gehouden had, zonder hoop. En er waren dagen dat ik haar kamer verliet met het gevoel dat ik de werkelijke adel, de onbedwingbare grootheid van de menselijke geest gezien had.
Het epos van haar toneelleven – want zij was voor het theater geboren – zou, indien ik haar ware identiteit zou meedelen, zeer goed bekend zijn. Maar wat ik in die maanden van nabijheid en vertrouwen over haar heb geleerd, is nooit verteld in de lange, bewonderende beschouwingen, die de dag na haar dood verschenen. En er zijn sommige dingen bij die een ongewoon licht werpen op deze gesel der mensheid, de kanker.
Als kind had zij alleen maar treincoupés, kale hotelkamers en het harde werken van reizende toneelspelers gekend. Zij leerde de pirouette voor zij kon lopen, en speelde piano voor zij kon lezen. Zij viel overal op, want zij had charme en wilde dat men van haar hield. Theatermensen houden van kinderen, en de kleine Alice was de lieveling van het gezelschap.
Toen haar moeder stierf, werd het kind toevertrouwd aan de

jongere zuster van haar vader, die met een aannemer in een kleine stad was getrouwd. Deze tante was een brave vrouw, die haar best deed om het kind zo goed mogelijk op te voeden. Zelf had zij geen kinderen en blijkbaar ook geen liefde om aan kinderen te geven. Tante leerde Alice netjes en ordelijk te zijn en zich goed te gedragen, maar er was geen warmte in haar stilzwijgendheid, er waren geen uitingen van moederlijke liefde, er was zelfs geen kus voor oom Bert als hij 's avonds van zijn werk thuiskwam. Het kleine meisje, dat behoefte aan liefde had, keerde zich tot haar oom en hij ging veel van het kind houden. Weldra hing zij aan ieder woord dat hij sprak, aan ieder gebaar dat hij maakte, en ze was alleen gelukkig in zijn gezelschap.
Zij was veertien jaar oud toen haar vader overkwam voor het feest dat ter gelegenheid van de schoolexamens werd gegeven, en waarbij zij de rol van Peter Pan mocht spelen. Zijn aankomst was verwarrend: hij was een vreemdeling en een onwelkome indringer. Maar toen hij haar hielp met het repeteren van haar rol, verdween haar tegenzin. In de tovercirkel van het toneel begrepen zij elkaar. Haar optreden werd een triomf, en zij koesterde zich in de trots van haar vader.
Haar geluk duurde maar kort. Haar vader, die nu voor haar een grote toekomst als toneelspeelster verwachtte, begon plannen te maken voor een reizend toneelgezelschap, met haar als kind-ster. Dat maakte haar verdrietig, want zij kon haar oom, de as waarom haar liefdesarme leven draaide, niet verlaten. Zij vroeg zijn mening: moet zij met haar vader meegaan? Zijn antwoord was koel. Het ging hem niet aan wat zij deed, toneelmensen waren anders dan gewone mensen, zij waren nooit echt. De uitdrukking: „toneelmensen", met zoveel verachting gezegd, miste haar uitwerking niet. Zij ging met haar vader mee.
Toen volgden jaren van reizen en trekken, een harde maar uitstekende leerschool voor een meisje dat eenmaal een groot actrice zou worden. Van dorp tot dorp, van stad tot stad, voelden vader en dochter zich gelukkig in de gebondenheid aan het theater, dat hun wereld was. De tijd kwam dat zij haar debuut maakte op Broadway, en toen werd zij al spoedig een ster. Verschillende keren verloofde ze zich, en een keer kwam het zelfs bijna tot een huwelijk. Maar in een ogenblik van inzicht begreep zij dat zij al die jaren

had gehouden van de man die haar in haar kinderjaren genegenheid had gegeven – haar oom.
Eens, toen het gezelschap optrad dicht bij de stad waar zij als kind had gewoond, zond zij haar oom en tante een uitnodiging. Als zij hem weer eens zien kon, zou misschien het beeld dat zij zich in haar kindertijd van hem had gevormd en dat haar geluk in de weg stond, kunnen worden uitgebannen. Maar een telegram meldde haar dat haar tante ernstig ziek was, en dat zij dus niet konden komen.
De volgende morgen nam Alice de trein en reed naar het stadje. Haar oom begroette haar op dezelfde, koele wijze als waarmee hij afscheid van haar had genomen. Maar het gezicht van haar tante in de ziekenkamer lichtte op en zij strekte haar vermagerde armen uit om Alice te verwelkomen met een genegenheid die zij haar nooit tevoren had betoond.
Haar tante was zonder twijfel ernstig ziek; zij wist dat zij stervende was. Haar dokter had haar bij het begin van de ziekte aangeraden zich te laten opereren, maar haar man geloofde niet in operaties. Maar, zo ging de zieke vrouw in een koortsachtige uitbarsting van vertrouwen verder, zij wist hoe „het" gekomen was. In het begin van haar huwelijk, toen zij zó arm waren dat zij twee kilometer liep om bij een boerderij de melk vijf centen goedkoper te kunnen kopen, werd zij zwanger. Zij waren te arm om zich een kind te kunnen veroorloven, en zij voelde zich wanhopig. Zij vertrouwde haar zorgen toe aan de boerin, van wie zij wist dat zij met haar geheime middeltjes veel kwalen had genezen. De vrouw gaf haar iets te drinken dat inderdaad een miskraam opwekte, maar haar ernstig ziek maakte.
Haar man verpleegde haar met toegewijde zorg. Maar toen zij beter was, kon zij zijn liefde niet meer beantwoorden en zij kon ook geen kinderen meer krijgen. Zij wist dat hij naar een kind verlangde, en had hem zelfs erop betrapt dat hij op de kalender aantekeningen van haar maandperioden maakte. Zij had nooit de moed gevonden om hem te vertellen wat zij had gedaan, maar hield haar schuldig geheim verborgen en accepteerde haar onvruchtbaarheid als de prijs die zij voor haar zonde betalen moest. „Maar Gods straf was daarmee niet ten einde," zei ze. „Hij vulde mijn schoot met een gezwel dat van mijn hele lichaam leeft en mijn krachten verslindt." Zij wierp haar dekens af en greep de hand

van haar nicht. „Kun je het voelen, liefje? Die dikte, precies waar het kind had moeten zijn?"
Toen haar tante uitgeput in slaap was gevallen, verliet Alice op haar tenen de kamer, waar de zoetige, weeë geur van de naderende dood hing. Zij ging naar de plaats waar haar oom een bouwwerk controleerde, klauterde over balken tot waar hij stond, en sloeg haar armen hartstochtelijk om hem heen. Een ogenblik scheen het alsof hij haar omhelzing zou beantwoorden, maar toen duwde hij haar ruw van zich af.
„Lange tijd had ik daar een blauwe plek. Op mijn linkerborst," zei Alice peinzend. „Zo is het begonnen."
Zij zag haar oom nog tweemaal terug. Een week na haar bezoek reisde zij weer naar de kleine stad om de begrafenis van haar tante bij te wonen.
„Het scheen dat zijn hart door haar dood gebroken was," zei Alice, en voegde er met scherp inzicht bij: „Maar het was zijn schuldgevoel dat hem kwelde. Hij had haar als echtgenoot in de steek gelaten, dat weet ik nu. Hij had haar met zijn stille beschuldigingen over haar kinderloosheid gewond. Hij had haar vertrouwen niet verdiend."
Zij glimlachte ironisch. „Dat was één keer in mijn leven dat ik mijn wachtwoord heb gemist. Ik had hem moeten troosten en van zijn schuldgevoel moeten bevrijden. Het enige wat ik had moeten doen, was hem de oorzaak van haar kinderloosheid vertellen. Maar dat heb ik niet gedaan. Ik heb hem voor de rest van zijn leven laten lijden."
Zij wendde zich plotseling tot mij als vrouw tot vrouw en vroeg: „Dokter, wat zou u in mijn plaats hebben gedaan?"
Ik aarzelde, overlegde wat haar kansen op geluk hadden kunnen zijn, en antwoordde toen uit mijn persoonlijke en beroepservaring: „De dood maakt beloften en eden ongeldig. U had hem kunnen helpen door hem de feiten te vertellen. Wij maken, in ons verlangen de ander geen pijn te doen, allemaal fouten."
„U vergist u, dokter!" antwoordde ze heftig. „Ik heb niet gezwegen uit christelijke eerbied voor de bekentenis van een dode vrouw! Ik heb gezwegen omdat ik bang was dat hij mij zou haten als ik hem de waarheid vertelde!"
Maar hij hoorde de waarheid toen de boerin, die de heksenmiddel-

tjes verkocht, gearresteerd werd nadat een serveerster voor haar sterven een bekentenis had afgelegd. Toen schreef hij Alice en vroeg haar met hem te trouwen.
„En wat hebt u geantwoord?" vroeg ik.
Zij barstte voor de eerste en enige keer in tranen uit. „Ik heb hem nóóit geantwoord! Of misschien moet ik liever zeggen dat ik nooit het juiste antwoord gevonden heb! Ik had hem mijn hele leven liefgehad. Ik wist dat hij nooit hetzelfde voor mij had gevoeld. Het was voor mij niet genoeg, alleen maar zijn gezellin in zijn eenzame jaren te zijn. Dus – ik heb zijn brief nooit beantwoord.
Ik heb hem nog eenmaal gezien – opgebaard. Twee dagen later was ik hier, dokter, om u dat bultje in mijn borst te tonen."
„Twee dagen later." „Zo is het begonnen." „Zo begon het." „Daarom is dit gebeurd." Altijd weer hebben kankerpatiënten iets dergelijks tegen mij gezegd. Bijna geen enkele heeft geen verklaring voor het ongeluk dat hen trof, en die verklaring wordt meestal door schuldgevoel ingegeven.
De medische wetenschap werkt hardnekkig en op grote schaal om de oorzaak van deze vreemde ziekte te vinden. Intussen kunnen wij allen, dokters en leken te zamen, ons er nauwelijks van weerhouden allerlei veronderstellingen te maken. Toen Alice Turner mij ernaar vroeg, zei ik dat naar mijn mening ieder slachtoffer zijn eigen kanker produceert, omdat het zowel een aanval van buiten als een innerlijk gebrek aan weerstand nodig heeft. Het lichaam kan van buiten af door honderden zogenaamde carcinogene* stoffen worden aangevallen. Organische of anorganische chemische samenstellingen, allerlei verfstoffen, zelfs de vuile stadsluchtjes hebben in het laboratorium bij dieren kanker kunnen opwekken.
Maar gebrek aan weerstand, vroeg Alice, wat betekent dat? Wat bedoelt men daarmee?
Het betekent, zei ik, dat ergens in het lichaam cellen verzwakt zijn, hetzij door onjuiste voeding, hetzij door beschadiging. Zij hebben òf niet genoeg zuurstof gekregen om ze gezond te houden, òf zijn niet in staat geweest deze zuurstof te verwerken. „Als de ademhaling van een groeiende cel wordt verstoord, sterft die cel als regel. Als zij niet sterft, kan zich een gezwel ontwikkelen." Zo wordt dit

* Kanker verwekkende.

proces beschreven in het klassieke, medische werk over dit onderwerp: Metabolisme van gezwellen, door dokter Otto Warburg, die een pionier is in kankeronderzoek en driemaal de Nobelprijs heeft gewonnen.
Maar het gezwel waarover dokter Warburg spreekt, behoeft niet noodzakelijkerwijs kwaadaardig te zijn. Een gezwel kan lange tijd, misschien wel gedurende het hele leven, goedaardig blijven.
En als het kwaadaardig wordt, wanneer verandert het dan, en waarom?
Als wij hierop het antwoord wisten, wisten wij waarschijnlijk ook hoe de ziekte moet worden overwonnen. Wij weten dat in iedere cel groei-enzymen aanwezig zijn en dat zij verantwoordelijk zijn voor het normale vormen van nieuwe cellen, waardoor ons lichaam zich levenslang vernieuwt.
Er is een theorie – en ook ik ben daar een aanhanger van – die zegt dat deze groei-enzymen door een juiste toevoer van zuurstof in bedwang worden gehouden, en als die toevoer om de een of andere reden vermindert, gaan de cellen ongecontroleerd groeien en de omliggende cellen stimuleren. Het is mogelijk dat deze cellen weerstand bieden, en normaal blijven groeien.
Maar als zij zwak of minderwaardig zijn, is het mogelijk dat zij zwichten en hun eigen groeikracht met die van de aangetaste cellen verenigen. Zo kan theoretisch worden verklaard hoe één beschadigde of onuitgebalanceerde cel een keten van wilde groei kan veroorzaken.
Veel van dit alles vertelde ik in onze nu dagelijks weerkerende gesprekken aan Alice Turner. Ik wist hoe zij naar dit uur verlangde, en hoe overladen mijn programma ook mocht zijn, nooit stelde ik haar teleur. Voor haar lichaam kon ik niet veel meer doen dan haar verdovende middelen geven, maar in haar heldhaftig pogen om vrede te vinden met haar tragische lot kon ik haar helpen, en dat trachtte ik te doen.
De warmte van onze vriendschap bracht verlichting en genezing voor haar geest. Haar levendig, doordringend verstand werd nooit moe. Zij daagde mij uit met steeds nieuwe vragen en ik wist dat zij gedurende de eenzame, nachtelijke uren, als zelfs de verdoving haar geen slaap kon brengen, lag te denken over wat wij die dag hadden besproken.

Het was merkwaardig en inspirerend dat, toen haar eigen leven ten einde liep, zij steeds meer belang stelde in de levens van anderen, in de gelukkiger afloop van andere gevallen die als het hare waren begonnen, en in vragen waarvan de antwoorden voor haar niet langer van belang konden zijn, maar die van het allergrootste belang waren voor de levenden.
Haar vragen waren scherp, en vertegenwoordigden eigenlijk de vragen in ons aller geest. Ik antwoordde haar naar waarheid, voor zover wij de waarheid weten, en met toelichtingen uit het leven, zoals dat door mijn spreekkamer stroomde.
En zo bespraken wij tijdens ons dagelijks uur vele mysteriën van lichaam en geest, van ziekte en gezondheid en vooral van de gevreesde vernieler, die haar eigen lichaam in bezit had genomen.

HOOFDSTUK 34

BEANTWOORDE EN ONBEANTWOORDBARE VRAGEN

EEN VAN ALICE TURNERS EERSTE VRAGEN TROF RECHTSTREEKS HET eeuwige doktersdilemma: „Dokter, vindt u het nodig een kankerpatiënt de waarheid te vertellen?"

Het was in haar eigen geval natuurlijk onmogelijk geweest die waarheid voor haar te verzwijgen, daar de vorderingen van de ziekte maar al te duidelijk waren. Toch is het een vraag waarmee de meeste dokters in de uitoefening van hun praktijk regelmatig worden geconfronteerd.

„Dat moet iedere dokter voor zichzelf beslissen," antwoordde ik. „Het schijnt dat, naar de mening van verschillende medische groeperingen, het antwoord berust op de individuele dokter-patiënt verhouding. Er zijn statistieken omtrent de handelwijze die dokters in een dergelijke situatie volgen. Twee derde van de dokters vertelt de patiënt nooit de waarheid – of alleen onder dringende omstandigheden. Een derde vertelt altijd de waarheid en maakt alleen een uitzondering indien de familie daarom vraagt."

„En u, wat doet u?"

„Dat hangt van de patiënt af. De emotioneel evenwichtigen kunnen de waarheid aanvaarden. Maar anderen, die de waarheid niet zouden kunnen verdragen, moet men niets vertellen."

Maar hier tikte zij mij op de vingers.

„Hoe kunt u hier een juist onderscheid maken, dokter? U weet beter dan iemand anders dat die evenwichtigheid betrekkelijk is. Niemand is helemaal evenwichtig, alleen maar meer of minder evenwichtig dan een ander. En iemand kan op een gegeven ogenblik evenwichtig zijn en een andere keer minder, of minder evenwichtig ten aanzien van een bepaalde ervaring. Kijk nu bijvoorbeeld eens naar mij. Ik heb toch in al die jaren als actrice mijn evenwichtigheid wel bewezen. Ik heb nooit mijn publiek in

de steek gelaten en ik ben jegens mijn medeacteurs nooit te kort geschoten, wat ik persoonlijk ook voelen of lijden mocht. En toch, nu ja, u weet hoe ik het heb opgenomen toen het mij verteld werd."
Dat wist ik. Zij had gedreigd zich van kant te zullen maken en ze moest dagenlang onder verdoving worden gehouden. Maar langzamerhand, met moeizame stappen, die ik haar van de ene op de andere dag kon zien nemen, had zij haar weg om te aanvaarden wat onvermijdelijk was, gevonden.
Een andere keer, in een agressieve stemming, kwam Alice weer terug op de vraag over het al of niet vertellen van de waarheid.
„Waarom vertelt twee derde van de dokters de patiënten nooit de waarheid? En een derde altijd? Wat zit er eigenlijk achter dit al of niet vertellen?"
„Dat derde deel," legde ik haar uit, „omvat in het algemeen specialisten die inderdaad kanker in het beginstadium kunnen herkennen. Dan is het vaak noodzakelijk de waarheid te vertellen om de patiënt tot onmiddellijk handelen te bewegen. De huidarts bijvoorbeeld, of de plastische chirurg, krijgt vaak huidletsel onder ogen dat nooit ten volle geneest. Als het korstje afvalt, is het daaronder liggende weefsel rauw en oneffen, met merkwaardige uitlopers in het omringende weefsel. De tekenen van kanker zijn voor de deskundige vrij duidelijk te herkennen, en de diagnose kan natuurlijk onder de microscoop onmiddellijk worden bevestigd. Er is een klein operatief ingrijpen nodig om het zieke weefsel te verwijderen en de ontbrekende huid met de bijgerekte huid van de omgeving te bedekken. Het vooruitzicht is gewoonlijk uitstekend en er volgt spoedige genezing. Indien er herhaling mocht optreden, wordt deze ook door kleine operatieve behandelingen onschadelijk gemaakt. De meeste huidkanker wordt gestuit voor het te laat is."
„Ziet u veel slachtoffers van kanker aan de borst die te laat komen voor een operatie?" vroeg ze neerslachtig.
„Nog steeds te veel," antwoordde ik bedroefd. „Maar niet zoveel als vroeger. De wijdverspreide voorlichtingscampagne heeft heilzaam gewerkt."
„Vindt u het niet verschrikkelijk dat je altijd voor deze ziekte in angst moet zitten? Zijn de mensen zonder deze kankervrees al niet neurotisch genoeg?"
Ik schudde mijn hoofd. „Vrees voor kanker is zeer zeker een kleiner

kwaad dan verwaarlozing van een gezwel. Maar er zijn inderdaad gevallen waarin vrees voor kanker rampzalige gevolgen kan hebben."
Ik herinnerde mij een vrouw van middelbare leeftijd, die mij kwam consulteren over een ondraaglijke pijn in haar borst. Iedere stap deed haar pijn en de geringste inspanning bracht haar buiten adem. Haar hart en longen waren in orde. Maar de zware massa van haar hangborsten drukte op haar borstkas en middenrif. Voor het ogenblik scheen zij door deze diagnose opgelucht. Toen vertelde zij mij dat zij met haar klachten naar een longkliniek was gegaan en dat zij een paar dagen later zou worden opgenomen voor het verwijderen van een gezwel in haar longen.
Ik keek haar aan. Zij was een vrouw in blakende gezondheid, en bijna moest ik hardop om deze diagnose lachen. Maar zij was overtuigd dat röntgenstralen niet konden liegen. In haar tegenwoordigheid maakte ik een afspraak met een röntgenspecialist, die niets van de tegenstrijdigheid tussen mijn diagnose en het klinische verslag af wist.
De röntgenoloog meldde schaduwen over beide longen, waarschijnlijk de fotografische afdruk van de overgrote borsten. Ik paste plastische chirurgie op beide borsten toe en spoedig was de patiënte weer thuis, in het gelukkige bezit van haar gezondheid en geestelijke rust.
Twee maanden later kreeg ik een wanhopig telefoontje van haar man. Zijn vrouw was bewusteloos op de keukenvloer gevonden, met de gaskranen wijd open. Gelukkig hadden de buren het ontsnappende gas geroken en de politie gewaarschuwd.
Toen zij weer bij bewustzijn was gekomen, vertelde zij waarom zij deze poging tot zelfmoord had gedaan. Diezelfde morgen had zij een brief ontvangen, waarin de administratie van de longkliniek er haar aan herinnerde dat zij verzuimd had zich voor de afgesproken longkankeroperatie te doen opnemen. Zij was ervan overtuigd dat wij haar bedrogen hadden. Zij weigerde zich weer door mij te laten behandelen, daar zij er zeker van was aan deze gevreesde ziekte te zullen sterven.
Op dringend verzoek van haar man bracht ik haar thuis een terloops bezoek. In het begin was zij vijandig gestemd en wilde niet naar mij luisteren. Ten slotte bedacht ik een slim plan: zij moest onder een gefingeerde naam weer naar hetzelfde ziekenhuis gaan,

en haar oorspronkelijke klachten herhalen. Dan zouden de röntgenfoto's, die natuurlijk weer genomen zouden worden, wel vertellen hoe het met haar was.
Alice luisterde zo gespannen als naar een toneelstuk. Ik beantwoordde haar vraag voor zij hem nog stellen kon: „Ja," zei ik, „zij leeft en is gelukkig."
„En zij zou zichzelf gedood kunnen hebben," zei Alice. „Een slechte beurt voor die voorlichtingscampagne!"
„Maar zulke gevallen zijn uitzonderingen," zei ik. „Veel vaker heeft men de voldoening door tijdige diagnose een leven te kunnen redden. Ik zal u de geschiedenis van mevrouw Warring eens vertellen."
Ik herinnerde mij mevrouw Warring heel goed. Zij was een eenvoudige huisvrouw, die haar leven wijdde aan haar man en haar beide kinderen. Zij aanvaardde haar deel van geluk en verdriet zonder er ophef van te maken. Haar moeder stierf aan kanker van de baarmoeder. Kort daarop stierf ook haar man. Toen haar twee kinderen getrouwd waren, ging zij haar zuster verplegen die aan borstkanker leed.
Hier maakte Alice Turner een opmerking: „Dus dan is er toch wel waarheid in wat de mensen geloven – dat de ziekte erfelijk is."
„Nee, niet precies. Herinnert u zich niet wat ik over zwak of minderwaardig weefsel heb verteld? Deze ‚weefselminderwaardigheid' kan geërfd worden."
Desondanks bleef dit verhaal over de erfelijkheid van kanker in mevrouw Warrings geest hangen. Na de dood van haar zuster ging zij naar een hospitaal dat speciaal voor deze ziekte van alle moderne bestrijdingsmiddelen was voorzien. Zij onderging een volledig onderzoek en werd vrij van kankersymptomen verklaard. Men deed haar het gebruikelijke verzoek om over enkele jaren nog eens voor onderzoek terug te keren. In haar vreugde over dit resultaat besloot zij een lang gekoesterde wens in vervulling te doen gaan: zij zou haar lelijke borsten laten behandelen.
En zo verrichtte ik een paar dagen later een gewone borstherstelling. Maar toen ik het overtollige borstweefsel weg begon te nemen, ontmoette de scalpel diep in de borst weerstand. Ik vond een gezwel, zo groot als een kers. Mijn assistent verzocht de patholoog een deel ervan te onderzoeken. Hij verdween met zijn kleine pakje. Wij

bedekten het chirurgische veld met warme kompressen en wachtten af. Deze tien of vijftien minuten zijn voor iedere chirurg de spannendste momenten in het beroepsdrama. Toen de patholoog weer terugkwam, waren er geen woorden nodig. De diagnose stond op zijn gezicht geschreven.
In het geval van mevrouw Warring was de uitspraak: kwaadaardig gezwel. Wij sloten de insnijding en zetten haar voor de volgende ochtend op de lijst voor totale borstamputatie. Toen zij uit haar verdoving ontwaakte, zat ik naast haar bed. Haar handen gingen automatisch naar haar borst. Toen wendde zij zich tot mij en vroeg: „Dokter, hebt u de operatie niet beëindigd?"
Ik schudde het hoofd. Na een ogenblik stilte ging zij moedig verder en vroeg of ik een gezwel had ontdekt. Deze keer knikte ik.
„Is het kwaadaardig?" vroeg zij toen.
„Ja," zei ik.
Met zichtbare inspanning vroeg zij verder: „Wat gaat u doen?"
Ik legde haar uit dat totale verwijdering van de borst noodzakelijk was. Maar ik had dit nog niet gedaan om haar de teleurstelling te besparen een lege plek te vinden waar zij een volmaakte boezem had verwacht.
„En hoe liep het af?" vroeg Alice Turner gretig. „Leeft mevrouw Warring nog?"
„Ja," zei ik vol beroepstrots. „Meer dan tien jaren na haar operatie leeft zij nog en zij is vrij van symptomen."
Alice zuchtte. „Dat is een aardige vrouw, uw mevrouw Warring," zei ze. „Ik ben blij dat het haar goed gaat."
De volgende dag toonde Alice mij een artikel in een populair maandblad over de Papanicolau-proef voor het vroegtijdig vaststellen van baarmoederkanker. „Denkt u dat mijn tante gered had kunnen worden indien men deze proef toen had gekend?" vroeg zij.
„Waarschijnlijk wel," antwoordde ik. „Maar zelfs zonder deze proef had men haar kunnen redden als haar man zich niet tegen operatief ingrijpen had verzet."
Met jarenlang opgekropte woede gaf ik toen eindelijk lucht aan mijn verontwaardiging – de verontwaardiging van alle dokters – tegen het bijgeloof en de domme dogma's die bij beslissingen over leven of dood hindernissen tussen dokters en patiënten opwerpen.
Toen ik naar adem snakkend zweeg, zei Alice Turner plagend:

„U had toneelspeelster moeten worden, dokter! Uw aanklacht tegen onwetendheid en huichelarij zou het prachtig hebben gedaan."
„Er moest een wet zijn die tot medisch ingrijpen kon dwingen bij mensen als u en uw tante, en miljoenen anderen die jaar na jaar voortijdig ten grave worden gedragen," zei ik.
„Als u dat zo sterk voelt, waarom doet u er dan niet wat aan? Er zijn toch zeker heel veel dokters die er net zo over denken als u? U moet ze samenbrengen. Laat deze zaak door een lid van het congres of een senator behandelen en laat hem voorstellen om in dergelijke gevallen ingrijpen dwingend voor te schrijven."
Een paar dagen later las Alice met haar levendige, mooie stem een door mij geschreven ontwerp voor. Het was het ontwerp van een voorstel voor de oprichting van een Amerikaans genootschap voor het verminderen van kankerslachtoffers:

„Om de krachten van alle kankerorganisaties te verenigen en een vertegenwoordigende raad van regenten te benoemen wier beslissing in alle tegenstrijdige gevallen beslissend zal zijn.
Om een wettig precedent te scheppen waarbij het weigeren van ingrijpen bij kanker tot een onmaatschappelijke daad, vergelijkbaar met zelfmoord, zal worden verklaard, met alle wettelijke gevolgen van dien.
Om, zo nodig langs grondwettelijke weg, het recht van iedere persoon zijn lichamelijke weerstand te ondermijnen, het geestelijke evenwicht te verstoren en de financiële bronnen van zijn familie uit te putten, te betwisten en te bekorten, evenals het recht om door weigering van een vroege ingreep bij kanker, de gemeenschappelijke en nationale voorzieningen te belasten.
Om staats- en federale wetgeving voor verplichte behandeling bij vroegtijdig ontdekte kanker door te voeren."

Alice las het voorstel verscheidene keren over. Toen zij mij de losse bladen teruggaf, knikte ze ernstig. „Dit zal niet gemakkelijk zijn, dokter. U plaatst de ziekte op hetzelfde niveau als besmettelijke ziekten."
„Helaas," zei ik, „zelfs die worden niet op dezelfde manier behandeld. Tuberculose en geslachtsziekten worden door de wet gecontroleerd ter bescherming van de mensheid. Maar inenting tegen

pokken als voorzorgsmaatregel is niet verplicht, hoewel, zoals u weet, een Amerikaan die in het buitenland is geweest, zijn land niet kan binnenkomen als hij het gele papiertje, het bewijs dat hij ingeënt is, niet kan tonen."

„Kanker is natuurlijk niet besmettelijk," ging ik verder. „Maar iemand die de ziekte heeft en behandeling weigert, moet beschouwd worden als iemand die langzaam zelfmoord pleegt. Neem bijvoorbeeld de man die in de dakgoot van een huis staat. Als de brandweer hem te pakken krijgt voor hij kan springen, wordt hij aangeklaagd wegens wanordelijk gedrag. De mens heeft van zijn schepper de gave ontvangen om leven te geven, maar niet om het te vernietigen, zelfs zijn eigen leven niet."

Alice was een intelligente tegenstandster. Zij wees onmiddellijk op de zwakke plek in mijn voorstel om verplichte behandeling in te voeren.

„Uw voorstel maakt inbreuk op de persoonlijke vrijheid, en dat is het fundament van de Amerikaanse grondwet!"

„Dat kan dan waar zijn, maar kanker is een ziekte die meer vernietigt dan degene die erdoor getroffen is. Een hele groep wordt erdoor aangetast; familie en vrienden lijden eronder en offeren zich vaak op, tot emotionele en financiële uitputting toe. In deze zin is het een maatschappelijke ziekte. Als het bestaan van de mensheid in het geding komt, moet het recht van het individu daarvoor wijken."

De actrice had met koortsachtige belangstelling gedebatteerd. Een innerlijke gloed scheen haar verwoeste trekken te verlichten en zij stak een vermagerde hand naar mij uit. „Laat mij helpen! Laat mij nog eenmaal een pionier zijn! Als ik de wereld mijn eigen geschiedenis vertel, zal dat mijn grootste rol worden!"

Ik knikte.

„Nu ben ik moe," zei zij. „Morgen beginnen we!"

Maar er zou voor haar geen morgen meer zijn. Zij zonk in de kussens terug. „Hij wacht op mij," mompelde zij, en sloot voor de laatste maal haar ogen.

HOOFDSTUK 35

NA HET LEVEN

„HIJ WACHT OP MIJ," HAD ALICE GEZEGD AAN HET EINDE, TOEN DE boeien van het bewustzijn werden geslaakt en van haar afvielen, en zij reikte naar de man die zij liefhad in een andere wereld. Dergelijke woorden worden vaak geuit door mannen en vrouwen die op de laatste drempel van het leven staan en geloven dat zij nu verenigd zullen worden met hen die hen waren voorgegaan. Dit geloof houdt stand, hoewel niemand ooit is teruggekomen om een bestaan in het hiernamaals te bevestigen.

Het geloof in een hiernamaals, de basis van de grote godsdiensten op de gehele wereld, behoort niet tot het domein van de geneesheer. Toch is een dokter van zijn studententijd af met de dood vertrouwd. Als hij het leven ziet wijken, hoort en ziet hij vele vreemde dingen. Zoals in het geval van Alice, sterven mensen vaak op een manier die niet zozeer aan het verlaten van deze wereld dan wel aan het met vreugde betreden van een andere doet denken.

Toen ik de kamer van Alice verliet, moest ik aan een gebeurtenis denken die ik tijdens mijn assistentschap bij dokter Kossik beleefd had. Een man van in de veertig kwam naar de universiteit, met op zijn voorarm een gezwel dat rood en gegroefd was. Hij was het jaar tevoren naar een dokter in zijn eigen, kleine stad gegaan om een wrat ter grootte van een erwt te laten wegnemen. De dokter had toevallig juist een röntgenapparaat aangekregen, het eerste in die stad.

In plaats van de wrat op de gewone manier te verwijderen, behandelde hij die met ongecontroleerde hoeveelheden röntgenstralen, tot de oorspronkelijke kleine wrat tot groteske afmetingen was uitgegroeid. Onze chef in chirurgie, professor Hofmeister, stelde de diagnose: een röntgenstralen-carcinoom, en om het leven van de patiënt te redden, raadde hij onmiddellijke amputatie van de arm aan.

De amputatie werd verricht. Ik herinner mij dat, zodra de patiënt de zaal was uitgereden, de assistenten zich gretig over het dode lichaamsdeel bogen. Het was dan ook een volmaakt pathologisch juweel. Zij verdeelden de buit, kibbelden om de beste delen van het gezwel. Dit mag misschien harteloos lijken, maar wij moeten niet vergeten dat het levensdoel van deze medische studenten was zoveel mogelijk te leren over het menselijk lichaam en zijn ziekten, en hun blijdschap over het mooie exemplaar deed niets af aan hun menselijk mededogen met de patiënt.

Dit mededogen was inderdaad onmiddellijk waar te nemen. Bij de avondbijeenkomst van de staf drukte professor Hofmeister zijn grote bezorgdheid uit. Hoewel de operatie was gelukt, was hij niet gerust over de emotionele reactie van de patiënt, en hij voorzag een vertraagde, na-operatieve shock. Daar ik nachtdienst had, gaf hij mij orders de patiënt nauwkeurig te controleren en gedurende mijn ronden ieder half uur notities te maken. Plichtsgetrouw schreef ik mijn bevindingen op:

21 uur: Pols, temperatuur en bloeddruk normaal.

21.30 uur: Hetzelfde.

22 uur: Patiënt is rusteloos en klaagt over pijnen die hij voelt waar het geamputeerde lichaamsdeel zich had bevonden. 1/4 grein morfine en 1/150 grein atropine zijn volgens orders toegediend.

22.30 uur: Patiënt slaapt rustig.

23 uur: Patiënt is geheel wakker en schijnt graag de operatie en zijn algehele gezondheidstoestand te willen bespreken. Hij is rustiger nadat ik hem verteld heb dat het kwaadaardige gezwel tot de huid van zijn arm beperkt was gebleven en dat zijn kansen op volkomen herstel uitstekend zijn.

23.25 uur: Noodoproep: „De patiënt is overleden."

Toen ik haastig toeschoot, bracht de verpleegster rapport uit. De patiënt was rustig. Zij nam aan dat hij vast in slaap was, tot zij voor mijn bezoek van 23.30 zijn pols controleerde.

Tot haar grote ontsteltenis kon zij geen pols vinden.

Ik zette mijn stethoscoop op zijn hart. Voor zover ik het beoordelen kon, was de patiënt dood. Er was geen pols, geen ademhaling, geen hartslag, geen reactie van de pupillen.

Als er nog enige kans was om deze man weer tot leven te brengen, moesten wij ons haasten. Wij gaven een adrenaline-injectie direct in het hart, een injectie van coramine – een krachtige hartstimulans – in een ader van zijn arm, en wij begonnen zijn nek te masseren om de ademhaling te stimuleren. Maar het hart bleef onheilspellend stil. Ik gaf een paar minuten later weer een dosis adrenaline, toen een derde en nog een vierde.
Ten slotte injecteerde ik een driedubbele dosis adrenaline gemengd met tien cc coramine in zijn hart. Terwijl ik de naald langzaam terugtrok, voelde ik een lichte, ritmische trilling in de injectiespuit. Dit kon alleen betekenen dat het hart weer was gaan kloppen. Vlug werd het zuurstofmasker aangebracht. Mijn stethoscoop ving een versterkte hartslag op. Mijn vingers voelden de pols, en spoedig kon ik de slagen tellen. Het bloed stroomde door zijn aderen.
De patiënt opende zijn ogen. Zij bewogen onrustig. Hij scheen niet te begrijpen waar hij was. Na een paar minuten wachten, richtten zijn ogen zich op mij en hij fluisterde met een vreemde, krassende stem: „Waarom hebt u mij dit aangedaan?"
Zijn stem werd sterker en hij ging voort: „Het was zo heerlijk, zo licht. . . Mijn geest zweefde. . ." Zijn blik werd vaag en zijn stem vervolgde: „Zij waren er allemaal, zij wachtten op mij, verwelkomden mij op de groene weiden. . . Ik zag mijn vader en moeder en al mijn vrienden. . . Ik ging naar ze toe – ik was gelukkig – tot uw zware hand mij dwong terug te keren. Ik wilde niet terug. Ik wilde naar de groene weiden. . ."
Uitgeput sloot hij zijn ogen. Maar zijn hart sloeg, sterker nu; zijn ademhaling verdiepte zich en werd in de zuurstoftent regelmatig. Kort na middernacht kwam professor Hofmeister aan. Een haastig onderzoek stelde hem gerust; de patiënt was op dit ogenblik buiten gevaar. Hij vroeg mij mijn verslag te voltooien en naar zijn spreekkamer te brengen.
Ik liep de lange gang af, luisterend naar de gedempte geluiden van een ziekenhuis bij nacht en dacht intussen aan mijn strenge chef, professor Hofmeister. Ik had hem altijd geacht en bewonderd als een knap chirurg. Maar ik had mij hem niet voorgesteld als een menselijk wezen met hart voor zijn patiënten, en het was mij nooit ingevallen dat hij verdriet zou kunnen hebben als er – wat onvermijdelijk was – soms iemand stierf.

Een lamp in zijn spreekkamer belichtte zijn somber, nadenkend gezicht en wierp een glans op de planken, die van de grond tot de zoldering waren beladen met wetenschappelijke werken. Hij had mij, een gewone assistente, kunnen laten staan, maar hij gebaarde naar een stoel, luisterde naar mijn verslag en keurde de maatregelen die ik genomen had goed.
Toen bood hij mij een sigaret aan en gaf mij vuur. Enige minuten bleven wij zwijgend zitten, maar toen zei hij met een stem die mij door zijn hevigheid verraste: „Hebt u niets anders mee te delen dan de droge feiten dat de patiënt van zijn shock hersteld is? Was er niets ongewoons? Heeft hij niets gezegd?"
Ik was zo verbluft dat ik verward stamelde: „Ja, ja professor, maar ik kon niet denken dat u geïnteresseerd. . ."
Professor Hofmeister leunde naar mij over. „Wat is er gebeurd? Wat heeft hij gezegd?" vroeg hij gespannen.
Ik vertelde het hem. Ik had geen enkel woord vergeten – maar ik sprak aarzelend, verwachtend een hooghartige of spottende terechtwijzing te krijgen van een geneesheer die zoveel meer ervaring had van de laatste ogenblikken van stervenden. Hij hoorde mij aan zonder mij in de rede te vallen en vroeg mij toen tot mijn grote verwondering: „Gelooft u in een hiernamaals?"
Door deze vraag overvallen, antwoordde ik met de uitdagendheid van de jeugd: „Hoe kan een chirurg in een hiernamaals geloven als wij altijd weer hetzelfde einde zien, stof tot stof, en as tot as?"
De professor glimlachte zacht, bijna nederig. „Juist omdat je chirurg bent, moet je beseffen dat je met een grote gave bent bedacht. Dezelfde macht die jou deze gave heeft geschonken, heeft het heelal geschapen. Hoe kunnen wij eraan twijfelen dat er goddelijke wetten zijn? Wij zien met onze eigen ogen het geordende wisselen van de seizoenen, het leven der dieren, van de vlijtige mier tot de brullende leeuw – en bovenal zien wij het wonder van de mens zelf. Buiten lichaam en geest om, is er – moet er – een macht zijn die sterk is of zwak, goed of kwaad: de ziel!"
Professor Hofmeister leunde met zijn armen op zijn schrijftafel en keek mij over het gepolitoerde oppervlak heen aan. Ik antwoordde, niet op mijn gemak: „Niemand kan het bestaan van een ziel in levende wezens ontkennen, maar het lijkt mij toe dat wij het als een vorm van energie kunnen verklaren. Energie verandert van

de ene vorm in een andere. Het schijnt logisch dat op het tijdstip van de dood deze geestelijke energie bevrijd wordt en naar het heelal terugkeert en dan weer wordt vrijgegeven in een pasgeboren kind. Waarom zou dat niet kunnen? Misschien is dat de fysieke grondslag van de filosofie der wedergeboorte."

Hij schudde zijn hoofd. „Mijn beste jongedame, houdt u, als u dat wilt, aan uw academische verklaring. Een dokter als u zal veel gelegenheid krijgen om het menselijk lichaam waar te nemen. U zult een systematische schikking van beenderen en spieren, zenuwen en bloedvaten zien. Soms zult u een vergissing van de natuur, een vreemde misvorming, ontmoeten. Maar u moet toegeven dat het normale, het gewone menselijke lichaam iets buitengewoons is. Het is niets minder dan een wonder van orde en van werking."

„Nu dan," ging hij verder, „bij de geboorte is het lichaam reeds gevormd. De geest is als een onbeschreven blad dat op het schrift der ervaring wacht. Maar de geest is en blijft vrij."

„Maar professor," vroeg ik, „waar wilt u de grens trekken tussen lichaam en geest van een mens in shock, zoals uw patiënt vanavond was?"

Hij dacht een ogenblik na. „Laat eens kijken," zei hij. „Als er ernstig letsel is, weten wij waarom de dood intreedt. Maar als er slechts weinig letsel is, of in het geheel geen, noch uitwendig noch inwendig, en de patiënt sterft toch, dan kan er maar één verklaring zijn: de dood komt omdat de geest vertrekt. Er kan zelfs een waarschuwing zijn dat dit gebeuren zal – u hebt toch wel van voorgevoelens gehoord?"

Ik knikte.

„Laat mij u iets vertellen dat hier een paar jaar geleden is gebeurd," zei hij en vertelde van een geval dat hij zelf had bijgewoond. Een jongen, die met zijn fiets over rails reed, werd getroffen door een draad die onder stroom stond en de avond tevoren door een hevige storm was losgeraakt. De jongen werd van zijn fiets geworpen en belandde versuft een paar meter verder op de grond. Toen hij weer bijgekomen was, reed hij snel naar huis en vertelde zijn moeder dat hij sterven ging. Zij bracht hem naar bed, gaf hem wat warme soep te eten en belde toen, ongerust, de dokter van het ziekenhuis op. Een van de assistenten ging erheen om de jongen te onderzoeken. De assistent vond hem normaal. Er waren geen brandwonden op zijn lichaam, noch tekenen van shock, geen ongeregeldheden in de hartslag of de temperatuur. Om elf uur 's avonds kwam weer een van de assistenten en onderzocht hem opnieuw. Op dat uur was de jongen nog steeds normaal. Maar de volgende morgen was hij dood. Alle pogingen om hem tot leven terug te brengen, faalden.

Dit verhaal maakte mij ongerust; ik vroeg verlof om onze eigen shockpatiënt nog eens te bezoeken en haastte mij weg. De patiënt sliep rustig.

Pols, temperatuur en bloeddruk waren normaal. Ik rapporteerde dit aan de professor. Hij drukte mij de hand en wenste mij goedenacht.

De hele nacht sliep de man rustig door. Hij scheen geheel normaal te zijn, behalve dat hij uitgedroogd was en voortdurend wilde drinken. Geen enkele maal sprak hij over zijn vreemde reis van de vorige nacht.

Toen de avond naderde, lette de assistent die de wacht had op de toestand van de patiënt en maakte de volgende notities:

23 uur: Pols, ademhaling en bloeddruk normaal.

23.25 uur: Noodoproep: de patiënt is overleden.

Deze keer konden wij hem niet meer tot het leven terugbrengen. Professor Hofmeier was door de dood van deze patiënt zeer ontroerd. Dit overlijden behoorde niet in de kankerstatistieken thuis. Als wij de eigen woorden van de overledene als bewijs moesten aannemen, had een menselijk wezen de groene weiden gezien en was er nu in geslaagd over te gaan tot waar de vrienden hem wachtten...

De professor droeg mij de autopsie op. Toen ik de volgende morgen in de lijkenkamer kwam, lagen de ontleedinstrumenten al voor mij klaar, maar professor Hofmeister en zijn assistenten waren nog niet aanwezig en de conciërge was nergens te zien. Terwijl ik alleen stond in de grote, kale ruimte en mijn rubberhandschoenen aantrok, ging de deur van de automatische lift geruisloos open. Langzaam verrees de brancard, met een wit laken bedekt. De lift stopte, en daardoor gleed de overgebleven arm van de dode onder het laken vandaan en hing, een beetje zwaaiend, omlaag. Ik stelde mij voor dat het een vaarwel was aan het leven, dat de geest achter zich had willen laten. Ofschoon ik mij zou schamen om het te bekennen, was ik toch opgelucht toen de conciërge uit de koelkelders naar de ontleedkamer kwam en zich met de zorg voor het lijk belastte. Met een gewoontezwaai lichtte hij het van de brancard en legde het op de ontleedtafel. Intussen kwamen, de een na de ander, professor Hofmeister en zijn assistenten naar binnen om toe te zien hoe het stoffelijk overschot van onze patiënt zijn geheim zou prijsgeven.

Ik ging aan het werk. Met beenderscharen opende ik de borst: het hart bleek normaal, de longen waren volmaakt in orde. Ook de organen in de buikholte waren in orde. Met iedere stap werd de doodsoorzaak onbegrijpelijker. Klieren en ruggemerg toonden geen sporen van de kanker die de amputatie van de arm nodig had gemaakt. De hersens werden gemeten en gewogen en koud gezet voor later microscopisch onderzoek. Nog steeds was er geen abnormaliteit te vinden. Ik kon de ogen van professor Hofmeister bijna voelen. Het was alsof hij het pad van mijn mes volgde, uitkijkend naar iets ongewoons, misschien een spoor van de gedwongen terugkeer van de geest, nog maar twee dagen geleden.

Terwijl wij wachtten, deed de patholoog zijn microscopisch onderzoek. Hij vond geen ziekteverschijnselen. Wij konden de dood niet aan kanker toeschrijven, daar er in het geheel geen verschijnselen waren. Professor Hofmeister vulde tenslotte: „Dood door uitgestelde shock" als doodsoorzaak in.

Terwijl wij samen weggingen, liet de professor mij nog eens ieder detail vertellen van het zonderlinge „overgaan" dat ik had gezien en met zoveel succes had onderbroken. „Heb je geen nevel of nevelkring om het hoofd van de patiënt gezien?" vroeg hij mij steeds weer. Ik moest hem herhaaldelijk zeggen dat ik niets dergelijks had gezien, dat ik niets ongewoons had waargenomen. „Wees niet verwonderd dat ik u dit vraag," zei hij en zuchtte. „Ziet u, ik heb het zelf wèleens gezien."

Toen vertelde hij mij iets dat gedurende de oorlog was gebeurd. Hij was de chirurg van een ver naar voren geschoven veldhospitaal in de Ardennen, toen op een nacht bijna alle mannen van zijn compagnie binnen werden gedragen. Zij waren de slachtoffers van een granaat, die in hun midden was ontploft. Op de lange rij brancards herkende de chirurg een van de gewonden als zijn eigen zoon. Op de operatietafel constateerde hij dat een scherf zich tussen

de schouderbladen in de ruggegraat had geboord. De zenuwen waren gedeeltelijk doorgesneden en gestold bloed vulde het ruggemergkanaal. Het sloot de wond over de scherf; het wegnemen ervan zou een onmiddellijke dood hebben betekend.
Professor Hofmeister waakte uren bij zijn verlamde, bewusteloze zoon. Eindelijk opende de jonge soldaat zijn ogen en fluisterde: „Ik moet gaan, mijn compagnie wacht op mij."
„Op dat ogenblik zag ik zijn geest," zei professor Hofmeister peinzend, „op het ogenblik dat zijn handen klam werden en zijn hartslag stokte. Het was een soort damp, een nevel die boven zijn hoofd draaide en kronkelde. Terwijl ik bij hem zat, wensend dat hij in leven mocht blijven, bleef die nevel hangen. Toen ik hem ten slotte vaarwel kuste, verdween hij. Eerst daarna verstijfde het lichaam in rigor mortis*. Sindsdien ben ik blijven geloven in een leven na de dood, niet in de zin van een blijvende energie, maar als een bewust overleven in het hiernamaals, dat God in zijn oneindige wijsheid heeft geschapen als een vredig oord voor onze geestelijke zuivering."
Ik liep naast hem, diep bewogen. Ten slotte vroeg ik: „Dus u gelooft, evenals de spiritisten, dat de doden zich met de levenden in verbinding kunnen stellen?"
Professor Hofmeister glimlachte. „Jonge dokter, er zijn meer dingen tussen hemel en aarde. . . Ik heb vaak de nabijheid van mijn jongen gevoeld, ofschoon mijn sterfelijke ogen hem niet konden zien."
Ik vroeg hem hoe hij dit geloof met zijn godsdienst overeen kon brengen.
Hij schudde het hoofd. „Velen hebben een kerkelijk geloof nodig, en dat wordt hun gegeven. Maar men kan zijn eigen godsdienst in zijn eigen bewustzijn dragen."
Wij waren bij de deur van het ziekenhuis gekomen. Hij stak zijn hand uit en ik greep die, nauwelijks in staat mijn dankbaarheid voor het vertrouwen dat hij mij had geschonken in woorden uit te drukken. Ik ging naar mijn kleine kamer en zag nog steeds dat beeld voor mij van de chirurg die bij zijn stervende zoon waakte.
Ik heb in de jaren van mijn praktijk velen zien sterven, ouden en jongen, beschaafden en primitieven, gelovig en zonder geloof. Sommigen van hen ondervonden de stap in het onbekende als een

---

* Lijkverstijving.

barmhartige verlossing, anderen klemden zich vast aan de wereld die wij kennen. Maar ik heb nooit de vertrekkende geest gezien. Niet één van de wetenschappen, noch biologie, noch chemie, noch natuurkunde of enig ander gebied der medicijnen heeft ooit iets aangetoond dat op de mogelijkheid van een leven in het hiernamaals wees. Het leven zelf is nog altijd een mysterie.
Later bracht een vreemd geval in mijn eigen leven mij het verhaal van professor Hofmeister weer in de herinnering. Het was tegen het einde van de tweede wereldoorlog. Ik had een vermoeiende dag gehad en, zoals dat vaak gebeurt wanneer men zeer vermoeid is, scheen ik mijzelf in een diepe slaap te zien verzinken. Plotseling werd ik wakker en zat rechtop. Aan het voeteneind van mijn bed stond een figuur, in wit gewikkeld en een zacht, fosforiserend licht uitstralend. Geschrokken meende ik mijn moeder te herkennen. Toen hoorde ik duidelijk haar stem: „Ik kom je goedendag zeggen, mijn kind. Laten wij nog een keer door bossen en hei dwalen tot ik aan mijn graf kom.” Toen de oorlog voorbij was, hoorde ik dat mijn moeder in augustus 1944 op dat uur gestorven was.
Ofschoon ik dus nooit met mijn eigen ogen enig teken van een leven in het hiernamaals heb gezien, heb ik toch genoeg ervaren om mij grote eerbied voor de macht van de geest bij te brengen. Ik heb in Mexico eens een vakantie in Acapulco aan de kust van de Stille Oceaan doorgebracht. Mijn vrienden en ik hadden een tocht naar het binnenland gemaakt en keerden terug naar de Pie de la Questa, het beroemde „avondstrand”, juist op tijd om de zonsondergang te zien die daar zo prachtig is. Hier ontmoeten drie stromingen elkaar en werpen een metershoge branding op, wat in de felle kleuren van de zonsondergang en het daaropvolgend avondrood een schitterend schouwspel is.
In de late namiddag van ons uitstapje bleek het strand door de gewone menigte toeristen en de souvenirverkopers te zijn verlaten. In het restaurant vertelde de serveerster dat midden op de dag, ongeveer vijf uur eerder, een jongeman, een Indiaan, was verdronken en dat iedereen nu naar het huis was gegaan waar hij opgebaard lag en de dodenmis werd gehouden.
Het kleine huis was overvol. Er hing een scherpe geur van wierook en de primitieve olielamp wierp schaduwen over de gezichten van de knielende aanwezigen, die devoot de kralen van hun rozenkransen

door de vingers lieten glijden. Enige tactloze toeristen maakten foto's.
Toen onze Mexicaanse vrienden zeiden dat ik dokter was, maakten de rouwdragenden een pad voor mij vrij, zodat ik de mat, waarop de jongen lag, bereiken kon. Ik trok het laken opzij. Het was vreemd dat na zoveel uren het lichaam nog niet stijf was en nog lichtelijk warm aanvoelde. Ik had mijn dokterstas meegebracht. Een catheter in de luchtpijp bracht slechts een paar druppels water te voorschijn, en niet de hoeveelheid die naar boven zou zijn gekomen indien de jongeman door verdrinking het leven had gelaten. Ik probeerde verscheidene injecties met adrenaline in het hart, maar er was geen reactie.
Om de een of andere reden was ik ervan overtuigd dat de jongeman niet dood was. In plaats van adrenaline nam ik nu coramine en ouabain, beide krachtige opwekkingsmiddelen, speciaal voor het hart. Mijn vrienden hielpen mij door de nek te masseren, de armen van de jongeman op en neer te pompen en hete verbanden op zijn benen en voeten te leggen. Wij werkten langer dan een uur, terwijl de vrienden en familieleden van de jongeman een voor een uit hun geknielde houding opstonden en kwamen kijken. Eindelijk verscheen er wat kleur in de lippen en kwamen er wat luchtbelletjes uit de catheter. Een paar minuten later opende de jongeman zijn ogen en zijn lippen bewogen. Ik kon juist zijn woorden horen: „*Yo sabia que no estaba muerto y seria salvado* – Ik wist dat ik niet dood was en dat ik gered zou worden."
De volgende morgen bezocht ik hem weer. Spoedig herwon hij zijn kracht en verlangde ernaar mij van zijn belevenis te vertellen.
„Dokter," zei hij, „ik ken dit deel van de branding heel goed. Het is er gevaarlijk, maar ik was niet bang. Ik sprong in de golven en zwom onder water. Plotseling greep een van de golven mij en wierp mij op het strand terug. Ik herinner mij precies het moment waarop mijn hart stilstond. Terwijl de mensen op het strand probeerden mij weer tot leven te wekken, hoorde ik ieder woord. Ik huiverde toen zij zeiden dat ik dood was, toen zij mij het huis binnendroegen en het laken over mijn hoofd trokken. Ik luisterde naar de gebeden. Ik stierf bijna toen ik eraan dacht dat men mij levend wilde begraven. Ik probeerde mijn hart weer aan het kloppen te brengen. Toen voelde ik dat er weer iemand bezig was mij te

doen herleven. Ik was al bijna bezweken, maar met de weinige kracht die ik nog had, deed ik mijn best om te helpen. Dokter," vervolgde hij opgewonden, „weet u dat ik niet bewusteloos was tot het ogenblik waarop ik er zeker van was dat ik gered zou worden?"
Het onwankelbare vertrouwen van de Indiaan – „*y seria salvado* – en ik gered zou worden" had alleen gewankeld toen hij bang werd, en toen nam mijn eigen beroepsvertrouwen het over. Steeds weer buigen de dokters zich voor deze kracht die over de dood kan triomferen wanneer de geneeskunde geen redelijke hoop meer geeft.
Allan Grady, een van mijn jonge patiënten, bezat datzelfde vertrouwen en het droeg hem heen door de jaren van dapper vechten tegen een fatale prognose. Hij was zeventien jaar oud en bezocht de militaire academie in Texas toen zijn stem hees werd en gewone hulp niet mocht baten. Toen er verschillende harde bulten aan de kant van zijn hals verschenen, bracht zijn moeder, die een patiënte van mij was geweest, hem naar mijn spreekuur. De gehele trachea – luchtpijp – was ontstoken en op de bovenste stemband zag ik een gezwel zo groot als een kers, met een ruw, oneffen oppervlak en harde randen. Ik liet een keelspecialist ter consultatie komen en we namen Allan in het ziekenhuis op. Een celonderzoek bevestigde de diagnose: Allan had jeugdkanker, een ziekte die soms bij jonge mensen voorkomt. Met toestemming van zijn moeder vertelden wij hem dit nieuws. Hij aanvaardde het met bewonderenswaardige moed, en toen de tijd voor de operatie kwam, waren alle dokters en verpleegsters dol op hem. Hij had maar één vrees: als hij zonder stem zou moeten leven, wilde hij liever niet meer wakker worden.
Een groep chirurgen werkte zeseneenhalf uur aan Allan. Zij gebruikten vergrootglazen om ieder spoor van de kankergroei te kunnen verwijderen. Twee stembanden moesten worden opgeofferd. Toen Allan zijn ogen opende, zocht hij eerst naar de hand van zijn moeder en probeerde toen te spreken. „Is alles met mij in orde, moeder?" vroeg hij. Het klonk schor, maar het was een stem. Toen hij zijn eigen geluid hoorde, zei hij: „Ik was niet bang, ik wist dat de dokters mijn leven zouden redden en dat ik beter zou worden."
Hij herstelde snel en zijn opgewektheid inspireerde zelfs de dokters tot een straaltje hoop. Hij ging weer naar zijn school en slaagde met lof.
Maar zes maanden later verschenen er tekenen van kanker aan de

andere kant van zijn hals, verraderlijker en heviger dan de eerste. Toch wankelde zijn geestkracht niet; hij wist dat hij uiteindelijk de ziekte zou overwinnen.
Toen hij van deze tweede operatie was genezen, nam hij een betrekking aan in een vliegtuigfabriek, als leerling in de technische tekenafdeling. Hij verdiepte zich zo in zijn werk dat hij zijn tere gezondheid verwaarloosde – tot hij op een dag over zijn blauwdrukken ineenzakte. De röntgenopnamen toonden aan dat de ziekte zich naar beide longen had uitgebreid.
Weer bracht zijn moeder hem naar het kankerhospitaal. De specialisten beraadslaagden lange tijd. Zij kwamen tot de conclusie dat noch chirurgie, noch röntgenstralen de meedogenloze verbreiding van de ziekte konden stuiten of tenietdoen. Zij gaven Allan niet meer dan zes maanden te leven, raadden hem aan zijn werk op te geven en zijn resterende tijd in de zonneschijn en de frisse lucht door te brengen. Dat zou zijn longen de beste kansen geven.
Zelfs met deze uitspraak voor ogen gaf Allan niet op. Hij verhuisde naar het warme, droge klimaat van Arizona en begon regelmatig yogi-ademhalingsoefeningen te doen en zonnebaden te nemen.
Langzaam maar zeker nam Allans gewicht toe. Ongeveer op de tijd dat de dokters zijn einde hadden voorspeld, kwam hij terug voor een onderzoek. Zij vonden zijn toestand redelijk goed. De ziekte was gestuit en hij kon een zekere mate van herstel verwachten, misschien zelfs wel een gedeeltelijk actief leven.
Enige maanden later ging Allan werken bij een firma in onroerende goederen en hij begon zijn tijd te verdelen tussen werk en rust.
Zes jaar nadat zijn doodvonnis was uitgesproken, ontving ik een kennisgeving van zijn huwelijk.
Voor het huwelijk werd voltrokken, gaf Allans moeder hem een medaillon waarin zich een zaadje en een inscriptie bevonden: „Zelfs indien uw vertrouwen slechts zo groot is als een mosterdzaadje, zal niets u onmogelijk zijn."

HOOFDSTUK 36

DOKTER MET VAKANTIE

AL MAANDENLANG HAD IK OVER EEN VOLMAAKT LUIE VAKANTIE GEdacht en nu kreeg ik mijn zin. De boot was groot en luxueus, de zee was glad, de nachten waren zoel en warm. Wij kruisten door de Caraïbische Zee, en over een paar dagen zouden we eilanden bezoeken waar ik reeds eerder was geweest en die ik graag terug wilde zien. Naar sommigen van mijn vrienden zou ik als dokter terugkeren; ergens in de bergen van Jamaïca was een dorp waar ik al zo iets als een medische petemoei was geworden. Maar op de boot was ik niets anders dan een gewone passagier, die alleen belang in zichzelf stelde, en zo wilde ik het hebben. Ik wilde vakantie nemen van mijn werk.

Maar patiënten kunnen niet worden achtergelaten. Hier was ik vrij om te denken of helemaal niet te denken en toch was mijn geest vol van patiënten, hun hoop, hun vrees en vooral hun eeuwige vraag: „Waarom moest mij dit juist gebeuren?" „Waarom moet ik lijden? Waarom ben ik misvormd en mismaakt?"

Dit had ik al van de prostituées in de kliniek van professor Jaeger gehoord. Het klonk steeds waar ziekte of ongeluk toesloeg. *Pourquois? Per que?* Waarom? Na een kwarteeuw in de geneeskunde had ik nooit een antwoord gevonden op de vraag waarom sommigen moeten lijden terwijl anderen gespaard worden, waarom sommigen leven en anderen moeten sterven.

In de stoel naast de mijne werd een lucifer afgestreken en terwijl die brandde, zag ik het gezicht van de man die ik vaak over het dek had zien wandelen, zijn rechterhand altijd door een handschoen bedekt. Hij bleef alleen en bemoeide zich met niemand. Ik vroeg mij af waarom hij zich zo afzonderde. Was hij hoogmoedig, verveeld, of alleen maar moe? Toen bood hij mij een sigaret aan. Zijn toon was beleefd, maar niet helemaal onverschillig, en ik kreeg

de indruk dat zijn aanwezigheid in de stoel naast de mijne niet zuiver toevallig was. Misschien was hij nu aan gezelschap toe.
„Ik heb op de passagierslijst gezien dat u een dokter uit New York bent. Ik moet u even iets over mijzelf vertellen. Ik ben architect en kom uit Boston." Hij noemde zijn naam, laten we zeggen dat die Morton Raines was.
Ik zei iets beleefds over zijn beroep. Hij ging hierop in met te zeggen dat New York een grote bijdrage aan de architectuur had gegeven, want het was een eiland en een rots, en gebouwen konden er dus alleen maar omhoog gaan. Hij was zeer ontwikkeld en lange tijd praatten wij over wolkenkrabbers, kathedralen en moderne huizenbouw. Toen zei hij: „En waar loopt een chirurg van weg als zij met vakantie gaat? U hebt geen zakenproblemen en ik kan mij nauwelijks voorstellen dat u beroepsproblemen zou hebben."
„Om de problemen van mijn patiënten achter me te laten," zei ik lachend.
„Hoort een chirurg ooit iets over de problemen van een patiënt? Ik dacht dat de belangstelling van een chirurg begint als de patiënt bewusteloos op de operatietafel ligt en met de laatste hechting weer verdwijnt."
„U houdt mij voor de mal," zei ik. „En anders, als u het ernstig meent, vergist u zich heel erg. De meeste patiënten leggen beslag op hun chirurg. ‚Omdat u onder mijn huid hebt gekeken, omdat u mijn buikholte hebt doorzocht, bent u, chirurg, een deel van mijzelf geworden. U moet mijn vreugde en leed delen, mijn hoofdpijnen, mijn maagbrandingen, ja, zelfs mijn oprispingen.'"
Mijn metgezel lachte om deze levendige beschrijving. „Maar het is toch zo, niet waar," drong hij aan, „dat een chirurg neutraal is, dat het hem niet kan schelen wie er op de tafel ligt?"
„Ja, maar niet omdat hij onverschillig is. Hij is neutraal, juist omdat het hem zo na aan het hart ligt," protesteerde ik. „Vergeet niet dat een chirurg met levend weefsel, met het leven zelf werkt. Iedere ader, iedere cel, ieder miniem vetbolletje is hem dierbaar omdat het leeft en aan zijn handen is toevertrouwd. Hij voelt zich niet alleen verantwoordelijk jegens de individuele patiënt, maar jegens het leven zelf. Daarom doet het er voor de chirurg niet toe wie de patiënt is, een grootindustrieel of het meisje dat zijn correspondentie opbergt, of hij een groot honorarium krijgt of helemaal niets.

Op de operatietafel zijn alle patiënten hem even lief, want het leven zelf is hem lief."
„Als dat waar is, waarom opereren de chirurgen dan nooit hun eigen familieleden?"
„Vele chirurgen willen dat principieel niet," gaf ik toe. „Als een andere chirurg beter voor het speciale geval is, is er natuurlijk geen probleem; ik zou voor iemand die mij na is het beste willen, evengoed als u. Maar als de operatie op mijn eigen terrein zou zijn en ik voel er mij bekwaam toe. . ."
„Zou u dan opereren? Uw eigen moeder, uw eigen man?"
„Waarom niet? Op de operatietafel zijn alle patiënten mij even dierbaar."
„Dat meent u werkelijk, niet waar?" vroeg Morton Raines. „Zelfs de onaangename, die als verwende kinderen om aandacht vragen..."
Ik knikte. „Ook die."
„Ja, maar als plastisch chirurg hebt u toch niet veel met de moeilijkheden van de patiënten te maken," merkte hij op.
„U bent er volkomen naast!" riep ik uit. „De plastische chirurg is juist bijzonder kwetsbaar. Van het ogenblik af dat een patiënt zijn misvorming toont, legt hij beslag op de chirurg. Voor het eerste bezoek voorbij is, heeft hij hem zijn idealen, zijn tegenslagen, zijn verborgen zonden en zijn dromen toevertrouwd. Maar een menselijk wezen dat een geschonden of mismaakt lichaam heeft, heeft natuurlijk meer sympathie nodig dan een zieke."
Dit stemde mijn metgezel tot nadenken. „Misschien," zei hij, „maakt het feit dat u zowel vrouw als chirurg bent, het voor de patiënten gemakkelijker u deze dingen te vertellen. En misschien bezit u om dezelfde redenen meer medegevoel."
„Dat kan wel zijn," antwoordde ik. „En nu u weet waarvan ik weggelopen ben, moet u mij vertellen waarvan ú wegloopt."
Er volgde een lange stilte. „Ik. . . mijn vrouw is gestorven, verbrand in de Cocoanut Grove. Zij was in verwachting van ons eerste kind." Een ogenblik later stond hij plotseling op en ging heen.
Verstijf van afschuw bleef ik zitten. De brand in de grote nachtclub te Boston, niet lang geleden, was een ontzettende ramp geweest. Verborg hij onder zijn handschoen de littekens van brandwonden. . .?
De volgende morgen bracht de steward mij een bos rode anjers.

Er was een kaartje bij van Morton Raines, met een korte verontschuldiging voor het feit dat hij de avond tevoren zo plotseling was verdwenen. „Ik heb plezierig met u gepraat en zou graag het gesprek willen voortzetten," zo eindigde het briefje.
Hij wachtte op het promenadedek. Wij wandelden en speelden daarna badminton, tot er een hele galerij van sportliefhebbers om ons heen stond. Dat hinderde hem blijkbaar, want hij trok voortdurend het riempje van zijn rechterhandschoen vaster.
Eindelijk stelde hij voor dat wij wat zouden uitrusten. Hij liet onze dekstoelen zo plaatsen dat wij zoveel mogelijk buiten het gezicht van kletsende passagiers zaten.
Hij scheen erop gesteld te zijn dat ik hem mijn levensgeschiedenis zou vertellen. Hij kwam terug op het gesprek dat wij de vorige avond hadden gevoerd, over wat het eigenlijk betekende een vrouwelijke chirurg te zijn.
„Misschien kan ik u dat beter tonen dan vertellen," zei ik. „Wanneer wij morgen Jamaïca aandoen, ga ik een paar van mijn vrienden bezoeken. Als u wilt kunt u meegaan. Dat zou ik prettig vinden."

Om zes uur 's morgens beklom onze huurwagen de steile heuvels van het eiland. De weelderige cacao- en rubberplantages maakten plaats voor dorre grond. Toen wij het bergplateau hadden bereikt, vroeg ik de chauffeur een ruwe, stoffige weg in te slaan, tot wij aan een hut kwamen. Daar stopten wij. Een groep kinderen kwam wantrouwend naderbij. Een oude man stapte op ons toe en begroette ons met een plechtstatige buiging. Zijn gezicht en halfnaakt lichaam waren bedekt met de ruwe, op frambozen lijkende gezwellen van framboesia*, de vreselijke bezoeking van de tropen.
Toen hij mij herkende, stak de man zijn armen in de lucht en liep naar de hut terug. Met zijn oude, gebarsten stem riep hij: „*La samaritana.*" Al spoedig kwamen de dorpelingen om ons heen staan, ook de spelende, luidruchtige kinderen. De oudere mensen begroetten ons met waardigheid; de meesten van hen hadden dezelfde gezwellen op hun schaars bedekte lichamen.
Morton Raines tilde mijn mand uit de wagen. Ik pakte het kleurige speelgoed uit en gaf het de kinderen. Toen ieder kind iets had ge-

* Besmettelijke tropische huidziekte, zich uitend in etterende gezwellen.

kregen, bracht de oude man ons in de hut. Op een strooien mat lag een jonge vrouw met een zuigeling in de armen. Toen ik mij bukte om het kind, dat nauwelijks een dag oud kon zijn, te onderzoeken, wierp de moeder het dunne dek opzij en liet mij het gave lichaampje zien. „*Gracias, samaritana* – dank u, samaritana," riep zij uit en voegde er trots aan toe: „*No puba madre*, geen geërfde ziekte."
Ik opende een grote blikken doos en nam er capsules vitamine A, B-complex, ascorbinezuur* en andere noodzakelijke voedingsmiddelen uit. De kinderen gingen op een rij staan en wachtten om onderzocht te worden; zij herinnerden zich nog hoe zij dat bij mijn vroegere bezoeken hadden gedaan.
In een hoek van de hut was een primitief altaar opgericht. De oude man en zijn zoon, de vader van de baby, ontstaken de waskaarsen rondom een koperen pot met zoet geurend water.
De jonge vrouw, ondersteund door haar man, kwam met haar baby op ons toe en vroeg mij het kind te willen dopen. Ik nam het in mijn armen en gaf het de namen Maria Christina.
Toen we weer buiten waren, bood Morton Raines mij een getekende blancocheque aan. Ik schudde het hoofd. „Deze mensen zouden niet weten wat zij met geld moesten doen, behalve dan met af en toe eens een zilveren dollar."
„Maar hun woningen, hun levensstandaard zouden ermee verbeterd kunnen worden!" drong hij aan, terwijl wij weer uit de bergen naar de vlakte reden.
„Ja, natuurlijk, maar men kan niet van vandaag op morgen hun levenswijze veranderen!" Ik vertelde hem van het werk dat de Rockefeller Stichting deed om de framboesia bacil, de *treponoma pertenue*, te bestrijden. Deze bacil vertoont gelijkenis met de syfilisbacil, maar framboesia wordt niet als een geslachtsziekte beschouwd.
„Ik kan mij voorstellen dat u graag uw chirurgische instrumenten naar dit eiland zou willen brengen om deze ongelukkige lichamen te helpen genezen. Wat belet het u?"
Bedroefd schudde ik het hoofd. „Daarvoor behoef ik niet naar Jamaïca te komen. Loop maar eens door de straten van uw eigen stad. Kunt u de ellende van de talloze misvormde mensen niet zien? Maar onze maatschappij kijkt liever de andere kant uit. Er zijn

---

* Vitamine C uit bladgroenten en (zure) vruchten.

geen stadsklinieken waar een overgrote haakneus, een ontsierend litteken of afschuwelijke hangborsten kunnen worden verbeterd. Een afzichtelijke abnormaliteit is een last die nog altijd door het slachtoffer alleen moet worden gedragen."

Mijn metgezel herinnerde zich een artikel dat hij in een populair maandblad had gelezen. Het ging over het toepassen van plastische chirurgie in een gevangenis in de staat Illinois, waar dit als experiment bij het reclasseren van misdadigers werd toegepast. Hij haalde statistieken aan die bemoedigende resultaten toonden.

Ik vertelde hem over een van mijn eigen ervaringen, waarbij door plastische chirurgie een jongenskarakter ten goede veranderde. Het was de geschiedenis van Johnny, die door zijn schoolmakkers „ezelsoren" werd genoemd. Op twaalfjarige leeftijd was hij reeds een onverbeterlijke spijbelaar en hard op weg een misdadiger te worden. Hij pochte als een gangster op zijn bijnaam; opstandigheid en brutaliteit waren zijn enige wapens tegen de opvallendheid die zijn oren hem bezorgden. Een sociaal werker raadde plastische chirurgie aan en gaf de ouders mijn adres. Zijn oren, hoewel buiten alle proporties, leverden toch geen bijzonder chirurgisch probleem op. Ik sneed het kraakbeen van de bovengedeelten tot normale grootte en vorm, knipte de overtollige huid weg en naaide de rand in de groef achter de oren vast.

Nu hij er net als andere jongens uitzag, wilde Johnny wel graag lid van een jongensclub worden, waar men hem niet meer bij zijn bijnaam zou noemen, een naam waarvoor nu geen aanleiding meer bestond. Hij begon zich te verheugen op het spelen en de vriendschap met jongens van zijn eigen leeftijd en liep niet langer aan achter oudere jongens, onverbeterlijke spijbelaars, die tot nu toe zijn ideaal waren geweest. Tegen de tijd dat hij naar de middelbare school ging, had hij zijn vroegere manieren tegelijk met zijn vroegere bijnaam afgelegd. Het laatste wat ik van hem hoorde, was dat hij een meisje had en zelfs een goede leerling was geworden.

Die avond, toen wij beiden aan de verschansing stonden, zei Morton Raines: „Ik zou u graag over mijzelf willen vertellen." Maar toen zweeg hij weer, blijkbaar niet in staat verder te gaan. Ik trachtte hem te helpen en zei: „Het moet een verschrikkelijke ervaring zijn geweest, in zo'n brand."

„Nee, dat is het juist!" zei hij opgewonden. „Ik was er niet bij, ik was niet bij mijn vrouw! Dat is het verschrikkelijke en dat kan ik niet vergeten!" Toen vertelde hij.
Hij was juist twee jaar getrouwd en had zijn vrouw innig lief. Hij was opgetogen over de komst van het kindje, dat over twee maanden te verwachten was. Op een avond kwamen vrienden, op weg naar de Cocoanut Grove, even bij hen binnenvallen. Er speelde daar een populaire dansband en een van de musici had mevrouw Raines voor haar huwelijk het hof gemaakt. Er waren zelfs geruchten geweest dat zij van plan waren samen weg te lopen en in het geheim te trouwen, omdat haar ouders tegen het huwelijk waren. Terwijl de musicus op tournee was, maakte de architect, een zeer gezochte vrijgezel, haar vurig het hof; de ouders waren daar zeer mee ingenomen en verhaastten het huwelijk. Op die bewuste avond wilde de jonge vrouw graag met haar vrienden mee; zij wilde „ter wille van de oude herinnering", zoals zij sentimenteel zei, nog eens naar de band luisteren. Morton Raines had op de verhalen over deze vroegere romance van zijn vrouw nooit veel acht geslagen. Maar misschien was hij toch niet zo zeker van zijn huwelijk als hij had moeten zijn, want hij meende dat er meer dan gewone, luchthartige sentimentaliteit achter deze wens van zijn vrouw school. Hoe meer hij zijn ongenoegen toonde, hoe meer zij aandrong, en toen hij ten slotte weigerde mee te gaan, ging zij zonder hem.
Hij ging naar zijn club en speelde biljart, maar hij was rusteloos en speelde slecht. Hij was beschaamd, omdat hij zich jaloers had getoond en toen zijn gevoel van onbehagen in een voorgevoel van naderend onheil veranderde, verliet hij plotseling de club en stapte in zijn wagen om zich bij zijn vrouw te voegen. Toen hij de nachtclub naderde, raasden de brandweerwagens luid bellend langs hem heen, op weg naar de Cocoanut Grove. . .
Bij deze verschrikkelijke brand kwamen driehonderd mensen om in het vuur of werden onder de voet gelopen. Toen hij in het lijkenhuis tussen zovele andere eindelijk het verkoolde lijk van zijn vrouw herkende, was hij geheel buiten zichzelf. Met zijn blote handen trok hij aan het verbrande vlees, in het krankzinnige idee dat hij het kind nog zou kunnen redden. Toen de bewakers hem wegtrokken, verloor hij het bewustzijn.
Dagen later kwam hij in een ziekenhuis bij. Zijn geest was helder, hij

herinnerde zich ieder detail. Vol afschuw van zichzelf greep hij een scheermesje en sloeg ermee op zijn rechterhand om een ader door te snijden, of misschien in het vurige verlangen zich geheel van die hand te ontdoen. „Als uw rechterhand u hindert, zo snijd haar af." Een oppasser schoot toe en nam het mesje weg.
Naast mij, in het donker, zweeg zijn stem. Toen hij een sigaret opstak, beefde de hand in de handschoen. Eindelijk sprak hij weer. „Sindsdien heeft deze hand het daglicht niet meer gezien. Ik houd haar in het donker, ik verberg de hand voor de wereld en voor mijzelf. Ik kan de weg om ermee te leven niet vinden."
Mijn sympathie ging uit naar deze man, die zich in een enkel uur van een tropische nacht geestelijk onder mijn hoede had gesteld. Ik had zo vaak mensen gezien die al hun ellende en woede, al hun pijn, op een enkel misvormd lichaamsdeel hadden geconcentreerd. Zijn geval was alleen anders omdat hij zichzelf de verminking had toegebracht.
„U weet best dat het niet uw hand, maar uw schuldgevoel is waar u niet mee leven kunt," hield ik hem voor. „Waarom bent u schuldig? Welke misdaad hebt u begaan?"
„Als ik met haar mee was gegaan," riep hij uit, „had ik haar kunnen beschermen, haar kunnen redden!"
„U zou ook met haar gestorven kunnen zijn."
„Was dat maar gebeurd," kreunde hij.
Ik schudde mijn hoofd. „Dat meent u niet. Als iemand die ons dierbaar is, sterft, voelen we ons altijd schuldig. Ze is gestorven door een ongeluk en niet door uw schuld! Zo moet u het zien!"
„Maar ik was woedend op haar! Kunt u zich een man voorstellen die zo iets doet, haar lichaam aangrijpen, zoals zij daar lag. . .?" Hij sloeg zijn handen voor zijn gezicht en mompelde: „Dat heb ik nog nooit iemand verteld, zelfs de psychiater in het sanatorium niet."
„Wat u gedaan hebt, maakte voor haar geen verschil – alleen voor uzelf," zei ik. „U was woedend omdat zij haar eigen dood en dat van uw kind had teweeggebracht. Maar daar is ze niet schuldig aan. Er was werkelijk geen kwaad bij dat bezoek aan de Cocaonut Grove, die avond. Het kwaad stak alleen in uw woede en u was woedend omdat u zich niet zeker van uw huwelijk voelde. Herinner u liever de twee jaren van geluk die u samen hebt gehad. Denk aan de

bewijzen van haar liefde die zij u gegeven heeft. Dat zij eerst van een ander heeft gehouden, doet er niet toe. Kunt u haar die kleine terugblik in het verleden niet vergeven? Want meer was het niet, ziet u."
„O, ik vergeef haar. Ik heb haar allang vergeven."
„Dan moet u uzelf ook vergeven," zei ik.
Hij gaf geen antwoord. Wij stonden daar nog lang, kijkend naar de sterren en hun weerschijn in het water. Het werd laat en ten slotte wilde ik naar mijn hut gaan. In antwoord op mijn goedenacht legde hij even zijn gehandschoende hand op de mijne, toen liet ik hem achter om na te denken, of liever, om een weg te vinden naar een aanvaarding van zijn verdriet zonder schuldgevoel.
Tenminste, dat hoopte ik.
Aan de steiger in New York kwam er een einde aan onze reisvriendschap. Morton Raines had niet meer over zijn tragedie gesproken, maar toen wij aan de verschansing stonden en verstrooid naar het geroezemoes van de passagiers keken, trok hij zijn handschoen af en stak mij zijn verminkte hand toe. Ik nam hem in de mijne en onder voorwendsel van een hartelijke handdruk, betastte ik ongemerkt de hand. Ik voelde de littekens die de vingers tot klauwen trokken. Zoals ik al had verwacht, had hij heel wat meer gedaan dan alleen maar in zijn pols gesneden.
„Dank voor alles," zei hij. „Ik heb het gevoel dat onze ontmoeting niet alleen toeval was. Ik bel u op voor een afspraak."
Een paar weken later kwam hij naar het ziekenhuis en toen hij het verliet, had hij geen handschoen meer nodig.

HOOFDSTUK 37

VROUWEN

IK ZAT METEEN WEER VOLOP IN HET WERK. DE AGENDA WAS PROPVOL met namen, de meeste van vrouwen. Er zouden wel weer veel borstgevallen bij zijn, want mijn behandelingswijze bij borstchirurgie had wijd en zijd de aandacht getrokken, zowel bij de vakmensen als bij de patiënten. Maar ook bij borstgevallen was ieder geval weer anders. Niet alleen verschilden de anatomische en chirurgische problemen, ook bij de patiënten zijn er geen twee gelijk.

Zoals ik Morton Raines al had verteld, wordt het privé-leven van de patiënt onvermijdelijk met de chirurg besproken, en zeer zeker met de plastische chirurg. Het wegnemen van een blindedarm behoeft geen emotionele banden tot gevolg te hebben, maar het verwijderen van een misvorming, het herstellen van letsel, het verlangen naar jeugd of schoonheid leidt daar altijd toe. Zij die voor plastische chirurgie komen, brengen altijd hun lijden, hun teleurstellingen en hun verdriet met zich mee.

Het lag niet aan mij, dacht ik bij mijzelf toen ik de agenda doorbladerde. Vroeg of laat, ik zou altijd onder de huid van de patiënte moeten kijken. Huisvrouw, verkoopster, dame van de wereld, bijna iedere patiënt zou mij haar falen in liefde of geluk toevertrouwen, en er zeker van zijn dat plastische chirurgie dat zou oplossen. Een gezichtsbehandeling, een neusverandering, borsten die hingen of te groot dan wel te klein waren, of een ander verzoek dat voor de chirurg weer nieuw was – de patiënte zou zich gedrongen voelen mij de intiemste zaken uit haar persoonlijk leven te openbaren.

Sinds ik mijn praktijk was begonnen, had het grootste deel van mijn patiënten uit vrouwen bestaan. Ik heb hen naakt, ellendig, terneergeslagen gezien. Ik was soms ontroerd door hun oprechtheid en ontsteld door hun oppervlakkigheid en onbeduidendheid.

Ik heb hen in bange uren gesteund en hun moed bewonderd. Soms moest ik mij tegen hun abnormale toenadering te weer stellen. Omdat ik zelf een vrouw ben, was ik gevoelig voor hun stemming, hun houding en hun manieren. Vaak heb ik hun gedachten gelezen voor ik hun klachten had aangehoord. Over het geheel hield ik van mijn vrouwelijke patiënten, maar ik moest mijzelf nu en dan bekennen dat mijn mannelijke collega's wel iets op mij voor hadden, want bij de patiënt zitten en diens hand vasthouden, was beslist niet mijn sterkste punt.

De eerste morgen na mijn vakantie begon met mevrouw Hurley, een vrouw uit de betere kringen, bij wie ik een paar jaar geleden een gezichtsbehandeling had gedaan. Zij had geen afspraak gemaakt, maar zij kwam duur en opvallend gekleed naar binnen stuiven. Zij was allang de vijftig gepasseerd, maar zij kon, als men niet al te nauwkeurig keek, voor een knappe vrouw van achter in de dertig doorgaan. Toen zij binnenkwam, zag ik dat zij nog geen rimpeltje in haar gezicht had en ik vroeg mij af wat de reden voor haar onaangekondigd bezoek kon zijn.

Zij droeg een grote mof, die zij zorgvuldig op een stoel legde. „Kom er eens uit, mijn schatje!" zei zij, en stak haar hand in de mof. Er verscheen een naakt, roze schepseltje, dat eruitzag als een grote laboratoriumrat, en dat zette zij op mijn schrijfbureau.

„Nu, mijn allerliefste Tetlepanquetsal!" kirde zij, „sta eens stil voor tante dokter! Zijn stamboom gaat terug tot Montezuma," legde zij mij uit. „Ik denk er niet over zijn nieuwe jasje door iemand anders dan door mijn liefste plastische chirurg te laten maken."

Uit een doos bracht de chauffeur van mevrouw Hurley een handvol kostbare chinchillavellen te voorschijn.

Zelfs in de spreekkamer van een chirurg, waar men voor enigerlei vorm van menselijk gedrag nauwelijks nog de wenkbrauwen optrekt, ging dat te ver. „Neemt u mij niet kwalijk, ik ben geen lid van de juiste vakbond," zei ik, belde om de verpleegster, overhandigde mevrouw Hurley haar rillende, kleine rat en wachtte tot dame, hond, chauffeur en chinchilla uit mijn spreekkamer verdwenen waren.

„Kijk eens op uw bureau," zei mijn verpleegster. Tetle, of wat zijn naam was, had een vloeibaar souvenir achtergelaten, dat zich over mijn vloeiblad verspreidde.

In de wachtkamer kwam mevrouw Hurley, haar kin in de lucht, mevrouw Williams tegen. Deze slanke, elegante grootmoeder was nog niet lang geleden van een ongelooflijke vetmassa bevrijd. Het laatst had ik van haar gehoord toen ik een telefoontje kreeg uit een politiebureau, ergens in Californië.

„Wilt u deze stomme politieagenten over mijn operatie vertellen!" had ze woedend geroepen. Ze was blijkbaar aangehouden omdat zij telkens als zij met haar wagen voor een rood licht moest stoppen, vreemde, onbehoorlijke kronkelbewegingen had gemaakt. En nu had zij de bevestiging van haar chirurg nodig dat zij alleen maar oefende om de spieren van haar mooie, nieuwe figuur te versterken!

Toen zij mij de eerste keer kwam consulteren, waren lopen, rijden, en zelfs zitten grote problemen voor haar. Ik herinner mij nog de uitgebreide maatregelen die zij moest nemen toen zij in mijn spreekkamer wilde gaan zitten. Eerst spreidde zij haar enorme linkerdij op de stoel uit. Toen hief zij met moeite de massa van haar rechterdij om die over de linker te kunnen leggen. En eindelijk slaagde zij erin de buik daar bovenop te deponeren. Dieet en dagelijkse massage hadden niet de geringste uitwerking op de slappe vleesmassa's van haar buik en dijen. De kostbaarste, speciaal voor haar gemaakte korsetten konden deze vetrollen niet beheersen. Als jam vloeiden zij bibberend in alle richtingen. Bij het zien van dit vormloze, naakte lichaam was men geneigd te lachen en te vergeten dat dit levend, gevoelig vlees was, een lichaam niet alleen aan moeilijkheden, maar ook aan kwellingen ten prooi.

Wij hebben de operatie in twee etappes uitgevoerd. Eerst kwam de buik, waarvan wij ponden slap weefsel en letterlijk emmers vol vet wegsneden. De overblijvende weefsels werden stevig opgehangen aan het verticale en horizontale dichte bindweefsel dat de buikspieren bedekt. Ten slotte werd de overtollige huid glad gerekt en aan beide zijden in de liezen gehecht en de navel werd naar de juiste plaats teruggebracht. Enige weken later hebben wij op dezelfde manier haar dijen aan de binnenkant een betere vorm gegeven. En nu kwam de nieuwe, verbeterde mevrouw Williams terug voor haar laatste onderzoek.

Ik keek een beetje bezorgd toen mevrouw Hurley, die geen afspraak had, plotseling in de wachtkamer mevrouw Williams ontmoette. Gewoonlijk zijn de patiënten er niet bijster op gesteld om

elkaar bij een plastisch chirurg of bij een psychiater te ontmoeten. Maar de beide dames vielen elkaar in de armen. Mevrouw Williams streelde de chihuahua alsof ze het werkelijk meende, en liep om mevrouw Hurley heen om te zien of zij de littekens achter haar oren en in haar hals kon vinden. Zij streek zelfs het haar van mevrouw Hurley opzij, in de hoop de sporen van de gezichtsbehandeling te zien.
Mevrouw Hurley stelde zelf ook een onderzoek in. Haar met diamanten bedekte vingers streken over de figuur van haar vriendin, en geen van beiden scheen de nieuwsgierigheid van de ander kwalijk te nemen. In een vloed van lieve woordjes prees mevrouw Williams mevrouw Hurleys mooie huid, die de tand des tijds zo goed had weerstaan, en mevrouw Hurley stierf bijna van blijdschap over het prachtige figuur van de verjongde mevrouw Williams. „Lieve, je moet mij de naam van die buitengewone masseuse geven!" Ik sloot de deur van mijn spreekkamer om hun van verrukking schrille stemmen niet meer te horen.
Mevrouw Gleason van Westbury, Long Island, wachtte op mij. Haar leven was aan paarden en honden gewijd, maar zes maanden geleden was zij ernstig gebeten door een van haar eigen honden, een dalmatiër, die zij zelf had grootgebracht. Hij was zijn meesteres zonder waarschuwing in het gezicht gesprongen en had haar rechterwang tussen zijn tanden gegrepen en van oog tot bovenlip gescheurd. Hij bleef daar grommend hangen tot een van de buren de kreten van mevrouw Gleason hoorde en haar bevrijdde.
In shocktoestand werd zij per ambulance naar een ziekenhuis in New York overgebracht.
Mijn assistent en ik stonden verbijsterd te staren naar de verwoesting die de hond had aangericht. Wij besteedden meer dan een uur aan het ontwarren van de verscheurde weefsels. Met het dunst mogelijke talliumdraad regen wij de flarden stukje bij beetje als kralen aaneen, tot wij de vorm van de wang weer hadden hersteld en de hechtingen konden aanbrengen. Deze operatie duurde vier uur. Wij maakten royaal gebruik van serum, dat uit het bloed van de patiënte was genomen. Het heeft een bindend en stimulerend vermogen en bevordert een spoedige genezing.
Toen de genezing ver genoeg was gevorderd, namen wij de draad en de zijden hechtingen weg. Wij konden toen al zien dat mevrouw

Gleason zeer goed genas. Ten slotte bleef er alleen maar een licht litteken aan de hoek van het rechteroog over. Enige weken later werd ook dit weggewerkt. Deze morgen was zij gekomen om mij dit laatste herstelwerk te laten controleren. Zij vertelde mij dat de gezondheidsdienst de dalmatiër had teruggezonden en geen hondsdolheid had geconstateerd. De hond was volkomen gezond. Maar mevrouw Gleason, nog steeds verbaasd over de plotselinge, onverklaarbare aanval, had een dierenpsycholoog geraadpleegd. Deze beroemde er zich op dat hij een Rohrschach-proef voor honden had ontwikkeld. Zij haalde uit haar tas een blad papier waar de hond krabbels op had gemaakt. Hieruit, verklaarde zij triomfantelijk, kon de dierenpsycholoog constateren dat de hond aan typische, hoewel te vroege, mannelijke overgangsleeftijdsverschijnselen leed! Ik gaf beleefde antwoorden en ging verder met mijn onderzoek.
Toen drong de scherpe stem van mevrouw Hurley tot mijn spreekkamer door: „Wij moeten leren de psychologie van de hond te doorgronden, anders hebben wij het recht niet hun meesters te zijn!" Dit bracht mevrouw Gleason plotseling in beweging en deed mij besluiten mijn spreekkamer geluiddicht te laten maken. Zij rende naar buiten, roepend: „U hebt volkomen gelijk!" en stortte zich hals over kop in de conversatie.
Zij liet de deur open.
Mijn verpleegster, die geen deur had om tussen zichzelf en de dames te sluiten, verscheen met een gepijnigd gezicht in de deuropening en kondigde de volgende patiënte aan. Miss Jackson, een nieuweling, kwam binnen, en ik keek de gegevens in die voor mij waren neergelegd.
Miss Jackson was negenendertig jaar oud, werkte als secretaresse, was nooit getrouwd en er was niets bijzonders in haar levensloop. Zoals zij daar tegenover mij zat, leek zij een gezonde, normale vrouw; het type dat wij gewoonlijk als „zakenvrouw" aanduiden. Zij droeg het typische, niet dure, maar zorgvuldig uitgezochte donkere mantelpakje, een witte blouse en een kleine, onopvallende hoed. Het enige dat in het oog viel, waren haar vrij grote, opzichtige, zilveren oorringen en armbanden, souvenirs van een vakantie in Mexico. Toen ik haar vragend aankeek, vertelde zij mij op de duidelijke en onomwonden wijze die men van de juffrouwen Jackson in deze wereld mag verwachten, de reden van haar bezoek.

„Ik kom om mijn benen in orde te laten maken," zei zij.
„Zijn uw benen gewond? Hebt u een ongeluk gehad? Zijn er littekens?" vroeg ik.
Nee, verzekerde zij mij, niets van dat alles. „Maar kijk er eens naar!"
Zij stond op. Het waren normale benen, een beetje dik, een beetje zwaar bij de enkels, maar toch niet zo dat het opviel, niet wat de mannen olifantspoten plegen te noemen. Ik vroeg haar heen en weer te lopen. „Ik kan niet zien dat er met uw benen iets niet in orde is," zei ik ten slotte.
„Kùnt u dat niet?" vroeg zij op agressieve toon.
„Wat ik zie, is een paar benen die niet opvallend mooi zijn, maar ook niet opvallend lelijk," zei ik sussend. „Zij zijn recht, u loopt goed, zij maken niet de indruk dat zij u last veroorzaken."
Haar gezicht kreeg een koppige uitdrukking en ik ging vlug verder, haar geen kans gevend om mij in de rede te vallen: „Weet u, door mijn werk zie ik automatisch iedere misvorming of mismaaktheid, zelfs wat men schoonheidsfouten noemt. Maar als u mij op straat voorbijkwam, zouden uw benen mij op geen enkele manier opvallen, daar geef ik u mijn woord op."
„Zij zouden u niet opvallen." Boos liet ze zich in haar stoel vallen. „Nou, laat ik u dan maar zeggen dat ik altijd aan die benen denken moet. Als ik 's morgens opsta, denk ik: ‚mijn benen.' Als ik het kantoor van mijn baas binnenkom, vraag ik niet hoe het hem gaat of wat hij verlangt, ik denk: ‚mijn benen.' Als ik met een van de meisjes van kantoor ga lunchen en op straat mijzelf in een van de winkelruiten zie, kijk ik alleen maar naar mijn benen. U zou er zich misschien niets van aantrekken als het uw benen waren, maar het zijn de mijne. . ."
„Laat ik u dan als vrouw en als dokter zeggen," viel ik haar in de rede, „dat er geen enkele reden is waarom u zo over uw benen zou moeten tobben. Zij zijn best! Vergeet ze maar!"
Zij boog zich naar mij over om een nieuw argument te uiten, maar vriendelijk ging ik verder: „Werkelijk, beste juffrouw, ik zie niet in waarom u zich al de moeite en kosten van plastische chirurgie op de hals zou moeten halen."
Zij kalmeerde een beetje. „Goed. Dat is dan uw mening. Maar het gaat om mij, niet waar? U bent dokter en ik wil mijn benen veranderd hebben. Ik heb jaren gespaard om ze in orde te laten

maken. Ik heb drie weken vakantie en ik zal extra vakantie nemen als u dat nodig acht. Zeg mij alleen maar wanneer u het doen kunt, dat is alles wat ik wil weten."

„U zult een heleboel meer moeten weten," weerde ik af. Ik nam haar mee naar de onderzoekkamer, liet haar haar schoenen en kousen uittrekken en liet haar op de onderzoektafel zitten, haar benen uitgestrekt. Ik gaf haar een nauwkeurige beschrijving van de operatie en de gevaren die bestonden indien men benen wilde veranderen in een schoonheid die de natuur verzuimd had ze te geven. Als het er alleen om ging vetlagen te verwijderen, legde ik haar uit, zou er geen probleem zijn. Wij herstellen vaak de slappe armen van vrouwen van middelbare leeftijd, of van te zware vrouwen die een vermageringskuur hebben ondergaan. Maar benen vervormen als er geen directe misvorming of onbruikbaarheid is, als het doel alleen verfraaiing is. . ., dat zou onnodig gevaar opleveren voor het ingewikkelde stelsel van spieren, zenuwen, pezen en bloedvaten. Het zou niet alleen de narigheid van vier weken in gips betekenen, maar ook het gevaar van naweeën zoals spataderen of andere gebreken van de bloedcirculatie.

„Wees verstandig," zo drong ik aan, „u hebt uw benen nodig om op te lopen, zij bewijzen u goede diensten en veroorzaken u geen last. U moet noch uw benen, noch uw goede gezondheid of uw goede bloedsomloop op het spel zetten!"

Zij luisterde. Toen vroeg ze nadenkend, terwijl ze haar kousen weer aantrok! „Dus u wilt het niet doen?"

„Nee."

„Maar u zou ze slanker kunnen maken!" drong zij weer aan. „U zei dat het vet wel te verwijderen was."

„Het vette weefsel, ja. Dat zou ik kunnen doen, niet omdat het nodig is, maar omdat u zich tevredener zou voelen. Maar één ding moet u goed begrijpen: u zult niet de mooie benen krijgen waar u van droomt. Die hebben maar weinig vrouwen, en alleen omdat de natuur ze die gegeven heeft."

Wij namen afscheid. Toen ze vertrok, keek ik naar haar onschuldige benen en vroeg mij af waarom zij ze zo haatte. Chirurgen hebben vaak patiënten die geopereerd willen worden, die erop staan geopereerd te worden, zelfs wanneer dat niet nodig is. Psychiaters wijzen op het ingewikkelde van onbewuste schuldgevoelens

en de omwegen waarlangs zij hun gedrag motiveren. Onredelijk verlangen om geopereerd te worden, zeggen zij, zou een onbewust vragen om straf kunnen zijn, een lichtere straf dan de patiënt in zijn onderbewustzijn vreest. In zulke gevallen is de operatie onbewust bedoeld als een overeenkomst met het noodlot, een kleinere beproeving die de grotere, ongenoemde en misschien onvoorstelbare verre zal houden.
Dat zeggen de psychiaters. Bij de algemene chirurgie is het medisch bekeken volkomen duidelijk of de wens van een patiënt om geopereerd te worden redelijk of onredelijk is. In de spreekkamer van de plastische chirurg echter kunnen de psychologische spitsvondigheden ons aardig dwars zitten. Hier gaat het vaak om mooi zijn, en wie zal bepalen wat mooi is? Ik ben het met de dichter niet eens: schoonheid komt niet in het oog van de aanschouwer, maar uit dat van de bezitter.
Soms schijnt het dat een patiënte al haar ontevredenheid – met het leven, het geluk, maar hoofdzakelijk met zichzelf – wil concentreren op een of ander ogenschijnlijk vrijwel normaal deel van het uiterlijk. Vaak is het de neus, soms de oren of de borsten. Bij juffrouw Jackson waren het de benen. Ik hoopte dat ik deze overigens zo verstandige vrouw had afgebracht van haar waandenkbeeld dat haar benen te lelijk waren om mee verder te kunnen leven. En toch was ik er zeker van dat, als ik slechts een insnijding in haar benen zou maken en de wond weer zou dichtnaaien, zij tevreden zou zijn. Ik heb nooit weer van haar gehoord, en misschien heb ik haar dus overtuigd.
In de spreekkamer lag de jonge mevrouw Valente al op de onderzoektafel uitgestrekt, wachtend op het onderzoek. Een paar maanden geleden had zij daar in dezelfde houding gelegen. Toen was zij een ongelukkige jonge bruid, die hoopte haar huwelijk te kunnen redden. Zij had haar eerste liefde getrouwd, een jongen die zij had gekend sinds zij een klein meisje was, en zij waren heel erg verliefd. Maar de huwelijksnacht werd een nachtmerrie. Zij gilde van pijn bij de pogingen van haar echtgenoot om van zijn huwelijksrecht gebruik te maken.
Na twee weken van wanhopig proberen, kwamen zij tot de conclusie dat zij lichamelijk niet bij elkander pasten. Terneergeslagen en moedeloos keerden zij van hun huwelijksreis terug.

Toen was mevrouw Valente dapper genoeg om naar mijn spreekkamer te komen en mij haar moeilijkheden toe te vertrouwen. Zij was opgelucht toen zij hoorde dat haar probleem zeer eenvoudig was en verwonderd toen ik haar vertelde dat het vrij vaak voorkwam. Het hymen, dat gewoonlijk een dun en gemakkelijk te doorboren vlies is, biedt in sommige gevallen meer weerstand. In haar eigen geval had de eerste aanraking slechts een deel van het vlies doorboord. De rest was naar achteren gevouwen en verstoorde anatomisch het normale geslachtelijk verkeer. Er was slechts een kleine ingreep nodig om de twee jonge mensen een hernieuwe kans op een gelukkig huwelijksleven te geven.
De volgende patiënte was een andere mevrouw Valente, de schoonmoeder van de bruid. Zij was een knappe vrouw van even in de vijftig en zij meende dat de liefde van haar echtgenoot langzaam maar zeker verdween. Zijn intieme omhelzingen kwamen steeds minder voor en zij veronderstelde zeer terecht dat zijn gebrek aan interesse veroorzaakt zou kunnen zijn door een gemis aan seksuele bevrediging. Haar vagina was door de geboorte van vijf grote baby's gerekt. Het jonge geluk van haar schoondochter inspireerde haar om mij te vragen of plastische chirurgie misschien ook in haar geval zou kunnen helpen. Dit had zij juist gezien: het herstellen van een uitgezakte vagina is noch een ongewoon, noch een bijzonder moeilijk werk. Wij stelden een dag voor de operatie vast. Zij had slechts een voorwaarde: vader Valente mocht er nooit iets van weten.
Moeder en dochter waren in goede stemming vertrokken en ik stond op het punt te bellen voor mijn volgende patiënt, toen de telefoon tussenbeide kwam. Ik hoorde de opgewonden stem van het dienstmeisje van een van mijn vriendinnen. Haar mevrouw was in de badkuip uitgegleden en toen zij om steun om zich heen greep, had zij de spiegel op haar hoofd getrokken. Toen ik haar vroeg de patiënte onmiddellijk naar mijn spreekkamer te brengen, zei ze dat de spiegel nog op mevrouws hoofd vastzat.
„Neem een hamer," zei ik, „en sla het glas voorzichtig tussen twee handdoeken kapot."
„Ik durf haar niet aan te raken! Zij sterft! Ze zit helemaal onder het bloed!" huilde het meisje hysterisch.
Ondanks het zwijgende protest van mijn verpleegster en mijn

secretaresse, die naar de volle wachtkamer wezen, greep ik mijn tas voor noodgevallen en sloop de achterdeur uit.
In de flat van mijn vriendin aangekomen, holde ik naar de badkamer – en daar sloeg ik bijna dubbel van het lachen. Zij zat bedaard in de kuip, midden in een dreigend nest van glasscherven. De afgebrokkelde rand van de ronde spiegel vormde een bijna volmaakte heiligenkrans om haar hoofd. Indien de achtergrond een middeleeuws Italiaans landschap in plaats van een moderne badkamer was geweest, zou zij hebben kunnen poseren voor een primitief schilderij van een gemartelde heilige. Een schaapachtige, maar bepaald niet heilige grijns spreidde zich over haar bebloede gezicht.
Er waren gelukkig geen slagaderen geraakt en ook de kleine aders hadden opgehouden te bloeden. Ik liet het bevende meisje de glasscherven bijeen zoeken, begon het gezicht van mijn vriendin schoon te maken met peroxyde* en bracht daarna mercurochroom** op de ondiepe sneden aan. Toen gaf ik haar een handspiegel en nu moest ook zij lachen.
„Mijn nieuwe voorjaarshoed! Ik zal een bloempot en een paar vogelkooien op de rand zetten, dan loopt het hele verkeer op Fifth Avenue in de war!"
Ik waardeerde haar sportiviteit en deed een heldhaftige poging om de spiegel van haar hoofd te lichten. Maar haar voorhoofd was gezwollen en de spiegel was er onmogelijk overheen te krijgen. Ik vroeg het meisje om de gereedschapskist. Zij bracht me een elegante doos, waarin ik een manicuurstel en een toestel voor kinmassage vond, instrumenten die voor mijn doel nauwelijks geschikt waren. Ik ging zelf op onderzoek uit en vond op het terras bij de tuingereedschappen eindelijk een hamer. Hiermee en met een paar badhanddoeken deed ik nu wat ik oorspronkelijk het meisje had aanbevolen te doen, en hielp mijn vriendin van haar hoofdtooi af. Ik verbond haar waar het nodig was, gaf haar iets tegen hoofdpijn en verliet haar met de belofte dat ik 's avonds nog eens zou komen kijken.

---

* Zuurstofrijke verbinding, gebruikt als bleekmiddel en ontsmettingsmiddel.
** Rode kwikzilververbinding, ontsmettingsmiddel voor wonden.

HOOFDSTUK 38

NOG MEER VROUWEN

DAARMEE WAS DE DAG NOG NIET TEN EINDE. ER BLEVEN VOORTDUREND patiënten mijn spreekkamer binnenkomen, en ik hoorde een reeks van verhalen en klachten, sommige belachelijk en sommige verrukkelijk, maar toevalligerwijs waren het allemaal borstgevallen. Ik was binnengeslopen zoals ik was weggegaan, door de achterdeur, en werd onmiddellijk begroet door een luidruchtige wirwar van stemmen in een bekend en zelfs enigszins beroemd dialect. Madame Caillot en haar twee mooie dochters sprongen als een kooi vol liefhebbende tijgerinnen op mij af.

Mijn verpleegster had met tact deze krantenieuwsfiguren in mijn kleine privé-kamer apart gehouden, en ik kwam in volle onschuld midden in een familietwist terecht.

Twee van de Caillots, mama en haar oudste dochter Mimi, waren patiënten van mij. Het zag ernaar uit dat zij de resultaten van hun operaties aan het vergelijken waren. Zij hadden de voorkant van hun japonnen geopend en de jongste dochter, Fifi, hun vernieuwde boezems laten zien, opdat die haar oordeel zou kunnen uitspreken. Madame Caillot deed in antiek. Zij kwam naar dit land – zo vertelt men tenminste – met een stersaffier, een kostbare bontjas en verder geen stuk kleren aan haar lijf. De kranten meldden dat de zes koffers, die haar gehele garderobe bevatten, op geheimzinnige wijze waren verdwenen; indien zij moedwillig, ter wille van de publiciteit, dezek offers had zoekgemaakt, kon zij met de verkregen resultaten tevreden zijn. Haar aankomst in niets dan een bontjas verbijsterde de douanebeambten, die geen betere oplossing wisten dan haar aan boord te laten blijven tot zij iets behoorlijks had aangetrokken. Er werden vrienden te hulp geroepen en zij maakte haar entree in de stad met officiële toestemming en op haar eigen, grandioze manier.

Om te beginnen huurde zij een groot appartement, dat op zaterdag- en zondagavond voor het publiek geopend was. Zij had blijkbaar de indruk dat haar nieuwe land ongevoelig was voor de algemeen menselijke behoefte aan gezelligheid. Haar soirees, toegankelijk tegen de bescheiden prijs van een dollar, werden al heel gauw populair. Er waren altijd eenzame meisjes, oudere ongetrouwde vrouwen of treurende weduwen, die bereid waren vermoeide zakenlieden en in de liefde teleurgestelde vrijgezellen te troosten. Madame bracht de juiste mensen bij elkaar, waarbij zij zich er eerst van vergewiste dat ten minste één van beide partijen er financieel goed voorstond.

Toen haar twee betoverende dochters uit het buitenland waren gekomen, veranderden de één dollar avondjes in diners waar alleen diegenen konden komen wier financiële draagkracht hen daarvoor in aanmerking bracht. Korte tijd daarna trouwde Fifi een makelaar-miljonair, ondanks enig verschil in leeftijd, dertig jaren of iets meer; het huwelijk duurde ongeveer een jaar. Mimi bleek minder volgzaam dan haar zuster: zij werd verliefd op een jonge advocaat en trouwde hem, hoewel hij niets anders bezat dan zijn toekomst. Maar met hulp van mama duurde haar huwelijk niet langer dan dat van Fifi.

Omstreeks die tijd kwam Mimi op mijn spreekuur. Zij sprak niet meer met haar moeder, maar gaf haar toch niet de schuld van het mislukte huwelijk. Zij herinnerde zich alleen dat haar man zich eens misprijzend over haar figuur had uitgelaten, en nu was het haar enige wens een mooie boezem te bezitten, waarmee zij opnieuw op jacht naar geluk kon gaan.

Terwijl Mimi herstellende was, verscheen op een dag madame Caillot met bloemen beladen aan het bed van haar dochter en gaf daar een treffende demonstratie van moederliefde. Afgunstig keek zij naar Mimi's nieuwe borsten. Een week later lag mevrouw zelf in hetzelfde ziekenhuis voor een zelfde operatie in bed.

Bij haar operatie deden zich complicaties voor. In beide borsten bevonden zich vezelige massa's, waarvan de uitlopers tot in de oksels reikten. Het laboratoriumonderzoek toonde geen sporen van kanker en dus gingen wij door met het verwijderen van de vezels, en brachten de borsten tot behoorlijke afmetingen terug. Buiten verwachting betoonde mevrouw Caillot zich een volgzame en niet

veeleisende patiënte. Zij klaagde nooit, zij betaalde de ziekenhuisrekening en het bedrag voor de operatie zonder naar haar gewoonte af te dingen. Toen zij het ziekenhuis verliet, gaf zij zelfs iedereen een cadeautje.
Haar geregelde controlebezoeken waren altijd vrolijke gebeurtenissen. Gedurende het gehele onderzoek hield zij mij bezig met een geestig verslag van familieavonturen, altijd een nieuwe voorraad, die ze mij met haar kostelijke, internationale woordenrijkdom vertelde. Toen ik dus nu dit amusante trio aantrof, verwachtte ik een levendig halfuurtje. Ik wilde hen voorgaan naar mijn spreekkamer, maar drie paar wild gebarende armen hielden mij terug: mama wilde een tweede operatie, haar borsten moesten net zo jeugdig worden als die van Mimi. Toen ik botweg weigerde, barstte ze uit: „Dokter, u moet goed begrijpen: mijn tegenwoordige vriend is een masto-concupiscent* !"
Ik stond al bij de deur, maar kwam weer terug. „Neem mij niet kwalijk, maar wat zei u daar?"
Zij lachte. „U weet toch wel dat sommige mannen alleen de borsten van een vrouw beminnen?"
Fifi maakte een eind aan het dispuut door haar jasje uit te trekken, en de voorkant van haar blouse te openen om haar eigen, onvolgroeide borsten te laten zien, die in mama's en Mimi's ogen nooit een probleem waren geweest. „Waar maken jullie zo'n drukte over?" vroeg ze. „Hoe denken jullie dat ik mij voel? Hoe vinden jullie dat ik eruitzie, met een opgestopte boezem. . .?
Mama en Mimi trokken onmiddellijk hun japonnen dicht en bogen zich als een paar tokkende kippen over Fifi heen. Ik ontsnapte naar mijn spreekkamer.
Mijn verpleegster vertelde mij met een zucht van verlichting dat juffrouw Louetta op mij zat te wachten. Zij moest die dag nog per vliegtuig naar Zuid-Afrika vertrekken en ze had haast om weg te komen. Met veel genoegen onderzocht ik haar voor de laatste keer en wenste haar goede reis.
Louetta was mij aanbevolen door een dokter uit Kaapstad, die ter gelegenheid van een medisch congres in New York mijn werk had gezien en haar een brief voor mij had meegegeven. Hij beschreef

---

* Concupiscent: aandrift.

haar als een vrouw van in de veertig, die de last van een paar vrouwelijke monsterachtigheden droeg: enorme, overzware, hangende borsten.
Toen ik haar voor het eerst in mijn spreekkamer zag, huiverde ik. Het bovenste gedeelte van haar borsten was in een nauwsluitende bustehouder geperst, terwijl het onderste gedeelte tegen haar onderlijf was gedrukt, op zijn plaats gehouden door een soort dubbele gordel. Zij deed mij denken aan een kangoeroemoeder die haar jong in een buidel droeg. Het was beklagenswaardig dat zij iedere dag opnieuw met deze misvorming moest leven. Zij was de eigenares van een schoonheidssalon en werkte tien tot twaalf uur per dag. Het insnoeren van haar borsten, en meer nog hun gewicht, maakte ieder uur tot een marteling, die alleen kon worden verlicht door af en toe een kwartiertje vrij te nemen, de griezelige kledingstukken af te leggen en diep adem te halen.
Het herstel van Louetta's borsten werd in een groot operatieamfitheater voor een belangstellend publiek van medici verricht. Ik wilde hun de speciale, door mij ontwikkelde, rondgaande techniek demonstreren. Die werkwijze had ik tevoren toegelicht, waarbij ik op een bord diagrammen had getekend. Toen werd de patiënte binnengereden. De grote massa's vlees werden over een dubbele operatietafel gespreid; één tafel was niet groot genoeg om voor dit alles ruimte te bieden. Toen zij waren weggesneden, legde een van de doktoren de massa op een weegschaal. Deze wees achtendertig pond aan!
Het langdurige, chirurgische proces werd met vlugge nauwkeurigheid uitgevoerd; onze operatiegroep was met deze werkwijze volkomen vertrouwd. Toen de laatste hechting was aangebracht, gingen wij achteruit om de verzamelde medici in staat te stellen het resultaat te zien. Het operatiemes was gebruikt als het werktuig van een beeldhouwer. Het had zich in een zachte lijn rond de verlangde omtrek bewogen en het resultaat was de volle, halfronde schoonheid die de natuur zelf zou kunnen hebben geschapen.
De huid en de tepels in hun tepelhof waren zo gehecht dat er geen littekens zichtbaar zouden zijn. Nadat de dokters een paar minuten tijd hadden gekregen, werden de verbanden aangebracht en de patiënte weggereden. Ik trok mijn handschoenen uit en vroeg of er vragen waren.

Eerst bleef het een ogenblik stil. Toen klonk er uit de hoogte van het amfitheater een jonge stem.
„Ik heb een vraag, dokter!"
„Ja, dokter?"
„Wel, dokter, wat ik graag zou willen weten, is: hoe hebt u het gedaan?"
Allen barstten in lachen uit, en de bijeenkomst was afgelopen. Ik heb nooit gehoord of de jonge dokter in opleiding een antwoord op zijn vraag gekregen heeft.
Nu stond Louetta op het punt naar huis te gaan, naar dat verre werelddeel, bijna aan de andere kant van de aardbol. Haar borsten waren prachtig genezen. Zelfs haar figuur was veranderd. Vroeger liep zij voorovergebogen, ten dele door de zwaarte die zij te torsen had, maar ook om haar monsterlijke last te verbergen. Nu liep zij kaarsrecht, een vrouw die weer trots op haar lichaam kon zijn. Zij zag er zo gelukkig uit als een bruid, en de gedachte kwam bij mij op dat zij, nu zij zich een normale, aantrekkelijke vrouw wist, misschien inderdaad spoedig een bruid zou zijn.
Hartelijk en dankbaar nam zij afscheid.
De volgende patiënte was het mooie, langbenige model, juffrouw Logan. Bij haar eerste bezoek had deze jonge vrouw voor mij gestaan met een paar overdreven grote tepels, die uit bijna niet bestaande borsten staken. Zij was verontwaardigd dat de natuur haar met zo iets belachelijks had toegerust. De vullingen die zij dragen moest, dreigden, als zij in badpakken moest worden gefotografeerd, altijd weg te glijden.
Tijdens dat bezoek besprak ik met haar de verschillende werkwijzen om onderontwikkelde borsten op te bouwen. Het kan met hormonen worden geprobeerd. Sommige borsten beginnen te groeien als een resultaat van grote hoeveelheden oestrogeen, die tweemaal per week worden toegediend en later worden gecombineerd met progesteron, een ander vrouwelijk hormoon. Deze hormonen worden ook in een crème voor dagelijkse massages van de borsten gebruikt. Maar, zo legde ik juffrouw Logan uit, die werkwijze kost enige maanden tijd en leidt niet altijd tot succes.
Dan is er de chirurgische methode. Deze bestaat uit het overbrengen van weefsel, een transplantatie dus. Dit kan gebeuren met een steeltransplantaat van dichtbij liggend weefsel, of met

vrij weefsel, dat gewoonlijk uit de buitenkant van dij en bil wordt genomen.
Juffrouw Logan begreep onmiddellijk dat zij dan littekens op de billen zou krijgen. Ten eerste was zij tegen littekens, en dan – zij liet lachend haar broekje zakken en toonde haar platte achterste. . .
„Dokter, waar denkt u dat u genoeg weefsel zou kunnen vinden?"
En ten slotte vroeg zij: „Is er niet iets anders dat u erin kunt doen?"
„U bedoelt een inplanting van vreemd materiaal. Nu. . ."
Ik beschreef haar de techniek die dan moest worden toegepast. De borst is gevat in een omhulsel van fijne vezels en rust losjes op het bindweefsel dat de grote borstspier bedekt. In deze ruimte, tussen het omhulsel en het bindweefsel, kan een opvulling plaatsvinden. Het materiaal dat naar mijn bevinding hiervoor het meest in aanmerking komt, is een sponsachtig plastic, licht als een veer, dat gemakkelijk in de vereiste vorm kan worden gesneden, de vorm van een schijf. Deze schijf wordt een kussentje dat de borst opheft en haar groter doet schijnen, zonder inderdaad de tere borstweefsels te raken of erop te drukken.
Juffrouw Logan was met deze oplossing zeer in haar schik, en zo werd tot een dergelijke inplanting besloten.
Bij de operatie wordt een kleine insnede in de plooi onder iedere borst gemaakt. In de holte tussen de spierbekleding en het borstomhulsel wordt het van tevoren op maat gesneden plastic zo ingebracht dat de vlakke onderkant tegen de borstspier rust en de lichtelijk gewelfde bovenkant de borst opheft. Er zijn slechts weinig hechtingen nodig om de kleine insnede weer dicht te maken. Vierentwintig uur later verliet de patiënte het ziekenhuis.
Dit hadden wij voor juffrouw Logan gedaan, en nu was zij hier voor een controlebezoek. Haar nu normale, zeer mooie boezem was nog precies als toen zij de operatietafel verliet. Zij voelde niet het minste ongemak, maar was integendeel zo opgetogen met haar nieuw verkregen schoonheid, dat zij de vullingen die zij in haar borsten droeg bijna vergeten was.
Toen zij vertrok, was de wachtkamer leeg en had ik een paar heerlijke ogenblikken om na te denken. Wat was er met die langbenige Amerikaanse schoonheid gebeurt dat zij veroordeeld was om het zonder het aantrekkelijke tweede seksekenmerk van de vrouw te moeten stellen? Meer dan twee miljoen vrouwen waren in dit land

klanten van een industrie die bijna van de ene dag op de andere uit de grond was gerezen, de fabricatie van kunstmatige borsten, de „falsies". Misschien ging deze toestand terug tot de suffragettes, die hun haar afsneden en hun boezem inbonden om de mannenwereld te kunnen bestrijden. Hun ineengedrukte borsten waren vaak niet in staat genoeg melk voor hun kinderen te leveren. Het was de tijd dat flesvoeding in de mode kwam. Deze neiging werd gesteund door allerlei theorieën omtrent de oorzaken van kanker, die inhielden dat borstvoeding voor de moeder een gevaar zou kunnen betekenen.
Vele generaties lang werden jonge moeders door deze wetenschappelijke meningen bang gemaakt en anderen, die borstvoeding een karwei vonden, werden erdoor aangemoedigd het maar niet te proberen. Nog weer anderen waren bang dat zij door het zogen de vorm van hun borsten zouden verliezen. Het werd de gewoonte de borsten na de geboorte van de kinderen op te binden en de melk kunstmatig met epsomzout en mannelijke hormonen op te drogen. De natuur heeft deze vrouwen bestraft en de mode heeft hen verraden. Dokters begonnen in vele flesbaby's voedseltekorten te ontdekken en drongen er bij de moeders op aan hun kinderen weer borstvoeding te geven. Zelfs het veronderstelde gevaar van borstkanker werd in twijfel getrokken, vooral toen statistieken aantoonden dat vrouwen die hun kinderen zelf gevoed hadden er minder aan onderhevig waren dan vrouwen die dat niet hadden gedaan. Ook vroegen de deskundigen aandacht voor het feit dat de emotionele behoeften van de baby om nabijheid van de moeder vroegen, en de intiemste nabijheid vindt tijdens de borstvoeding plaats. Trouwens, vele moeders die zich in hun moederschap verheugden, kwamen tegen de flesvoeding in opstand.
Ik heb de verandering in mijn eigen praktijk meegemaakt. Toen ik pas begon, was vijfenzeventig procent van mijn borstgevallen vrouwen als Louetta, met hypertrofische, dus abnormaal grote, borsten, of vrouwen die alleen maar dik waren en hun borsten om schoonheidsredenen verkleind wilden hebben. Vandaag is vijfentachtig procent van mijn borstgevallen vrouwen wier borsten te klein zijn. Indien er al een antwoord op dit raadsel is, heb ik het die dag niet gevonden, want er werd weer een andere patiënte binnengelaten. Ik was altijd blij deze patiënte – ik zal haar mevrouw Harding

noemen – te zien. Haar verandering van overmatig beschutte, egocentrische kinderlijkheid tot een volwassen, begrijpend en verantwoordelijk menselijk wezen, had ik geheel bijgewoond. Hoeveel borsten er op vermoeden van kanker onnodig worden geamputeerd, is moeilijk na te gaan. Maar het zijn er vele. Dat kan een van de gevolgen zijn van de vrees voor kanker waarover ik eens, lang geleden, met mijn tot de ondergang gedoemde vriendin Alice Turner gesproken had.

Mevrouw Harding was de vrouw van een bekende psychiater. Met zijn medische kennis was het begrijpelijk dat hij ongerust werd toen zijn vrouw hem op zekere dag attent maakte op een afscheiding uit een van haar tepels. Maar zelfs met de nieuwste methoden van wetenschappelijk onderzoek kon er geen gezwel worden geconstateerd. De internist die hij consulteerde, stelde voor om de oorzaak te bestrijden door stilbestrol en testosteron toe te dienen. De chirurgen waren echter voor een radicale verwijdering van de gehele borst. Mevrouw Harding was een allerliefste, maar vrij tere vrouw, veel jonger dan haar man en geheel van hem afhankelijk. Zij vond de gedachte aan een dergelijke, verminkende operatie natuurlijk verschrikkelijk. Ik deelde deze gevoelens, misschien omdat ik die als vrouw beter kon begrijpen, en raadde een chirurgisch onderzoek aan dat haar mooie borst niet beschadigen zou.

Maar na verschillende besprekingen aanvaardde haar man de mening van de radicale heelmeesters, en de gehele rechterborst werd verwijderd. De volgende morgen kwam de opererende chirurg de kamer binnen en deelde opgewekt mee dat de afscheiding was veroorzaakt door een kleine cyste*, die met een van de afscheidingskanalen in verbinding stond en dat geen enkel symptoom van kanker was gevonden.

Alleen een man zou dit goed nieuws kunnen noemen. (Ik kan het hem bijna horen zeggen: „Maar er was geen spoor van kanker! En zij kan toch zeker zonder die borst leven!") Zijn triomfantelijke woorden bezorgden de patiënte echter een bodemloos diepe neerslachtigheid. Dagenlang bleef haar toestand kritiek, zij had met haar verminkte lichaam geen drang meer om verder te leven. De pogingen van haar echtgenoot om haar uit deze depressie te ver-

---

* Gezwel.

lossen, waren echter vruchteloos, evenals die van zijn collega's. Ten slotte – misschien omdat ik een vrouw was – vroeg hij mij haar in het ziekenhuis te bezoeken. Toen ik haar verzekerde dat ik een herstellende operatie zou verrichten, waarbij ik haar overblijvende borst voor het vormen van twee borsten zou gebruiken, begon zij eindelijk beter te worden.

Toen de tijd was aangebroken, begaf mevrouw Harding zich naar het ziekenhuis voor een operatie in twee etappes. Dat gaf haar veel tijd waarin zij niets te doen had, en zij begon zich te interesseren voor wat zich achter de andere deuren in de lange, witte gang afspeelde. Aan de andere kant van de hal was een meisje, negen jaar oud, met een onheilspellend gezwel aan de rechterelleboog. Een proef had kanker aangetoond, maar de ouders verzetten zich wanhopig tegen het amputeren van de arm. De zware röntgenbestraling echter, de enige andere methode, was funest voor de stofwisseling van het kind en bracht het aan de rand van lichamelijke uitputting, Mevrouw Harding begon het patiëntje te bezoeken. In het begin vond zij een soort negatieve rust – afwezigheid van gedachten aan zichzelf – door het zieke meisje voor te lezen. Toen het kind haar smeekte om toch vooral de volgende dag terug te komen, was dit voor haar een nieuwe sensatie: ergens nodig te zijn. Zij slaagde erin de muur van afzondering te doorbreken die de ongelukkige ouders om het kind en henzelf hadden opgetrokken, en de stemming in de kamer aan de andere kant van de hal werd beter als zij er was. Dit gaf haar moed en zij begon andere kamers te bezoeken waar patiënten in onpeilbare wanhoop ziek lagen en niet de minste moeite deden om de dokters te helpen hun genezing te bevorderen. Het leek wel of haar eigen strijd haar de kracht had gegeven anderen moed bij te brengen.

Haar genezing na de operatie was snel en gaf alle redenen tot voldoening. Bij haar bezoek ter controle – op deze drukke maar niet ongewone dag – kwam het onderzoek van haar herstelde borsten bijna op de tweede plaats. Het grootste deel van de tijd gebruikte zij om mij over haar werk als vrijwilligster bij de sociale dienst van het ziekenhuis te vertellen. Het was wel een grondige verandering voor de lieftallige, maar oppervlakkige vrouw, die zich nooit te voren om iets anders had bekommerd dan om zichzelf.

Ik had de Caillots totaal vergeten; zouden zij nog steeds familie-

reünie houden in mijn privé-vertrek, waar ik hen na lunchtijd had achtergelaten? Toen mevrouw Harding was vertrokken, stormden zij de spreekkamer binnen, Fifi voorop. Ik vroeg mij af of zij geluncht hadden, maar ik had mij geen zorgen behoeven te maken, want de Caillots verzuimden geen gelegenheid om gezamenlijk in een goed restaurant te worden gezien. Zij waren dus uitgegaan om te lunchen en nu teruggekomen.
„Ik meen het ernstig, dokter!" zei Fifi, alsof er tussen ons onderhoud en nu niet verscheidene uren waren verlopen. „Die Cissy Logan, die ik uit uw spreekkamer zag komen, ken ik heel goed! Zij had altijd de grootste moeite werk als model te vinden omdat ze zo plat was. Maar met die inplantingen hebt u haar in een schoonheid veranderd!"
Zij wilde onmiddellijk een dag voor de operatie vaststellen. Mama en Mimi jammerden luid over dit „stapelgekke denkbeeld". Ten slotte verloor ik mijn geduld en schoof de hele familie Caillot de deur uit. Fifi, in de ijzeren greep van haar liefhebbende verwanten meegetrokken, keerde zich gelaten naar mij om en knikte mij toe. Ik begreep wat zij bedoelde. Zij zou wel een andere dag terugkomen – alleen.
Het spreekuur was voorbij. Het personeel zette zich aan het opruimen en het voorbereiden van een nieuwe dag. Ik trok mij terug in mijn flat, verkleedde me en ging naar mijn vriendin van de spiegelkrans, die opnieuw haar sportiviteit had laten blijken door mij zelfs niet eenmaal op te bellen en mij in mijn drukke uren niet te storen.

HOOFDSTUK 39

MANNEN

WAAROM GAAN MANNEN NAAR EEN PLASTISCHE CHIRURG? OM DEzelfde redenen als vrouwen. Hun zelfvertrouwen wordt door een of andere mismaaktheid of een ontsierend litteken op dezelfde manier gewond. Evenals vrouwen hebben zij in menig beroep een jeugdig uiterlijk nodig. Bovendien zijn zij vaker slachtoffers van ongelukken dan vrouwen, en dan zijn er onder de mannen nog altijd de oorlogsgewonden, of, in vredestijd, slachtoffers van ongelukken tijdens de militaire dienst. In de militaire hospitalen hebben de plastische chirurgen het inderdaad zeer druk.

In mijn eigen praktijk is er in het ziekenhuis altijd wel een club van mijn vrouwelijke patiënten, waarvan de leden voortdurend wisselen. Maar men kan er ook altijd een mannenclub vinden: een geval van gezichtsbehandeling, nodig voor iemand die in het publiek optreedt, een hand die in een machine werd beschadigd, het „bloemkooloor" van een bokser in ruste, en soms herstelwerk van zo'n diepgaande betekenis voor het gehele bestaan van de man, dat de volle waarde ervan niet te schatten is.

Op een vroege junimorgen was mijn eerste geval in de operatiezaal een student die zijn eerste examen achter de rug had, een knaap van wel tweehonderd pond, wiens spierkracht zijn universiteit menige rugbywedstrijd had helpen winnen. Zijn sterke, jonge gezicht zou nooit bepaald knap zijn, maar het zou er heel wat beter uitzien als zijn neus niet was gebroken en niet scheef stond.

„En bovendien," zei hij bij zijn eerste bezoek, „snurk ik, en dat zal mijn meisje niet prettig vinden als wij eenmaal getrouwd zijn."

Het was inderdaad waar dat hij, sinds zijn neus tijdens een wedstrijd was gebroken, niet vrij kon ademhalen.

Op de dag na zijn examen verrichtten wij een rinoplastiek – dat wil zeggen: wij bouwden voor de jongeman een nieuwe neus.

De werkwijze is praktisch dezelfde als voor een neus met een knobbel of een haakneus. Tegenwoordig voeren de chirurgen deze operatie binnenin de neus uit, zonder insnijding aan de buitenkant. De patiënt krijgt dan een inleidende verdoving, het gehele gezicht wordt grondig met groene zeep en een ontsmettende vloeistof schoongemaakt en het gebied waar de ingreep zal plaatsvinden, wordt verdoofd met novocaïne, waardoor, om het bloeden tegen te gaan, een kleine hoeveelheid adrenaline wordt gemengd. De achterste neusholten worden stevig volgeduwd met steriele gaasjes, teneinde eventueel druppelen in de achter de neus gelegen ruimten te voorkomen. De novocaïne werkt binnen een paar minuten; met deze plaatselijke verdoving blijft de patiënt gedurende de operatie wakker, maar voelt geen pijn en ondervindt maar weinig ongemak. Dit alles gebeurde ook nu en onze patiënt was gereed, evenals ik, en de instrumenten die voor de rinoplastiek of neus-opbouw nodig waren, lagen klaar. Het is natuurlijk overdreven te beweren dat de meeste algemene chirurgie met een keukenmesje kan worden gedaan, maar het is waar dat voor het verwijderen van een blindedarm of de hervorming van een paar borsten de chirurg het met niet veel meer dan een goed mes, een schaar, een tang, klemmen en wat naalden kan stellen. Zelfs voor een gezichtsbehandeling zijn deze instrumenten voldoende, zij het dan in wat kleinere en fijnere vorm.
Maar voor de neus, dat merkwaardige, ingewikkelde, kleine lichaamsdeel, zo opvallend en zo nuttig in het menselijke gezicht, heeft de chirurg waarschijnlijk de grootste verzameling speciale instrumenten van de gehele chirurgie nodig. Rinoplastische specialisten zijn eeuwig bezig nieuwe instrumenten te ontwerpen, of heel kleine, maar voor hen belangrijke veranderingen in de oude aan te brengen. Een volledige uitrusting voor de neus kan zelfs vijfenzestig instrumenten bevatten. Soms, als verkopers van chirurgische instrumenten mij dergelijke indrukwekkende collecties toonden, heb ik weleens geglimlacht, maar als ik mijn eigen verzameling zie, kan ik evengoed glimlachen om mijzelf. Toch heeft men ze alle nodig. Daar is bijvoorbeeld het kleine, rechte bajonetzaagje, dat om zijn vorm zo wordt genoemd. Er zijn ook een linkerhand- en een rechterhand-zaagje; dit zijn zaagjes die in verschillende hoeken kunnen worden gesteld, een om de linkerkant

van de neus te bewerken, een voor de rechterkant. Er zijn grove en fijne raspjes en raspen waarvan de tandjes in een bepaalde hoek zijn gezet. Ze dienen om het eind van een bot na het zagen te kunnen polijsten. Er zijn fijne, rechte mesjes, mesjes met een bocht of een hoek, met tweezijdige snede en mesjes met een stomp eind of een „knoop", dit ter bescherming van de opperhuid, wanneer daaronder moet worden gewerkt. Er is een dun werktuigje, elevatorium geheten, dat ingebracht wordt om het beenvlies, het periost, op te tillen; dit vlies moet voorzichtig worden behandeld, want het levert de helende kracht die het been weer aan elkaar doet groeien. Er is een smal, gebogen instrument met een gleuf, dat gebruikt wordt om het zaagje onder dit periost in de juiste richting te leiden. Al deze instrumenten en nog vele andere zijn nodig, niet alleen omdat de neus zo'n ingewikkeld orgaan is, maar ook omdat moet worden gewerkt in een nauwbegrensde ruimte binnenin de neus, een ruimte die door een of twee insnijdingen te bereiken is.
De opperhuid, de slijmvliezen en het periost moeten met grote zorgvuldigheid worden behandeld. De hand van de chirurg werkt met al deze kleine mesjes, zaagjes en beiteltjes in welbeheerste, kleine bewegingen, die in millimeters worden berekend. Ik heb sterke mannen uit iedere porie zien zweten bij het besturen van het uiterst kleine zaagblad of beiteltje, teneinde de nodige kunstmatige breuk aan de kanten van de neus te verkrijgen, opdat de neus zelf in de gewenste vorm kon worden gebracht.
Voor onze rugbyspeler maakte ik met een fijnbladig, scherpgepunt mesje de eerste en voornaamste insnijding. De neusbrug bestaat gedeeltelijk uit been en gedeeltelijk uit kraakbeen. Het benige gedeelte beslaat ongeveer een derde of de helft en is aan de kanten verbonden met het jukbeen, waarmee het een geheel vormt. Het kraakbeen, dat tot aan de neuspunt loopt, bestaat uit verschillende delen. Dit zijn het boven- en het onder-zijkraakbeen. Die laatste vormen het septum, of neustussenschot, en buigen uit om de neusvleugels te steunen.
De eerste insnijding werd horizontaal gemaakt, langs de rand die het bovenkraakbeen van het onderkraakbeen scheidt, dus aan de zijkanten, eerst binnen de rechter-, toen binnen de linkerneusvleugel. Daarna maakte ik met een dubbelsnijdend mesje de huid van het kraakbeen los en vervolgens van het gehele neusbeen. Met

een stomp mesje maakte ik de huid verder vrij, tot aan de punt van de neus. Met het elevatorium lichtte ik het periost van het neusbeen af.
Nu begon ik met het rechte bajonetzaagje, dat ik door dezelfde insnijding naar binnen bracht, met langzame bewegingen aan het verwijderen van de knobbel die ontstaan was toen de gebroken neus scheef was samengegroeid. De callus, zoals wij de knobbel noemen die na een breuk wordt gevormd, is harder dan normaal been, en daarom vroeg de knobbel in de gebroken neus om een paar minuten van grote inspanning, die beperkt moest blijven binnen de kleine straal van de werkruimte. Toen het benen gedeelte eenmaal was doorgesneden, maakte het in een knop eindigende mesje het kraakbeen van de knobbel en het aangegroeide weefsel los. De gehele knobbel werd toen in één stuk in een smal klemmetje gegrepen en door de oorspronkelijke insnijding naar buiten getrokken. Nu de knobbel weg was, had de neusbrug niet één, maar twee benen zijkanten, met een ruimte ertussen. Als dit zo zou blijven, zou de brug te breed en te plat worden. Om de twee kanten van de neusbrug weer samen te brengen, moesten we inderdaad de verbinding met het jukbeen verbreken, aan beide kanten natuurlijk.
Voor ik hiermee begon, polijste ik de nog ruwe zaagsneden met een fijne rasp tot ze glad waren.
Om een kunstmatige breuk te maken, moest er een nieuwe insnijding in de buitenronding of voorhof van het neusgat worden gemaakt. Tot nu toe had de jongeman zich niet bewogen, maar toen ik zijn hoofd opzij legde om de nieuwe insnijding te maken, mompelde hij iets door het natte gaas dat zijn lippen bedekte. Ik vroeg hem of hij iets wilde uitspugen. Hij gromde ontkennend, maar beduidde dat hij iets wilde zeggen, en ik nam het gaas van zijn mond en zijn ogen weg.
„Wat denkt u van een klassiek profiel?" vroeg hij.
„Niets gemakkelijker dan dat, nu we er toch mee bezig zijn," verzekerde ik hem. „Voelt u ergens pijn?"
„Nee-ee, alleen maar slaperig," en hij gleed in zijn doezelige, ontspannen toestand terug.
Ik maakte de nieuwe insnijding en bracht er het dunne elevatorium in om het periost van het jukbeen, waar het aan het neusbeen vastzit, tot aan de binnenhoek van het oog op te lichten. Toen volgde

de zaaggeleider en daarna de zaag zelf. Ditmaal was het er een die op de juiste manier voor de rechterkant was gebogen. Toen begon weer de langzame zaagbeweging. Ik draaide het hoofd van de jongen om en herhaalde de behandeling aan de linkerkant. Voor de breuk aan de wortel van het neusbeen moest een fijn beiteltje worden ingebracht en op de juiste plaats worden vastgehouden, terwijl mijn assistent met een chirurgische hamer een paar vlugge tikken op het handvat gaf. En toen bracht een stevige druk met de duim dat zeer welkome geluid, het lichte knakken van het brekende been. Het gat was gesloten.
De brug van de neus was nu versmald en recht, en ik hield een ogenblik op om het resultaat te bekijken. Ik was al eerder tot de conclusie gekomen dat de neus niet verkort behoefde te worden, en evenmin was er een verandering van de neuspunt nodig. De operatie was geëindigd.
Nu werd het gaas uit de neusholte verwijderd, alle holten werden weer met schoon gaas gevuld en repen pleister dwars over de neus en in de lengte tot aan het voorhoofd gelegd, teneinde de nieuwe vorm in model te houden. Een verhardend mengsel van dezelfde samenstelling als de tandartsen gebruiken, werd op een flanellaag over de neus gelegd. Deze was nu van het voorhoofd tot de neuspunt en van jukbeen tot jukbeen bedekt. Dit diende om het neusbeen, terwijl het heelde, op zijn plaats te houden. De gehele operatie, van novocaïne tot gipsverband, had vijfenveertig minuten geduurd.
Onze jongeman werd naar zijn bed teruggereden en plat op zijn rug gelegd. Toen ik mij had gewassen en andere kleren had aangetrokken, ging ik naar hem kijken. Hij sliep vast. Eerlijk gezegd, snurkte hij, maar dat was onder de gegeven omstandigheden te vergeven. Hij zou een dag in deze houding moeten blijven liggen. Dan zou het verband worden ververst, totdat het na vier of vijf dagen voor de laatste keer zou worden afgenomen. Ook het gips zou dan worden verwijderd en de patiënt zou naar huis kunnen gaan. In het begin zou de neus dan nog wel wat gezwollen zijn. Sommige dokters schrijven daarom een neussteun voor, een klein instrumentje dat de patiënt zelf gedurende ongeveer tien minuten per dag kan aanbrengen, teneinde de zwelling vlugger te doen verdwijnen.

Ik moest die morgen nog twee „neuzen" bezoeken, waarvan er een ontsluierd zou worden. Dit was een jonge student in de rechten, die naar mijn spreekuur kwam toen hij op het punt stond zijn laatste examens te doen. Zijn kameraden hadden hem gedurende de schooltijd steeds geplaagd met zijn grote neus. Inderdaad bedierf dit orgaan door de overdreven haakvorm en de neerhangende punt, die bijna zijn bovenlip raakte, het overigens fijne, intelligente gezicht. Nu stond hij op de drempel van zijn carrière met de wens en de gaven om strafpleiter te worden. Hij had, heel verstandig, een neusoperatie ondergaan teneinde zijn uiterlijk te verbeteren. De werkwijze voor dit geval was dezelfde als die voor de gebroken neus van de rugbyspeler, met het verschil dat in dit geval de neus verkort en de punt versmald moest worden. De knobbel op de neus gaf ons hier minder moeilijkheden, daar het neusbeen smal en fijn was.
Over de neuspunt-chirurgie zijn bladzijden en bladzijden vol geschreven en van illustraties voorzien. Als er te weinig wordt afgenomen, zou het kraakbeen over elkaar kunnen groeien en uitstulpen. Als er te veel wordt afgeknipt, wordt de punt naar boven getrokken, waarbij de bovenlip eveneens wordt opgetrokken en de neusgaten worden opengesperd. Insnijdingen en hechtingen, alles is het onderwerp van lange discussies geweest. Men zou niet denken dat een kleinigheid als een neuspunt zo belangrijk zou kunnen zijn, maar anatomisch zowel als esthetisch beheerst hij het gehele gezicht.
De operatie van de student in de rechten had vijf dagen tevoren plaatsgevonden. Nu was het de dag dat het gips zou worden weggenomen en hij wachtte op mij. Ik ging vlug te werk, nam het gips en de steunende pleisters weg en verwijderde de gaasvulling. Toen haalde ik de grote zakspiegel, die ik altijd bij mij draag, te voorschijn en hield hem die voor.
Hij bekeek zichzelf. Hij had nu een neus die gewoon een neus was, recht, bescheiden, onopvallend, een die niet alle aandacht voor zich opeiste. Als men hem nu aankeek, zag men, in plaats van een neus, een heel gezicht, met al zijn intelligentie en uitdrukkingsvermogen.
Hij keek in de spiegel en nam toen mijn hand in zijn beide handen. „U weet niet wat u voor mij gedaan hebt, dokter," zei hij. „Of misschien weet u het wel. . ."

Ik klopte hem op de schouder. „Misschien wel. Ga nu maar naar huis opbellen."
Mijn volgende bezoek was aan mijn bokser, een middengewicht, die zich uit zijn beroep had teruggetrokken en nu vrachtwagenchauffeur was. Hij was de vader van de baby met het huidgezwel, waarvan ik de strijd om het leven in de eerste bladzijden van dit boek heb beschreven. Toen hij op een middag zijn zoontje bezocht, was hij in gesprek geraakt met een patiënt die een verband over zijn neus had en had toen ontdekt dat zijn „boksersneus" verbeterd kon worden. Ingeval van een boksersneus en andere zadelneuzen, zoals wij ze noemen, zijn gewoonlijk gedeelten van het been, evenals het kraakbeen van de brug en het septum, platgeslagen en heeft de punt geen steun.
Om deze steun te herstellen, wordt een implanting van een of ander stevig materiaal toegepast. In de eerste tijden van plastische neuschirurgie gebruikte men een inplanting van ivoor en later van been, maar geen van deze beide materialen kan zo zuiver in vorm worden gesneden als kraakbeen. Men kan er evenmin op aan dat zij eenzelfde en even snel herstel waarborgen als kraakbeen doet. Ten eerste kan er wrijving ontstaan en de vulling kan van haar plaats worden geduwd. Tot voor zeer kort was kraakbeen het beste materiaal voor neusinplanting. Het heeft buitendien nog andere voordelen: het behoeft niet uit het lichaam van de patiënt te worden genomen, maar kan jarenlang in een alcoholoplossing worden bewaard. Plastische chirurgen kunnen altijd rekenen op kraakbeen uit verschillende voorraden, van andere operaties afkomstig.
Het laatste nieuws op dit gebied zijn inplantingen van plastic. Ik heb zelf goede resultaten bereikt met een soort plastic spons, ongeveer hetzelfde materiaal dat zo geschikt is voor borstvullingen. Het is alleen wat grover. Het kan zeer dun worden gesneden om in een stuk tot aan het voorhoofd en langs de zijden van de neus onder de huid te worden gelegd, hetgeen een stevigheid verzekert die geen gevaar voor verschuiven meebrengt. Deze inleg had ik voor de neus van de chauffeur gebruikt. De operatie was de vorige dag verricht. Bij mijn bezoek vernieuwde ik het losse verband en gaf hem verlof om te zitten, zelfs om op te staan en rond te wandelen, indien hij daar lust toe gevoelde. Daarna verliet ik mijn opgewekte vechtersbaas en deed mijn laatste ronde.

Toen ik in mijn spreekkamer terugkwam, vond ik een man van achter in de dertig, die ongeduldig op mij wachtte. Hij was slank, gracieus en elegant gekleed; een balletdanser. Hij ging tegenover mij zitten, maar stond meteen weer op en begon heen en weer te lopen, terwijl hij mij vertelde hoe verdrietig en ongelukkig hij was door zijn steeds hoger wordend voorhoofd. De oorzaak van zijn klacht was duidelijk waarneembaar; hij was op weg geheel kaal te worden, vooral boven de slapen. Hij had alles geprobeerd wat maar geadverteerd werd: pommaden, hormoonzalven, zonnelampen, massage, maar nog steeds werd zijn haar dunner.

Evenals de meeste mannen onderging Roger dit verschijnsel van naderende ouderdom als een persoonlijke vernedering. „Spreek mij niet over pruiken!" riep hij uit, en ik kneep mijn mond stijf dicht, want ik had op het punt gestaan een toupet aan te raden. „Kijk nu dat bos hier!" riep hij en greep boos een handvol van het weelderige haar op zijn achterhoofd. „Wat heb ik daaraan? Jullie plastische chirurgen maken altijd zo'n drukte over de vorderingen die jullie sinds de oorlog hebben gemaakt. Waarom kunt u dan niet wat van dit haar naar de plek brengen waar ik het nodig heb?"

Dit was een uitdaging: een chirurgische ingreep tegen kaalhoofdigheid – en waarom niet? Ik nam een blad papier en schetste een theoretische werkwijze. De huid van het kale voorgedeelte zou tot aan de terugwijkende hoeken moeten worden verwijderd, teneinde plaats te maken voor het transplantaat. Deze zou moeten bestaan uit een reep van de behaarde schedelhuid binnen de haargrens aan de achterkant van het hoofd.

Deze reep zou tijdelijk aan beide einden met de rest van de schedelhuid verbonden moeten blijven, teneinde zeker van een behoorlijke bloedvoorziening te zijn; het zou, met andere woorden, een steeltransplantaat moeten worden. Het zou naar voren moeten worden geklapt als een vizier, tot aan het open stuk dat er reeds voor in gereedheid zou zijn gebracht. Als het eenmaal „pakte", zouden de einden kunnen worden losgemaakt. De voorkant zou natuurlijk in de vorm van Rogers oorspronkelijke haargrens worden gesneden.

Aandachtig volgde Roger mijn tekening en verklaring. Het stond hem allemaal heel goed aan, tot hij plotseling wees op het aangeduide stuk op het achterhoofd, waar het transplantaat zou worden weggenomen.

„Wat zal er met dat gedeelte van mijn schedel gebeuren? Moet ik verder mijn hele leven met een gat in mijn hoofd lopen?”
„Jongeman, je hebt geluk! Je hele schedelhuid zal worden losgemaakt, en om deze rand te bereiken en het kale gedeelte te bedekken, achteruit worden getrokken. Je krijgt dus meteen een gezichtsbehandeling waar je niets extra's voor hoeft te betalen!”
Hij greep de tekening en stopte die in zijn zak. Wanneer kon ik ermee beginnen? Morgen? Maandag? Zou ik op dat ogenblik voldoende tijd beschikbaar hebben gehad, dan zou hij onmiddellijk naar het ziekenhuis zijn vertrokken. Wij bepaalden uur en datum op het vroegste tijdstip dat mij mogelijk was en hij walste bijna mijn spreekkamer uit.
De operatie werd inderdaad verricht. Ik was met het resultaat niet helemaal tevreden, want het transplantaat pakte niet overal even goed, maar hij was er dolblij mee. Inderdaad was de nieuwe haargrens een opmerkelijke verbetering. Het allergelukkigst echter was hij met de gezichtsverbetering, die slechts toevallig bij de operatie behoorde maar die hem het knappe, rimpelloze gezicht van zijn jeugd teruggaf.

HOOFDSTUK 40

MENEER JANSEN

ER STOND EEN NAAM IN MIJN AGENDA: DE NAAM VAN EEN PATIËNT die tijdens het spreekuur niet had kunnen komen, meneer Jansen, met een adres ergens in Queens. Veel meneren en ook mevrouwen Jansen zijn in de loop der jaren mijn deur in- en uitgegaan. Sommigen waren geestelijk niet normaal, anderen aan verdovende middelen verslaafd en weer anderen waren misdadigers, die onder deze schuilnaam een herkenbaar litteken wilden laten verwijderen.
Maar ook anderen kwamen en komen in het geheim onder een valse naam, niet omdat zij de wet moeten vrezen, maar omdat zij zich schamen en bang zijn voor publiciteit. Dit zijn de tragische menselijke wezens die een lichamelijke misvorming verbergen. Uit de agenda, met het adres in Queens, kon ik niet opmaken welke soort Jansen mij deze avond zou komen bezoeken.
Op het afgesproken uur liet mijn verpleegster een grote, blauwogige, blonde Ier binnen, zijn gezicht overdekt met sproeten, die afstaken tegen zijn door de zon gebruinde huid. Er was niets bijzonders aan deze meneer Jansen te zien. Hij was een gespierde, gezonde, normale jonge arbeider, die op deze warme avond zonder jas, in zijn hemdsmouwen naar de spreekkamer was gekomen.
Waarschijnlijk was hij na zijn werk niet eerst naar zijn huis in Queens gegaan, maar gekomen zoals hij was. Mogelijk had hij, staande aan een snackbar, iets gegeten. Ik kon me ook voorstellen dat hij tot het afgesproken uur nerveus door de straten had gelopen. Want dit was nu een van de tragische Jansens, een van hen, die met een lichamelijk, en naar hun eigen gevoel beschamend geheim, door het leven gaan. Hij hield zijn blik afgewend, en men behoefde geen gedachtenlezer te zijn om te zien dat hij wenste niet te zijn gekomen.
Zijn ziektegeschiedenis vertelde mij niet veel. Op de kaart waren de gewone kinderziekten vermeld: bof, mazelen, af en toe een zere

keel en vroegtijdig gepelde amandelen. Toen ik hem vroeg wat ik voor hem kon doen, keek hij verschrikt en begon een stamelende, stotterende verklaring voor zijn bezoek te geven.
Zijn baas had hem naar mij toegestuurd. „U hebt een paar jaar geleden de neus van zijn zoon veranderd," zei Jansen. „Hij had werkelijk een verschrikkelijke neus en hij was ook een moeilijk kind. Zijn ouders hebben veel last met hem gehad. Weet u, toen u die neus veranderde, hebt u zijn hele levenshouding veranderd." Hij sprak met warmte en vergat in zijn enthousiasme voor een ander zijn eigen moeilijkheid. „Hij is nu in Korea, in een hospitaal, hij komt helemaal terecht en zij hebben hem een onderscheiding gegeven!"
Ik nam uit mijn lade een foto van een groep jonge soldaten in hospitaalkleren. „Groeten van nergens. Wou dat u hier was. Er zou genoeg werk voor u zijn", was op de achterkant geschreven. Behalve de naam van mijn patiënt waren er nog vele andere op neergekrabbeld. Blijkbaar had de hele ziekenzaal meegetekend.
Ik overhandigde de kaart aan Jansen en hij wees op een knappe jongen. „Dat is hij, ja hoor!"
„Draai die foto eens om en lees wat er staat." Hij draaide de kaart om. „Zeg, dat joch moet het hele hospitaal over u hebben verteld," zei hij.
Toen hij mij de kaart teruggaf, was hij niet langer bevreesd en bijna zonder aarzeling vertelde hij het hele verhaal. Toen hij tien jaar oud was, had hij gespeeld in een zaagmolen waar zijn vader werkte. Nieuwsgierig boog hij zich over de schacht van een machinale schaaf; de machine greep de voorkant van zijn broek en sneed in zijn genitaliën. Men bracht hem onmiddellijk naar de dokter, maar zijn ouders, die geen begrip hadden van plastische chirurgie, lieten hem in de handen van de plaatselijke arts, die het geschonden lid met natte verbanden en helende zalven behandelde. Zes maanden lang moest de jongen in bed blijven en toen hij herstelde, waren zijn genitaliën in de groei gestoord en misvormd.
Gedurende zijn jongensjaren vermeed hij meisjes. Hij werkte hard op school, waar hij voor technisch tekenaar werd opgeleid, en vond na zijn examen een goede betrekking. Toen werd hij verliefd en kreeg „vaste verkering". Zijn meisje en hij werkten beiden en spaarden om te kunnen trouwen, tot hij haar op een avond, toen

zij met de auto ergens buiten waren, in een innige omhelzing de waarheid vertelde. Het meisje, dat verstandig en eerlijk was, zei dat zij hem nooit kon trouwen en zich ook niet kon voorstellen dat andere meisjes dat wel zouden willen. „Blijf uit de buurt van de meisjes, John," zei zij. „Je zou er maar verdriet van hebben."
Jansen aanvaardde haar afwijzing met gelatenheid. Hij wijdde zich aan zijn werk en had op zijn fabriek weldra de beste reputatie. Toen voelde hij dat de houding van zijn medewerkers jegens hem veranderde. Het scheen dat zij naar hem keken en lachten, en steeds, als hij naar de badkamer ging, volgden enigen hem. Mannen zijn meestal onverschillig voor elkaars anatomie, dus men moest iets hebben bemerkt en iemand moest hebben gepraat.
De spanning zich een voorwerp van spot te weten, deed hem geen goed. Zijn werk leed eronder. De bedrijfsleider vroeg hem naar de reden, maar hij gaf een ontwijkend en misschien wel onbeleefd antwoord. Toen liet de directeur – de vader van de jonge soldaat op de foto – hem in zijn privé-kantoor komen en met veel tact kwam hij achter de waarheid.
Mijn onderzoek bevestigde de misvorming. De penis was verschrompeld tot de grootte van een pink en werd door het samengetrokken littekenweefsel naar achteren getrokken. De testikels zaten in verschrompelde zakjes. Het was een deerniswekkend gezicht. Toen het tot hem doordrong dat, wat hij zo lang als zijn schande verborgen had gehouden, nu aan den dag was gekomen, werd hij weer door schaamte overvallen. Haastig bedekte hij zich en ging zich kleden. Toen hij weer in de stoel tegenover mij zat, was hij bleek en beefde. Voor ik iets kon zeggen, verborg hij zijn gezicht in zijn handen en snikte: „Ik kan zo niet langer doorgaan! Als u me niet kunt helpen, dokter..." Ik wachtte. Vele tonelen in vele operatiezalen zag ik aan mijn oog voorbijgaan. In de jaren, volgend op de eerste wereldoorlog, waren de Russen trots op Froemkins primitieve techniek, waarbij een stuk kraakbeen van de rib als implantaat werd gebruikt. Sindsdien was er een andere grote oorlog en een andere generatie van verminkten gekomen. En het medische beroep had met nieuwe en betere technieken de uitdaging daarvan aanvaard.
Mijneer Jansen, nu zichzelf weer meester, vroeg mij opnieuw: „U wilt mij toch wel helpen, dokter?"

„Ja, ik kan u helpen en natuurlijk wil ik het ook," antwoordde ik. Een groep dokters heeft ter wille van deze Jansen hun gezamenlijke kennis en vaardigheid ter beschikking gesteld. Wij wisten zonder meer welke betekenis deze operatie voor het toekomstig geluk van de jongeman zou hebben. Het geval was zo'n uitdaging aan hun kunnen, en het welslagen was zo beslissend voor de patiënt, dat deze collega's geen aanspraak op honorarium maakten. Wij hadden niet alleen een ingewikkeld geval van plastische chirurgie voor ons, wij hadden ook nog een medisch probleem, want wij zouden de normale seksuele ontwikkeling die gedurende de jaren sinds het ongeval had moeten plaatsvinden, maar door de beschadiging en de daarop volgende littekenvorming werd gestuit, weer moeten opwekken. Om dit te stimuleren, dienden wij hem dagelijkse doses testosteron toe, dat wil zeggen mannelijke geslachtshormonen. Wij begonnen daarmee zodra de jongen in het ziekenhuis kwam en gingen er gedurende zijn gehele verblijf mee door.
In de operatiezaal was onze eerste stap het verwijderen van de geschonden opperhuid. Met andere woorden: wij herschiepen de oorspronkelijk wond. Voor het lid werd een dunne huidlap van de onderbuik genomen. Deze lap werd veel groter gesneden dan de te bedekken plek, want wij verwachtten dat het orgaan, als eenmaal de nauwe buis van geschonden weefsel zou zijn weggenomen, in grootte zou toenemen. De voorhuid, die gelukkig onbeschadigd was, werd teruggedraaid en aan de huidlap gehecht waar deze de schacht van het lid bedekte. Het perineum, het gedeelte dat van de wortel van de penis tot de anus reikt, werd met stukken huid van de binnenkant van de liezen bedekt.
De transplantaat deed het prachtig. De voorhuid bleef enige tijd gezwollen, maar dat duurde niet lang. Na een maand was de jongen aan de tweede operatie toe. Bij deze behandeling begonnen wij de wederopbouw van het scrotum*. Er werden stukken huid van de rechterdij genomen en van het perineum, het gedeelte dat wij reeds hersteld hadden. Hiervan vormden wij de zakken. De zaadklieren werden in hun nieuwe tehuis geïnstalleerd en het scrotum werd met stevige hechtingen gesloten. Het tekort op de dij werd door een dunne huidlap van dichtbij bedekt.

---

* Balzak.

De verandering in de jongeman was wonderbaarlijk. Hij had geen psychotherapie nodig. Zelfs de lange weken die hij bewegingloos in een gipsverband moest doorbrengen, konden zijn geestdrift niet dempen. De bevrijding van zijn geheime wanhoop maakte hem weer tot een gelukkige, goedgehumeurde jongeman, met een levendige Ierse humor. Zijn nieuwe levensvreugde was groot genoeg voor het verdrijven van de sombere buien van de verbitterde Griekse zeeman, die in het bed naast hem lag. Jansen openbaarde ons een verborgen talent door een getekend verslag te maken van de operaties die zijn buurman en hijzelf hadden ondergaan.
Nicky, zoals wij hem zullen noemen, was een dertiger. Hij had zijn vrouw en kinderen voor zijn ogen zien doodschieten en was uit een concentratiekamp ontsnapt, om zich gedurende de bezetting van zijn land bij de guerrillastrijders te voegen. Hij had bij een gevecht het bovenste derde deel en het lelletje van zijn oor verloren en een van de chirurgen, die aan het herstel van Jansen had meegewerkt, vroeg hem bij de reparatie van Nicky's oor een handje te helpen.
Mijn collega volbracht een prachtige reconstructie, die in vier stadia werd uitgevoerd. Eerst maakte hij van geconserveerd kraakbeen een implantatie voor de omtrek van het oor en toen vormde hij de rest van het oor, stap voor stap, uit weefsel dat hij verkreeg door een opgerold steeltransplantaat uit de hals.
Onze geniale Ier maakte van iedere stap een nauwkeurige schets. De staf van het ziekenhuis en bezoekende dokters kwamen geregeld om naar het grote bord te kijken dat wij aan de muur tegenover de bedden van Jansen en Nicky hadden opgehangen. Bij mijn veelvuldige bezoeken bemerkte ik de verbetering in Nicky's gemoedstoestand, en eens op een dag zag ik dat onze slimme Ier niet alleen de nieuwe toestand van Nicky's oor had getekend, maar ook had hij kleine lachtrekjes in het gezicht van zijn kamergenoot teweeggebracht.
Nicky was begonnen mij plagende vragen te stellen. Hij vroeg onder andere hoe en waarom een vrouw het beroep van chirurg zou kiezen.
In het bijzonder wilde hij alles weten omtrent mijn verhouding tot mijn mannelijke patiënten. Hij beweerde niet te kunnen begrijpen waarom een man een vrouwelijke dokter zou raadplegen.

Lachend wees ik naar Jansen. „Waarom vraag je het hem niet?" vroeg ik.
Uit het andere bed kwam een schaapachtig antwoord: „Ik zou het nooit gedaan hebben, maar mijn baas heeft haar aanbevolen. Maar kerel, wat ben ik blij dat ik naar een vrouw ben gegaan! Zij voelt alles veel dieper dan een man."
Nicky was niet verlegen. „Schaamde jij je niet toen je voor haar stond?" Jansen schudde het hoofd. „Dat witte, gesteven uniform doet je vergeten dat je met een vrouw spreekt. Ik was alleen bang dat zij mij zou uitlachen en wegsturen." Met een warme blik op mij voegde hij eraan toe: „Dat heb ik anders ondervonden!"
Maar Nicky was nog niet klaar met me. „Zeg nou eens eerlijk, dokter, heeft er nooit een patiënt geprobeerd u het hof te maken?"
Ditmaal was ik het die verlegen werd. Ik herinnerde mij de talloze mannen die meenden hun dankbaarheid met een omhelzing te moeten tonen.
Een was erbij voor wie de gebondenheid aan de vrouw „die hem van binnen had gezien" zo overweldigend was, dat hij mij naar Europa volgde en om die reis te kunnen betalen zijn levensverzekeringspolis beleende. Hij kocht zelfs avondkleren opdat hij, hoewel hij toeristenklasse reisde, mij voor diners en dansavondjes aan boord van het schip zou kunnen uitnodigen. Hij liet iedere morgen een gedicht onder mijn deur door glijden en eerst toen wij in Parijs aankwamen, kon ik hem overtuigen dat de dokter-patiënt verhouding onpersoonlijk is en moet zijn.
Ik had heel wat kunnen vertellen over de verwarde emoties, die mannelijke patiënten soms jegens een vrouwelijke chirurg tonen. Maar deze twee hier waren ook patiënten en dus niet het juiste publiek. Ik wenste hun goedenacht en ging heen.

HOOFDSTUK 41

HOMOSEKSUELEN

TOT DE KLANTEN VAN DE PLASTISCH CHIRURG BEHOREN OOK DE leden van een minderheid die zich in Amerika de „gay set"* noemen. Dat zijn de homoseksuelen.

In de oude Griekse tijd werden zij normaal als leden van de gemeenschap aanvaard, maar de moderne samenleving denkt er anders over. Velen hunner houden vrede met de maatschappij door zich bij hun werk en in de menselijke verhoudingen – behalve in de allerintiemste natuurlijk – als normale mannen en vrouwen te gedragen. Hun privé-leven houden zij voor zichzelf. Anderen getroosten zich de grootste inspanning om tot normale seksuele verhoudingen te komen, en velen van hen slagen daarin. En weer anderen keren zich agressief tegen wat zij een onverdedigbaar vooroordeel achten. Mensen van beiderlei sekse die onder ongewone spanningen moeten leven, zijn soms in staat tot gewelddaden; homoseksuelen leven voortdurend onder spanning, veroorzaakt door maatschappelijk vooroordeel zowel als door hun eigen innerlijk. Van deze speciale groep kwamen er dan ook wel naar mijn spreekuur om de gevolgen van geweld te laten herstellen.

Meer dan eens ben ik in de late uren van de nacht geroepen voor de behandeling van letsel, het gevolg van tonelen die als twist begonnen en in gevechten eindigden. Een dergelijke noodkreet kwam op een nacht van iemand die mij smeekte direct te willen komen om zijn vriend te behandelen. De man die mij had geroepen, bleek een modetekenaar te zijn, en zijn vriend was een zeer goede pianist, die soms componeerde. Zij hadden al tien jaar lang een verhouding, maar men kon niet zeggen dat die bijzonder glad verliep.

---

* Ook in verband met een betekenis die in Amerika aan het woord „gay" wordt toegekend, zal de vertaling van deze uitdrukking eerder „de moedigen" of „de durvers" dan „de vrolijken" of „de opgewekten" dienen te luiden.

Voortdurend waren er ruzies, opgewonden scènes, breuken en verzoeningen. Op die bewuste avond waren zij naar een feestje gegaan. De pianist had enige belangstelling voor een van de aanwezigen getoond. De tekenaar was jaloers, er kwam ruzie – en de tekenaar sloeg de deur op de vingers van de pianist dicht.
Nu was hij door berouw overmand en een flauwte nabij. Bij mijn binnenkomst wist ik waarlijk niet wie het eerst hulp nodig had, hij of zijn vriend. Gelukkig waren de vingers van de pianist niet gebroken en de zenuwen waren niet beschadigd. Ik moest er alleen voor zorgen dat het bloeden werd gestelpt, de spieren, weefsels en huid gehecht, en wel op zo'n manier dat de littekens later geen stijfheid van de vingers of belemmering voor zijn spel zouden veroorzaken.
Een andere nacht werd ik opgebeld door een oude vriend, een hotelhouder, die wist dat hij op mijn discretie kon rekenen. In zijn hotel had een jongeman geprobeerd zelfmoord te plegen. Dat was hem niet gelukt, maar blijkbaar liep hij gevaar dood te bloeden.
De jongen lag op het bed te midden van met bloed bevlekte lakens, en bloedde uit een wond aan een van zijn slapen. In de kamer stond geschrokken en angstig een hoge officier, een reeds oudere man.
De officier vertelde dat, toen zij korte tijd tevoren afscheid namen, de jongen gedreigd had zich van kant te zullen maken. De officier was hem gevolgd naar zijn kamer en kwam juist op tijd om op het ogenblik dat de jongen de trekker overhaalde, het wapen opzij te slaan.
Het was een oppervlakkige wond; het afbinden van een paar adertjes en zestien hechtingen maakten de lichamelijke schade weer in orde. De emotionele schade kon niet zo gauw worden hersteld. Oorlog kan vele wonden slaan. In dit geval hadden de vrees en de spanning van maanden in het vuur te zijn een onvolgroeide jongen ertoe gebracht een sterke emotionele binding te vormen met de officier onder wie hij diende. Nu de oorlog voorbij was en de officier naar zijn huis en gezin terugkeerde, voelde de jongen zich eenzaam en verlaten door degene die hij het meest van alles in de wereld liefhad.
De officier kon niet veel anders doen dan de jongen zijn sympathie betuigen en hopen dat hij „er wel overheen zou komen", zoals hij het uitdrukte.

Ik weet niet wat er verder met de jongen is gebeurd. Als hij verstandige, begrijpende ouders had en een persoonlijkheid die nog rijpen moest, dan zou hij waarschijnlijk later op deze episode terugzien als op een oorlogservaring, en het hele geval vergeten. Als hij van huis uit een onevenwichtig karakter had, kan het een begin zijn geweest van een leven vol emotionele conflicten. En als de omstandigheden ertoe leidden, zou hij voortaan de homoseksualiteit aanhangen.
Er is niet altijd een scherpe scheidslijn. De keuze tussen een homoseksueel en heteroseksueel leven wordt in sommige gevallen door het toeval bepaald. Hazel Jordan bijvoorbeeld, zou beschouwd kunnen worden als een slachtoffer van de toevallige omstandigheid dat haar vader naar olie boorde en op een goede dag schatrijk werd. Maar Hazels geschiedenis had een onverwacht einde, dat ik tot mijn genoegen heb bijgewoond.
Het meisje, dat in de olievelden van het zuidwesten was opgegroeid, verlangde er altijd naar in New York te kunnen wonen, liefst in Greenwich Village*, en haar leven aan de kunst te wijden. Nu haar vader zo rijk was, bestond er geen enkele reden waarom zij dat niet zou kunnen doen. Zij reisde naar New York en in een van de bochtige straten die op Washington Square uitkomen, huurde zij een atelier-flat. Zij was een prettig, vriendelijk, royaal meisje, en op de avondjes die zij gaf, was er altijd veel te eten en te drinken. Daarom had zij dan ook al heel gauw een grote vriendenkring.
Van de jongemannen wilde zij niets weten. Zij was ervan overtuigd dat het hen niet om haar, maar om de oliebronnen van haar vader te doen was. Toen een van de meisjes, die op haar avondjes kwamen – een knap, blond danseresje – haar de hartelijkheid bood waar zij naar verlangde, twijfelde zij merkwaardig genoeg niet aan haar bedoelingen. Het kwam niet bij haar op dat voor Hattie haar grootste aantrekkelijkheid bestond uit het feit dat er regelmatig cheques van een bank in Texas binnenkwamen. Hattie mocht Hazel wel, maar nog meer hield zij van de luxueuze flat, de mooie kleren en vooral de balletlessen, die haar misschien eens een grote reputatie zouden brengen.
Toen stierf Hazels moeder. Na de begrafenis stelde haar vader

* De New Yorkse artiestenbuurt.

haar voor om, nu zij haar New Yorks avontuur had gehad, weer thuis te komen, het huishouden te beheren en uit te kijken naar een goede man uit Texas, die misschien zelf wel een paar oliebronnen bezat. Geschrokken protesteerde Hazel en zei dat zij terug moest naar New York en Hattie; haar opgewondenheid maakte het haar vader duidelijk dat zijn kleine meisje in New York een verdorven leven leidde. Daar hij geen enkele manier had om haar te weerhouden dan door de koorden van de beurs aan te halen, gaf hij de bank opdracht haar geen toelage meer te zenden. Hattie, trouw aan haar eigen opvatting van liefde en leven, verliet daarop prompt de flat.

Hazel, worstelend om met haar snel wegslinkende geldmiddelen het hoofd boven water te houden, voelde zich eenzaam en verloren. Zij besprak de situatie met een vriend. Teddy, een jongeman die naar de stad was gekomen om muziek te studeren en wiens goed gesitueerde familie in Philadelphia zijn toelage introk, toen ontdekt werd dat hij een homoseksuele verhouding was begonnen. Samen vormden zij een plan: zij zouden zich in één klap op hun families wreken en hun financiële steun terugwinnen door een huwelijk, dat zij op hun eigen manier zouden inrichten.

Midland in Texas en Philadelphia duizelden een ogenblik bij het bericht dat de afgedwaalde kinderen wilden trouwen, maar beide vaders kwamen met een zeer behoorlijke financiële regeling over de brug. In hun comfortabele flat leefden de jonggehuwden echter ieder hun eigen leven. Zij woonden samen, aten samen, gaven avondjes en zetten zonder de minste onenigheid hun afzonderlijke liefdesaffaires voort. Het was, vonden zij, een ideale oplossing, tot op zekere avond de jonge echtgenoot met zijn eerste contract thuiskwam. Hij ging met het symfonie-orkest spelen. Jubelend sloeg hij zijn armen om Hazel heen en ontdekte voor het eerst dat hij het plezierig vond zijn vrouw te omarmen. Verschrikt vluchtte Hazel en bracht de nacht bij een vriendin door.

Zover was het gekomen toen Hazel, op aanraden van een vriend, bij mij kwam. Zij bekende mij wat zij haar man bij hun worsteling had ontkend; ook zij had nieuwe, normale, vrouwelijke gevoelens ontdekt. Zij was in de maanden dat zij samen een huishouden hadden gehad en voor de buitenwereld een huwelijk hadden geimiteerd, veel van haar man gaan houden. Zij zou graag een

vrouw in de ware zin van het woord voor hem willen zijn. Maar...
Toen bleek dat zij doodsbang was voor mannen en voor seksualiteit; misschien was dit een van de verborgen redenen waarom zij homoseksueel was geworden. Zij had de mannen dronken en bestiaal gezien, smijtend met het geld en klaar met de vuisten om hun vrouwen te slaan. Teddy was natuurlijk niet zo – zij kende Teddy! Zij bekende verder dat zij bang voor pijn was en vreesde haar man te zullen teleurstellen. Zonder twijfel zaten haar angsten veel dieper. Toch wilde zij haar man liefhebben en zij wilde dat hij haar ook liefhad. Met verscheidene jaren van Greenwich Village-ervaring achter de rug, was zij toch even bang en verward als een onschuldig, onwetend bruidje op de avond vóór het huwelijk.

Hazel had twee soorten hulp nodig, die ik haar beide gaarne gaf. Een kleine insnijding in het maagdenvlies zorgde ervoor dat haar nieuwe leven zonder veel pijn kon beginnen. Een moederlijk gesprek van hart tot hart kalmeerde haar angsten. Ervaring en een goed huwelijk moesten de rest doen.

Dit huwelijk, dat zo ongewoon begon, wèrd een goed huwelijk. Hazel kreeg in drie jaar tijds twee kinderen en zij vormden een gelukkig, typisch Amerikaans gezin. De ironie van het leven wilde dat deze twee verdwaalde jonge mensen niet – zoals het in sprookjes gaat – door hun deugden tot geluk kwamen, maar door hun teleurstellingen. Het lot gaat vreemde wegen, en ik denk vaak dat alleen een dokter weet hoe vreemd die wegen kunnen zijn.

HOOFDSTUK 42

DE HEL DER INTERSEKSUALITEIT

DANK ZIJ EEN PATIËNT BEN IK IN STAAT GEWEEST EEN VAN DIE ZELDzame biologische raadsels, een geval van werkelijk hermafroditisme*, waar te nemen en op te lossen. Degene op wiens raad hij kwam, was uitermate onthutst door het probleem van deze jongeman, een schrijver die wij Victor zullen noemen.

Er waren in Victors leven geen vrouwen. Maar ook geen mannen. Hij beschreef in zijn korte verhalen helden van indrukwekkende mannelijkheid, en hij was niet te goed om de conversatie van zijn homoseksuele vriend te gebruiken als de woorden van een gedegenereerde. Dit was dezelfde vriend die eindelijk Victors weerstand brak en hem overhaalde om voor zijn ongewone probleem deskundige hulp in te roepen, en als het nodig mocht blijken zelfs chirurgisch ingrijpen.

Toen Victor in mijn spreekkamer tegenover mij zat, was ik het er met mijzelf niet over eens of hij een verwijfde man dan wel een mannelijk aandoende vrouw was. De waarheid begon voor den dag te komen toen hij mij vertelde dat hij zowel zeer lichte menstruatieperioden als nachtelijke afscheidingen had, de zogenaamde „natte dromen". Bij het onderzoek bleek dat hij een echte hermafrodiet was, toegerust met de organen van beide seksen. Beide waren gelijkelijk onderontwikkeld. Dat hij geen seksuele verlangens in een van beide richtingen kende, was begrijpelijk. Ik begreep ook dat hij ervoor terugschrok zijn lang bewaard geheim zelfs aan een dokter te openbaren, en dat hij daar nog veel minder voor voelde toen bleek dat de dokter, die zijn vriend hem had opgedrongen, een vrouw was. Aan het eind van dit bezoek bekende hij mij spontaan zijn vrees en voegde eraan toe blij te zijn dat hij zich niet

*Dubbelslachtigheid.

aan de mogelijke spot van een mannelijke dokter had uitgeleverd. Ik verzekerde hem dat geen medicus die zijn beroep waardig was, hetzij man of vrouw, hem ooit zou hebben bespot, maar hij hield vol dat het een opluchting en een troost voor hem was dat hij met mij gesproken had.
Voor dit interessante geval riep ik enige collega's in consult. Victors bloed toonde een lichte meerderheid aan mannelijke hormonen. De in consult geroepen dokters, allen mannen, twijfelden er geen ogenblik aan dat Victor een man behoorde te zijn. Ik was het met hen eens, niet omdat – zoals enkele van hen te kennen gaven – als men toch kon kiezen het beter was een man te zijn dan een vrouw, maar op grond van mijn op waarnemingen gebaseerde overtuiging dat hij in de allereerste instantie een man was, en dus van zijn vrouwelijke organen moest worden verlost.
In overeenstemming hiermee werden de eierstokken, eileiders en baarmoeder weggenomen. Het kleine vaginale kanaal werd van de slijmvliezen ontdaan en voorgoed gesloten. Er werden hem grote hoeveelheden mannelijk hormonen toegediend, die zijn gestoorde orgaanontwikkeling mettertijd zouden herstellen en een complete man van hem maken.
Inderdaad was Victors rehabilitatie zo volkomen dat hij een vurig voorstander werd van normale liefde tussen de seksen en een felle tegenstander van homoseksualiteit. Hij baarde opzien door het Kinsey-rapport* in de pers aan te vallen en dokter Kinsey een leugenaar op statistisch gebied te noemen, terwijl hij de opvoeders smeekte de jeugd niet tot het peil van beesten te laten vervallen.
Van literatuur kwam hij tot lezingen over het eeuwige onderwerp der seksualiteit, en hij werd belegerd door verdoolde zielen die tot hem kwamen om hulp en raad. Het moet gezegd worden dat hij, wanneer hij de noodzaak van deskundige hulp inzag, de lijders altijd naar de juiste specialisten verwees.
In ongeveer dezelfde tijd dat Victor uit zijn interseksualiteit tot volledige mannelijkheid rees, publiceerden de kranten sensationele artikelen over beweerde omvormingen van mannen tot vrouwen.

* Alfred Charles Kinsey, Amerikaans bioloog en seksuoloog, begon kort voor de tweede wereldoorlog een massaal onderzoek naar het seksuele gedrag van de mens. In 1948 verscheen het rapport: Sexual behavior in the human male, en in 1953: Sexual behavior in the human female.

Deze veelbesproken gevallen deden velen geloven dat het hier om gevallen van hermafroditisme ging. De belangrijkste waren dat zeer zeker niet. Dat waren mannen wier afkeer van hun eigen manzijn zo groot was, dat zij ieder middel, chirurgie, plastische chirurgie en hormonale behandeling te baat wilden nemen om vrouw te kunnen zijn.
Zij leden aan het zogenaamde transvestitisme, waarbij door een verandering in kleding een verandering van sekse wordt nagestreefd. De meesten hunner zijn reeds met een maskerade als leden van de andere sekse tevreden, ofschoon er in de medische en officiële documenten gevallen bekend zijn waarbij deze lieden in vermomming in het huwelijk traden.
De gevallen waar de kranten over schreven, waren mannen die hun transvestitisme tot het uiterste hadden doorgedreven. De medische wetenschap, – chirurgie en vooral plastische chirurgie – heeft voor hen gedaan wat in vorige generaties nooit kon worden bereikt, en dus moet men hen tegenwoordig eigenlijk anders aanduiden. Een grapjas vond voor hen de naam „convertibelen", maar in de huidige geneeskunde worden zij *trans-seksuelen* genoemd. Een van de in de kranten gepubliceerde gevallen betrof een Schotse vrouw die wettig als man werd erkend en haar, of liever zijn, huishoudster trouwde. Al de andere vermaard geworden gevallen waren veranderingen van man tot vrouw.
Er zijn natuurlijk grenzen aan de bekwaamheid van de dokters om deze trans-seksuelen te voorzien van wat de natuur hun onthouden heeft. Plastische chirurgie geeft hun borsten. Hormonen geven hun ronde lichaamsvormen en een weelderige haardos, maar van hun baard heeft niemand hen ooit af kunnen helpen en hun knappe gezichtjes moeten iedere dag worden geschoren. Ook is het nog niemand gelukt hun een vagina te bezorgen – dat ene, seksueel zo noodzakelijke vrouwelijke orgaan. In een van deze „beroemde" gevallen genoot de nieuw gecreëerde vrouw naar buiten een groot persoonlijk en commercieel succes, maar in werkelijkheid was zij diep ongelukkig, omdat de uiteindelijke chirurgische stap, het maken van een vagina, niet was gelukt. In de gevallen die ik zelf heb kunnen onderzoeken, was de reden voor deze mislukking duidelijk. De uitwendige mannelijke organen waren verwijderd, maar daar hield de verandering mee op. De prostaat, die door de be-

handeling weliswaar krimpt, blijft toch aanwezig en laat tussen urinebuis en anus geen ruimte en diepte voor het scheppen van een vagina.
Het is moeilijk de betekenis van dit alles voor de vreemde man-vrouw karakters te begrijpen, tenzij men als dokter met hen heeft gesproken. De meesten, misschien wel allen, hebben de spreekkamers van psychiaters en psychoanalisten bezocht. Psychiaters die met hen hebben gewerkt, vertellen dat zij niet te bereiken zijn; indien men tracht hen tot het aanvaarden van hun man-zijn te brengen, stuit men als op een stenen muur van weerstand. Zij zijn ervan overtuigd dat zij vrouwen zijn en dat de natuur, door hun mannelijke organen te geven, een vergissing heeft begaan. Zij voelen zich vrouwen; zij willen er als vrouwen uitzien en als vrouwen leven. Men krijgt een inzicht in de intensiteit van hun verlangen indien men de kosten van de „overgang" berekent in tijd, geld, lichamelijke pijn en geestelijk lijden. Twee jaren lang moet de patiënt in volmaakte afzondering doorbrengen. Hij moet zijn werk, zijn vrienden en zelfs familieleden opgeven en zich aan voortdurende medische en chirurgische behandelingen onderwerpen. De bedragen die zij voor dit alles – hospitaalverzorging en twee jaar levensonderhoud – nodig hebben, zijn aanzienlijk
En dan zijn er de wettelijke verwikkelingen. In vele staten van Amerika kan een persoon die zich in de kleren van het andere geslacht vertoont, onmiddellijk gearresteerd worden. De nieuwe vrouw moet bij de politie een kaart aanvragen waarop zij als vrouw erkend wordt. Ook moet zij bij het Ministerie van Buitenlandse Zaken of, indien de verandering in het buitenland plaatsvindt, bij de vertegenwoordigers aldaar een verandering van het geslacht in het paspoort aanvragen.
Een dokter, zelfs al is hij niet in staat hen te helpen, zal jegens deze patiënten toch altijd een begrijpende houding aannemen. Maar de meeste medici koesteren een sterke ethische tegenzin ten aanzien van castratie, dus het wegnemen van de mannelijke teeldelen, en dat is bij een dergelijke „overgang" nu eenmaal de eerste chirurgische stap.
De operatie is niet tegen de wet, hoewel er in Denemarken enige tijd geleden een wet is uitgevaardigd die vreemdelingen verplicht de operatie buiten Denemarken te laten verrichten. Dit was om

de stroom te stuiten van buitenlanders die naar de Deense kliniek trokken waar de vermaardste van deze operaties waren verricht. De medische verzekeringsmaatschappijen beschouwden castratie echter als moedwillige verminking, behalve in gevallen van ziekte of letsel aan het orgaan.

Wat mij persoonlijk betreft, ik zou alles in het werk stellen om bij deze mensen hun mannelijkheid te ontwikkelen en te bevestigen. Waar psychiatrische behandeling niet slaagt, kan endocrinologie* de toestand verbeteren door de ontwikkeling en werking van de mannelijke organen aan te moedigen. Conversie moet slechts, gezien de gevaren, de teleurstellingen en de onherroepelijkheid, in laatste instantie worden toegepast, dus wanneer er gevaar voor geestesziekte of zelfmoord bestaat.

Er moeten tijdens de groeijaren zeker tekenen van onvoldoende ontwikkeling zijn, die later bij volwassenheid tot zulk een seksuele verwarring kunnen leiden, en het zou wenselijk zijn indien alle ouders hierop werd gewezen.

Een van de toenmaals medisch zeer bekende trans-seksuelen vertelde mij althans dat in de jaren van zijn groei zijn stem nooit veranderde, en dat zelfs vóór chirurgie en hormonen de conversie hadden voltooid, zijn stem een vrouwelijk timbre had, iets dat zelfs een hoge mannenstem nooit heeft. Indien de ouders geweten hadden wat wij heden ten dage weten, zou men, door hem in de groeijaren een hormonenbehandeling te geven, voor een normale ontwikkeling hebben kunnen zorgen.

Toen uit het buitenland werd vernomen dat sommige mannen de scheidslijn van de geslachten hadden overschreden, was het onvermijdelijk dat anderen zouden trachten hun voorbeeld te volgen. Een van hen, die ik Joseph zal noemen, begon een persoonlijke campagne door dagelijks naar mijn spreekuur te komen, in de hoop mijn hulp te verkrijgen. Hij was geen homoseksueel. Het was een nette man, achter in de dertig, die als statisticus bij een grote maatschappij werkte. Hij bemoeide zich niet meer met zijn collega's dan voor het uitwisselen van enkele dagelijkse beleefdheden nodig was en voor zover ik kon nagaan, had hij geen familie, vrienden of privé-leven. Hij bewoonde een kleine flat, als een kluizenaar in een

---

* Leer der interne secretie, de klierwerking dus.

grotwoning in Manhattan, alleen te midden van miljoenen mensen. Zelfs met de wildste fantasie zou men hem nooit hebben uitgezocht als kandidaat voor iets dat ook maar in het minst ongewoon of sensationeel was. En deze bescheiden, onopvallende, doodgewone man had zijn leven lang gewenst een vrouw te zijn. . .

Hij was van het onderwerp volkomen op de hoogte. Hij citeerde uit Jungs verhandeling over transvestitisme en andere autoriteiten op het gebied van seksuele afwijkingen. Hij kende ieder detail van de chirurgische ingrepen die voor de conversie nodig waren. Hij had de enkelen die de operatie hadden ondergaan, opgezocht en met hen gesproken. Hij kende de wet en de medische uitspraken over dit onderwerp, zowel de binnen- als de buitenlandse. Hij kende ook de moeilijkheden en de gevaren die eraan verbonden waren. Niettemin was hij vast besloten zijn plan te verwezenlijken.

Ofschoon ik het antwoord bij voorbaat zelf had kunnen geven, vroeg ik hem naar zijn kindertijd. Zijn vader stierf toen hij tien jaar oud was en zijn moeder moest werken om voor haarzelf en hem de kost te verdienen. Hij was verlegen, gevoelig, aanhankelijk en eenzaam. Er was, toen hij een opgroeiende jongen was, iets met een meisje geweest waarvoor hij door zijn moeder hardhandig was afgestraft, en als jongeman had hij zich tweemaal aarzelend aan homoseksuele toenaderingen onderworpen. Overigens had hij geen ervaring, noch homoseksueel, noch normaal. Hij weigerde botweg naar een psychiater te gaan. Hij beschreef zichzelf als van het vrouwelijke, ontvankelijke type, en hield vol dat de enige oplossing voor hem bestond in de overgang tot het vrouwelijke geslacht.

Ik probeerde hem uit te leggen waarom dokters er niets voor voelen een dergelijk geval te entameren, en hij had zijn antwoord klaar. Als chirurgen weigerden hem te castreren, wist hij wel een andere weg om zijn zin te krijgen. Hij zou zorgen dat hij „per ongeluk" dusdanig werd verwond dat er geen wettig bezwaar tegen de operatie zou kunnen bestaan.

Ik huiverde, maar ik kon er verder niets aan doen. Maandenlang viel hij mij lastig met verzoeken om een groep medische pioniers bijeen te roepen, chirurgen en internisten, die de moed zouden hebben de behandeling op zich te nemen. Bij voorkeur vrouwelijke dokters, want voor de spot van zijn eigen geslacht schrok hij terug.

En hij dreigde zo aanhoudend met zelfverminking, dat het mij al angstig te moede werd wanneer ik zijn stem door de telefoon hoorde. Toen hoorde ik een hele tijd niet meer van hem en ik hoopte al dat hij zijn *idee-fixe* had opgegeven, tot hij op zekere dag weer naar mijn spreekkamer kwam, vergezeld door een mannelijk uitziende vrouw, met een diepe stem en stevig gebouwd.
Ziezo, dacht ik, Joseph heeft de ideale oplossing gevonden!
Maar hij wilde iets anders dan een gewoon huwelijk. Zijn metgezellin wilde een man worden. Wat zij mij, in alle ernst, voorstelden, was niet meer of minder dan wederzijdse overplanting van hun seksuele organen!
Zij waren zo ernstig, zo vol vertrouwen dat dit hun geluk en rust zou brengen, dat ik wel naar hen luisteren moest. Ieder van hen sprak over het recht op geluk van de ander, het was duidelijk dat zij zich te zamen tegen de wereld hadden verbonden. Geen van beiden wilde homoseksualiteit, beiden wilden zij de andere sekse aannemen.
Het meisje, Stanja Mesofski, werkte bij een begrafenisondernemer en wist iets van anatomie af. Zij hadden samen het chirurgische probleem bestudeerd en tekeningen gemaakt die in een handboek niet zouden hebben misstaan. Het waren de tekeningen van een knap uitgedachte operatie in drie etappes. De keus van de eerste stap werd aan de chirurg overgelaten. Dat zou òf een overplanting van de vrouwelijke organen naar de man zijn, of andersom. Het zou beide keren een steeltransplantaat zijn, waarbij beide personen te zamen in een pleisterverband onbeweeglijk zouden worden gehouden, alleen in staat om hun hoofden, armen en benen te bewegen. Dit transplantaat zou, naar Stanja dacht, in een maand aangroeien.
Dan zou de tweede transplantatie kunnen worden uitgevoerd.
Ten slotte zouden de kunstmatig geschapen Siamese tweelingen weer worden gescheiden en de chirurgen konden bij ieder van hen de verdere behandeling uitvoeren.
Dat was hun plan. Stanja wilde in de eerste fase liefst de donor zijn, om eerst in de tweede fase te ontvangen. Er was geen twijfel aan dat zij in hun verhouding altijd de leidende persoon zou zijn. Joseph, die bij zijn vorige bezoeken zo welbespraakt was geweest, had nu weinig te zeggen. Hij had zich volkomen overgegeven.

Hun plan was het antwoord dat deze twee ongelukkige mislukten de natuur en de omstandigheden wilden geven. Maar het was fantasie, een uitstapje in een sprookjesland van de plastische chirurgie, waar een dokter, die met mogelijkheden rekening moet houden, hen niet kon volgen. Ik vertelde hun dat hun plan onmogelijk kon worden uitgevoerd, en bedroefd sloten zij de deur van mijn spreekkamer achter zich.

HOOFDSTUK 43

PRIVÉ-LEVEN

DE JAREN HEBBEN MIJ GELEERD DAT WERK EN LIEFDE DE BELANGrijkste dingen in het leven zijn. Als het ons aan het een ontbreekt, proberen wij dat tekort met het ander goed te maken. Als wij beide moeten missen, verliest het leven zijn vreugde en zijn zin.

Eens, lang geleden, had ik op het terras van Edenhal aan mijn ouders gezegd dat geneeskunde en chirurgie altijd de eerste plaats in mijn leven zouden innemen en mijn man zich met de tweede plaats tevreden zou moeten stellen.

De tijd heeft die voorspelling bewaarheid. Ondanks vele hindernissen bleef ik trouw aan mijn werk, dat de ziel van mijn leven was. Maar in de liefde was het mij niet zo goed vergaan. Mijn twee huwelijken waren mislukt, hoewel Stefan zowel als Henry mijn vrienden waren gebleven.

Toen Stefan een paar jaar in Amerika was, kreeg hij een hartaanval. Ik was de enige dokter aan wie hij zich wilde toevertrouwen.

Natuurlijk drong ik op consult met een hartspecialist aan. Zoals dat wel meer gebeurt, toonde het elektrocardiogram na de eerste aanval geen teken van abnormale functie, en een paar uur lang scheen het dat Stefan op weg was naar beterschap. Toch had hij een voorgevoel van het naderende einde. Uit de zuurstoftent zei hij langzaam in het Engels: „Nu begrijp ik de uitdrukking. . ." hij aarzelde, zocht naar het juiste woord en toen, met zijn oude gevoel voor humor, glimlachte hij en gleed terug in het Duits, „*Entschlafen* – ontslapen." Zijn wil om te leven droeg hem door zeven verdere aanvallen, die elkaar snel opvolgden. Mijn tegenwoordigheid scheen hem kracht te geven en ik week niet van zijn zijde. Toen kwam er een van die ongelukkige, mechanische mankementen: de motor van het zuurstoftoestel raakte onklaar. Stefan had de kracht niet meer om zelfs die paar korte minuten zonder zuurstof te leven.

Hij kon niets zeggen, maar met zijn laatste bewuste blik nam hij afscheid.
Ik heb hierboven gezegd dat ook Henry mijn vriend gebleven was. Hij had zichzelf met inspanning van alle krachten weer op de goede weg geholpen. Gedurende en na de oorlog werkte hij in het belang van ontheemde kinderen in Europa. Wanneer hij in New York was, belde hij mij op; dan dineerden wij samen en spraken over de goede en slechte dagen van ons huwelijk.
Meer dan eens stelde hij me voor om het opnieuw samen te proberen. Maar daar kon ik niet op ingaan, en dat niet alleen omdat ik mij vooral de slechte dagen nog zo goed herinnerde. Tijd en ervaring hadden ons echter op verschillende wijzen doen rijpen.
De gedachte aan mijn familie, die zo lang als de oorlog duurde geheel buiten mijn bereik was, had mij, ondanks mijn vermoeidheid na vele uren van werken in het ziekenhuis, vaak slapeloze nachten bezorgd. En ik moest nu eenmaal iets gezonds, iets levends liefhebben.

De herinneringen aan mijn geluk in de dagen met grootvader von Zeller, en ook mijn plicht jegens mijn nieuwe vaderland, toonden mij de weg: ik kocht een boerderij. Er was slechts ruim zes hectare grond bij, maar het was vruchtbare New Yersey-grond, waarop ik wat extra voedsel kon kweken, en daar had Amerika in oorlogstijd grote behoefte aan. Ik had het geluk een landbouwersechtpaar te vinden dat mij met het werk wilde helpen, en al spoedig waren de lege plekken in mijn leven gevuld door problemen over kunstmest en bodembewerking, zaad en de opeenvolging van oogsten en jaargetijden.
Grootvader had mijn werk mogen zien! De tomaten rijpten rood en weelderig en ik zond wagens vol sperziebonen, paprika's, maïs, aubergines, wortelen en meloenen naar de keukendeuren van liefdadigheidsverenigingen. De grond produceerde en ik kon over die rijkdommen beschikken. Ik had nooit vergeten wat tijdens de eerste wereldoorlog honger had betekend en ik kon zelfs geen klein tomaatje verloren zien gaan. Dus kocht ik een zevenliter snelkookpan en mijn gasten mochten gedurende het weekeinde asperges en perziken schillen en mij helpen met het inmaken van de groenten die op dat ogenblik rijp waren. In een zomer had ik zoveel potten

met groenten, vruchten, jams en augurken ingemaakt, dat mijn vrienden mij schertsend aanraadden er een zaak mee te beginnen. Maar mijn zaak was echter de geneeskunde. Iedere morgen ging ik met de auto naar het station, met de trein naar Jersey City, met de pont naar Libertystreet en met de ondergrondse naar mijn praktijk, en iedere avond ging ik dezelfde weg terug. Het zou veel eenvoudiger zijn geweest voor de hele reis de auto te gebruiken, maar het gebrek aan benzine noopte mij, zoals ieder ander, de wagen aan het station te laten staan. Ik behoorde nu dus tot de dagelijkse stroom van forensen, maar *mijn* werk was niet van negen tot vijf! Teneinde om acht uur in de operatiezaal te kunnen zijn, moest ik al om zes uur van de boerderij vertrekken en 's avonds, als mijn mede-forensen zich naar de trein van 5.15 haastten, zat ik gewoonlijk nog bij een patiënt, luisterend naar een klacht, of alleen maar wat kalmerende woorden sprekend. De vele kleine, onverwachte gebeurtenissen in het leven van een dokter houden geen rekening met het spoorboekje. Na het forensen-uur liepen er niet zoveel treinen meer en vaak viel ik in slaap en reed door tot Red Bank, terwijl de wagen aan het station van Mattawan op mij stond te wachten.
Toen ik een paar Engelse setters kreeg, werd het leven nog ingewikkelder. Met wetenschappelijke fokmethoden kwamen er nesten en nog eens nesten jonge hondjes, en al spoedig had ik achtentwintig jachthonden te voederen en af te richten. Toen het vlees op rantsoen ging, schafte ik mij een Duroc-varken aan. Al spoedig wierp zij elf biggetjes, en weldra had ik vijf varkensstallen en nog meer biggetjes. Om het beste varkensvlees te krijgen, moest ik ze met melk voeden, en dat leidde weer tot de aankoop van twee koeien, die ik, ter herinnering aan grootvader, Nellie en Bessie noemde. Er waren nu honderd twintig gezonde beesten op mijn boerderij, maar toen werd mijn jonge boer opgeroepen voor militaire dienst. Zijn vrouw en kinderen vertrokken naar haar moeder. Ik wist mij geen raad, ik kon dit uitgebreide bedrijf niet alleen beheren.
Gelukkig, of misschien niet zo gelukkig, woonde er aan dezelfde weg een weduwnaar, die mij aanbood mijn werk over te nemen. Hij scheen onder de indruk van mijn produktie en wilde graag leren hoe er grote oogsten konden worden gemaakt, goed vee en goede jachthonden konden worden gefokt.

Nu er goed voor mijn boerderij werd gezorgd, werd ik weer een opgewekte forens. Ik raakte aan de vermoeiende, dagelijkse reis gewend. Maar werkeloos in de trein zitten, leek mij tijdverspilling. Dus begon ik te breien, en mijn vele treinuren hadden veel paren sokken voor het Rode Kruis tot resultaat. Ik kan mij een morgen herinneren waarop ik twee operaties had. De zaal werd voor de tweede operatie in gereedheid gebracht, en mijn assistent vroeg mij met hem in de eetzaal van de staf een kopje koffie te drinken. Hij was stomverbaasd en de verpleegsters lachten ongelovig tegen elkaar toen ik mijn breiwerk voor den dag haalde, maar ik kon in de pauze tussen de operaties toch nog een hieltje afbreien.
De weduwnaar deed het heel goed op de boerderij, tenminste dat dacht ik. Hij melkte de koeien, voederde de dieren en zette voor hij weer naar zijn eigen huis terugkeerde mijn avondeten kant en klaar op het fornuis. Om hem mijn waardering te tonen, gaf ik hem een paar zelfgebreide sokken cadeau. Dat bleek een fout te zijn. Want hij bedankte mij en deed mij meteen een huwelijksaanzoek. Ik zou een ideale vrouw voor een boer zijn, zei hij. Met mijn hersens en zijn werkkracht zouden wij de beste boerderij in de staat New Jersey kunnen hebben.
Zo verloor ik mijn trouwe hulp. Toen ik niemand kon vinden om zijn plaats in te nemen, verkocht ik spijtig mijn boerderij en al de dieren en verhuisde weer naar New York.

Ik kan niet ontkennen dat de gedachte aan hertrouwen mij vaak had beziggehouden. Mijn beroep bracht mij dagelijks met mannen in aanraking en deze beroepsbanden leidden vaak tot prettige vriendschappen. Merkwaardig genoeg waren vrouwen nooit jaloers op mij; zij vertrouwden mij zonder argwaan hun echtgenoten of vrienden toe. Soms vroeg ik mij af wat voor man ik zou kiezen als ik weer zou willen trouwen.
Het scheen mij logisch dat hij een academicus moest zijn en waarschijnlijk een collega. Maar het denkbeeld van een huwelijk met een dokter stond mij niet aan. Ik had zulke huwelijken gezien.
Als man en vrouw samen werkten, waren zij kritisch ten aanzien van elkaar, en als zij ieder een andere specialisering hadden, zouden zij elkaar misschien hun succes benijden. Of zij zouden gedurende het eten en tot laat in de nacht over hun werk praten. Dat was niets

voor mij. De man die ik zou trouwen – indien ik al zou trouwen! – moest een heel ander wetenschappelijk beroep hebben.

De oorlog liep ten einde. Het leger van de Verenigde Staten was de Rijn overgetrokken, en van een legerdokter ontving ik een dikke brief. Toen ik die opende, zag ik dat er een tweede brief inzat – en die was in het handschrift van vader! De dokter had mijn vader in de kelder van een gebombardeerd huis gevonden, waar hij planken voor de vensters had geslagen en probeerde zich te warmen bij een vuurtje dat hij van meubels had gestookt.
Vader schreef mij een moedige brief. Moeder was gestorven. De oorlog was praktisch ten einde en hij wilde aan de wederopbouw van Duitsland zijn bijdrage leveren. Zijn enige wens was mij weer te zien.
Zodra de Duitse capitulatie was getekend, begon ik de nodige stappen te doen om het bezette land te kunnen bezoeken. De visa moesten worden getekend door de vertegenwoordigers van de vier overwinnende landen: de Verenigde Staten, Groot-Brittannië, Frankrijk en de Sovjet-Unie. Het kostte veel tijd om mijn weg door de verwikkelingen van de geallieerde samenwerking te vinden. Intussen schreef ik mijn vader, en door de bemiddeling van de bezettende troepen kreeg ik brieven van hem. Ook mijn broer Otto en zijn vrouw waren gevonden. Beiden hadden de oorlog overleefd, en hij werkte nu met de Amerikaanse bezetting samen om te trachten orde te scheppen in de onvoorstelbare chaos van gebombardeerde steden en een verstrooid, verloren volk.
Een brief van Otto meldde mij dat vader ernstig ziek was, dat hij sinds moeder was gestorven niet veel wil meer had om te leven, en dat hij slechts op mijn komst wachtte. Een overhaast bezoek aan Washington, waar vrienden voorbereidend werk voor mij hadden gedaan, bracht veelbelovend resultaat; ik zou binnen een week mijn paspoort krijgen. Andere vrienden deden hun best om mij van een plaats in een vliegtuig te verzekeren. Terwijl ik wachtte, kwam er nog een brief, een korte brief van een Amerikaanse majoor. Vader was overleden.
Ik was diep getroffen. Waarschijnlijk had ik niets voor hem kunnen doen, en ik zou er zeker veel verdriet van hebben gehad om de grote steun van mijn leven te zien lijden. Maar ik zou hem ten-

minste gezien hebben, en mijn bezoek zou de vervulling van zijn laatste wens zijn geweest.
Zoals eerder in het verleden vond ik troost in mijn werk. En langzamerhand begon ik er weer plezier in te krijgen mijn vrienden te zien.
Op een avond trof ik in het huis van een collega een gezelschap dat geïnteresseerd luisterde naar een man die ik nooit eerder had ontmoet. Hij sprak over Amerikaans-Indiaanse muziek. Ik hoorde dat hij tot aan de oorlog concertzanger en vertolker van Indiaanse muziek was geweest en als een autoriteit op het gebied van Indiaans-Amerikaanse geschiedenis uit de tijd vóór Columbus werd beschouwd. Hij werd mij eerst voorgesteld onder zijn Indiaanse naam, Ish-t-Opi (wat in de Choctaw-taal „het allerbeste" betekent) en toen noemde onze gastheer zijn Engelse naam, Wesley Le Roy Robertson. In de loop van de avond hoorde ik meer over hem. In de eerste fase van de oorlog was hij overzee gezonden. Hij was de eerste officier van speciale diensten die werd aangesteld en hij werd door de commanderende generaal voor zijn vrijwillig werk op het gebied van Engels-Amerikaanse verhoudingen tot de rang van kapitein bevorderd. Tijdens de vervulling van een van de vele taken die men in die eerste dagen van de Amerikaanse deelneming aan de oorlog op zich moest nemen, bezocht hij de Britse eilanden voor de organisatie van de Inlichtingendienst, trad als verbindingsman op tussen het Achtste Luchtmachtkorps en het Amerikaanse Rode Kruis en installeerde een opleidingsschool voor seiners. In de eerste wereldoorlog hadden mannen van zijn volk, de Choctaws, zich bij de strijd aan de Marne vermaardheid verworven toen bleek dat hun seincode de enige was die de Duitsers niet konden ontcijferen.
Ernstige verwondingen, die hij bij de uitoefening van zijn plicht had opgelopen, waren oorzaak dat hij zijn muzikale carrière niet kon voortzetten en dus begon hij na de oorlog in een nieuwe richting, en wel als modeontwerper. Toen ik hem ontmoette, had hij zich in dit beroep reeds een zekere reputatie verworven.
Deze begaafde, charmante artiest behoorde tot een wereld die ver van de mijne verwijderd was. Het land waar hij vandaan kwam, Oklahoma en het zuidwesten, was nog onbekend terrein voor mij, en de fantasieën over Amerikaanse Indianen, die mij als kind hadden

geboeid, verbleekten bij de ware geschiedenissen die Ish mij vertelde. Zelfs zijn afstamming was voor mij, een Duitse vrouw die haar leven aan de chirurgie had gewijd, bepaald fascinerend. Een van zijn betovergrootvaders was Push-Ma-Ta-Ha, de aanvoerder van de zuidoostelijke Indianen, die erin slaagde zijn volk ervan te weerhouden zich aan te sluiten bij Tecumsehs poging om de blanke kolonisten uit te roeien, en die op het nationale kerkhof te Arlington begraven is. De Schotse voorvaderen van Ish stamden af van Robert Bruce, wiens zoon de eerste Schotse clan stichtte met de naam „Roberts Son".

In de volgende maanden ontmoetten wij elkaar vaak en wij merkten steeds meer dat wij ons voor dezelfde dingen interesseerden. Wij hielden allebei van het buitenleven en genoten van wandelingen door de bossen of een middag tennis. Ik vernam dat hij een oorlogscursus in geneeskunde had gevolgd en ik was er dan ook zeker van dat hij bij mijn eindeloze verhalen over medische en chirurgische problemen een prettige, begrijpende toehoorder zou zijn.

Langzamerhand groeide uit onze vriendschap een rijpe, hartelijke verhouding, en wij trouwden. Het was niet gemakkelijk voor twee zo totaal verschillende mensen met verschillende karakters en afkomst de weg tot een harmonisch, gelukkig samenleven te vinden. Maar in de loop der jaren is ons dat door goede wil en wederzijdse genegenheid gelukt.

HOOFDSTUK 44

HET OVERWINNEN VAN VREES

NOG EEN ERVARING UIT MIJN LEVEN MOET IK VERTELLEN. DE EED van Hippocrates* zegt: „Ik zal de geneeskunde naar mijn beste weten en vermogen uitoefenen, en trachten de zieken voor kwaad en schade te behoeden.”

Wat mij betreft hebben „weten en vermogen” in het bijzonder kennis en vaardigheid, geduld en verantwoordelijkheid betekend, en vooral: moed. De dokter die zich naar een door pest getroffen stad begeeft om voor de slachtoffers te zorgen en de epidemie te stuiten, of in de oorlog onder vuur de gewonden helpt, ziet in het riskeren van zijn leven slechts een daad van plichtsbetrachting.

Maar er is nog een ander, meer verborgen soort moed, waarop de dokter dag aan dag aan het bed van de zieken en in de operatiezaal moet kunnen rekenen. Dat is de moed om tegen alle kwade kansen in, en zelfs als alle hoop vervlogen schijnt, toch voor een leven te blijven vechten. Het is de moed om ter wille van het behoud van het leven ieder bekend middel te gebruiken, en als dit niet voldoende blijkt, andere middelen te beproeven.

Deze uitdaging heb ik, evenals iedere dokter, heel vaak op mijn weg ontmoet. Het gebeurt echter maar zelden dat hem de handschoen wordt toegeworpen wanneer hij zelf de patiënt is.

Er kwam in New York een bus aan die tussen zijn passagiers een onzichtbare bezoeker meebracht: pokken. Een man die met die bus had gereisd, werd ziek, toen nog een en nog een, en de gemeentelijke gezondheidsdienst deed een beroep op de dokters van de stad om te helpen het gevaar van besmetting voor de bevolking van acht miljoen af te wenden. De wet eist in Amerika geen in-

* Grieks geneesheer, ± 460 tot 377 v. Chr., wordt de vader der moderne geneeskunde genoemd.

enting, maar deze wordt zo algemeen toegepast en de controle is zo scherp, dat zich in de laatste acht jaren in New York geen geval van deze ziekte had voorgedaan. Toch was het te verwachten dat er onder zo'n grote massa ongeteld velen rondliepen die nooit ingeënt waren, en nog meer die in hun kindertijd waren ingeënt, zodat de immuniteit reeds lang voorbij was.
Evenals de meeste van mijn collega's bood ik mijn diensten aan en stond vele uren om de duizenden in te enten, die in lange rijen voor de poliklinieken, de ziekenhuizen, scholen, colleges en politiebureaus stonden te wachten. De plaatselijke voorraad entstof was spoedig uitgeput, en in deze dringende nood werd een beroep gedaan op voorraden van elders. In enkele districten gebruikten de dokters ampullen die nog uit de oorlogsvoorraden afkomstig waren. Daarvan bevatten sommige een veelvoudig serum, dat tegen verschillende ziekten bescherming gaf, en er waren ampullen bij die van minderwaardig glas waren gemaakt, zodat ze gemakkelijk braken. Meer dan eens brak er een in onze handen in stukken.
Het gevaar voor een epidemie was spoedig bezworen, maar niet voor de ziekte twaalf mensen had aangetast, van wie er twee waren gestorven. Daarna was de stad weer in de gewone, dagelijkse sleur teruggegleden. Maar een paar dagen later voelde ik plotseling een intense pijn in de wijsvinger van mijn rechterhand. Binnen achtenveertig uur werd ik overvallen door heftige koude rillingen, afgewisseld door hoge koorts. Antibiotica hielpen niet. Mijn temperatuur liep op tot veertig graden. De vinger werd paarsrood, de hand en de daartoe behorende klieren zwollen onheilspellend op en ik wist dat de ontsteking met ontstellende snelheid in koudvuur was overgegaan.
Ik had mijzelf niet ingeënt en ik geloof ook niet dat een van mijn collega's dat gedurende de noodtoestand had gedaan. Het duurt zeven dagen eer de inenting werkzaam wordt, en dus waren wij gedurende deze periode immers toch niet beschermd? Ik had mijzelf toevallig ingeënt met het glas van een gebroken ampul, niet in een vlezig gedeelte van het lichaam, waar het serum zich vlug kan verspreiden en geen schade aan de omliggende weefsels kan toebrengen, maar in een vinger, waar nauwelijks iets meer is dan vel en been. Vandaar de hevigheid van de infectie en de snelle ontwikkeling tot koudvuur.

De drie collega's die ik te hulp riep, keken ernstig. Zij waren het erover eens dat tenminste de vinger zonder uitstel moest worden geamputeerd. Een van hen greep onmiddellijk de telefoon om voorbereidingen voor een spoedoperatie te treffen.
„Wacht even – waarom kunnen we het niet opensnijden?" Het was een nutteloze vraag, dat wist ik van tevoren.
Zij keken mij medelijdend aan. „Zou jij in zo'n massa durven snijden? Je weet heel goed dat het een kwestie is van leven en dood! Je zou zelf bij een koudvuurpatiënt nooit een lancet gebruiken!"
Toch gelukte het mij hen over te halen tot de volgende morgen te wachten en met tegenzin stelden zij de operatie uit. Ik doorleefde in de volgende uren alle angst en pijn die ik zo vaak aan het bed van mijn patiënten had aanschouwd. Wat moest ik doen? Wat kon ik zonder rechterwijsvinger, misschien wel zonder rechterhand, als chirurg nog doen? Chirurgie was mijn leven!
Sinds de dag dat ik mijn eerste liefde aan mijn beroep had opgeofferd, was er geen medeminnaar geweest. Nu moest ik het aanvaarden dat mijn rechterhand nooit weer een scalpel zou vasthouden
Ik dacht aan mijn patiënten. „Dokter, help mij!" Die kreet, uitgesproken of onuitgesproken, bracht immer al mijn kennis, mijn kracht en mijn doorzettingsvermogen in het geweer.
In sommige gevallen kon ik inderdaad niets anders doen dan hen, nadat alle pogingen vergeefs waren gebleken, helpen het onvermijdelijke te aanvaarden. Maar vaak, nadat alle redelijke hoop moest worden opgegeven, had louter een koppige weigering om de strijd tegen de ziekte te verliezen nog een wapen doen vinden, misschien afkomstig uit de oude kennis van kruiden en tegengiften uit de natuur, misschien uit lang vergeten geneeswijzen, die door de moderne medicijnen waren verdrongen. Toen eens een kind na een neusoperatie voor de tweede maal een inzinking kreeg, had, toen zuurstoftent en antibiotica hadden gefaald, een ouderwets heetwaterverband het leven van mijn kleine patiëntje gered.
Ik liet mijn geest teruggaan door mijn jaren van medische ervaring. Was er iets dat nog zou kunnen helpen? Ik dacht zelfs aan de wonderzalf, het pakje koeiemest, dat door een boer naar de kliniek van professor Bettman werd gebracht en het leven van zijn zoon redde. Als ik maar had geweten hoe, zou ik geprobeerd hebben midden in de nacht in New York koeiemest te vinden.

Zoals vaak gebeurt, bracht de koorts de geest niet in verwarring, maar integendeel tot een helderheid waarin alles wat overbodig was wegviel en alleen de hoop overbleef: dokter, genees uzelf! Deze liefde voor het leven, dat vertrouwen in de bekwaamheid van het lichaam om zichzelf te herstellen, kwam tot mij zoals het in de uren van gevaar, die ik met hen deelde, tot velen van mijn patiënten gekomen was. Als eenmaal de moed tot de strijd is gewekt, vergaart het lichaam zijn krachten en is er hoop.
Indien ik ooit mijn patiënten moed had gegeven, op dit ogenblik gaven zij mij hoop. Wankelend liep ik mijn slaapkamer uit naar de spreekkamer beneden en direct naar het glazen kabinet, waar mijn chirurgische instrumenten glansden, vlekkeloos en gereed.
Ik nam een mesje in mijn linkerhand, doopte mijn rechter in een alcoholoplossing en sneed de etterende massa van mijn wijsvinger tot op het been open. Toen wond ik er een nat verband omheen, ging terug naar bed en viel ten slotte in slaap.
De volgende morgen vroeg belde ik mijn drie collega's op en vroeg hen nog vóór het uur van de operatie naar mijn huis te willen komen. Toen ik hun vertelde wat ik gedaan had, schudden zij afkeurend het hoofd. Maar opgelucht en met vreugde constateerden zij dat het gevaar voorbij was en ik mijn rechterhand weer zou kunnen gebruiken.
Ik heb dit voorval nooit vergeten. Zelfs terwijl ik dit schrijf, voel ik in mijn herinnering weer de pijn.
Veel patiënten geloven, en sommigen hebben het zelfs met bitterheid gezegd, dat de dokter hun pijn veroorzaakt zonder het ooit zelf te voelen. Vooral van de chirurg zegt men dat hij zijn werk verricht met de ongevoeligheid van een automaat. Het schijnt de mensen moeilijk te vallen te begrijpen dat een chirurg met een patiënt meevoelt en meelijdt. Maar in de nacht van mijn beproeving herinnerde ik mij de vele angstige uren die ik aan het bed van mijn patiënten had doorgebracht, herinnerde ik mij hun pijn en hun vrees, die ik, met alles wat in mijn vermogen was, had getracht te verlichten. Het leek mij dat de uren die ik vol mededogen met anderen had doorgebracht, mij nu hielpen om mijn eigen zware beproeving te doorstaan.
Ik moest er ook aan denken hoe gelukkig degenen waren die zich in hun nood tot een kerkelijk geloof konden wenden. Ik ben geen

atheïst; dat zijn maar weinig mensen van de wetenschap. In een wereld die van de kringloop van de zon tot de kringloop van het atoom van een zo oneindige ordening getuigt, is het moeilijk om niet in een universeel plan te geloven. Mijn God is de God van Spinoza, van Voltaire en van Einstein. Deze mannen konden geen „toevallige" wereld aanvaarden. Het is mogelijk om evenals zij diep religieus te zijn, en voor de vrede in zijn ziel toch niet de weg van een gevestigde kerk te volgen.

Dit maakt het uur van lijden tot een uur van diepe eenzaamheid. Maar het lichaam, die wonderbaarlijke, zich steeds vernieuwende machine, bestaat niet uit bloed en zenuwen alleen. Het wordt bewoond door een geest, en hoewel nog nooit iemand erin is geslaagd deze geest in een reageerbuisje of onder de microscoop te zien, kan ik zijn aanwezigheid en zijn onberekenbare macht niet in twijfel trekken. Uit die geest komen krachten die het fysieke lichaam steunen tot boven al het redelijkerwijs te verwachten uithoudingsvermogen. De overwinning van deze onzichtbare wil heb ik gedurende lange dagen en nachten aan menig ziekbed waargenomen. Ik heb gezien hoe hij de vloedgolf van de ziekte stuitte en van hopeloosheid tot hoop en uiteindelijke overwinning voerde.

Zo heb ook ik in mijn ernstige ziekte mijn krachten vergaard. Gedurende bijna een halve eeuw heb ik vreugde en verdriet aanvaard als sprak het vanzelf, en dat zal ik blijven doen, omdat ik een wonderbaarlijke schepping ben – een mens.

Een mens is kwetsbaarder dan het merendeel der dingen om hem heen. Hij is sneller bezeerd, verminkt, verbrijzeld, verschrikt.

Ik ben zelf breekbaarder dan de fijnste instrumenten die ik hanteer.

Maar de mens is ook de bewaarder van iets kostbaars en zeldzaams: het gevoel van persoonlijk bewustzijn, en ieder menselijk wezen vecht om dat te behouden. Met de kracht van de menselijke geest die in hen huist, strijden ondanks alle bedreigingen, gevaren en lijden overal ter wereld mannen en vrouwen om te leven.

Want het is een goede en heerlijke wereld om in te werken, te hopen en lief te hebben.